Le collectionneur

DU MÊME AUTEUR
CHEZ LE MÊME ÉDITEUR

Le Refuge de l'ange, 2008
Si tu m'abandonnes, 2009
La Maison aux souvenirs, 2009
Les Collines de la chance, 2010
Si je te retrouvais, 2011
Un cœur en flammes, 2012
Une femme sous la menace, 2013
Un cœur naufragé, 2014

Nora Roberts

Le Collectionneur

Traduit de l'anglais (États-Unis)
par Joëlle Touati

Titre original
The Collector

Première publication aux États-Unis par G.P. Putnam's Sons, 2014.

Les personnages, les lieux et les situations de ce récit étant purement fictifs, toute ressemblance avec des personnes ou des situations existantes ne saurait être que fortuite.

118, avenue Achille-Peretti
CS70024-92521 Neuilly-sur-Seine cedex
www.michel-lafon.com

À la mémoire de ma mère,
qui collectionnait tout,
et de mon père,
qui lui faisait toujours de la place.

PREMIÈRE PARTIE

Là où j'accroche mon chapeau, je suis chez moi.

JOHNNY MERCER

1

Enfin, ils étaient partis. Les clients, surtout les nouveaux, avaient tendance à répéter mille fois leurs recommandations, leurs numéros de téléphone, avant de se résoudre à lui remettre leurs clés. Elle les comprenait : ce n'était pas facile de laisser sa maison, ses affaires, et dans le cas présent son chat, entre les mains d'une inconnue.

House-sitter émérite, Lila Emerson faisait de son mieux pour les tranquilliser.

Jason et Macey Kilderbrand partaient avec des amis dans le sud de la France. Pendant trois semaines, Lila garderait leur élégant appartement en plein cœur de Chelsea. Elle arroserait les plantes, entretiendrait le petit potager sur la terrasse.

Elle s'occuperait du chat, relèverait le courrier, prendrait les messages téléphoniques et transmettrait toute information d'importance. Du reste, sa présence écarterait les risques de cambriolage.

Ainsi, elle aurait l'impression de vivre dans le très chic complexe résidentiel new-yorkais de London Terrace. Travailler était un plaisir lorsque votre emploi consistait à séjourner dans des lieux d'exception, à veiller par exemple sur un coquet duplex dans le centre historique de Rome – dont elle avait par la même occasion repeint la cuisine, moyennant un supplément d'honoraires – ou à garder une vaste demeure sur les hauteurs de Brooklyn, en compagnie d'un golden retriever, d'un vieux terrier de Boston et d'un aquarium de poissons tropicaux.

Depuis six ans qu'elle exerçait le métier de *house-sitter*, elle connaissait presque tous les quartiers de New York, et ces quatre dernières années avaient été riches en voyages aux quatre coins du monde.

Chouette boulot, estimait-elle, pour qui n'avait pas d'attaches. Elle était libre comme l'air.

– Viens, Thomas, dit-elle au chat en le gratifiant d'une longue caresse de la tête jusqu'au bout de la queue. Allons défaire mes valises.

Dans la chambre d'amis, un ravissant bouquet de freesias trônait sur la table de nuit. Lila était sensible à ce genre de petites attentions de la part de ses clients.

Elle rangea ses vêtements dans la commode, suspendit ceux qui se froissaient dans le dressing.

La chambre d'amis possédait un petit cabinet de toilette, mais Lila avait déjà décidé qu'elle utiliserait la salle de bains principale, dotée d'une immense douche vapeur et d'une profonde baignoire à jets.

– Ne jamais gaspiller ni abuser des produits de beauté, dit-elle à Thomas en alignant les siens sur le bord du lavabo.

Ses deux valises contenant presque tout ce qu'elle possédait, elle pouvait se permettre de s'étaler à sa guise.

Après mûre réflexion, elle installa son ordinateur sur la table de la salle à manger, face à la baie vitrée, de façon à pouvoir contempler la vue sur Manhattan. Dans un espace plus modeste, cela ne l'aurait pas dérangée de travailler dans la pièce où elle dormait mais, puisqu'elle avait de la place, autant en profiter.

On lui avait expliqué comment fonctionnaient chacun des appareils électroménagers, les télécommandes, le système de sécurité. Il y avait là tout un tas de gadgets high-tech. Férue de technologie, elle s'en donnerait à cœur joie.

Dans la cuisine, elle découvrit une bouteille de vin, une corbeille de fruits frais et un assortiment de fromages, accompagnés d'un petit mot manuscrit sur une feuille de papier à lettres aux initiales de Macey.

« Faites comme chez vous !

Jason, Macey et Thomas »

Elle déboucha le vin, s'en servit un verre, le goûta. Un délice. Munie de ses jumelles, elle emporta le verre sur la terrasse.

L'espace extérieur était aménagé avec goût : deux larges fauteuils garnis de coussins, un banc de pierre rustique, une table en verre, au milieu d'un savant arrangement de pots de fleurs et, dans un conteneur de récupération, les fameux plants de tomates cerises et d'herbes aromatiques qu'elle ne devait pas hésiter à cueillir – Macey l'y avait chaleureusement encouragée.

Elle prit place dans l'un des fauteuils, Thomas sur les genoux.

– Je parie qu'ils profitent du moindre rayon de soleil, pour prendre ici l'apéritif, le café. Ils ont l'air heureux ensemble. Leur maison dégage une atmosphère sereine. Pas vrai qu'on est bien, ici ?

Elle grattouilla le chat sous le menton. Déjà, il somnolait en ronronnant.

– Elle ne va pas arrêter de m'appeler et de m'envoyer des mails les premiers jours. On lui enverra des photos de toi, qu'elle voie comme tu es chouchouté.

Troquant le verre de vin contre les jumelles, elle observa les immeubles alentour. Le complexe résidentiel s'étendait sur un bloc entier, et si certains pouvaient être gênés par le vis-à-vis, Lila n'était pas de ceux-là.

La vie des autres la fascinait.

Une femme qui devait avoir à peu près son âge marchait de long en large dans son salon tout en parlant au téléphone, vêtue d'une petite robe noire épousant telle une seconde peau une plastique de mannequin. Elle paraissait contrariée. *Rendez-vous galant annulé, peut-être. Il prétend être retenu au travail par une obligation de dernière minute*, supputa Lila, échafaudant un scénario. *Elle sait qu'il ment et ne supporte plus de jouer les dupes.*

Deux étages plus haut, deux couples riaient en sirotant des martinis dans un living-room au mobilier ultramoderne. Manifestement, ils n'aimaient pas la chaleur ; sinon ils se seraient installés sur leur petite terrasse, comme Lila et Thomas.

De vieux amis, décida-t-elle, *qui se voient souvent, partent parfois en vacances ensemble.*

Une autre fenêtre donnait sur l'univers d'un garçonnet qui se roulait sur la moquette avec un petit chien blanc. Ils s'amusaient tellement que Lila esquissa un sourire, entendant presque leurs éclats de rire.

– Il rêvait d'un chien depuis toujours, c'est-à-dire depuis quelques mois, à son âge. Aujourd'hui, ses parents lui ont fait une surprise, son vœu a été exaucé. Il n'oubliera jamais ce jour merveilleux, et plus tard il fera la même surprise à son fils ou à sa fille.

Sur cette note joyeuse, elle abaissa les jumelles.

– OK, Thomas. Il faudrait peut-être que je bosse un peu, non ? Je sais, je sais, dit-elle en posant le chat par terre pour prendre son verre de vin. La plupart des gens ne travaillent plus à cette heure-ci. Ils sortent dîner, retrouver des amis… ou, dans le cas de la belle blonde en robe noire, ils enragent de ne pas sortir. Mais moi… (elle attendit que le chat rentre dans l'appartement) je m'organise comme je veux. C'est l'avantage de mon métier.

Dans la caisse à jouets, elle choisit une balle mécanique, la fit rouler sur le plancher de la cuisine.

Thomas se jeta aussitôt dessus pour lui livrer un combat sans merci.

– Si j'étais un chat, ce truc me rendrait dingue, moi aussi.

Le laissant à ses jeux endiablés, elle s'empara de la télécommande et alluma la radio, en veillant à se remémorer sur quelle station les Kilderbrand l'avaient laissée. À leur retour, ils retrouveraient leur ambiance jazz. Pour sa part, elle préférait la pop.

Le *house-sitting* lui procurait le logement, plus le piment de l'aventure. L'écriture lui payait ses extras. Rédactrice en free-lance, à son arrivée à New York, elle avait dû prendre des jobs de serveuse, pendant deux ans, pour garder la tête hors de l'eau. Puis elle avait eu l'opportunité de faire du *house-sitting*, d'abord pour rendre service à des amis, puis de fil en aiguille aux amis de ses amis, si bien qu'elle avait eu tout le loisir d'ébaucher un roman pour la jeunesse.

La chance, ou le hasard, l'avait amenée à garder la maison d'un éditeur, qui avait demandé à lire son manuscrit. *Lune rousse*, sa première parution, s'était vendue correctement. Ça n'avait certes pas été un best-seller, mais le livre avait trouvé son public, si bien que l'éditeur lui avait commandé une suite, laquelle sortirait en principe en octobre. Lila croisait les doigts.

Pour l'instant, elle devait se concentrer sur le troisième volet de la série.

Elle rassembla ses longs cheveux bruns, les attacha avec une grosse pince en fausse écaille de tortue et, tandis que Thomas poursuivait allègrement sa balle, elle se mit au travail avec son verre de vin, une carafe d'eau glacée, et le tube du moment – que son héroïne écouterait en boucle.

Kaylee était en terminale, aux prises avec les hauts et les bas de l'adolescence : les petits copains, la scolarité, les filles perfides et les garçons chahuteurs, les déceptions et les triomphes de cette période brève et intense.

Un passage compliqué, d'autant plus quand on était nouvelle au lycée – ce qui était le cas de Kaylee dans le premier opus – et qu'on appartenait de surcroît à une famille de loups-garous.

Les soirs de pleine lune, ce n'était pas facile de préparer un exposé ou d'aller à une fête avec ses camarades.

À présent, dans l'épisode numéro trois, Kaylee et les siens étaient en guerre contre une meute rivale assoiffée de sang humain. Un peu violent, peut-être, pour l'âme sensible de certains jeunes lecteurs, mais c'était là que menait le cours naturel de l'histoire. Et Lila n'aimait pas contrer le cours naturel d'une histoire.

Elle reprit le chapitre où elle avait laissé Kaylee trahie par le garçon dont elle croyait être amoureuse. Alors qu'elle devait rendre un devoir sur les guerres napoléoniennes, son ennemie jurée l'avait enfermée dans le labo de sciences.

La lune se lèverait dans vingt minutes, peu ou prou à l'heure où les membres du Club de science arriveraient pour leur réunion hebdomadaire.

Kaylee devait à tout prix trouver une issue avant de se transformer.

Lila se plongea dans l'intrigue, se glissa avec délice dans la peau de Kaylee, son chagrin d'amour, sa crainte d'être démasquée, sa fureur contre la reine des pom-pom girls, Sasha la croqueuse d'hommes – littéralement.

Trois heures plus tard, elle avait tiré son héroïne d'embarras, *in extremis*, grâce à une bombe fumigène qui avait alerté l'adjoint du principal. Kaylee avait écopé de quatre heures de colle, mais elle avait réussi à rentrer chez elle sans encombre avant l'heure fatidique de la métamorphose.

Satisfaite, Lila enregistra son texte et leva les yeux de l'ordinateur.

Thomas, épuisé, s'était assoupi sur la chaise à côté d'elle. Les lumières de la ville brillaient derrière la baie vitrée.

Elle prépara le dîner du chat, suivant à la lettre les instructions qu'on lui avait données. Puis, pendant qu'il mangeait, elle resserra quelques vis desserrées dans le garde-manger.

Lila ne se séparait jamais de son Leatherman. Grâce à un simple tour de vis, on évitait souvent le désastre. Et cela concernait aussi bien les objets que les humains.

Ceci fait, elle remarqua deux paniers coulissants en fil métallique encore dans leurs boîtes. Accroupie, elle parcourut la notice d'installation, un jeu d'enfant. Elle enverrait un mail à Macey pour lui demander si celle-ci souhaitait qu'elle les fixe.

Le bricolage comptait parmi ses passe-temps favoris. Et quand on pouvait rendre service sans se donner trop de peine, pourquoi s'en priver ?

Elle se versa un deuxième verre de vin et se prépara un plateau-repas, composé de fromage, de crackers et de fruits, qu'elle dégusta assise en tailleur sur le canapé, Thomas sur les genoux, tout en consultant ses mails puis les commentaires postés sur son blog – à mettre impérativement à jour dans les plus brefs délais.

– Il va bientôt être l'heure d'aller se coucher, Thomas.

Elle avait été prévenue qu'il tenterait de s'incruster dans son lit. Cela ne la dérangeait pas.

Le matou lui répondit par un bâillement. Elle le déposa sur le tapis, arrêta la musique, mit sa vaisselle dans l'évier.

Après avoir passé un caraco et un pantalon de coton, vérifié la sécurité, elle attrapa ses jumelles afin de jeter un dernier coup d'œil aux voisins.

Blondie semblait être quand même sortie, finalement, laissant le salon faiblement éclairé. Les deux couples avaient eux aussi disparu. Au restau, peut-être, ou au ciné.

Le petit garçon dormait sûrement à poings fermés, le chiot pelotonné contre lui. Papa et maman regardaient la télé.

Une autre fenêtre révéla une bonne vingtaine de personnes en tenue de soirée, papotant joyeusement par petits groupes, coupe de champagne ou assiette d'amuse-bouches à la main.

Lila tenta d'imaginer les conversations, notamment ce que chuchotait un apollon bronzé en costume gris perle à une brunette moulée dans une robe rouge. Ces deux-là avaient probablement une liaison, elle l'aurait parié, au nez et à la barbe de leurs époux légitimes.

Elle balaya la façade, s'arrêta, baissa ses jumelles un instant, regarda de nouveau.

Non… ? Non, le gars bâti comme un éphèbe au… douzième étage n'était pas complètement nu. Il portait un string. Pas chassé, mambo, chassé, chassé, tourne. Waouh ! Suggestif, le déhanché.

Certainement un acteur ou un danseur qui faisait du strip-tease pour gagner sa croûte en attendant de percer.

Beau gosse, en tout cas. Craquant, même.

Le spectacle des fenêtres occupa Lila encore une demi-heure avant qu'elle se mette au lit – où Thomas, effectivement, ne tarda pas à la rejoindre. Elle alluma la télé, opta pour une rediffusion de *NCIS* dont elle connaissait les dialogues par cœur, mais elle aimait la compagnie d'un bruit de fond. Confortablement calée contre les oreillers, elle reprit le thriller commencé sur son iPad dans l'avion de retour de Rome.

Au cours de la semaine, elle prit ses repères et ses petites habitudes.

Réglé comme une horloge, Thomas la réveillait à 7 heures tapantes par des miaulements affamés. Elle remplissait ses gamelles, préparait du café, arrosait les plantes d'intérieur, le jardin aromatique, puis prenait son petit déjeuner en observant les voisins.

Blondie et son concubin – ils n'avaient pas l'air mariés – se disputaient sans cesse. Blondie était du genre à fracasser les objets. Beau Parleur, très agréable à regarder, avait de bons réflexes et savait user de son charme. Les joutes, quasi quotidiennes, se terminaient en général par de torrides effusions.

Des adeptes du « Je t'aime moi non plus »… et s'il ne la trompait pas, Lila en aurait été très étonnée.

Le petit garçon et le chiot faisaient plus ample connaissance. Maman, papa ou la bonne nettoyaient patiemment les petits accidents. Les parents quittaient la maison ensemble presque tous les matins, dans des tenues vestimentaires suggérant d'excellentes situations.

Les Martini, comme Lila les avait surnommés, n'utilisaient jamais leur petite terrasse. Manifestement, Madame ne travaillait pas. Elle quittait l'appartement en fin de matinée, probablement pour aller déjeuner, et revenait en milieu d'après-midi, en général avec un sac de shopping.

Les Fêtards n'étaient pas souvent chez eux. À se demander quand et où ils dormaient.

Et le Corps répétait inlassablement ses chorégraphies, pour le plus grand plaisir de Lila.

Regarder les voisins constituait sa distraction du soir. Le lendemain matin, elle échafaudait des histoires. Elle travaillait ensuite à son roman jusqu'en milieu d'après-midi, puis sortait s'acheter à manger pour le soir et explorer le quartier.

Elle envoyait à ses clients des photos d'un Thomas bienheureux, cueillait les tomates mûres, triait le courrier, composa une féroce bataille de lycanthropes, mit son blog à jour. Et fixa les deux paniers dans le garde-manger.

Le premier jour de la deuxième semaine, elle acheta un bon Barolo, une douzaine de minicupcakes dans une fabuleuse pâtisserie et renouvela l'assortiment de fromages.

Peu après 19 heures, elle accueillit sa meilleure amie.

– Salut, toi.

Bien que chargée d'une bouteille de vin et d'un bouquet de lis orientaux, Julie parvint à lui passer un bras affectueux autour du cou. Un mètre quatre-vingt-deux de courbes pulpeuses, une cascade de boucles rousses : Julie était physiquement à l'opposé de Lila, plutôt menue, de taille moyenne, les cheveux bruns et lisses.

– Tu as bronzé, à Rome, veinarde… Je pourrais me tartiner de protection 500, je deviendrais quand même rouge écrevisse sous le soleil italien. Tu as une mine splendide.

– Normal, après quinze jours dans la Ville éternelle, au régime *pasta*. Je me suis régalée. Je t'avais dit que je m'occuperais du vin, protesta Lila quand son amie lui tendit la bouteille.

– Ne t'en fais pas, on boira les deux.

– Merci.

Lila prit aussi les fleurs.

– Chouette appart', dis donc, commenta Julie. Beaux volumes, et une vue à couper le souffle. Que font les proprios ?

– Tous deux issus de la haute, pour commencer.

– Ça aide.

– Viens avec moi dans la cuisine, que je mette les fleurs dans l'eau. Ensuite, je te ferai visiter. Il travaille dans la finance, je n'ai pas compris ce qu'il faisait exactement. Il adore son boulot et préfère le tennis au golf. Elle est décoratrice d'intérieur, assez douée comme tu peux le constater. Elle aimerait s'installer à son compte mais elle va peut-être attendre un peu, vu qu'ils ont l'intention de faire un bébé.

– Ce sont de nouveaux clients, et tu sais déjà tout ça ?

– Que veux-tu que je te dise ? Ce n'est pas ma faute si j'ai une tête qui invite aux confidences. Voici Thomas. Thomas, je te présente Julie.

Cette dernière s'accroupit pour caresser le chat.

– Bonjour, minou. Qu'il est chou !

– Un vrai petit cœur. Les animaux domestiques me donnent parfois du fil à retordre, mais Thomas est adorable.

Lila prit une souris en mousse dans la corbeille à jouets et la jeta au chat qui l'attrapa au vol. Julie se redressa en riant et s'accouda au plan de travail en granit tandis que Lila arrangeait les lis dans un vase de cristal.

– Alors, c'était bien, Rome ?

– Génial.

– Tu t'es trouvé un bel amant italien ?

– Hélas non, bien que j'aie fait une touche avec l'épicier du quartier, quatre-vingts ans bien sonnés. Il m'appelait *bella donna* et m'offrait tous les jours une pêche.

– Toujours mieux que rien. Je suis contente que tu sois revenue, tu m'as manqué.

– J'ai apprécié de passer la nuit chez toi entre deux jobs.

– Tu es toujours la bienvenue, tu le sais.

– Et toi, comment s'est passé le mariage de ta cousine dans les Hamptons ?

– Une semaine de cauchemar. Je me suis promis de ne plus jamais être demoiselle d'honneur.

– Tes textos m'ont fait marrer, surtout celui-ci : « Cousine tarée. Crise d'hystérie à cause pétales de roses. Crois que je vais lui tordre le cou. »

– Je te jure que j'ai failli commettre un meurtre. Elle a pleuré pendant une heure parce que les pétales de roses n'étaient pas tout à fait de la bonne couleur.

– Elle en avait réellement commandé une demi-tonne ?

– Pas loin.

– Tu aurais dû l'enterrer dessous. « La mariée étouffée sous les pétales de roses. » Tu imagines l'ironie du sort ?

– Dommage que je n'y aie pas pensé. Sérieux, tu m'as vraiment manqué. Je préfère quand tu travailles à New York et que je peux venir voir les apparts que tu gardes.

Tout en débouchant le vin, Lila observa son amie.

– Tu peux même passer quelques jours avec moi, quand ça vaut vraiment le coup.

– Je sais, tu n'arrêtes pas de me le dire, répondit Julie en faisant le tour de la cuisine. Mais je ne suis pas sûre que ce serait correct vis-à-vis de tes clients. En tout cas, ça me gênerait. Oh ! Tu as vu ce service en porcelaine ? Il doit être super ancien.

– Elle le tient de son arrière-grand-mère. Ça ne te gêne pas de venir passer la soirée avec moi. Si tu restais dormir, ça ne changerait pas grand-chose. Ce serait comme si tu dormais à l'hôtel.

– Personne n'habite dans les hôtels.

– Si. Éloïse, au Plaza.

– Éloïse est un personnage de fiction, répliqua Julie en tirant facétieusement les cheveux de son amie.

– Les personnages de fiction sont des gens comme les autres. Pourquoi s'intéresserait-on à eux, sinon ? Allons nous installer sur la terrasse. Tu vas être épatée par le jardin de Macey. Sa famille maternelle est française, ils ont des vignes, là-bas.

Lila prit le plateau avec l'aisance de la serveuse qu'elle avait autrefois été.

– Ils se sont rencontrés il y a cinq ans, poursuivit-elle. Elle était en vacances chez ses grands-parents – ils doivent d'ailleurs y être, en ce moment. Il visitait les vignobles français. Ils ont eu le coup de foudre au premier regard.

– Le premier regard ne trompe jamais.

– Ça, c'est toi qui le dis… Enfin… Il s'est avéré qu'ils habitaient tous les deux à New York. Au retour, il lui a téléphoné, ils sont allés prendre un verre, et dix-huit mois plus tard ils convolaient en justes noces.

– Un vrai conte de fées.

– Parfaitement. Au bout de cinq ans, ils ont toujours l'air amoureux comme aux premiers jours.

Sur le seuil de la terrasse, Julie tapota les jumelles.

– Toujours cette vilaine manie ?

– Il n'y a pas de mal à observer les gens, rétorqua Lila. S'ils ne veulent pas qu'on regarde chez eux, ils n'ont qu'à tirer les rideaux ou fermer les volets.

– Waouh ! s'exclama Julie en découvrant la terrasse. En effet, elle a la main verte. Des tomates en pleine ville ? Et du basilic, du persil… C'est génial !

– Je me suis fait une salade à tomber par terre, hier soir. Avec un petit verre de vin, sur la terrasse, en contemplant le spectacle des fenêtres, c'était parfait.

– Tu mènes vraiment une drôle de vie. Parle-moi des gens des fenêtres.

Lila servit le vin, et alla chercher les jumelles… au cas où.

– Alors… Nous avons la famille du dixième, les parents ont offert un petit chien à leur fils. Le gamin et le chiot sont adorables. C'est trop marrant de les regarder jouer. Au quatorzième, il y a une superbe blonde maquée avec un mec canon – ça ne m'étonnerait pas qu'ils soient mannequins. Ils n'arrêtent pas de se disputer, ils cassent de la vaisselle, et ils se réconcilient par une partie de jambes en l'air.

– Tu les regardes faire l'amour ? Lila, donne-moi cette paire de jumelles.

Lila secoua la tête en riant.

– Pour qui me prends-tu ? Je ne me permettrais pas ! Seulement, ce n'est pas difficile de deviner la suite quand ils commencent à s'arracher leurs vêtements. Un jour, ils étaient tellement pressés que j'ai cru qu'ils allaient finir nus sur le balcon. Mais non, ils sont rentrés dans la chambre juste à temps. À ce propos... Il y a un gars au douzième qui est toujours presque à poil... Attends... Voyons voir s'il est là...

Lila ajusta les jumelles.

– Yes ! Tiens, regarde... Douzième étage, troisième appart' sur la gauche.

Curieuse, Julie prit les jumelles et les braqua sur la fenêtre en question.

– Mmm... Il bouge bien, en plus. On l'appelle et on l'invite ?

– Je ne crois pas qu'on soit son genre.

– Pourquoi pas ?

– Il est gay.

Julie abaissa les jumelles, fronça les sourcils, regarda de nouveau.

– D'ici, franchement, je ne sais pas à quoi tu vois ça.

– Il porte des strings. Ça veut tout dire.

– N'importe quoi !

– Fais confiance à mon radar.

– Il danse tous les soirs ?

– Quasiment. À mon avis, c'est un acteur qui bosse dans des clubs de strip-tease en attendant de décrocher un rôle.

– En tout cas, il a un beau corps. David avait un beau corps.

– Avait ?

Julie posa les jumelles et mima d'un geste la rupture.

– Quand ?

– En revenant des Hamptons. Je ne voulais pas faire d'histoires au mariage de ma cousine, mais je ne le supportais plus depuis déjà un petit moment.

– Désolée.

– Il ne te manquera pas, tu ne l'as jamais aimé.

– Je ne le détestais pas.

– Ne joue pas sur les mots. Quoi qu'il en soit, il était peut-être bien bâti mais il devenait trop envahissant. Sans arrêt à m'envoyer des textos ou me laisser des messages : où tu es, avec qui, à quelle heure tu rentres ? Tout juste si j'avais le droit d'aller prendre un verre avec mes collègues de travail. Pire qu'une femme jalouse ; sans vouloir jeter la pierre aux femmes jalouses, j'en ai été une.

Tu te rends compte qu'il faisait le forcing pour emménager chez moi ? Alors qu'on se connaissait depuis à peine deux mois… Laisse tomber ! Je n'ai pas besoin d'un mec à temps complet.

– Tout du moins, pas de lui.

– Ni de lui ni de personne. Je ne suis pas prête à vivre de nouveau avec quelqu'un. Il est encore trop tôt après Maxim.

– Ça fait cinq ans que tu n'es plus avec Maxim.

– Peu importe, je n'ai toujours pas digéré d'avoir été trompée. Et je déteste les ruptures. Quand on me plaque, je déprime. Et quand c'est moi qui casse, je culpabilise.

– Bien que je n'aie jamais quitté personne, je suis sûre que je m'en voudrais, moi aussi.

– Tu es assez maline pour faire croire à tes mecs que c'est eux qui en ont marre. De toute façon, tes aventures ne durent jamais suffisamment longtemps pour qu'on puisse parler de « rupture ».

Lila esquissa un sourire.

– Il est encore trop tôt après Maxim, dit-elle, ce qui fit rire Julie. Si on commandait quelque chose à manger ? Mes clients m'ont recommandé un excellent traiteur grec.

– Avec plaisir. En dessert, je veux un baklava.

– J'ai acheté des cupcakes.

– Encore mieux ! Me voilà comblée. Appartement de rêve, vin délicieux, cuisine grecque servie sur un plateau, et un beau mec qui danse pour nous !

– Gay ! lui rappela Lila en se levant pour aller chercher le numéro de téléphone du traiteur.

Elles vidèrent presque les deux bouteilles de vin, avec des brochettes d'agneau, puis tombèrent dans les cupcakes aux alentours de minuit. *Pas vraiment diététique*, songea Lila, le ventre lourd, en fermant la porte après le départ de Julie, *mais juste ce qu'il faut pour une amie davantage contrariée qu'elle ne veut l'admettre par sa rupture*.

Pas tant à cause de cet homme, qui n'était pas le bon, mais à cause de la séparation en elle-même… et de la remise en question inévitable qui s'ensuivait. Est-ce moi qui ai quelque chose qui cloche ? Aurais-je dû faire plus d'efforts ? Avec qui irai-je au restau, maintenant ?

Dans une société où l'on ne jurait que par le couple, il n'était pas facile de naviguer en solo.

– Moi, je mène très bien ma barque, assura Lila à Thomas.

Quelque part entre la dernière brochette et le premier cupcake, celui-ci s'était roulé en boule dans son panier.

– Ça ne me dérange pas d'être seule. Je peux aller où je veux quand je veux, et accepter tous les jobs qui me plaisent, n'importe où dans le monde. Bon, d'accord, je parle aux chats, mais je ne m'en porte pas plus mal.

Cela dit, Julie aurait tout de même mieux fait de rester pour la nuit. À deux, la gueule de bois du lendemain aurait été plus supportable.

Les minicupcackes sont une invention de Satan, décida Lila en enfilant son pyjama. Tellement petits et si jolis qu'on ne se rendait pas compte de ce qu'on avalait. Jusqu'à ce qu'on en ait englouti une demi-douzaine.

Résultat, en surdose de sucre et d'alcool, elle ne parviendrait pas à trouver le sommeil.

Armée de ses jumelles, elle jeta un coup d'œil au-dehors. Des lumières brillaient encore, çà et là. Elle n'était pas la seule debout à… Seigneur, 1 h 40.

Le danseur nu avait de la compagnie, un jeune homme aussi plaisant que lui à regarder. Lila prit note de signaler à Julie qu'elle avait bel et bien raison quant à son orientation sexuelle.

Les Fêtards, apparemment, venaient tout juste de rentrer. Lila admira la robe orange de la femme, essaya de distinguer ses chaussures. En vain. Ah… Voilà ! Appuyée sur l'épaule de son mari, elle ôta un nu-pied doré au talon vertigineux et à la semelle rouge.

Mmm… des Louboutin.

Quelques étages plus bas, Blondie elle non plus n'était pas encore couchée. Elle portait une nouvelle petite robe noire, aussi moulante que la première. Son chignon était à moitié défait.

Elle s'essuyait les yeux. Elle pleurait. Elle parlait vite, en faisant de grands gestes, et paraissait contrariée. Encore une dispute.

Où était son compagnon ?

Lila eut beau changer d'angle de vue, elle ne le voyait pas.

« Laisse-le tomber, murmura-t-elle. Il te rend malheureuse. Tu es belle, intelligente je parie, tu mérites mieux que… »

Lila tressaillit. Blondie venait de recevoir un coup.

– Oh, mon Dieu ! Il l'a frappée. Le salopard. Ne…

Un cri lui échappa. La jeune femme se protégeait le visage. Elle vacilla sous la violence d'un deuxième coup.

Lila s'empara de son téléphone, sur la table de chevet.

Blondie suppliait à présent, en larmes. Une silhouette indistincte, dans l'appartement faiblement éclairé, la plaqua contre la baie vitrée.

– Stop, stop… implora Lila, s'apprêtant à appeler la police.

Lorsque tout se figea…

La vitre vola en éclats. La femme fut projetée dans le vide, bras écartés, battant des jambes, ses cheveux d'or déployés tel un éventail, et s'écrasa avec brutalité quatorze étages plus bas.

– Oh ! mon Dieu, mon Dieu…

Tremblante, Lila composa le 911.

– Police secours, à votre écoute.

– Il l'a poussée. Il l'a poussée et elle est tombée par la fenêtre.

– Madame…

– Attendez, attendez !

Elle ferma les yeux un instant, s'efforça de contrôler sa respiration. *Sois claire*, s'enjoignit-elle, *aussi précise que possible*.

– Mon nom est Lila Emerson. J'ai été témoin d'un meurtre. Une femme a été défenestrée, du quatorzième étage. Je me trouve au… (Il lui fallut quelques secondes pour se remémorer l'adresse des Kilderbrand.) Ça c'est passé dans l'immeuble d'en face. Sur la gauche. Côté ouest. Enfin… je crois. Excusez-moi, je suis bouleversée. Elle est morte. Elle est forcément morte.

– Je dépêche une équipe sur les lieux. Pouvez-vous rester en ligne ?

– Oui. Bien sûr. Je ne bouge pas.

En réprimant un frisson, elle jeta un regard par la fenêtre. Au quatorzième, en face, les lumières étaient éteintes.

2

Contrainte de se rhabiller, elle se surprit à hésiter entre un jean et un pantacourt. *Le choc*, se dit-elle. Elle était sous le choc, désorientée. Mais pas de panique, tout allait bien. Pour elle.

Elle était vivante.

Elle opta pour le jean, un T-shirt noir, et arpenta l'appartement en tenant dans ses bras un Thomas quelque peu étonné bien que tout à fait consentant.

Elle avait vu les voitures de police arriver, sirènes hurlantes, et les badauds s'attrouper au pied de l'immeuble, en dépit de l'heure avancée. Pour sa part, elle ne pouvait pas regarder.

Il ne s'agissait pas des *Experts* ni de *NCIS*. La jolie blonde qui aimait les petites robes noires gisait en sang sur le trottoir. Le beau brun avec qui elle vivait, faisait l'amour, riait et se chamaillait, l'avait poussée par la fenêtre.

Garde ton calme ! s'intima Lila pour la énième fois. On allait venir l'interroger, elle devrait fournir un témoignage cohérent. À contrecœur, elle se força à visualiser la scène. Le visage inondé de larmes, les cheveux dénoués, les coups. Mentalement, elle retraça le portrait du jeune homme aperçu à plusieurs reprises – son sourire charmeur, ses habiles esquives, ses discours enjôleurs.

Le timbre de l'interphone la fit sursauter.

– Ça va aller, murmura-t-elle à Thomas. Tout va bien se passer.

À travers le judas, elle déchiffra les noms de deux agents en uniforme. Fitzhugh et Morelli.

– Mademoiselle Emerson ?

– Oui. Entrez. (En refermant la porte, elle s'efforça de réfléchir à ce qu'elle devait dire.) Elle… La victime… Elle n'a pas pu survivre à la chute…

– Hélas non, répondit Fitzhugh, le plus âgé et le plus galonné. Pouvez-vous nous raconter ce que vous avez vu ?

– Oui, je… Asseyons-nous. Vous ne voulez pas vous asseoir ? J'aurais dû préparer du café. Je vais préparer du café.

– Ne vous dérangez pas. Bel appartement. Vous le partagez avec les Kilderbrand ?

– Comment ? Oh non… Ils sont en voyage. En France. Je suis la *house-sitter*. Dois-je les appeler ? s'inquiéta-t-elle en consultant sa montre. Quelle heure est-il en Europe ? Je suis un peu déboussolée.

– Pas pour l'instant, répondit Fitzhugh en tirant une chaise pour elle.

– Je suis désolée. C'était horrible. Il la frappait, il a dû la pousser. La fenêtre s'est cassée et elle est tombée.

– Vous avez vu quelqu'un violenter la victime ?

– Oui, je…

Elle serra Thomas contre elle puis le déposa sur le plancher. Aussitôt, il sauta sur les genoux du second policier.

– Excusez-moi, je vais l'enfermer dans une autre pièce.

– Laissez, j'aime bien les chats.

– Celui-ci est gentil comme tout. Parfois, les clients ont des animaux pénibles mais… Pardon, je m'égare. Que je commence par le commencement. Je me préparais à aller me coucher…

Maîtrisant le tremblement de sa voix, elle leur rapporta ce qu'elle avait vu, puis les conduisit dans la chambre afin de leur montrer d'où elle avait assisté à la scène. Lorsque Fitzhugh prit congé, elle prépara du café, servit une collation inespérée à Thomas, tout en bavardant avec Morelli.

Il était marié depuis un an et demi, attendait un premier enfant pour janvier. Il aimait les chats mais préférait les chiens, appartenait à une famille nombreuse d'origine italienne. L'un de ses frères tenait une pizzeria à Little Italy, et il jouait dans une équipe de basket amateur.

– Vous feriez une bonne enquêtrice, lui dit-il.

– Vous croyez ?

– Vous savez faire parler les gens. Je vous ai raconté la moitié de ma vie.

– Je pose des questions, je ne peux pas m'en empêcher. Les gens m'intéressent. C'est pour ça que je regardais par la fenêtre. Quel drame… Elle devait avoir de la famille, des parents, des frères et sœurs qui vont être dévastés. Elle était si belle, grande, mince, une silhouette de mannequin.

– Grande ?

– Au moins un mètre soixante-quinze, voire un mètre quatre-vingts.

– Franchement, vous devriez faire carrière dans la police. Ne bougez pas, j'y vais, dit-il en se levant quand la sonnette de l'interphone retentit à nouveau.

Un instant plus tard, le jeune agent revint dans la cuisine avec un homme d'une quarantaine d'années au regard las, accompagné d'une trentenaire à l'expression déterminée, tous les deux en civil.

– Voici les inspecteurs Waterstone et Fine. Je vous laisse vous entretenir avec eux, mademoiselle Emerson. Prenez soin de vous.

– Oh, vous partez ? Merci pour… Merci. J'irai manger chez votre frère, un de ces jours.

– N'y manquez pas. Bonsoir.

La présence de Morelli l'avait détendue. Sans lui, elle se sentait à nouveau fébrile.

– Je vous sers un café ?

– Volontiers, répondit Fine en se baissant pour caresser Thomas. Il est mignon.

– C'est un amour. Du sucre, du lait ?

– Noir, pour mon collègue aussi. Vous gardez donc cet appartement pendant que les propriétaires sont en France ?

– Oui, je suis *house-sitter*.

Les mains occupées, Lila retrouvait peu à peu contenance.

– C'est votre métier ? demanda Waterstone.

– Disons que je fais ça davantage pour le plaisir que pour m'enrichir. Je suis écrivain.

– Quand avez-vous pris votre poste chez M. et Mme Kilderbrand ?

– Il y a une semaine. Une semaine et deux jours demain, très exactement. Je suis là pour trois semaines en tout.

– Avez-vous déjà travaillé pour les Kilderbrand ?

– Non, c'est la première fois.

– Quelle est votre adresse ?

– Je n'en ai pas. Je loge chez une amie quand je ne travaille pas. Et c'est plutôt rare, je suis assez demandée.

– Vous n'avez pas de domicile ? s'étonna Fine.

– Non, je n'ai pas les moyens de payer un loyer. Je reçois mon courrier à l'adresse de mon amie Julie Bryant, qui a la gentillesse de m'héberger entre deux jobs.

Elle la leur indiqua.

– Pouvez-vous nous montrer la fenêtre d'où vous avez été témoin de l'incident ?

– Par ici. Je me préparais à aller me coucher, mais je n'avais pas sommeil. Julie était venue passer la soirée avec moi et nous avons bu un peu de vin. Beaucoup de vin, pour être honnête. Comme je savais que je n'arriverais pas à m'endormir, j'observais les voisins, à la jumelle.

– À la jumelle… répéta Waterstone.

Lila les prit sur la table de chevet.

– C'est un peu mon joujou, je les emporte partout. Je garde des appartements aux quatre coins de New York et un peu partout dans le monde. Je voyage beaucoup. Je reviens juste de Rome.

– On vous a appelée d'Italie pour garder une maison ?

– Un appartement, en l'occurrence, précisa-t-elle. Mon blog et le bouche à oreille me procurent des contacts dans tous les pays. J'aime observer les gens, imaginer leur vie. C'est peut-être du voyeurisme, je le reconnais, mais je n'y mets aucune intention malsaine. Simplement, ces petits mondes entrevus derrière les fenêtres me donnent matière à construire des histoires.

Waterstone prit les jumelles et les braqua sur l'immeuble d'en face.

– Vous étiez aux premières loges.

– Ils se disputaient souvent, et se réconciliaient sur l'oreiller.

– Qui ? demanda Fine.

– Blondie et Beau Parleur… c'est comme ça que je les avais surnommés. L'appartement devait être à elle, il dégageait une atmosphère féminine, mais son compagnon était là tous les soirs. Tout du moins depuis que je suis ici.

– Pouvez-vous le décrire ?

– Un peu plus grand qu'elle, entre un mètre quatre-vingt-cinq et un mètre quatre-vingt-dix, je dirais. Baraqué, brun, frisé, vingt-huit ou vingt-neuf ans, des fossettes quand il souriait. Très charmant.

– Qu'avez-vous vu exactement, aujourd'hui ?

– Au début, je ne voyais qu'elle. Elle portait une robe noire, son chignon était à moitié défait. Elle pleurait, elle semblait agitée, elle parlait vite, d'un ton suppliant, m'a-t-il semblé. Puis je l'ai vu la frapper.

– Son compagnon ?

– À vrai dire, je ne l'ai pas vraiment vu. Il se tenait sur la gauche de la fenêtre. Je n'ai vu que son bras lui porter un coup au visage. La manche était de couleur sombre. Elle a essayé de se protéger, elle a reçu un autre coup. J'ai couru attraper mon téléphone sur la table de chevet. Je m'apprêtais à prévenir la police, j'ai jeté un coup d'œil dehors. Elle était plaquée contre la baie vitrée, de dos, je ne voyais pas grand-chose d'autre. Et puis la vitre s'est cassée et elle est tombée… J'ai suivi sa chute du regard… Et j'ai tout de suite appelé la police. Dans son appartement, il n'y avait plus de lumière.

– À aucun moment, donc, vous n'avez vu son agresseur ?

– Non, je n'ai vu qu'elle. Mais vous trouverez sûrement des gens qui le connaissent, parmi leurs voisins, leurs amis, leur famille. Ils semblaient vivre ensemble. Quelqu'un vous dira comment il s'appelle.

– À quelle heure l'incident s'est-il produit ? demanda Waterstone en posant les jumelles.

– À environ deux heures moins vingt. Je venais de regarder l'heure, et de me dire qu'il était tard.

– Après avoir appelé le 911, avez-vous vu quelqu'un quitter l'immeuble ? s'enquit Fine.

– Non, mais je ne regardais pas.

– Votre appel au 911 a été enregistré à 1 h 44. Combien de temps s'est-il écoulé entre le moment où vous avez commencé à observer la victime et celui où elle est tombée ?

– Moins d'une minute. J'ai vu le couple du seizième arriver, en tenue de soirée et le… (« le danseur homo à poil », faillit-elle dire)… le monsieur du douzième, avec un ami. Puis j'ai regardé chez la blonde. Il devait être 1 h 42 ou 1 h 43, si vous dites que j'ai appelé le 911 à 1 h 44.

Fine sortit son smartphone et afficha une photo.

– Reconnaissez-vous cet homme ?

– C'est lui ! Le compagnon de la victime. J'en suis sûre. À quatre-vingt-dix-neuf pour cent. Non… quatre-vingt-seize. Vous le tenez ? Je témoignerai.

Tandis que Lila regardait le portrait, des larmes de soulagement lui montèrent aux yeux.

– Vous n'aurez pas besoin de témoigner contre lui, mademoiselle Emerson.

– Il… Il a avoué ?

– Non, répondit Fine en rangeant son téléphone. Il est en route pour la morgue.

– Je ne comprends pas.

– Vraisemblablement, après avoir poussé son amie, il s'est tiré une balle de calibre 32 dans la bouche.

– Oh, mon Dieu… Il l'a tuée et il s'est suicidé ?

Chancelante, Lila s'assit au bord du lit.

– Manifestement.

– Pourquoi ? Pourquoi faire une chose pareille ?

– C'est ce que nous devons élucider. Revenons en arrière, si vous le voulez bien…

Le jour se levait lorsque les inspecteurs quittèrent l'appartement. Lila calcula qu'elle était debout depuis bientôt vingt-quatre heures, et s'interdit de téléphoner à Julie. Inutile d'affoler son amie dès le petit matin.

Elle envisagea d'appeler sa mère, toujours un roc en situation de crise, mais la sagesse lui dicta de s'en abstenir. Après les mots de réconfort, elle aurait droit à la sempiternelle tirade : « Pourquoi vis-tu à New York, Lila-Lou ? Cette ville est si dangereuse. Viens t'installer à Juneau. Papa serait si content ! »

Seulement, Lila ne tenait pas à habiter au fin fond de l'Alaska, du surcroît près de chez son père, un lieutenant-colonel à la retraite.

Et tout compte fait, elle n'avait pas envie de répéter encore une fois ce qu'elle venait de raconter à la police en long en large et en travers.

Épuisée, elle se laissa tomber tout habillée sur le lit, et prit Thomas entre ses bras lorsqu'il la rejoignit.

Contre toute attente, elle s'endormit presque instantanément.

Elle se réveilla en sursaut, le cœur tambourinant, les mains cramponnées au rebord du lit, en proie au vertige de la chute.

Le contrecoup, se raisonna-t-elle. Elle s'était projetée en rêve dans le cauchemar dont elle avait été témoin.

Il était plus de midi, elle avait suffisamment dormi. Elle allait se doucher, se changer, et sortir faire un tour. Elle avait accompli son devoir, prévenu la police. Beau Parleur avait tué Blondie puis s'était suicidé. Dramatique, certes, mais en faire une idée fixe ne les ramènerait pas à la vie. De toute façon, elle ne les connaissait pas.

Néanmoins, elle alluma son iPad et consulta les sites d'information locale.

« Un top model prometteur poussé par la fenêtre du quatorzième étage », lut-elle.

– Elle était bien mannequin, je l'avais deviné.

En grignotant le dernier cupcake, elle parcourut l'article. Blondie se nommait Marjolaine Kendall, et Beau Parleur, Oliver Archer.

– Elle n'avait que vingt-quatre ans, tu te rends compte, Thomas ? Quatre ans de moins que moi. Elle posait pour des photos de pub. Savoir si je l'avais déjà vue… Ça ne changerait pas grand-chose à l'affaire, tu me diras…

Elle devait cesser de gamberger. Un brin de toilette et un bol d'air, voilà ce dont elle avait besoin.

La douche lui fit du bien, et en robe d'été et sandales elle se sentit tout de suite en meilleure forme. Une légère touche de blush rehaussa son teint encore un peu pâlot.

Se balader dans le quartier lui changerait les idées. Éventuellement, elle mangerait un petit quelque chose quelque part. Ensuite, elle appellerait Julie et lui proposerait de revenir passer la soirée avec elle, histoire d'extérioriser le traumatisme auprès d'une oreille compatissante.

– Je reviens dans une heure ou deux, Thomas.

Alors qu'elle s'apprêtait à sortir, elle revint sur ses pas et prit la carte que lui avait laissée l'inspecteur Fine. Inutile de se leurrer : tant qu'elle n'aurait pas les réponses aux questions qui la hantaient, elle ne parviendrait pas à tourner la page. Elle avait été témoin d'un meurtre, il était normal qu'elle se renseigne sur le cours de l'enquête.

Le poste de police constituerait le but de sa promenade. En revenant, elle irait peut-être à la piscine – réservée en principe aux résidents du complexe, mais l'adorable Macey lui avait procuré un Pass invité.

Nager chasserait le stress et la fatigue. Et après une soirée à se faire consoler par sa meilleure amie, elle serait complètement requinquée.

Demain, elle reprendrait son rythme habituel. La vie devait continuer. La mort vous rappelait que le monde ne s'arrêtait jamais de tourner.

Une montre Cartier, une chevalière, un portefeuille – contenant beaucoup trop d'argent, beaucoup trop de cartes de crédit. Ash passait en revue le contenu du sachet qu'on lui avait remis, « les effets personnels du défunt ». Un porte-clés Tiffany. Un briquet en argent. Tout ce que son demi-frère avait dans les poches le dernier jour de sa vie.

Oliver, toujours à l'affût d'un gros coup, d'un bon plan, toujours sur la brèche. Oliver le frimeur exhibant ses gadgets bling-bling hors de prix. Oliver l'écervelé. Oliver était mort.

– Son iPhone est encore au labo.

– Pardon ?

Ash leva les yeux vers la fonctionnaire de police. *Fine*, se remémora-t-il. Inspecteur Fine, au regard bleu impénétrable.

– Nous sommes en train d'extraire les données de son téléphone. Par ailleurs, dès que les techniciens en auront terminé dans l'appartement, nous vous demanderons de venir identifier ce qui lui appartenait. Comme je vous l'ai dit, son permis de conduire indique une adresse à West Village, mais, selon nos sources, il avait déménagé depuis trois mois.

– Si vous le dites… Je l'ignorais.

– Vous ne l'aviez pas vu depuis… ?

Elle lui avait déjà posé la question. Et son coéquipier au visage de pierre la lui avait aussi posée, lorsqu'ils étaient venus chez lui. Le « notifier », dans leur jargon. Effets personnels, notification. Des termes employés dans les romans policiers et les séries télévisées. La situation lui paraissait irréelle.

– Trois mois, quatre peut-être, je ne sais plus exactement.

– Mais il y a quelques jours, vous vous êtes parlé au téléphone ?

– Il m'a appelé, soupira Ash en se frottant les yeux. Il voulait qu'on aille prendre un verre. Je n'avais pas le temps, je lui ai dit de me rappeler la semaine prochaine.

– Je suis navrée, monsieur Archer, de vous imposer ces lourdeurs bureaucratiques, mais je dois respecter la procédure. Vous disiez que vous n'avez jamais rencontré la jeune femme avec qui il vivait depuis presque quatre mois…

– Non. Il s'est vanté au téléphone de fréquenter un superbe top model, mais je n'y ai guère prêté attention. Oliver est un fanfaron, c'est l'un de ses défauts.

– Il n'a pas fait allusion à des tensions entre lui et le superbe top model ?

– Bien au contraire. Elle était formidable, ils filaient le parfait amour, tout allait pour le mieux dans le meilleur des mondes.

Ash regarda ses mains, remarqua une petite tache de bleu céruléen sur le côté de son pouce.

Il était occupé à peindre lorsqu'ils avaient sonné au loft. Il s'était interrompu en pestant – et le monde avait basculé.

Sous le poids de quelques mots, son univers s'était écroulé.

– Monsieur Archer ?

– Oui, oui. Il était sur un petit nuage. Oliver vivait en permanence sur un petit nuage, sauf…

– Sauf ?

Ash passa une main dans son épaisse crinière noire.

– Écoutez, mon frère est mort. Je n'ai pas envie de le démolir.

– Il ne s'agit pas de cela, monsieur Archer. Comprenez que pour résoudre l'affaire, je dois avant tout essayer de cerner sa personnalité.

Peut-être était-elle sincère. Peut-être était-ce lui qui voyait le mal où il n'y en avait pas.

– OK, Oliver était un coureur. Il courait les filles, il courait les clubs branchés, il courait après les bons plans. Il aimait faire la fête.

– Il menait la grande vie.

– On peut dire ça comme ça. Il se plaisait à dire qu'il était joueur. Il misait gros, mais il perdait aussitôt ce qu'il gagnait, au jeu, avec les femmes, en affaires. Voilà pourquoi je disais qu'il était en permanence sur un nuage, sauf quand il se cassait la figure et qu'il fallait le ramasser à la petite cuillère. Oliver est un gars charmant, intelligent et… était.

Une douleur fulgurante lui serra le cœur. Oliver n'était plus.

– Il était le dernier des enfants de sa mère, et son seul fils. Elle l'a pourri.

– Vous avez dit qu'il n'était pas violent…

Il refoula sa peine. Le chagrin devait attendre.

– Je n'ai pas dit qu'il n'était pas violent, répliqua-t-il sèchement. J'ai dit qu'il était le contraire de violent. (Que l'on insinue que son frère puisse être un assassin lui faisait plus mal encore que de le savoir mort.) Son arme, c'était le bagout. Quand il avait des ennuis, il s'en tirait par le baratin, ou il prenait la tangente. Au pire, il faisait l'autruche.

– Pourtant, nous avons un témoin qui affirme l'avoir vu brutaliser sa compagne avant de la pousser par la fenêtre.

– Votre témoin se trompe. Oliver pouvait être un enfoiré de la pire espèce, mais il n'aurait jamais frappé une femme. Il était incapable d'un tel acte, à plus forte raison d'un meurtre. Et surtout, il s'aimait trop pour se suicider.

– Il y avait de grandes quantités d'alcool et de drogues diverses et variées dans l'appartement : oxycodone, cocaïne, marijuana, vicodine…

Tout en écoutant Fine, Ash l'imaginait en Walkyrie, redoutable guerrière dénuée de tout sentiment. S'il avait dû la peindre, il l'aurait représentée chevauchant une fougueuse monture, les ailes déployées, le visage de marbre, survolant le champ de bataille et désignant sans pitié qui vivrait, qui mourrait.

– Nous attendons les résultats des analyses toxicologiques, mais il y avait des comprimés, une demi-bouteille de bourbon et un verre à moitié plein sur la table à côté de son corps.

Drogue, alcool, meurtre, suicide. La famille serait anéantie, pensa-t-il. Il devait faire abstraction de ce poignard qui lui labourait le cœur, et convaincre les enquêteurs qu'ils n'étaient pas sur la bonne voie.

– Oliver buvait trop et consommait des substances illicites, c'est un fait, ce n'était pas un enfant de chœur. Mais le reste ? Je n'y crois pas. Soit votre témoin ment, soit elle a mal vu.

– Elle n'a aucune raison de mentir. Excusez-moi un instant…

Fine se leva. Lila se tenait justement sur le seuil de la salle de garde, un badge de visiteur épinglé à la bride de sa robe.

– Mademoiselle Emerson, un souvenir vous est revenu ?

– Non, je suis désolée. Pourtant, je n'arrive pas à chasser ces images de ma tête. Je la revois sans cesse tomber. Je la revois supplier avant de… Excusez-moi. J'avais besoin de prendre l'air et je me suis dit que, tant qu'à faire, j'allais passer vous demander si vous aviez fini… Si l'affaire était classée. Si vous saviez ce qui s'est vraiment passé.

– L'enquête est en cours. Nous attendons des rapports d'expertises, nous menons des interrogatoires. Tout cela prend du temps.

– Bien sûr. Je suis désolée. Vous me tiendrez au courant ?

– J'y veillerai. Votre aide nous a été précieuse.

– Mais là, je vous dérange. Vous étiez occupée, excusez-moi.

Lila parcourut la pièce du regard. Des hommes et des femmes travaillaient, sur des ordinateurs, au téléphone, derrière des montagnes de dossiers.

Au bureau de Fine, un jeune homme en jean et T-shirt noirs remettait soigneusement une montre dans un sachet à bulles.

– Encore merci pour votre coopération, mademoiselle Emerson.

L'inspecteur Fine attendit que Lila ait disparu dans le couloir avant de retourner s'asseoir en face d'Ash.

– Je crois que je vous ai dit tout ce que je pouvais vous dire, déclara-t-il en se levant. Je dois prévenir sa mère, le reste de la famille. Si vous permettez…

– Je vous en prie. Nous vous contacterons dès que vous aurez accès à l'appartement. Toutes mes condoléances, monsieur Archer.

Il la remercia d'un signe de tête, et se hâta de rejoindre, au fond du couloir, la jeune femme en robe verte aux cheveux couleur moka.

Il n'avait pas entendu grand-chose de sa conversation avec Fine, suffisamment, toutefois, pour comprendre qu'il s'agissait du témoin oculaire.

Alors qu'elle s'engageait dans l'escalier, il lui tapa sur l'épaule :

– Excusez-moi, mademoiselle… Je n'ai pas retenu votre nom…

– Lila. Lila Emerson.

– Vous avez cinq minutes ? J'aimerais vous parler.

– Pas de problème. Vous travaillez avec les inspecteurs Fine et Waterson ?

– D'une certaine manière.

Au rez-de-chaussée, entre policiers et visiteurs allant et venant dans le hall d'entrée, elle dégrafa son badge et le rendit à l'officier assis derrière le comptoir d'accueil. Après une brève hésitation, Ash sortit le sien de sa poche et fit de même.

– Je suis le frère d'Oliver.

– Oliver ?

Manifestement, elle ne le connaissait pas.

– Oh, excusez-moi… bredouilla-t-elle après quelques secondes. Je suis désolée, toutes mes condoléances.

– Merci. Pourriez-vous me raconter ce que vous avez vu ?

– C'est que… Je ne sais pas si j'ai le droit… répondit-elle en regardant autour d'elle.

– Permettez-moi de vous offrir un verre. Dans un lieu public. Il doit bien y avoir un bar dans le coin, probablement bondé de policiers. S'il vous plaît.

Dans ses yeux, aussi verts et aussi vifs que ceux de Thomas, elle lisait une immense détresse. Il avait les traits durs, bien que fins, et sa barbe de trois jours lui donnait un air inquiétant, dangereux. Mais ce regard…

Il venait de perdre son frère. Son frère avait mis fin à sa vie après avoir pris celle d'une jeune femme. Un décès était déjà terrible, un suicide encore pire. Comment pouvait-on encaisser qu'un proche se soit supprimé après avoir donné la mort ?

– OK, acquiesça-t-elle. Il y a un café juste en face, il me semble.

– Je vous remercie. Ash, se présenta-t-il en lui tendant la main. Ashton Archer.

Ce nom lui évoquait vaguement quelque chose, mais elle se contenta de lui serrer la main.

– Lila.

En sortant du poste de police, elle lui montra le petit établissement de l'autre côté de la rue. Il opina du menton.

– Je n'ai pas de frère, dit-elle tandis qu'ils attendaient que le feu passe au vert piéton, mais j'imagine que ça doit être horrible de perdre son frère. En fait, je ne peux même imaginer. Vous avez de la famille ? D'autres frères et sœurs ?

– Oui. Nous sommes quatorze. Enfin, plus que treize maintenant, murmura-t-il, comme s'il se parlait à lui-même. Un chiffre porte-malheur.

Autour d'eux, des adolescentes gloussaient à propos d'un dénommé Brad, une femme hurlait dans son portable. Des coups de Klaxon retentissaient de toutes parts.

– Pardon ? demanda Lila, certaine d'avoir mal entendu.

– Le treize porte malheur.

– Non, je voulais dire… Combien avez-vous de frères et sœurs ?

Ils traversèrent la chaussée.

– Douze, ce qui fait treize avec moi, répondit-il en poussant la porte du café, où ils furent accueillis par un joyeux brouhaha.

– Votre mère doit être… (« folle », faillit-elle dire)… incroyable.

– J'aime à le penser, dit-il en se dirigeant vers l'une des rares tables libres. Mais nous ne sommes pas tous du même lit. Mon père s'est marié cinq fois. Ma mère en est à son troisième mari.

– Eh bien… Waouh !

– Une famille américaine moderne.

– Noël doit être de la folie. Ils habitent tous à New York ?

– Non. Un café ? lui demanda-t-il à l'approche de la serveuse.

– Je prendrai plutôt une limonade. J'ai déjà bu trop de café aujourd'hui.

– Un double expresso pour moi, s'il vous plaît. Noir.

Il se renversa contre le dossier de sa chaise, étudia le visage de Lila. *Une physionomie intéressante*, jugea-t-il, fraîche et ouverte, même si le stress et la fatigue se lisaient dans ses yeux, d'un brun profond, l'iris auréolé d'un fin liseré d'or. *Des yeux de gitane*, pensa-t-il et il la vit aussitôt en rouge. Corsage grenat et jupe à volants colorés. Dansant devant un feu de camp, tourbillonnant, les cheveux emportés par le mouvement.

– Ça va ? Question stupide, ajouta-t-elle aussitôt. Bien sûr que non.

– Non, excusez-moi. Vous ne connaissiez pas Oliver ?

– Non.

– Ni sa compagne ? Comment s'appelait-elle, déjà ? Angélique ?

– Marjolaine. Autre plante aromatique. Non, je ne les connaissais ni l'un ni l'autre. Je loge dans le même complexe, en ce moment. Je regardais par la fenêtre, je l'ai vue…

– Qu'avez-vous vu ?

Il posa une main sur les siennes, puis l'ôta en la sentant se raidir.

– Elle avait l'air contrariée, elle pleurait, et quelqu'un l'a frappée.

– Quelqu'un ?

– Je ne le voyais pas. Mais j'avais déjà vu votre frère. Je les avais vus plusieurs fois tous les deux. Ils se disputaient, ils se réconciliaient. Je vous laisse imaginer comment…

– Votre appartement donne juste en face du sien ? Enfin, du leur. La police m'a dit qu'ils vivaient ensemble.

– En fait, ce n'est pas mon appartement. (Lila s'interrompit lorsque la serveuse apporta leurs consommations.) Merci, lui dit-elle avec un sourire. Les propriétaires sont en vacances pour trois semaines, je suis *house-sitter* et je… Je sais que ça peut paraître bizarre, mais j'aime observer les gens. J'ai une paire de jumelles…

– Vous vous rejouez *Fenêtre sur cour*…

– Un peu, acquiesça-t-elle en riant. Sauf que j'espère ne jamais voir personne fourrer un cadavre en morceaux dans une malle. Une malle ou des valises, d'ailleurs… Bref, peu importe. Je ne me considère pas comme une voyeuse. Plutôt une spectatrice. Le monde est une scène, j'aime le théâtre.

– Donc, vous n'avez pas vu Oliver ? demanda-t-il avant qu'elle digresse davantage. Vous ne l'avez pas vu la frapper ? Ni la pousser ?

– Non. C'est ce que j'ai dit à la police : j'ai vu quelqu'un la frapper, mais ce quelqu'un n'était pas dans mon champ de vision. Il était évident à son expression qu'elle avait peur, qu'elle suppliait. J'allais appeler le 911… quand elle est tombée par la fenêtre. La vitre s'est cassée et elle est passée au travers.

Ses mains tremblaient. Il les couvrit des siennes et ne les retira pas, cette fois.

– Détendez-vous.

– Je n'arrête pas de revoir la scène. La baie vitrée volant en éclats et cette jeune femme basculant dans le vide, les bras en croix, les jambes battant l'air désespérément. Je l'entends crier… mais ça, c'est dans ma tête, je n'ai rien entendu. Je suis navrée pour votre frère, mais…

– Ce n'est pas lui qui l'a tuée.

Un instant, elle garda le silence, porta son verre à ses lèvres, but quelques gorgées de limonade.

– Il n'en aurait pas été capable, ajouta Ash.

Quand elle releva les yeux, son regard irradiait de compassion.

Elle n'a rien d'une Walkyrie, pensa-t-il. *Elle a trop de cœur.*

– Vous traversez une dure épreuve.

– Vous croyez que je refuse d'accepter que mon frère ait pu commettre un meurtre, puis se suicider. Ce n'est pas ça. Je sais qu'il était incapable de tuer, encore moins de se donner la mort. Nous n'étions pas proches. Je ne l'avais pas vu depuis des mois. Giselle le connaît mieux que moi, ils ont moins de différence d'âge, mais elle est à…

Le chagrin s'abattit sur lui telle une pluie de cailloux, et lui coupa momentanément la parole.

– Je ne sais même pas où elle est, reprit-il. À Paris, peut-être. Il faudra que je me renseigne. Mon frère était une calamité. Un prédateur sans l'instinct du tueur nécessaire au prédateur. Un charmeur, un baratineur. Il avait toujours des idées fabuleuses, mais aucun sens des réalités. Il avait des défauts, mais il n'aurait jamais frappé une femme. (*Elle les a observés à plusieurs reprises*, se remémora-t-il.) Vous disiez qu'ils se disputaient souvent. L'avez-vous vu lever la main sur elle, la brusquer ?

– Non, mais…

– Je veux bien croire qu'il était saoul, défoncé, sans doute même les deux, mais il n'aurait jamais fait de mal à une femme. Il n'aurait jamais commis un meurtre. Il ne se serait jamais suicidé. Avant d'en arriver à ces extrêmes, il aurait tiré la sonnette d'alarme, persuadé que quelqu'un le dépêtrerait de ses ennuis. Un éternel optimiste, voilà ce qu'était Oliver.

– Parfois, on ne connaît pas les gens aussi bien qu'on le pense, répondit Lila, diplomate.

– C'est vrai. Il était amoureux. Oliver était toujours amoureux, ou en quête d'aventures amoureuses. Et toujours dans la démesure. Quand il se lassait d'une fille, il prenait un avion et lui envoyait un cadeau hors de prix avec une lettre de regrets, du genre : « Tu n'y es pour rien, c'est moi le fautif. » Il n'aimait pas le conflit. Et il était bien trop imbu de sa personne pour se tirer une balle dans la bouche. Quand bien même il aurait voulu en finir, mais je doute qu'il ait pu sombrer dans un tel désespoir, il aurait avalé des comprimés.

– Peut-être qu'il a eu un geste malheureux, avança Lila. Dans la colère, il l'a poussée, elle est tombée, et il s'en est tellement voulu qu'il s'est tué.

Ash secoua la tête.

– Il m'aurait appelé, ou il se serait enfui. Il est le plus jeune des enfants de sa mère, et son seul fils. Il a toujours été couvé. Chaque fois qu'il a eu des problèmes, l'un d'entre nous l'a sorti du pétrin. Il savait qu'il pouvait compter sur nous et il n'hésitait pas une seconde à nous mettre à contribution. Il n'avait qu'à pleurnicher : « Ash, je suis dans la merde. Il faut que tu m'aides, s'il te plaît… »

– C'était vous qu'il appelait dans ces cas-là ?

– Quand il avait de sérieux ennuis, oui. Par ailleurs, il n'aurait jamais mélangé alcool et comprimés. L'une de ses ex a commis cette erreur fatale, et il en a tiré la leçon. Il buvait, il prenait de la drogue, il se mettait dans des états pitoyables, mais quand il picolait, il ne consommait rien d'autre, et vice versa. La théorie des flics ne tient pas. Vous dites que vous les avez observés plusieurs fois…

– Oui, admit Lila, honteuse. Une mauvaise habitude. Il faut que je m'en débarrasse.

– Vous les avez vus se disputer, mais il n'a jamais eu de geste violent.

– Non… Non… Elle était plus nerveuse que lui. Elle lui jetait des trucs à la figure : chaussure, cendrier… un vase, une fois.

– Comment réagissait-il ?

– Il esquivait, répondit Lila avec un sourire qui révéla une petite fossette à la commissure de ses lèvres. Il avait de bons réflexes, et il savait y faire pour désamorcer la tension. Je l'avais baptisé Beau Parleur. Pardon, je suis désolée, ajouta-t-elle devant le regard peiné d'Ash.

– Ne vous excusez pas, vous avez tout à fait raison, Oliver était un beau parleur. Il ne s'énervait pas, donc… Il ne la menaçait pas ?

– Non. Il trouvait un moyen de la faire rire. Elle essayait de résister, mais elle finissait toujours par se laisser attendrir. Il la prenait dans ses bras et… vous devinez la suite. Les gens n'ont qu'à fermer les rideaux s'ils ne veulent pas se donner en spectacle.

– Elle lui jetait des trucs à la figure et il se débrouillait pour que ça se termine au lit… Oliver tout craché.

Ils se disputaient tous les jours, se dit Lila, et en effet elle ne l'avait jamais vu sortir de ses gonds. Jamais il n'avait porté la main sur elle, si ce n'était pour éveiller le désir. Cependant…

– Le fait est qu'il l'a poussée par la fenêtre et qu'il s'est tiré une balle dans la bouche.

– Ce n'est pas lui qui l'a poussée, et ce n'est pas lui qui a tiré cette balle. Il y avait quelqu'un d'autre dans l'appartement, quelqu'un qui les a tués tous les deux. La question est de savoir qui, et pourquoi.

Elle scruta longuement son regard. Il paraissait sincère, et l'hypothèse était plausible, logique même, d'après le portrait qu'il dressait de son frère.

Dans ses yeux, il lisait à présent davantage que de la compassion, un début d'intérêt.

– Pourrais-je voir votre appartement ?

– C'est-à-dire…

– Pour l'instant, la police me refuse l'accès à celui d'Oliver. J'aimerais voir ce que l'on voit de chez vous. Enfin, de chez vos clients. Mais je comprends que vous hésitiez, vous ne me connaissez pas. Peut-être pourriez-vous demander à quelqu'un d'être là avec nous ?

– Peut-être. Je verrai ce que je peux faire.

– Super. Je vous laisse mon numéro. Réfléchissez et appelez-moi.

Elle sortit son téléphone, enregistra le numéro qu'il lui donna.

– Je dois rentrer, maintenant. Je me suis déjà attardée plus longtemps que je n'en avais l'intention.

– Je vous remercie d'avoir bien voulu me parler. Et m'écouter.

Elle se leva, lui posa une main sur l'épaule.

– Je suis désolée, pour votre frère, pour vous, votre famille. J'espère que vous découvrirez le fin mot de l'histoire, quel qu'il soit. Je vois ce que je peux faire et je vous appelle.

– Merci.

Là-dessus, elle le laissa seul à la petite table ronde, le regard plongé dans le café auquel il n'avait pas touché.

3

Elle appela Julie, et lui raconta toute l'histoire tandis qu'elle arrosait les plantes, cueillait les tomates mûres, puis amusait le chat.

Les exclamations, la stupéfaction et la sympathie de son amie lui auraient amplement suffi. Or celle-ci avait encore mieux à lui offrir.

– Ils en ont parlé à la radio, ce matin. Du coup, à la galerie, c'était le Grand Sujet du jour. On la connaissait.

– Tu connaissais Blondie ? s'écria Lila, et elle se mordit aussitôt la lèvre – le surnom lui paraissait à présent déplacé. Je veux dire, Marjolaine Kendall.

– Un peu. Elle venait à la galerie de temps en temps. Elle nous a acheté quelques très belles pièces. Ce n'est pas moi qui ai fait les ventes, mais on me l'a présentée. Sur le coup, je n'avais pas réalisé que c'était elle. Aux infos, ils ont dit que ça c'était passé à West Chelsea, mais je ne suis pas sûre qu'ils aient précisé l'adresse exacte.

– En tout cas, il y a plein de journalistes et de cameramen en bas de l'immeuble, depuis ce matin.

– Quel drame… Pousser sa nana par la fenêtre et se suicider… C'est horrible. Et toi, tu n'as pas eu de bol d'être témoin. Ils n'ont pas dit qui était le gars, ce matin, à la radio. Depuis, je n'ai pas réécouté les nouvelles.

– Oliver Archer, alias Beau Parleur. J'ai rencontré son frère au poste de police.

– Aïe ! Gênant, non ?

– Pas du tout.

Assise sur le carrelage de la salle de bains, Lila entreprit de poncer une aspérité sur la glissière de l'un des tiroirs du meuble de lavabo.

– Il m'a offert une limonade, poursuivit-elle. Il voulait que je lui raconte ce que j'avais vu.

– Tu… Tu es allée prendre un verre avec lui ? Tu es dingue ! Qui te dit qu'il n'est pas aussi dangereux que son frère ?

– On était dans un café juste en face du commissariat, où il y avait au moins cinq agents de police. Il m'a fait de la peine. Le pauvre, il n'a pas encore vraiment intégré… Il essaie tant bien que mal de comprendre l'incompréhensible. Il ne croit pas que son frère ait pu tuer Marjolaine, encore moins se suicider. Ses arguments tenaient la route.

– Lila, personne ne peut accepter que son frère ait pu faire une chose pareille.

Elle souffla sur la poussière produite par le papier de verre.

– C'est ce que je me suis dit, au début, mais il a réussi à me convaincre.

Elle remit le tiroir en place, le tira, le poussa, puis hocha la tête, satisfaite. Si tout pouvait être aussi simple.

– Il veut venir ici, voir l'appart' de son frère depuis mes fenêtres.

– Tu n'y penses pas, j'espère ?

– Il m'a suggéré de demander à une tierce personne d'être là avec moi. Autrement, ç'aurait été un non catégorique. Mais avant de prendre une décision, j'ai l'intention de jeter un œil sur Google. Histoire de m'assurer qu'il n'a pas d'antécédents douteux, genre une femme décédée dans des circonstances mystérieuses, ou un frère ou une sœur au passé trouble. Il en a douze.

– Sérieux ?

– Pas tous du même lit.

– Dis-moi que tu ne lui as pas donné l'adresse des Kilderbrand !

– Ni mon adresse, ni mon numéro de téléphone, répondit Lila en rangeant les articles qu'elle avait sortis du tiroir. Je ne suis quand même pas idiote à ce point.

– Mais trop confiante. Comment s'appelle-t-il ? S'il t'a donné son vrai nom… Je vais faire quelques recherches, moi aussi.

– Bien sûr qu'il m'a donné son vrai nom : Ashton Archer.

– Attends… Ashton Archer ? Un super beau brun aux yeux verts ?

– Oui…

– Je le connais ! Il est peintre, nous exposons ses toiles. Je le connais même assez bien ! J'adore ce qu'il fait.

– Il me semblait que ce nom ne m'était pas inconnu, mais je n'arrivais pas à le situer. C'est lui qui a peint la violoniste dans la prairie, avec un château en ruine à l'arrière-plan, c'est ça ? Le tableau dont j'ai dit que je l'aurais acheté si j'avais eu un mur où l'accrocher.

– C'est ça.

– A-t-il eu des femmes décédées dans des circonstances mystérieuses ?

– Pas à ma connaissance. Que je sache, il n'a jamais été marié, bien qu'il ait vécu un certain temps avec Kelsy Nunn, la danseuse étoile du Ballet national. Si ça se trouve, ils sont encore ensemble, je me renseignerai. Il a du talent, une réputation de sérieux, et il n'est pas complètement névrotique, comme souvent les artistes. Il aime ce qu'il fait, apparemment. Famille richissime, vieilles fortunes, des deux côtés. Je regarde sur Google, là, pendant que je te parle. Les parents de son père se sont enrichis dans l'immobilier, ceux de sa mère dans l'import-export. Bla bla bla… Je continue ?

Les apparences sont trompeuses, se dit Lila. Jamais elle n'aurait deviné qu'il venait d'un milieu aisé. Autant son frère avait l'air d'un fils à papa, autant lui paraissait seulement affligé, révolté.

– Laisse tomber. Je ferai mes recherches moi-même. En gros, tu es en train de me dire qu'il ne me poussera pas par la fenêtre ?

– Je dirais qu'il y a peu de risques. C'est quelqu'un en qui j'ai confiance, sur le plan personnel autant que professionnel. Je suis peinée pour son frère. Même s'il a tué l'une de nos clientes.

– Dans ce cas, puisqu'il a la bénédiction de Julie Bryant, je lui dirai de venir.

– Ne t'emballe pas trop, Lila.

– Non. Ça attendra demain. Je suis trop fatiguée ce soir. Je voulais te proposer de passer, mais je suis vannée.

– Prends un bon bain dans cette fabuleuse baignoire. Allume des bougies, lis un bouquin. Ensuite, mets-toi en pyj', commande une pizza, regarde une comédie romantique, emmène le chat au lit et fais un gros dodo.

– Je crois que je vais suivre ton programme à la lettre.

– Et si jamais tu n'as pas envie de rester seule, n'hésite pas à me rappeler. Autrement, je poursuis mon enquête sur Ashton Archer. Je connais du monde qui connaît du monde. Si je suis satisfaite, alors je lui accorderai la bénédiction de Julie Bryant. On se reparle demain.

– Ça marche.

Avant de prendre son bain, Lila sortit sur la terrasse, dans la chaleur de fin d'après-midi. En face, la fenêtre brisée avait été barricadée.

Jai Maddok observa Lila qui entrait dans l'immeuble – après avoir échangé quelques mots avec le portier.

Elle avait eu raison de la suivre, de se fier à son instinct, et de laisser Ivan filer le frère de l'idiot.

Ce n'était pas un hasard si le frère et la brunette étaient sortis ensemble du poste de police, s'ils avaient eu une longue conversation dans un café : la brunette, manifestement, habitait dans le même complexe rupin que l'idiot et sa poule.

La police avait un témoin, selon ses sources. Ce devait être cette femme. Qu'avait-elle vu exactement ?

Selon ses sources, encore, la police enquêtait sur un meurtre et un suicide. Malgré son mépris pour les flics, elle n'avait toutefois guère d'espoir qu'ils persistent dans cette voie, témoin ou non. La mise en scène avait été bâclée. Ivan n'aurait pas dû se défouler sur la poule.

Du reste, le patron n'était pas content que l'idiot ait passé l'arme à gauche avant de lâcher le morceau. Et quand le patron n'était pas content, les choses se passaient mal, très mal. En général, Jai était celle par qui le mal arrivait. Elle ne tenait pas à ce que le mal arrive sur elle.

Les erreurs devaient être réparées. Un puzzle, décida-t-elle. Elle aimait les puzzles. L'idiot, la poule, la brune et le frère.

Comment ces éléments s'imbriquaient-ils ? Et comment s'en servirait-elle pour mettre la main sur le butin convoité par son employeur ?

D'un pas nonchalant, elle tourna au coin de la rue. Elle aimait la chaleur moite, l'effervescence de la ville, les regards appuyés des hommes. Qu'ils se retournent sur son passage ne l'inquiétait pas. Dans les grandes villes, les gens se regardaient sans se voir. « Mon ravioli chinois », ainsi l'appelait parfois le patron, quand il était d'humeur câline, mais le patron était un homme… pas comme les autres.

Il la considérait comme un instrument, à l'occasion comme un animal de compagnie ou une enfant gâtée. Elle se réjouissait qu'il n'ait jamais eu de vues sur elle, sinon elle aurait dû coucher avec lui. Et cette idée froissait sa sensibilité, bien qu'elle n'en eût pas beaucoup.

Elle s'arrêta devant une vitrine pour admirer des nu-pieds à talons dorés et fines brides léopard. Autrefois, elle s'estimait heureuse quand elle trouvait une vieille paire de tongs dans une poubelle. Aujourd'hui, elle pouvait se payer toutes les chaussures qu'elle voulait.

Désormais, lorsqu'elle se rendait en Chine pour affaires, elle dormait dans les plus beaux hôtels. Néanmoins, il lui arrivait encore d'être hantée par le souvenir de la faim et de la crasse, du froid perçant et de la chaleur impitoyable.

Heureusement, l'argent, le sang, le pouvoir et les belles chaussures chassaient rapidement les fantômes.

Elle entra dans le magasin.

Dix minutes plus tard, elle en ressortit chaussée des nu-pieds léopard, satisfaite de la ligne qu'ils conféraient à ses mollets musclés.

Oui, les hommes se retournaient sur cette superbe Asiatique tout en noir : pantacourt moulant, chemisier cintré et talons aiguilles dorés. Les femmes aussi regardaient son visage trompeusement doux, ses lèvres vermillon, ses grands yeux en amande, ses longs cheveux de jais attachés en une queue-de-cheval haute et serrée.

Les hommes avaient envie de la toucher, les femmes de lui ressembler, parfois aussi de la toucher.

Mais ils ne la connaîtraient jamais. Elle était une balle sifflant dans le noir, le tranchant d'une lame silencieuse sous la gorge.

Tuer ne lui posait aucun problème, lui rapportait très, très gros, et lui procurait un immense plaisir. Davantage que les chaussures, davantage que le sexe, davantage que manger, boire et respirer.

Tuerait-elle la brunette et le frère de l'idiot ? se demanda-t-elle. Tout dépendrait de leur place dans le puzzle, mais sans doute seraitce à la fois nécessaire et jouissif.

Entendant un message arriver sur son téléphone, elle le sortit de son sac et hocha la tête d'un air satisfait. La brune qu'elle avait prise en photo avait à présent un nom et une adresse.

Lila Emerson. Mais l'adresse n'était pas celle de l'immeuble où elle était entrée.

Bizarre. Cependant, Jai en restait persuadée, ce n'était pas un hasard si elle était entrée dans cet immeuble. En tout cas, puisque cette Lila Emerson était là à l'instant, c'est qu'elle n'était pas à l'adresse affichée sur le téléphone. Peut-être valait-il le coup d'aller y faire un tour.

Sitôt chez elle, Julie se débarrassa de ses chaussures. Elle n'aurait pas dû laisser ses collègues la convaincre de les accompagner à leur cours de salsa. Certes, elle s'était bien amusée, mais pendant plus d'une heure ses pieds avaient gémi comme des bébés souffrant de coliques.

Elle n'avait qu'une envie : les baigner dans l'eau tiède et parfumée, boire un litre d'eau afin d'évacuer le bien trop grand nombre de margaritas qu'elle avait éclusées, et se coucher.

Vieillissait-elle ? s'interrogea-t-elle en verrouillant la porte. Il n'était même pas 21 h 30. Bien sûr que non. Elle était juste fatiguée par une longue journée, un peu inquiète pour Lila, et encore contrariée par sa rupture avec David.

Qu'elle soit toujours célibataire et sans enfant à trente-deux ans témoignait justement de sa jeunesse d'esprit. Elle avait réussi sa carrière, elle aimait son métier, les gens avec qui elle travaillait, ceux qu'elle rencontrait : les artistes, les amateurs d'art, les expositions, les vernissages et les voyages.

Elle était divorcée, et alors ? OK, deux fois. Mais son premier mariage, à dix-huit ans, n'avait duré que quelques mois. Il comptait pour du beurre.

Pourquoi diable n'était-elle pas satisfaite ? se demanda-t-elle en se désaltérant d'une longue rasade d'eau de Fiji, à même la bouteille, dans sa cuisine rutilante – qu'elle utilisait seulement pour stocker l'eau minérale, le vin et quelques aliments de base.

Elle s'épanouissait dans son travail, elle avait des amis adorables, un appartement qui reflétait ses goûts – rien que les siens, merci –, une garde-robe que beaucoup lui auraient enviée. Elle aimait même sa silhouette, la plupart du temps, surtout depuis qu'elle avait engagé le Marquis de Sade comme coach personnel, l'année dernière.

Elle était séduisante, intéressante, indépendante. Incapable de garder un mec plus de trois mois.

Peut-être qu'elle n'était pas faite pour la vie à deux. Tout simplement. En haussant les épaules, elle emporta la bouteille d'eau dans sa chambre.

Peut-être devrait-elle prendre un chat. Les chats étaient des créatures intéressantes et indépendantes. Si elle en trouvait un aussi chou que Thomas…

Le doigt sur l'interrupteur, elle se figea en sentant un fort parfum. Son parfum. Pas le Ricci Ricci de tous les jours, mais le plus capiteux Boudoir qu'elle portait seulement pour sortir.

D'où venaient ces effluves ? Sûrement pas d'elle. Après la séance de salsa, elle empestait la transpiration.

Et où était passé l'élégant flacon rose à bouchon doré ?

Intriguée, elle s'avança vers la coiffeuse. La boîte à bijoux était là, à sa place, le vapo de Ricci Ricci aussi, ainsi que le lis rouge dans son soliflore argenté.

En revanche, le flacon de Boudoir avait disparu.

L'avait-elle posé ailleurs sans y prêter attention ? Non, pourquoi l'aurait-elle mis ailleurs ? OK, elle était au radar, ce matin, mais elle se rappelait parfaitement l'avoir vu à sa place habituelle. Elle avait fait tomber sa boucle d'oreille. Elle se revoyait ne pas réussir à la fermer, et pester quand elle avait roulé sur la coiffeuse, juste à côté du flacon rose.

En marmonnant, elle alla voir dans la salle de bains, regarda dans le vanity où elle rangeait son maquillage. Il n'y était pas, évidemment. Et… son rouge à lèvres YSL Red Taboo avait lui aussi disparu. Ainsi que l'eye-liner liquide Bobbi Brown, acheté à peine une semaine auparavant.

Elle retourna dans la chambre, jeta un œil, par acquit de conscience, dans son sac de voyage, dans la trousse de toilette qu'elle avait emportée dans les Hamptons pour le mariage de sa cousine.

Les mains sur les hanches, elle inspecta le dressing, et poussa un petit cri en voyant, ou plutôt en ne voyant pas, ses sandales Manolo Blahnik corail à semelles compensées, toutes neuves, même pas encore portées.

Saisie de panique, elle fonça à la cuisine chercher son sac à main et téléphona aussitôt à la police.

À minuit passé de quelques minutes, Lila l'accueillit chez les Kilderbrand.

– Je suis désolée, s'excusa Julie. Après ce qui t'est arrivé hier soir, tu n'avais vraiment pas besoin de ça.

– Ne dis pas de bêtises. Ça va ?

– Je ne sais pas trop. Les flics m'ont prise pour une dingue. Peut-être qu'ils ont raison, que je me suis fait un film…

– Mais non ! Viens…

Lila prit le cabas de Julie et l'emporta dans la chambre d'amis.

– Mais, je n'ai pas rêvé, quand même ! Des trucs ont disparu de chez moi. Des trucs bizarres, d'accord… Du maquillage, du parfum, des chaussures et un fourre-tout léopard, vraisemblablement pour transporter le reste. Alors qu'on aurait pu voler des œuvres d'art, des bijoux, une très belle montre Baume & Mercier, et les perles de ma grand-mère.

– Le cambrioleur était peut-être une cambrioleuse. Une jeune cambrioleuse inexpérimentée.

– Je ne les ai pas rangés ailleurs. J'en suis certaine, contrairement à ce que pense la police.

– Ça ne pourrait pas être la femme de ménage ?

Julie se laissa tomber sur le bord du lit.

– Les flics m'ont posé la question. En six ans, je n'ai jamais eu aucun problème avec cette entreprise. Ce sont toujours les deux mêmes personnes qui viennent, à tour de rôle, une semaine sur deux. Elles ne risqueraient pas leur job pour du maquillage. À part elles, tu es la seule à avoir la clé et le code.

De l'index, Lila traça un X en travers de son cœur.

– Innocente.

– Tu ne fais pas la même pointure que moi et tu ne portes jamais de rouge à lèvres rouge. Tu devrais, pourtant, ça t'irait bien… Tu es au-dessus de tout soupçon. Merci de m'avoir dit de venir. Je n'aurais pas pu rester seule cette nuit. Dès demain, je fais changer les serrures, et j'ai déjà modifié le code de l'alarme. Une gamine, tu disais… Il y en a quelques-unes dans l'immeuble. Tu dois avoir raison, c'est peut-être bien une petite idiote…

– Idiote, sans aucun doute, mais elle t'a fait du tort. J'espère que la police la retrouvera.

– Je doute qu'ils déploient des patrouilles pour chercher une ado en Manolo aux lèvres rouge Taboo et parfumée de Boudoir.

– On ne sait jamais, répliqua Lila en passant un bras autour des épaules de son amie. À la première occasion, on ira faire les boutiques pour remplacer ce qu'elle t'a pris. En attendant, tu as envie de quelque chose, là, maintenant ?

– D'une bonne nuit de sommeil. Je vais m'installer sur le canapé.

– Le lit est grand. Il y a suffisamment de place pour toi, moi et Thomas.

– Tu es un ange. Merci. Je peux prendre une douche vite fait ? Je suis allée danser avec mes collègues.

– Bien sûr, fais comme chez toi. Je laisse la lampe de chevet allumée.

– Au fait, j'allais oublier… Ash a ma bénédiction. J'ai interrogé quelques personnes, l'air de rien. En gros, c'est un bourreau de travail qui déteste les mondanités, au grand dam de son agent et de la gent féminine. Il ne faut pas l'énerver quand il est de mauvaise humeur, mais il n'est pas violent. Si ce n'est qu'il a un jour collé son poing dans la figure d'un mec bourré, à un vernissage.

– Il a frappé un mec à un vernissage ?

– Dans une galerie de Londres. Le type avait mis la main aux fesses d'un de ses modèles. D'après ce qu'on m'a raconté, c'était mérité. À mon avis, tu peux sans crainte l'inviter à venir regarder par la fenêtre.

– Très bien.

Lila se glissa sous la couette en pensant à une voleuse de rouge à lèvres et de chaussures, à un jeune couple ayant trouvé une mort tragique, à un artiste castagnant un ivrogne. Ces considérations se muant en petits rêves étranges, elle n'entendit pas Julie se mettre au lit, ni Thomas ronronner de bonheur en se calant entre elles deux.

Elle fut réveillée par l'odeur du café – toujours agréable, comme réveil. Dans la cuisine, Julie tartinait des bagels et Thomas dévorait son petit déjeuner.

– Tu as donné à manger au chat et préparé du café. Veux-tu m'épouser ?

– Je pensais adopter un chat, mais peut-être que je vais plutôt me marier avec toi.

– Les deux ne sont pas incompatibles.

– J'y réfléchirai, déclara Julie en sortant deux soucoupes de fruits rouges du frigo.

– Waouh !

– Tu avais des fruits rouges, j'ai trouvé ces ravissantes soucoupes. Il y a de très jolies choses ici. Je ne sais pas comment tu fais pour résister à l'envie de fouiner dans les tiroirs et les placards. Et je dis ça alors qu'une sale môme a fouillé dans les miens…

Une étincelle vindicative dans le regard, Julie rejeta sa flamboyante chevelure par-dessus son épaule.

– J'espère qu'elle est couverte de gros boutons d'acné, ajouta-t-elle.

– Macey ?

– Qui ? Oh non, la voleuse !

– Ah oui… Tant que je n'ai pas bu de café, mon cerveau fonctionne au ralenti. Des grosses pustules, un appareil dentaire et le béguin pour un joueur de base-ball qui ne sait même pas qu'elle existe.

– Excellent ! Allons prendre le petit déjeuner sur la terrasse, comme le couple très chic qui vit là, j'imagine. Ensuite, il faudra que je m'habille et que je retourne à la réalité.

– Tu as un chouette appart', toi aussi.

– Trois fois moins grand que celui-ci, et sans terrasse. Dans un immeuble sans piscine ni salle de gym. Tout bien réfléchi, je décline ta proposition de mariage. Je préfère me trouver un mec riche.

– Croqueuse de diamants !

– Nous emménagerons ici et les vilaines boutonneuses ne risqueront pas de déjouer le système de sécurité.

Tandis que Julie dressait la table, le regard de Lila se posa sur la fenêtre condamnée.

– C'est vrai ce que tu dis là… On n'entre pas ici comme dans un moulin… S'il y avait une troisième personne dans l'appartement, c'était sûrement quelqu'un qu'ils connaissaient, ou un résident de l'immeuble, ou un cambrioleur de haut vol. Sauf que la police n'a pas parlé de cambriolage.

– Il l'a poussée par la fenêtre et il s'est suicidé. Je suis désolée pour Ashton, mais c'est ce qui a dû se passer.

– Il est tellement sûr que ce n'est pas ça… Enfin, je dois arrêter d'y penser. Concentrons-nous sur notre petit déjeuner, bien que tu m'aies remballée pour un richard.

– Il ne sera pas seulement riche, mais beau. Latin, probablement.

– C'est drôle, je le voyais chauve et adipeux, rétorqua Lila en croquant une myrtille. Sans transition… j'ai du pain sur la planche, moi, aujourd'hui. Je n'ai pas bossé de la journée hier, il faut que je rattrape mon retard. Ensuite, je téléphonerai au jeune, beau et riche Ashton Archer. S'il veut venir jeter un coup d'œil par la fenêtre, qu'il vienne. J'aurai ainsi fait tout ce que je pouvais pour lui, non ?

– Il me semble. L'enquête est entre les mains de la police, et Ashton devra accepter la réalité, même si c'est dur… J'avais une copine, à la fac, ou plus exactement l'amie d'une amie, qui s'est suicidée.

– Tu ne m'en as jamais parlé.

– On n'était pas très proches. On se voyait juste de temps en temps, je ne m'étais pas rendu compte à quel point elle était mal dans sa peau. Son petit copain l'avait quittée. Il ne devait pas y avoir que ça, mais c'est sans doute ce qui l'a poussée à passer à l'acte. Elle a pris des somnifères. Elle n'avait que dix-neuf ans.

L'espace d'un instant, Lila ressentit dans sa chair ce terrible désespoir.

– Quelle horreur… murmura-t-elle. Je ne veux plus que ta voleuse soit amoureuse du joueur de base-ball. Juste qu'elle ait des boutons.

– Tu as raison, on ne badine pas avec l'amour. Ne soyons pas cruelles, laissons tomber le joueur de base-ball. Tu veux que je revienne, ce soir, pour que tu ne sois pas seule avec Ashton ?

– Ce n'est pas la peine. Mais si tu ne te sens pas prête à retourner chez toi, tu peux rester ici autant que tu voudras.

– Je n'ai pas peur d'une sale môme. Et maintenant qu'elle m'a piqué ce qui l'intéressait, elle n'a pas de raison de revenir. N'empêche, soupira Julie, je suis dégoûtée qu'elle m'ait volé mes Manolo. Je les adorais. J'espère qu'elle se tordra la cheville avec, et qu'elle se cassera le tibia.

– Tu es dure.

– Et elle, elle n'a pas été dure avec moi ?

4

Lila retrouva la paix intérieure en se remettant au travail, en se replongeant dans les guerres de loups-garous et les polémiques adolescentes, qui l'absorbèrent jusqu'en milieu d'après-midi.

Thomas réclamant à grands cris un partenaire de jeu, elle abandonna le cousin préféré de Kaylee sur la corde raide entre la vie et la mort, après une embuscade. Un bon endroit où s'arrêter : elle pourrait ainsi prendre le temps de réfléchir à ce qu'il adviendrait de ce pauvre garçon.

Elle joua à la balle avec le chat, puis le laissa s'amuser seul avec l'un de ses jouets mécaniques pendant qu'elle arrosait le jardin sur la terrasse, ramassait quelques tomates, cueillait un petit bouquet de zinnias.

Maintenant, il était grand temps de prendre le taureau par les cornes. Elle avait déjà bien assez remis ce moment à plus tard. Composer le numéro d'Ash fit resurgir la réalité. La belle blonde implorant la pitié. Son corps désarticulé tombant dans le vide et s'écrasant brutalement sur l'asphalte.

C'était réel, se dit Lila. Et ça le serait toujours. L'occulter ne l'abolirait pas. Il fallait l'affronter.

Ash travaillait, la musique à fond. Il avait commencé par une symphonie de Tchaïkovski, un choix dicté par son humeur, mais la mélodie lugubre lui donnait le cafard et entravait son inspiration. Il avait donc changé pour une compil' de hard-rock, qui lui insufflait de l'énergie. Et modifiait la tonalité de sa peinture.

La sirène, qu'il voulait au départ érotique, étendue sur un rocher, lascive, se muait peu à peu en une menaçante créature, au bord d'une mer déchaînée.

Sauverait-elle les marins pris dans la tempête ? Ou entraînerait-elle leur frêle embarcation par le fond ?

Le clair de lune, initialement romantique, se teintait peu à peu d'une lueur inquiétante, éclairant des écueils déchiquetés, allumant un regard maléfique dans les yeux verts de la belle femme-poisson.

Il ne s'attendait pas à ce que la scène prenne cette connotation violente quand il avait ébauché les croquis préparatoires, pour lesquels il avait fait poser un modèle aux longs cheveux de jais.

Le côté sombre du heavy metal et ses idées noires avaient jeté sur le tableau une atmosphère sinistre, qui n'était toutefois pas pour lui déplaire.

Elle attend, pensa-t-il.

La sonnerie de son mobile lui arracha un juron. D'ordinaire, il prenait soin de l'éteindre avant de se mettre au travail. Avec une famille aussi nombreuse que la sienne, il aurait été dérangé toutes les cinq minutes. Aujourd'hui, il s'était senti obligé de le laisser allumé.

Néanmoins, il le laissa sonner quelques secondes avant de se rappeler pour quelle raison il était délibérément resté joignable.

– Archer, j'écoute, dit-il en posant son pinceau et en se débarrassant de celui qu'il tenait entre les dents.

– Oh, euh, c'est Lila. Lila Emerson. Je... Vous êtes à une fête ?

– Non. Pourquoi ?

– J'entends de la musique.

Il poussa des bocaux, attrapa la télécommande et coupa le volume.

– Excusez-moi.

– Je vous en prie. Ce serait dommage d'écouter Iron Maiden en sourdine. Vous devez être en train de travailler, je ne vous embêterai pas longtemps. J'appelais juste pour vous dire que si vous voulez toujours venir ici... regarder par la fenêtre, c'est d'accord.

Il fut surpris qu'elle ait reconnu *Aces High*, un morceau qui n'était pas de la première jeunesse. Et comment avait-elle deviné qu'il travaillait ?

– Maintenant, ce serait possible ?

– Euh...

Il n'est pas correct de s'imposer, se sermonna-t-il.

– Dites-moi à quel moment vous seriez disponible.

– Maintenant, pourquoi pas… Vous m'avez prise au dépourvu, mais pas de problème. Vous avez de quoi noter l'adresse ?

Il s'empara d'un crayon gras.

– Je vous remercie, j'arrive d'ici une demi-heure.

– OK, je vous attends.

Une bonne chose de faite, se félicita-t-elle.

– Que préconise l'étiquette dans une telle situation, Thomas ? Je prépare une jolie petite assiette de gouda et de crackers au sésame ? Non, tu as raison. Ce serait ridicule. Je me maquille ? Évidemment. Ta sagesse m'épate, mon cher ami. On ne reçoit pas un bel homme avec une mine de déterrée.

Elle décida en outre de se changer. On ne recevait pas un bel homme en short informe et T-shirt rose bonbon usé jusqu'à la corde.

Peut-être aurait-elle dû préparer du thé glacé… Tant pis. S'il désirait boire quelque chose, elle lui offrirait du café.

Elle n'avait pas tout à fait terminé de délibérer lorsque le timbre de la sonnette retentit.

Il lui était rarement arrivé de se retrouver dans une situation aussi gênante, se dit-elle en regardant par le judas. En T-shirt bleu, toujours pas rasé, les cheveux en pétard, il fixait sur la porte avec un regard impatient.

La situation serait-elle moins gênante, se demanda-t-elle, s'il était dégarni et bedonnant, ou s'il avait vingt ans de plus, s'il n'était pas exactement le genre de mec qui la faisait craquer ?

Considérations tout à fait déplacées, se morigéna-t-elle en lui ouvrant.

– Bonjour. Entrez…

Devait-elle lui tendre la main ? Le geste n'était-il pas trop formel, voire guindé ?

– Je ne sais pas comment vous accueillir, dit-elle en laissant retomber les bras le long de son corps. Les circonstances sont tellement inhabituelles…

– Vous m'avez téléphoné. Je suis là. Ne nous embarrassons pas de convenances.

Pas le moins du monde gêné, Thomas vint saluer le visiteur en se frottant contre son mollet.

– Votre chat ou le leur ?

– Oh, le leur. Thomas est de très agréable compagnie. Il me manquera quand ma mission sera finie.

Ash gratifia le chat d'une longue caresse de la tête jusqu'au bout de la queue, comme Lila le faisait souvent elle-même.

– Des fois, vous ne devez pas savoir où vous êtes quand vous vous réveillez le matin.

– Ça ne m'est pas arrivé depuis longtemps. J'ai parfois un peu de mal à m'adapter au décalage horaire, mais la plupart du temps je travaille à New York ou dans les environs.

– Bel appartement, commenta Ash en se redressant. Beaucoup de lumière.

– Ne nous embarrassons pas de civilités, vous l'avez dit vous-même. Je vous montre la fenêtre par laquelle j'ai assisté à la scène ? Le plus dur sera fait.

– Allons-y.

– Je dors dans la chambre d'amis. La fenêtre donne à l'ouest. Je savais que je n'arriverais pas à m'endormir, ce soir-là. J'avais passé la soirée avec ma copine Julie. Oh ! au fait, elle vous connaît. Julie Bryant, de la galerie Chelsea Arts.

Une grande rousse pleine de charme, se rappela-t-il, *avec un œil avisé et un rire délicieux de franchise.*

– Vous connaissez Julie ?

– On est amies depuis des années. Elle est restée ici jusqu'à près de minuit, avant-hier. On a bu pas mal de vin, on s'est gavées de cupcakes. C'est pour ça que je n'avais pas sommeil.

Lila prit les jumelles et les tendit à Ash.

– J'invente des histoires, dit-elle, c'est mon métier. Je m'inspire de la vraie vie, des scènes qui se déroulent dans les fenêtres. C'est ridicule, je sais.

– Pas du tout. Mon métier à moi consiste à créer des images. Une autre façon de raconter des histoires.

– Tant mieux. Je veux dire, tant mieux si je ne vous parais pas ridicule. Mais, bref… voilà comment je l'ai vue. Marjolaine Kendall.

– Derrière la fenêtre qui est maintenant barricadée.

– Oui. Celle du salon. L'autre, avec le petit balcon, donne sur la chambre.

– Vous êtes directement chez les gens, murmura Ash en regardant à travers les jumelles.

– Ça m'a toujours amusée, depuis toute petite. J'ai empêché un cambriolage, un jour, à Paris, il y a deux ou trois ans. J'ai vu quelqu'un s'introduire dans un appartement pendant que les propriétaires étaient sortis.

– Voyage, aventure, lutte contre le crime… vous avez un métier palpitant.

– Le crime n'est pas prédominant, mais…

– Vous n'avez pas vu Oliver. Mon frère.

– Non, je n'ai vu qu'elle. La chambre était éteinte, et le living faiblement éclairé. Elle se tenait devant la fenêtre. Comme ça, précisa Lila en se plaçant dos à la vitre. Elle parlait à quelqu'un qui devait se trouver à sa gauche, entre les deux fenêtres. Je l'ai vu la frapper. Plus précisément, j'ai vu un bras lui porter un coup, un bras vêtu d'une manche foncée. Elle s'est protégé le visage. (Elle mima le geste.) Il lui a donné un autre coup de poing, sa tête est partie en arrière. Je suis allée prendre mon téléphone sur la table de chevet. Quand j'ai de nouveau regardé, elle était contre la fenêtre, le chignon défait.

– Vous pouvez me montrer ?

Lila se plaqua contre la fenêtre, les mains en appui sur les vitres.

– Vous n'avez vu qu'elle, vous êtes sûre ?

– Oui.

– Elle était grande : un mètre soixante-dix-huit, je me suis renseigné. Oliver faisait la même taille que moi, un mètre quatre-vingt-cinq, soit sept centimètres de plus qu'elle. Et l'homme la maintenait contre la fenêtre.

Ash se posta face à Lila, posa les mains sur ses épaules et la poussa en arrière.

– N'ayez pas peur, je veux juste vous montrer.

Elle n'avait pas peur, mais son cœur s'emballa. Pourquoi une chose aussi affreuse, reproduire un meurtre, lui paraissait-elle si étrangement intime ?

– Normalement, vous auriez dû voir une partie de son visage dépasser au-dessus de sa tête, poursuivit-il.

– Elle portait peut-être des talons…Non, elle n'en portait pas, se corrigea Lila en se souvenant des pieds nus battant l'air lorsque le corps était tombé dans le vide.

– Et vous ne voyiez pas le visage de son agresseur.

– Non.

– Parce qu'il était plus petit qu'elle. Donc, ce n'était pas Oliver.

Ash reprit les jumelles, les orienta vers la fenêtre condamnée.

– Une manche de couleur sombre, dites-vous.

– Oui, j'en suis presque sûre. C'est l'image qui me vient à l'esprit quand j'essaie de visualiser la scène.

– Je demanderai à la police si Oliver portait un haut noir.

– Depuis que vous avez évoqué la possibilité qu'il y ait eu une troisième personne dans l'appartement avec eux, je n'arrête pas d'y penser. Et de me demander si ce serait mieux ou pire.

Ash abaissa les jumelles.

– La question ne se pose pas en ces termes, répliqua-t-il tristement. Seule m'importe la vérité.

– J'espère que vous la trouverez. On voit l'immeuble sous un autre angle depuis la terrasse, si vous voulez. J'ai besoin de prendre l'air.

Là-dessus, elle quitta la pièce sans attendre de réponse. Après une brève hésitation, il lui emboîta le pas.

– Je boirais bien un verre d'eau. Vous voulez un verre d'eau ?

– Volontiers, acquiesça-t-il en la suivant à travers la salle à manger. Votre poste de travail ? demanda-t-il en désignant son ordinateur portable.

– J'essaie de ne pas trop m'étaler. On oublie facilement des trucs quand on en met partout. C'est ennuyeux pour les clients.

– C'est donc là que vous écrivez des histoires de loups-garous.

– Oui. Comment le savez-vous ? Google, bien sûr, répondit-elle avant qu'il en ait eu le temps. J'avoue que j'ai fait la même chose.

– Vous êtes fille de militaire.

– Vous avez donc bien lu toute ma bio. Mon père est à la retraite, maintenant. Il a été muté sept fois, j'ai donc changé d'établissement scolaire à sept reprises. Je compatis avec Kaylee, mon personnage principal, qui refuse de déménager une fois de plus tant qu'elle n'a pas fini le lycée.

– Je sais ce que c'est. J'ai subi le déracinement, moi aussi, quand mes parents ont divorcé.

– Quel âge aviez-vous ?

Sur la terrasse, le parfum des tomates gorgées de soleil se mêlait aux senteurs épicées des herbes aromatiques.

– Six ans.

– Si petit, ça a dû être dur, bien que ce soit difficile à tout âge. Vous aviez déjà des frères et sœurs ?

– Une sœur, Chloé, elle avait quatre ans à l'époque. Nous avons ensuite hérité de Cora, Portia et Oliver, quand notre père s'est remarié. Oliver avait à peine quelques mois lorsque ses parents se sont séparés. Ma mère et son deuxième mari ont eu Valentina, Esteban et Rylee... qui lit peut-être vos bouquins, vu qu'elle a une quinzaine d'années. Je vous épargne la liste complète, mais Madison, ma plus jeune sœur, a quatre ans.

– Vous avez une sœur de quatre ans ?

– La dernière femme de mon père est plus jeune que moi, répondit Ash en haussant les épaules. Certains collectionnent les timbres, d'autres les alliances.

– Comment faites-vous pour vous rappeler les prénoms et les âges de tout le monde ?

– J'ai un tableau Excel, répondit-il avec un sourire – à ce moment-là, il eut une image d'elle en robe rouge, tournoyant devant un feu de camp. Ça aide à ne pas faire de gaffe quand vous recevez une invitation à un anniversaire ou une remise de diplôme. Qui jardine ?

– L'extraordinaire Macey. Une femme épatante, presque parfaite. J'aimerais être comme elle. Elle a un tableau de vous.

– La dame qui vit ici ?

– Non, excusez-moi, j'ai parfois des pensées décousues. Marjolaine Kendall. C'est Julie qui me l'a dit. Une jeune femme jouant du violon dans une prairie. Je me souviens très bien de cette toile. J'avais dit à Julie que si j'avais un mur, je l'aurais achetée. Elle est magnifique. Cela dit, non seulement je n'ai pas de murs où accrocher des tableaux, mais je n'ai sûrement pas non plus les moyens de m'offrir une de vos œuvres. Marjolaine devait aimer cette peinture… Quelle tristesse… Plutôt que de l'eau, vous ne préféreriez pas un verre de vin ?

– Comme vous voudrez.

– Va pour le vin.

Tandis que Lila retournait à l'intérieur, Ash reprit les jumelles. Oliver avait dû se vanter d'avoir un frère peintre. Sa dernière conquête avait peut-être acheté cette toile pour lui faire plaisir.

– Avez-vous eu l'occasion de voir d'autres personnes chez eux ? demanda-t-il lorsque Lila revint avec deux verres de vin rouge. Un visiteur, un dépanneur, un livreur… ?

– Non. Justement, je me souviens m'être fait la remarque qu'ils ne recevaient jamais personne. Il faut dire qu'ils sortaient beaucoup, presque tous les soirs. Et qu'ils n'étaient pas là non plus la journée. Ils devaient travailler, je suppose. Cela dit, n'allez pas croire que je passe mon temps à la fenêtre. Il se peut que quelqu'un soit venu pendant que je ne regardais pas.

– Oliver aimait donner des soirées, et il aurait été fier d'inviter ses amis dans un bel appart' comme celui-ci.

– En plein été, la plupart des gens quittent la ville. Sauf ceux qui bossent pendant que les autres sont en vacances, comme moi, par exemple. Que faisait votre frère ?

– Si j'étais mauvaise langue, je dirais qu'il vivait aux crochets de ses parents, mais depuis un an il travaillait pour un oncle, du côté de sa mère. Dans un magasin d'antiquités. Apparemment, il avait enfin trouvé sa voie. Il s'entendait bien avec Vinnie, son oncle… il faudra que je passe le voir.

– Vous allez devoir en parler avec toute la famille, ça va être dur… Bien que ce soit sûrement un réconfort d'avoir une grande famille. J'ai toujours voulu avoir un frère ou une sœur. Vous avez prévenu votre père ?

Ash cessa de scruter la fenêtre condamnée et s'installa sur un fauteuil.

– Oui. Il est en Écosse. Il devait y rester encore quelques semaines. Il attend que je lui communique la date de l'enterrement pour faire changer ses billets de retour.

– C'est vous qui vous occupez des funérailles ?

– Par la force des choses. La mère d'Oliver vit à Londres. Le décès d'Oliver l'a terrassée. Perdre un enfant terrasserait n'importe qui mais… il était le centre du monde pour Olympia.

– Elle est entourée ?

– Portia habite aussi à Londres, et Olympia s'est remariée. Rick… Non, Rick était son premier mari, avant mon père. Nigel doit être avec elle. Je ne le connais pas très bien, mais je crois que c'est un homme sur qui elle peut compter. Toujours est-il qu'elle ne se sentait pas la force d'organiser la cérémonie, si bien que c'est moi qui m'en charge. Elle aura probablement lieu à la citadelle.

– La citadelle ?

– C'est comme ça que nous appelons la propriété de mon père, dans le Connecticut. Les funérailles seront privées. La presse commence déjà à raconter n'importe quoi. Inutile de leur donner matière à alimenter les ragots.

– Les journalistes vous harcèlent ?

Ash but une gorgée de vin, baissa les épaules.

– Pas trop, ça va. Je ne suis que le demi-frère d'Oliver, parmi une flopée d'autres. Du reste, j'ai toujours évité de faire parler de moi.

– Il est quand même de notoriété publique que vous avez fréquenté une danseuse étoile, répliqua Lila avec un petit sourire, dans l'espoir d'alléger ce qui devait être un poids écrasant. Google, et Julie, précisa-t-elle.

– Les gens s'intéressaient surtout à elle.

– Vous croyez ? Un artiste en vogue, issu d'une famille richissime et doté d'un physique renversant.

– Renversant ?

Elle haussa les épaules, contente de l'avoir amusé.

– C'est le qualificatif que j'emploierais si j'écrivais dans la presse people. Vous avez du potentiel médiatique, mais j'espère qu'ils vous laisseront tranquille. Vous avez quelqu'un pour vous aider ?

– À quoi ?

– Organiser les funérailles. Avec une famille aussi grande, et aussi éparpillée, il va falloir penser à des milliers de choses. Sans compter que les circonstances compliquent la situation. Je sais que ce n'est pas mon rôle, mais si je peux vous rendre service, ce sera avec plaisir.

Il plongea son regard dans ces grands yeux noirs, n'y lut que de la compassion.

– Pourquoi cette proposition ?

– Excusez-moi, elle était déplacée.

– Ce n'est pas ce que je voulais dire, pas du tout. C'est très aimable de votre part.

– Peut-être est-ce une déformation professionnelle, j'ai la manie de me mettre à la place des autres. Ou peut-être suis-je devenue écrivain à cause de cette manie. En tout cas, à votre place, je me sentirais débordée. Donc si je peux vous donner un coup de main, n'hésitez pas.

Avant qu'il puisse répondre, son téléphone sonna.

– Excusez-moi, dit-il en le sortant de sa poche arrière. La police. Non, restez, ajouta-t-il quand Lila fit mine de se lever. Bonjour Inspecteur Fine… Non, je ne suis pas chez moi, mais je peux passer au poste ou… Une minute, s'il vous plaît… Ils ont du nouveau, chuchota-t-il à Lila. Ils veulent me parler. Je peux leur dire de passer ici ?

Elle venait de proposer son aide, non ? L'offre était sincère, et voilà que se présentait une occasion de l'épauler.

– Si vous voulez, acquiesça-t-elle.

Les yeux rivés sur son visage, il reprit la communication.

– Vous avez l'adresse de l'appartement que garde Mlle Emerson, n'est-ce pas ? J'y suis avec elle. Nous vous attendons… Ce que je fais là ? Je vous expliquerai.

Sur ces mots, il rempocha son téléphone.

– Ils trouvent ça louche qu'on soit ensemble, précisa-t-il à Lila.

Pensive, elle sirota son verre de vin.

– Ils doivent se demander si nous ne sommes pas de mèche. Imaginer que vous avez tué votre frère et je que je me suis fait passer pour un témoin, afin de vous couvrir. Mais ils se rendront vite compte qu'ils font fausse route.

– Ah oui ?

– C'est vous qui venez de leur mettre cette idée en tête. Vous vous en seriez abstenu si nous étions complices d'un meurtre. Et je n'aurais pas appelé le 911 dans les secondes qui ont suivi la chute si mon rôle était de protéger l'assassin. Je n'aurais pas appelé du tout. Cela dit, je conçois qu'ils trouvent cela curieux que nous soyons en train de boire du vin ensemble sur la terrasse des Kilderbrand.

– Vous avez de la logique.

– Il en faut quand on écrit des romans.

Une femme compréhensive, pensa-t-il, *cartésienne, et probablement douée d'une imagination féconde.*

– Des loups-garous au lycée, vous trouvez ça logique, vous ?

– Plausible, dans l'univers que j'ai créé, rétorqua-t-elle en se levant. Bon, la police va arriver. Je vous avoue que ça me rend nerveuse, dit-elle en s'emparant de l'arrosoir pour arroser les plantes… qu'elle avait déjà arrosées. De ma vie, je n'avais jamais eu affaire à la police et voilà que, depuis avant-hier, je vois des agents tous les jours. Et tous les gens que je côtoie ont des démêlés avec eux : vous, Julie…

– Parce qu'elle a vendu une peinture à Marjolaine Kendall ?

– Hein ? Oh non ! Elle a été cambriolée, hier soir. Sûrement par des gamines, on ne lui a volé qu'une paire de chaussures, un flacon de parfum et un tube de rouge à lèvres. Il n'empêche qu'elle a quand même dû porter plainte. Mince, j'ai mis trop d'eau dans les plantes.

Ash se leva, prit l'arrosoir des mains de Lila et le posa près d'un bac.

– Il fait chaud, elles ont soif. Arrêtez de vous inquiéter, je vais descendre attendre les policiers dans la rue.

– Je ne disais pas ça pour ça. Je veux leur parler aussi, de toute façon. Vous m'avez convaincue que votre frère n'a pas poussé sa compagne. Je lance du café ? Une assiette de biscuits ? À votre avis ? J'aurais dû préparer du thé glacé.

– Détendez-vous. Et rentrons. Nous les recevrons à l'intérieur.

– Vous avez raison, approuva-t-elle en prenant son verre de vin. Je suis contente que vous soyez là… cela dit, si vous n'étiez pas là, je ne recevrais pas la visite de la police. Ah, les voilà ! s'écria-t-elle lorsque la sonnette retentit.

Calme-toi, tu n'as rien à te reprocher, se dit-elle en allant ouvrir la porte.

– Entrez, je vous en prie.

– Nous ne savions pas que vous vous connaissiez, déclara Fine d'emblée.

– Nous ne nous connaissions pas, jusqu'à hier.

– J'ai compris en voyant Lila au commissariat que c'était elle qui avait appelé les secours, enchaîna Ash. Je l'ai rattrapée à la sortie et je lui ai demandé si elle voulait bien me dire ce qu'elle avait vu.

Décontracté, il s'installa dans un fauteuil du living-room et attendit que les autres l'imitent. Fine dévisagea longuement Lila.

– Vous l'avez amené ici ?

– Non, nous sommes allés dans un café en face du commissariat. Ash voulait que je lui montre l'endroit depuis lequel j'avais assisté la scène. Et voilà pourquoi il est là aujourd'hui. Julie le connaît personnellement.

Waterstone arqua un sourcil.

– Julie ?

– Mon amie Julie Bryant. Elle travaille dans une galerie, Chelsea Arts, qui expose les œuvres d'Ash. Je vous ai parlé de Julie, se souvint-elle. J'utilise son adresse.

– Le monde est petit.

– Vraiment tout petit, renchérit Fine. La victime avait un tableau de vous dans son appartement, monsieur Archer, un tableau acheté à la galerie Chelsea Arts.

– C'est ce qu'on m'a dit. Je ne la connaissais pas. Il est très rare que je rencontre les acquéreurs de mes toiles. Je suis là simplement parce que je veux comprendre ce qui est arrivé à mon frère. Pouvez-vous me dire comment il était habillé ?

– Monsieur Archer, c'est nous qui posons les questions.

– D'après Lila, la personne qui a tué Mlle Kendall portait un haut de couleur sombre. Oliver était-il vêtu d'une chemise foncée ?

– Mlle Emerson n'a pas vu grand-chose, souligna Waterstone. Il n'y avait pas beaucoup de lumière dans la pièce.

– Certes, intervint Lila, mais je suis sûre d'avoir vu une manche foncée. Si Oliver Archer ne portait pas un vêtement foncé, alors ce n'était pas lui. Par ailleurs, j'aurais dû voir son visage. Ash dit que son frère mesurait un mètre quatre-vingt-cinq. J'aurais dû voir sa tête par-dessus celle de sa compagne.

– Si vous vous souvenez de votre déclaration, répliqua Fine patiemment, vous avez dit que tout s'était passé très vite, et que vous étiez plus particulièrement concentrée sur la femme.

– En effet, mais j'aurais dû voir une partie du visage d'Oliver.

– En tout cas, vous n'avez vu personne d'autre dans l'appartement.

– Non.

Fine se tourna vers Ash.

– Votre frère avait-il des ennuis ? Des ennemis ?

– Pas à ma connaissance.

– Et vous n'avez jamais rencontré Marjolaine Kendall, bien qu'elle vous ait acheté une pièce à plusieurs dizaines de milliers de dollars ?

– Je savais bien que je n'avais pas les moyens, marmonna Lila.

– Je vous répète que je ne connaissais pas la compagne de mon frère. Il ne l'a pas poussée. Il ne s'est pas suicidé. J'ai de bonnes raisons d'en être certain. Vous, en revanche, pouvez-vous me dire pourquoi vous êtes persuadés du contraire ?

– Vous ne vous entendiez pas très bien avec votre frère, souligna Waterstone. Qui n'était d'ailleurs que votre demi-frère…

– Il avait le chic pour vous mettre en boule.

– Vous avez du tempérament, on vous a vu jouer du poing en public.

– Je ne peux pas le nier, mais je n'ai jamais été violent avec Oliver. J'aurais eu l'impression de battre un chiot. Je n'ai jamais non plus frappé une femme, et je ne le ferai jamais. Fouillez mon passé, fouillez où vous voudrez, mais expliquez-moi d'abord pourquoi vous refusez de voir que le suicide de mon frère était une mise en scène.

– Je peux aller sur la terrasse ou dans une autre pièce, si vous voulez, suggéra Lila.

Fine lui jeta à peine un coup d'œil.

– De toute façon, vous lui répéterez tout, n'est-ce pas ? dit-elle à Ash.

– Elle a été réglo sur toute la ligne. Et elle a fait preuve d'une sincère compassion envers moi, alors qu'elle ne me connaissait ni d'Ève ni d'Adam, qu'elle aurait pu m'envoyer promener, me dire qu'elle en avait déjà fait bien assez. J'estime qu'elle a le droit d'être informée de la suite de l'affaire. Elle n'a pas à quitter la pièce.

Lila ne put que battre des cils, incapable de se rappeler la dernière fois que quelqu'un avait pris sa défense – qu'elle avait eu besoin que l'on prenne sa défense.

– Votre frère avait de l'alcool et des barbituriques dans le sang, poursuivit Fine.

– Je vous l'ai dit, il n'aurait jamais mélangé les deux.

– En quantités telles, d'après le légiste, qu'il aurait de toute façon succombé à une overdose. Il était inconscient lorsqu'il est décédé.

– Oliver a été assassiné, murmura Ash, le visage impassible.

– Nous enquêtons à présent sur un double homicide.

– Quelqu'un l'a tué.

Instinctivement, Lila se pencha vers lui et couvrit sa main de la sienne.

– Je suis désolée. Vous en étiez convaincu depuis le début, Ashton, mais… Je suis désolée.

– Mauvais endroit, mauvais moment, articula-t-il lentement. Il a été drogué, on a brutalisé sa compagne et on l'a tuée. Puis on lui a collé un flingue entre les doigts pour faire croire à un suicide. Mais c'est sur elle qu'on s'est acharné, c'est à elle qu'on en voulait.

– Puisque vous ne la connaissiez pas, restons-en pour le moment à votre frère. Devait-il de l'argent à quelqu'un ?

– Il remboursait toujours ses dettes. Il puisait dans ses comptes d'épargne, il empruntait à son père, à sa mère, ou à moi, mais il payait toujours ses dettes.

– Qui le fournissait en drogue ?

– Je n'en ai pas la moindre idée.

– Il est parti le mois dernier en Italie. Au retour, il s'est arrêté quelques jours à Londres, puis à Paris. Étiez-vous au courant de ce voyage ?

– Non. Un déplacement professionnel, peut-être ? Sa mère vit à Londres. Il a dû en profiter pour aller la voir. Je crois que notre demi-sœur Giselle est à Paris.

– Avez-vous leurs coordonnées ?

– Oui, je vous les donnerai. Il était inconscient, donc ?

– Oui, répondit Fine d'un ton à présent plus doux. C'est ce qu'indique le rapport d'autopsie. Juste quelques questions de plus…

Lila garda le silence tandis qu'Ash s'efforçait de répondre. Puis elle raccompagna les deux inspecteurs à la porte, et revint s'asseoir dans le salon.

– Vous voulez un autre verre de vin ? De l'eau ? Un café ?

– Non, je vous remercie. Je… Je vais vous laisser. J'ai des coups de téléphone à passer et… Je suis navré que vous vous retrouviez mêlée à cette sordide histoire.

Elle secoua la tête puis, à nouveau mue par l'instinct, elle se releva et l'embrassa chaleureusement.

– S'il y a quelque chose que je puisse faire pour vous, appelez-moi, dit-elle en sentant ses mains se poser au bas de son dos.

– Votre gentillesse me fait chaud au cœur, dit-il en lui tenant la main un instant, avant de se lever et de prendre congé, la laissant seule dans le salon, certaine qu'elle ne le reverrait jamais.

5

Ash se rendait compte, maintenant qu'il était au pied de l'immeuble, à quel point il n'avait pas envie d'y entrer. Bien sûr, il se doutait que l'épreuve serait difficile. C'est pourquoi il avait appelé un ami.

Luke Talbot se tenait à ses côtés, les mains enfoncées dans les poches.

– Tu n'as qu'à attendre que sa mère soit là.

– Je ne veux pas lui imposer ça. Elle est au trente-sixième dessous. Allons-y. Les flics nous attendent.

– Pas pour nous passer les menottes, j'espère.

Ash s'avança vers le portier, déclina son identité et présenta ses papiers.

– Je suis désolé pour votre frère, monsieur.

– Je vous remercie, répondit-il poliment, bien que déjà lassé des condoléances.

Pendant deux jours, il avait passé d'innombrables appels à d'innombrables personnes, entendu toutes les variantes possibles de la formule.

– On ira boire une bière quand on aura fini, suggéra Luke dans l'ascenseur.

– Excellente idée. Écoute, je sais qu'Olympia voudra trier ses affaires, mais je crois que je peux commencer à débarrasser. Elle ne s'en apercevra pas, et ce sera moins dur pour elle.

– Laisse-la décider, Ash. Tu prends déjà bien assez sur toi. Et imagine que tu jettes, par exemple, le pull qu'elle lui avait offert pour Noël…

– Tu as raison.

– Tu sais bien que j'ai toujours raison.

Sur le palier du quatorzième, Luke accrocha ses lunettes de soleil à la ceinture de son jean et parcourut le couloir de son regard bleu arctique.

– Quel calme… commenta-t-il.

– Ouais, le règlement doit être drastique dans ce genre de copropriété.

– Franchement, je n'aimerais pas habiter là.

Devant la porte de l'appartement, encore barrée par les rubans de la police, Ash hésita un instant avant de se résoudre à presser la sonnette, et eut un mouvement de surprise lorsque le battant s'ouvrit sur l'inspecteur Waterstone.

– Je m'attendais à être accueilli par un simple brigadier.

– Nous devons encore procéder à quelques formalités.

– Luke Talbot, se présenta celui-ci en tendant la main.

– Enchanté. Avocat ?

– Du tout.

– Je me disais que vous n'aviez pas le physique de l'emploi…

Un mètre quatre-vingt-treize, les épaules carrées, les bras musclés, les mains larges, une masse de boucles châtaines décolorées par le soleil, Luke portait un T-shirt blanc tout simple sur un jean délavé.

– Luke est venu m'aider à trier les affaires de mon frère, précisa Ash. À part les vêtements, je ne sais pas ce qui…

La vue d'un canapé gris pâle taché de sang lui coupa la parole.

– Seigneur, vous n'auriez pas pu faire le ménage ? maugréa Luke.

– Non, désolé. Le nettoyage revient à la famille. Nous pouvons vous indiquer des entreprises spécialisées.

L'inspecteur Fine sortit d'une autre pièce.

– Bonjour, monsieur Archer. Vous avez été rapide.

Un instant, elle dévisagea Luke, les sourcils froncés, puis pointa un index sur lui.

– Treize à la Douzaine, dit-elle, la boulangerie de la 16e Rue Ouest.

– Exact, c'est ma petite entreprise.

– Vos brownies sont délicieux. À cause de vous, je dois faire cinq heures de gym supplémentaires par semaine.

– Merci.

– Un ami à vous ? demanda-t-elle à Ash.

– Oui, venu me prêter main-forte. La mère d'Oliver m'a fait passer une liste de quelques souvenirs de famille qu'elle lui avait donnés. Je ne sais pas s'il les a toujours, s'ils sont là…

– Montrez-la-moi, je vous dirai.

– Je l'ai sur mon téléphone.

Ash l'afficha et tendit son portable à Fine.

– Les boutons de manchette et la montre-gousset sont là, je les ai vus. Dans la chambre. Un étui à cigarettes ancien en argent, non, ça ne me dit rien… la pendule de cheminée non plus.

– Il les a probablement vendus.

– Son oncle l'antiquaire pourra peut-être vous renseigner.

– Peut-être…

Tout en rangeant son téléphone, Ash balaya l'appartement du regard, s'arrêta sur son tableau, en face du canapé ensanglanté.

– Jolie peinture, commenta Fine.

– Au moins, ça représente quelque chose, marmonna Waterstone.

Le modèle se nommait Leona, se souvint Ash. Une fille très douce aux courbes sensuelles et à l'expression rêveuse, un peu bohème. Il l'avait vue dans une prairie, les cheveux et la jupe au vent, un violon sur l'épaule.

Ainsi peinte, elle avait assisté à la mort de son frère…

– J'aimerais finir ça au plus vite… Nous allons emporter ses vêtements et les objets auxquels tient sa mère. Pour le reste, je ne sais pas ce qui lui appartenait. Il devait avoir un ordinateur, des papiers, je suppose.

– Son ordinateur portable est au labo, l'analyse n'est pas terminée. Il y a une boîte de documents personnels : des contrats d'assurance, des actes notariés, des courriers divers, quelques photos. Nous avons tout recensé. Elle est dans la chambre, vous pouvez la prendre. Savez-vous s'il avait un coffre-fort ?

– Pas à ma connaissance.

– Nous avons trouvé six mille quatre cent cinquante dollars, en liquide, dans un tiroir. Vous pouvez également les prendre. Quand vous aurez terminé, nous vous demanderons de signer un reçu.

Ash acquiesça d'un signe de tête et s'avança dans la pièce d'où Fine était sortie : la chambre, au centre de laquelle trônait un lit à baldaquin sculpté, entre des murs prune ornés de moulures blanches.

Les draps gisaient en tas sur le plancher. Les techniciens judiciaires, sans doute, pour les besoins de l'enquête. Une malle peinte avait été laissée ouverte, son contenu sens dessus dessous. Tout semblait recouvert d'une fine couche de poussière.

Les tableaux allaient bien dans le décor : une forêt brumeuse, de belle facture, et un paysage champêtre dans un cadre doré. Sans doute des choix féminins, qui révélaient un certain aspect de la personnalité de Marjolaine Kendall. Sous ses dehors de fashionista, elle avait l'âme romantique.

– Oliver devait se plaire ici. Cette pièce est aménagée avec goût. On se croirait presque dans une demeure seigneuriale. Tout à fait son style.

– Tu disais qu'il avait l'air heureux la dernière fois que tu lui as parlé, répondit Luke en dépliant le premier des cartons qu'ils avaient apportés.

– Oui, enthousiaste et excité, acquiesça Ash en se passant les mains sur le visage. C'est pour ça que je n'ai pas voulu le voir. Rien qu'au son de sa voix, je sentais qu'il allait encore m'exposer un super plan ou une idée géniale. Je n'étais pas d'humeur.

Luke leva les yeux vers son ami et, parce qu'il le connaissait, s'efforça d'adopter un ton léger :

– Si tu es parti pour une séance d'autoflagellation, donne-moi ta veste.

– Non, je suis au clair avec moi-même.

Ash s'approcha de la fenêtre, repéra aussitôt celles de Lila, l'imagina regarder à travers ses jumelles.

À dix minutes près, elle aurait pu ne rien voir du drame.

Leurs chemins se seraient-ils quand même croisés ?

Que faisait-elle en ce moment ?

Surpris de se poser pareilles questions, il se détourna de la fenêtre, ouvrit l'un des tiroirs de la commode.

Les flics étaient aussi passés par là. Oliver n'aurait jamais rangé ses chaussettes de la sorte, pêle-mêle, pas même roulées. Il les aurait pliées, alignées en rangs bien nets. Ce désordre lui fit mal au cœur, comme si la situation n'était pas déjà suffisamment douloureuse.

– Un jour, j'étais allé faire les magasins avec lui, je ne me rappelle pas pourquoi… Il lui a fallu vingt minutes pour choisir une paire de chaussettes, coordonnées à la cravate avec laquelle il voulait les porter. Qui fait des trucs pareils ?

– Pas nous.

Ash retira le tiroir de la commode et le renversa dans un carton.

– Bientôt, un clochard portera des chaussettes en cachemire.

Deux heures plus tard, il avait quarante-deux costumes, trois vestes en cuir, vingt-huit paires de chaussures, d'innombrables chemises, une montagne de vêtements de sport griffés, trois combinaisons de ski, une tenue de golf complète, une Rolex, une Cartier Tank, ce qui faisait trois montres avec celle qu'Oliver avait sur lui.

– Et moi qui disais que tu n'avais pas besoin d'autant de cartons, soupira Luke en contemplant les tas sur le plancher. On va devoir aller en chercher quelques autres.

– Il n'y a pas d'urgence. Du moment que j'ai les objets que sa mère m'a demandés, c'est l'essentiel.

– Rien qu'avec ça, il va nous falloir au moins deux taxis. Ou une camionnette.

– Non, je ferai venir un transporteur qui livrera tout chez moi. Si on allait la boire, cette bière ?

– Pas de refus, on l'aura méritée.

Le simple fait de quitter l'immeuble allégea déjà l'humeur d'Ash. Et dans l'ambiance du pub, il termina de se détendre.

Le tintement des verres, la musique, les éclats de voix parvinrent à lui faire oublier le terrible silence de l'appartement vide.

– Qui boit de la bière artisanale avec un nom aussi ridicule que « Cuvée du Sanglier » ? demanda-t-il en levant sa chope pour en contempler les reflets ambrés.

– Toi.

– Par pure curiosité, dit-il en goûtant une gorgée. Elle n'est pas mauvaise, remarque. Tu devrais servir de la bière, chez toi.

– C'est une boulangerie, Ash.

– Et alors ?

En riant, Luke porta sa pinte de Houblon blond à ses lèvres.

– Je la rebaptiserai Brioche et Mousse.

– Et elle ne désemplira pas. Merci d'être venu avec moi aujourd'hui, Luke. Je sais que tu avais du boulot.

– J'ai besoin d'une journée loin des fours, de temps en temps. Je pense ouvrir bientôt un deuxième point de vente.

– Le burn out te guette.

– Peut-être, mais on a cartonné ces dix-huit derniers mois. Je cherche un fonds de commerce à SoHo.

– Si tu as besoin de capital…

– Pas cette fois. Et je ne pourrais pas dire ça, ni faire de projets, si tu ne m'avais pas aidé au départ. Donc, si je monte une deuxième affaire et que je me tue au travail, ce sera ta faute.

– On servira ton clafoutis à ton enterrement.

Oliver resurgissant dans ses pensées, Ash but une longue gorgée de bière.

– Sa mère veut une cornemuse, dit-il.

– Oh, punaise !

– Je ne sais pas où elle est allée chercher cette idée, mais j'ai préféré obtempérer. Ce sera toujours moins glauque qu'une salve d'artillerie ou un bûcher funéraire. Elle est capable de tout, dans l'état où elle est.

– Tu gères, je te fais confiance.

La devise de la famille, songea Ash : « Ash gère, on lui fait confiance. »

– Tant qu'ils n'ont pas restitué le corps, je ne peux pas fixer la date des funérailles. Et tant qu'on ne saura pas qui l'a tué, et pourquoi, nous ne pourrons pas faire notre deuil.

– À mon avis, la police est sur une piste, mais ils ne veulent pas t'en parler.

– Ça m'étonnerait. Waterstone me soupçonne. Ça ne lui plaît pas que j'aie des contacts avec Lila.

– S'il te connaissait, il comprendrait que tu as seulement besoin de réponses. Au fait, tu ne m'as pas dit… Elle est comment, cette Miss Voyeuse ?

– Ce n'est pas une voyeuse. Elle aime les gens.

– Allons donc !

– Je t'assure. Elle aime observer, écouter, et elle est très sociable, ce qui est plutôt rare pour un écrivain. Elle écrit des romans pour ados, et elle est aussi *house-sitter*.

– *House-sitter*… Ça existe, ça ?

– Bien sûr, tu ne savais pas ? Si je devais faire garder mon loft, je n'hésiterais pas à le lui laisser. Elle inspire la confiance, et elle est… ouverte. Elle a été hyper sympa avec moi, alors qu'elle ne me connaît pas. Pour se montrer aussi humaine avec un étranger, elle a dû encaisser des coups durs.

– Je sens qu'elle t'a tapé dans l'œil. Elle est jolie ?

– Plutôt pas mal. J'ai envie de la peindre.

– Et de la mettre dans ton lit.

– Je ne couche pas avec toutes les filles que je peins. Je n'arrêterais pas.

– Mais toutes les femmes que tu peins te plaisent, sinon tu ne les peindrais pas. Avoue, tu as craqué pour cette Lila. Décris-la-moi. Je suis sûr qu'elle est canon.

– Canon n'est pas le terme. Elle a un visage agréable, une bouche sexy, un kilomètre de cheveux de la couleur des mokas au chocolat que tu sers dans ta pâtisserie. Des yeux… de gitane. Un regard magnétique.

– Comment la vois-tu ? demanda Luke, sachant comment son ami travaillait.

– En longue jupe rouge à volants, dansant au milieu d'un campement de tziganes, la lune s'élevant au-dessus d'une épaisse forêt de sapins.

Ash sortit un bout de crayon de sa poche et traça un rapide portrait sur une serviette en papier.

– À peaufiner, mais ressemblant.

– Mignonne, en effet. Tu vas lui demander de poser ?

– Dans les circonstances, je ne sais pas si j'oserais. OK, je ne suis pas du genre à ne pas oser, mais la situation est un peu… gênante, comme elle dit. Perso, j'emploierais plutôt l'expression « moche à chier ».

– Question de sémantique.

Ash esquissa un sourire.

– Il faut appeler un chat un chat. Ceci dit, j'imagine qu'elle a hâte de m'oublier. Et de changer d'appart', histoire de ne pas revoir la nana d'Oliver tomber chaque fois qu'elle regarde par la fenêtre. Par-dessus le marché, l'une de ses amies s'est fait cambrioler le lendemain. Tout du moins, elle croit s'être fait cambrioler.

– En général, c'est clair, non, quand tu te fais cambrioler ?

– Il me semble. Et figure-toi que je la connais, son amie. Pour compliquer un peu plus la situation. Elle travaille dans l'une des galeries où j'expose. D'après Lila, on lui aurait piqué du maquillage et des chaussures.

– OK, je vois le genre. Elle ne sait pas où elle range ses affaires et crie au voleur.

– C'est ce que j'aurais dit si je ne la connaissais pas. Mais elle a la tête sur les épaules. En tout cas, pour Lila, c'est une contrariété supplémentaire… Oh, nom d'un chien !

Alors qu'il se tenait dans une position relâchée, Ash redressa soudain le buste, le regard furieux.

– Qu'est-ce qu'il y a ?

– Comme elle n'a pas d'adresse fixe, Lila utilise celle de son amie. On la cherchait peut-être. Elle a été témoin du meurtre.

– Tu te prends la tête, mon pote.

– Si je me prenais la tête, j'y aurais pensé plus tôt. Réfléchis : quelqu'un a tué Oliver et sa nana, tenté de faire croire qu'il l'avait tuée et s'était suicidé. Lila a vu la fille tomber par la fenêtre, après une altercation. Elle a prévenu la police. Le lendemain, quelqu'un s'introduit à son adresse officielle…

Le visage de Luke s'assombrit.

– Vu sous cet angle… Mais ça me paraît tout de même peu probable. Quel assassin volerait du maquillage et des godasses ?

– Une femme. Peut-être. Ou un travelo. Ou un mec qui veut faire un cadeau à sa femme. Le fait est que c'est une drôle de coïncidence. Il faut que je l'appelle. Pourvu qu'il ne soit rien arrivé à Julie.

– Julie ? Je croyais qu'elle s'appelait Lila.

– C'est son amie, Julie, notre connaissance commune.

Très lentement, Luke reposa son verre sur la table.

– Julie. Galerie d'art. À quoi elle ressemble ?

– Laisse tomber, ce n'est pas ton genre.

Ash retourna la serviette en papier, réfléchit un instant, puis dessina le visage de Julie. Luke prit le croquis, l'observa avec attention, puis leva un regard ébahi.

– Grande, dit-il, bien roulée, rousse, les yeux bleu-mauve.

– Tout à fait. Tu la connais ?

– On a été mariés. Environ cinq minutes. Dans une autre vie.

Ash était au courant de ce mariage impulsif, très rapidement suivi d'un divorce, alors que Luke était à peine en âge légal de se payer une bière.

– Sérieux ?

– Julie Bryant. Tu ne m'avais jamais dit que tu la connaissais.

– Ce n'est qu'une relation professionnelle. Je ne suis jamais sorti avec elle, au cas où la question te titillerait. Et elle n'est pas ton genre. En général, tu regardes plus les sportives que les filles classieuses qu'on croise dans les galeries.

– Parce qu'elle m'a laissé des séquelles, répondit Luke en pointant l'index sur son cœur. Julie Bryant, ça alors… On commande une autre bière ?

– Non, il faut que je voie Lila, qu'elle me donne davantage de détails sur cette effraction. Tu devrais venir avec moi.

– Pour quoi faire ?

– Un assassin porte peut-être les chaussures de ton ex.

– Ne sois pas ridicule !

– Viens avec moi, je sais que tu en meurs d'envie, répliqua Ash en laissant quelques billets sur la table et en poussant la serviette en papier vers son ami. Les bières et le portrait sont pour moi. Allons-y.

Après une grosse journée de travail et une séance de gym plutôt intensive, Lila avait grand besoin d'une douche. Il était déjà 18 h 30, Julie ne tarderait pas à arriver, elle devait se dépêcher.

– J'ai la tête comme une pastèque, dit-elle à Thomas, et la prof de fitness du DVD était une sadique.

Peut-être avait-elle le temps de prendre un bain, vite fait. Si elle ne…

– Tant pis, pas de bain, maugréa-t-elle en entendant la sonnette.

Elle se précipita à la porte, l'ouvrit sans regarder par le judas.

– Tu es en avance. Je n'ai pas… Oh ! s'exclama-t-elle à la vue d'Ash, en proie à une avalanche de considérations catastrophiques.

Elle ne s'était pas lavé les cheveux depuis trois jours, elle n'était pas maquillée, son pantalon de yoga était déchiré, elle sentait la transpiration, et son haleine devait empester les nachos dont elle s'était empiffrée en guise de récompense pour sa séance de Pilates.

– Excusez-moi, j'aurais dû vous passer un coup de fil. On était dans le quartier, et je voulais vous parler de quelque chose. Je vous présente Luke.

En plus, il n'était pas seul.

– Je… J'ai travaillé toute la journée et je viens de faire une heure de gym. Macey a des DVD de fitness, je… Entrez.

Elle n'avait pas à se justifier, se raisonna-t-elle. Ce n'était pas comme s'ils sortaient ensemble. Plus important, il avait l'air moins déprimé que la dernière fois où elle l'avait vu.

– Enchanté, dit Luke. Salut, toi… ajouta-t-il en se baissant pour caresser Thomas, qui reniflait consciencieusement le bas de son pantalon.

– Vous êtes de la police ?

– Non, je suis boulanger.

– Boulanger ?

– Oui, je tiens une pâtisserie à quelques blocs d'ici. Treize à la Douzaine.

– Minicupcakes !

Luke se redressa, amusé par ce cri du cœur.

– On en fait, oui.

– Je ne le sais que trop bien, ils sont à se damner. J'adore aussi votre pain au levain, et vos *latte* au caramel. Il y a longtemps que vous êtes là ?

– Bientôt trois ans.

– Je me suis toujours demandé comment c'était de travailler dans une pâtisserie. Les bonnes odeurs continuent-elles de vous mettre l'eau à la bouche ? Ou bien on finit par être dégoûté des gâteaux ? Vous avez toujours voulu faire ce métier ? Pardon, je pose trop de questions, dit-elle en secouant ses cheveux. Asseyez-vous, je vous en prie. Je vous offre quelque chose à boire ? J'ai du vin, du thé glacé. J'ai fini par en préparer, ajouta-t-elle avec un sourire à l'intention d'Ash.

– Ne vous dérangez pas. Nous venons juste de prendre une bière, et j'ai pensé à quelque chose.

Luke se pencha de nouveau vers Thomas, et ses lunettes de soleil tombèrent sur le plancher.

– Mince, maugréa-t-il en les ramassant, et en essayant de remettre en place la minuscule vis qui s'était desserrée.

– Je vais vous les réparer. Une minute… Asseyez-vous.

– Elle va me les réparer ? répéta Luke lorsqu'elle eut disparu dans une autre pièce.

– Je n'en sais rien, moi.

Elle revint avec ce qui évoquait à Ash un couteau suisse de l'ère nucléaire.

– Asseyons-nous, dit-elle en prenant les lunettes de Luke. Vous avez du nouveau ? demanda-t-elle à Ash.

Dès l'instant où celui-ci s'installa dans un fauteuil, Thomas sauta sur ses genoux comme s'ils étaient de vieux amis.

– La police ne me dit pas grand-chose. Je suis allé commencer à trier les affaires de mon frère.

Lila ouvrit son outil, sélectionna un tournevis.

– Ça a dû être dur. Heureusement, vous n'étiez pas seul. C'est mieux d'être épaulé dans les moments difficiles.

– La seule chose qu'on m'ait dite, c'est qu'il n'y avait pas de signes d'effraction. Ils ont probablement été tués par quelqu'un qu'ils connaissaient, en tout cas qu'ils ont laissé entrer.

– On retrouvera l'assassin. Je ne suis peut-être pas la seule à avoir vu quelque chose.

Peut-être pas, pensa Ash, *mais elle est la seule à s'être impliquée.*

– Voilà, dit-elle en repliant la branche de lunette. Comme neuves.

– Merci. Je n'en avais jamais vu de comme ça, dit Luke en désignant le Leatherman.

– Trois cents outils indispensables réunis en un seul. Je ne pourrais pas m'en passer.

– Hier, vous m'avez dit que votre amie Julie avait été cambriolée, enchaîna Ash. Elle en sait plus ?

– Non. La police pense qu'elle a perdu, ou mal rangé, ce qui a disparu. Tout du moins, c'est l'impression qu'ils lui donnent. Elle a fait changer les serrures et rajouter un verrou.

– Vous êtes domiciliée à son adresse.

– Je suis bien obligée d'en avoir une, ne serait-ce que pour le courrier.

– Quelqu'un s'est introduit à votre adresse le lendemain de l'assassinat de mon frère. Le jour où vous avez appelé la police, discuté avec moi.

– La loi des séries…

Ash vit qu'il avait fait mouche : une expression interrogative se peignit sur les traits de Lila.

– Vous croyez que c'est lié ? Je n'y avais pas pensé. J'aurais dû, pourtant. Si quelqu'un qui ne me connaît pas me cherche, ce serait logique, en effet, de commencer par aller voir à mon adresse officielle. Je n'ai pu identifier personne, mais la personne en question ne le sait peut-être pas. Vous avez raison, il n'est pas impossible que ce soit moi que l'on cherchait chez Julie.

– Cette idée ne semble pas vous effrayer, observa Luke.

– Julie n'était pas chez elle… Dieu merci, il ne lui est rien arrivé de fâcheux. Et à présent, on doit savoir que je ne représente pas une menace, ce qui est bien dommage. J'aurais aimé pouvoir donner un signalement à la police. Hélas, ce n'est pas le cas. Par conséquent, inutile de me pourchasser.

– Celui qui a tué Oliver et sa compagne n'est pas forcément aussi rationnel que vous, objecta Ash. Soyez prudente.

– Qui viendrait me chercher ici ? En plus, dans quelques jours, je serai ailleurs. Personne ne sait où je suis.

– Si, moi. Luke, Julie, vos clients, probablement leurs amis, leur famille. Le portier. Les commerçants, les habitants du quartier. Puisque vous avez été témoin de la chute, c'est forcément que vous résidez dans le coin. Ou du moins que vous vous trouviez dans le coin ce soir-là.

– Ça reste vague, rétorqua Lila avec une pointe d'irritation, comme chaque fois que l'on s'inquiétait pour elle. Ne vous en faites pas pour moi, je suis une grande fille.

– Vous nous avez ouvert, tout à l'heure, sans regarder qui c'était.

– J'attendais… Ah ! la voilà d'ailleurs, termina-t-elle lorsque la sonnette retentit. Excusez-moi.

– Tu l'as vexée, chuchota Luke.

– Je dois la convaincre d'être vigilante.

– Tu n'étais pas obligé de la traiter d'idiote.

– Je ne l'ai pas traitée d'idiote.

– C'était sous-entendu. Si tu penses vraiment…

Luke s'interrompit, bouche bée. En douze ans, il ne l'avait jamais revue. Elle avait changé, bien sûr, mais elle était toujours aussi belle. Peut-être même encore plus belle.

– Julie, tu connais Ashton.

– Bien sûr. Toutes mes condoléances, Ash.

– J'ai reçu votre petit mot. Je vous remercie.

– Et voici Luke, un ami d'Ash. Tu te rappelles ces délicieux cupcakes ? Ils venaient de chez lui.

– Ah oui ? Ils étaient…

Le choc se lut sur le visage de Julie.

– Luke… bredouilla-t-elle.

– Julie, quelle surprise !

– Mais… je ne comprends pas. Que fais-tu là ?

– Je vis à New York depuis huit ans.

– Vous vous connaissez ? Ils se connaissent ? demanda Lila en se tournant vers Ash, ni l'un ni l'autre des intéressés ne lui prêtant la moindre attention.

– Ils ont été mariés. Ensemble.

– Ils… C'est lui… Voilà que la situation devient de plus en plus…

– Gênante ?

Elle lui décocha un regard éloquent.

– Je crois que je vais déboucher une bouteille de vin, dit-elle gaiement. Tu viens m'aider, Julie ?

Prenant son amie par le bras, elle l'entraîna dans la cuisine.

– Ça va ?

– Luke… murmura Julie d'une voix tremblante.

– Je vais leur demander de partir, si tu n'as pas envie de le voir.

– Ce n'est pas ça… C'est juste que… On a été… Il y a des années. Je ne m'attendais franchement pas à le trouver ici. À quoi je ressemble ?

– Vu ma dégaine, la question est cruelle. Tu es superbe. Qu'est-ce qu'on fait ? Je les mets à la porte ?

– Non, le vin est une très bonne idée. Comportons-nous comme des êtres civilisés et sophistiqués.

– Dans ce cas, je dois absolument prendre une douche. Mais commençons par le vin, déclara Lila en sortant des verres. Luke est affreusement mignon.

– N'est-ce pas ? Il n'a quasiment pas changé.

– Allons nous installer sur la terrasse. Je t'accompagne et je file sous la douche. Ne t'inquiète pas, je fais vite. Dans un quart d'heure maxi je vous rejoins.

– Je te déteste. D'être capable de te faire belle en un quart d'heure. Bon, civilisées et sophistiquées. Allons-y.

6

Sophistiquée, Lila n'aurait su dire, ce n'était pas son genre, mais cet apéritif improvisé se déroulait dans une ambiance des plus civilisées.

Jusqu'au moment où Ash exposa sa théorie du cambriolage et que Julie, à la surprise de Lila, y adhéra à cent cinquante pour cent.

– Pourquoi n'y ai-je pas pensé ? s'écria-t-elle. C'est évident !

– Tu disais que l'hypothèse de l'ado se tenait, lui rappela Lila.

– J'avais besoin d'être rassurée. Une gamine n'aurait pas pu ouvrir les serrures sans laisser de traces. La police a vérifié, elles n'ont pas été forcées.

– Un assassin n'aurait pas emporté tes Manolo et un bâton de rouge à lèvres. Quelqu'un qui vient de commettre un double meurtre a d'autres priorités, me semble-t-il.

– Ces chaussures valent une fortune, le rouge à lèvres était d'une teinte parfaite, et ce parfum est hyper difficile à trouver. Pourquoi un assassin n'aurait-il pas des pulsions cleptomanes ? Si tu es capable de tuer deux personnes, tu ne vas pas te priver d'un petit larcin. Lila, il faut que tu sois prudente.

– Je n'ai rien vu qui puisse mettre la police sur une piste. Notre assassin en talons hauts aux lèvres fardées d'un rouge parfait doit maintenant savoir qu'il n'a pas de souci à se faire de ce côté-là.

– Lila, il ne s'agit pas d'une farce.

Elle se tourna vers Ash.

– Excusez-moi. Votre frère a été tué, ce n'est pas une plaisanterie, en effet. Mais ce n'est pas la peine de s'inquiéter pour moi.

– Si un jour elle se fait tatouer, voilà ce qu'elle se fera graver sur la peau : « Ne vous inquiétez pas pour moi », ironisa Julie.

– Quand bien même vous auriez raison, ce qui me semble très peu probable, dans quelques jours je serai dans un appartement de l'Upper East Side avec un caniche nain nommé Earl Grey.

– Comment trouvez-vous vos jobs ? intervint Luke. Comment les gens vous trouvent-ils ?

– Le bouche à oreille, les recommandations des clients. Et les dieux d'Internet.

– Vous avez un site web ?

– Je parie que même Earl Grey a une page web. Si c'est là que vous voulez en venir, les noms et les adresses de mes clients n'apparaissent pas sur mon site. Il y a seulement un calendrier qui indique les dates où je suis disponible.

– Et sur ton blog ? s'enquit Julie.

– Pareil. Je parle des quartiers où je séjourne, sans préciser où je réside. Et les commentaires des clients ne sont signés que par des initiales. Franchement, vous voulez que je vous dise ce que je ferais, moi, si j'étais un assassin et que je craignais qu'une habitante de l'immeuble d'en face soit en mesure de m'identifier ? Je l'aborderais dans la rue et je lui demanderais un renseignement quelconque. Si elle me répondait sans sourciller, je ne me soucierais plus d'elle. Si elle s'exclamait : « C'est vous ! », je lui planterais mon talon aiguille dans la cuisse, dans l'artère fémorale, et je détalerais. Elle se viderait de son sang et je n'aurais plus à me soucier d'elle. Vous n'avez pas faim, vous ? Perso, je mangerais bien un morceau. Si on commandait quelque chose ?

Luke saisit la balle au bond.

– Nous vous emmenons dîner. Je connais une excellente trattoria tout près d'ici.

– Écho Écho ! s'écria Julie. Leurs *gelatos* sont succulentes.

– Exact. Le patron est un ami. Je lui passe un coup de fil et je réserve une table pour quatre ?

– Pourquoi pas… acquiesça Lila.

Au moins, elle avait réussi à détourner la conversation. Du reste, il s'agissait d'une invitation en tout bien tout honneur. Ash était en deuil, et Luke pour ainsi dire hors jeu, puisqu'il avait déjà été marié avec Julie. Il s'agissait simplement d'un dîner.

De se régaler, plus exactement, découvrit-elle en dégustant des beignets de calamars et des bruschettas qu'ils se partagèrent en hors-d'œuvre.

L'ambiance était décontractée, elle parvenait sans peine à alimenter la conversation – toujours un impératif pour elle – en bombardant Luke de questions sur son métier.

– Où avez-vous appris la pâtisserie ? Il existe tant de sortes de gâteaux.

– Avec ma grand-mère, au départ. Puis je me suis perfectionné tout seul.

– Et tes études de droit ? s'enquit Julie.

– J'ai détesté.

– Je te l'avais dit.

– C'est vrai, mais j'ai voulu essayer. Mes parents rêvaient d'avoir un fils médecin ou avocat. Je savais que je n'étais pas fait pour la médecine, alors j'ai tenté le droit. La deuxième année, j'ai trouvé un job d'étudiant dans une boulangerie à côté du campus. J'ai tout de suite été séduit, si bien que j'ai arrêté la fac.

– Ça va, tes parents ?

– Impec. Et les tiens ?

– Pareil. Je me rappellerai toujours les cookies au chocolat… la recette de ta grand-mère. Et la fabuleuse pièce montée que tu avais confectionnée pour mon dix-huitième anniversaire.

– Ta mère m'avait dit que je pourrais devenir pâtissier.

– Ah oui ! se souvint Julie en riant. Jamais je n'aurais imaginé que ce serait le cas.

– Moi non plus. En fait, c'est Ash qui m'a soufflé l'idée. Il est malin : quand il veut te pousser à quelque chose, il t'y amène sans que tu t'en rendes compte.

– Je lui ai juste dit : « Pourquoi tu bosses pour les autres, alors que tu pourrais faire bosser les autres pour toi ? »

– Ou un truc du même goût. Et toi, Julie, tu travailles dans le milieu de l'art, alors ? Tu t'es toujours intéressée à l'art. Tu voulais étudier l'histoire de l'art.

– C'est ce que j'ai fait. Après la fac, je suis venue à New York et j'ai eu la chance d'être embauchée dans une galerie. Je me suis mariée, j'ai rencontré Lila, j'ai divorcé et je suis devenue gérante.

– Je n'y suis pour rien ! déclara Lila.

– Oh, je t'en prie…

– Je n'ai pas fait exprès, en tout cas.

– On s'est rencontrées au cours de yoga, toutes les deux, expliqua Julie.

Lila soupira et continua.

– Évidemment, comme toutes les femmes, on parlait de nos hommes... Celui que je fréquentais voyageait beaucoup, mais il était très attentionné quand il était là.

– Le mien était aussi très pris par son boulot, de plus en plus, et de moins en moins attentionné. Notre couple commençait à battre de l'aile, mais nous faisions tout pour le sauver.

– Bref, après plusieurs cours de yoga, plusieurs pots ensemble, et plus de discussions sur nos hommes… il s'est avéré que je couchais avec le mari de Julie. Elle aurait pu m'étrangler, mais elle a très bien réagi.

– Nous avons très bien réagi toutes les deux.

– C'est vrai, acquiesça Lila en faisant tinter son verre contre celui de Julie. Nous sommes devenues les meilleures amies du monde.

– Je l'ai invitée à la maison et je l'ai présentée à mon mari. Autant vous dire qu'il s'est décomposé. Je lui ai donné vingt minutes pour faire ses valises et ficher le camp. Avec Lila, on a englouti au moins deux litres de crème glacée.

– Café aux grains de café, précisa Lila avec un sourire qui fit apparaître sa fossette. Ça reste mon parfum préféré. Julie m'a épatée, ce soir-là. J'avais envie de rentrer sous terre, elle a eu le courage de mettre ce salopard devant le fait accompli.

– J'aimerais vous peindre.

Lila se tourna vers Ash en clignant des paupières.

– Pardon ?

– Il faudra que vous veniez à l'atelier. Je commencerai par des croquis préliminaires. Prévoyez environ deux heures. Quelle taille faites-vous ?

– Attendez, je…

– Du 36, répondit Julie. Comment la voyez-vous ?

– En gitane, ardente et aguichante, dans une longue robe rouge à volants.

– Non, non, non, protesta Lila. Je suis flattée, mais je ne suis pas modèle. Je ne sais pas poser.

Avec à peine un regard au serveur, Ash commanda les *pastas* du jour. Pour tout le monde.

– Ce n'est pas compliqué, je vous guiderai. Après-demain, 10 heures ?

– Je… La même chose, dit-elle au serveur. Non, Ash, laissez tomber.

– Je vous paierai à l'heure ou au forfait, nous en reparlerons. Vous savez vous maquiller les yeux ?

– Hein ?

– Bien sûr qu'elle sait se maquiller les yeux, assura Julie. Qu'allez-vous faire ? Un portrait en pied ? Elle a des jambes superbes.

– J'avais remarqué.

– Ça suffit ! Arrête !

– Lila n'aime pas être sous le feu des projecteurs. Ne te fais pas prier, Lila-Lou ! C'est génial ! Tu vas poser pour un artiste consacré dont les œuvres parfois fantasques, parfois dérangeantes, parfois étranges, toujours sensuelles, sont unanimement louées par la critique et le public. Elle viendra, Ash. Je la conduirai moi-même à votre atelier, s'il le faut.

– Pas la peine de résister, intervint Luke. Il arrive toujours à ses fins.

– Je vous peindrai de toute façon, renchérit Ash. Mais le tableau aura davantage de résonance, davantage de profondeur, si vous coopérez… Lila-Lou ?

– Lila Louise. Je porte en deuxième prénom celui de mon père, le lieutenant-colonel Louis Emerson. Vous ne pouvez pas me peindre si je refuse.

– Votre visage et votre corps sont gravés là.

– Elle dira oui, affirma Julie. Tu m'accompagnes aux toilettes, Lila ? Excusez-nous, messieurs.

Là-dessus, elle se leva et prit Lila par la main.

– Il ne peut pas m'obliger à poser… marmonna celle-ci tandis que son amie l'entraînait à travers la salle.

– Tu devrais accepter.

– Je ne ressemble pas à une gitane ardente et aguichante.

– Tu mènes une vie de bohème, rétorqua Julie en s'engageant dans le petit escalier menant au sous-sol. Franchement, c'est une opportunité fabuleuse. L'expérience sera enrichissante, et tu seras immortalisée.

– Je me sentirai mal à l'aise, et j'aurai l'air d'une gourde.

Julie s'enferma dans un cabinet, Lila dans l'autre. Puisqu'elle était là, autant en profiter…

– Il te mettra à l'aise. Je t'accompagnerai, si tu veux. J'adorerais le regarder travailler, et pouvoir discuter avec les clients de sa façon de procéder.

– Tu n'as qu'à poser pour lui.

– C'est toi qu'il veut. Tu lui as inspiré une idée. C'est super qu'il ait un nouveau projet. Ça l'aidera dans son deuil.

Au lavabo, Julie testa le savon au pamplemousse rose, approuva. Dans le miroir, Lila la fusilla du regard.

– Tu essaies de me prendre par les sentiments. Ce n'est pas sympa.

– Vas-y au moins une fois, pour voir, répliqua Julie en retouchant son rouge à lèvres. Ne fais pas ta timide.

– Tu n'es vraiment pas sympa.

– Je reconnais.

En riant, Julie tapota l'épaule de son amie avant de sortir des toilettes. À mi-hauteur des escaliers, elle étouffa un cri.

– Qu'est-ce qu'il y a ? Une souris ? Quoi ?

– Mes chaussures !

Julie traversa le restaurant en trombe, bousculant au passage un couple qui venait d'arriver, et se précipita dans la rue.

– Mince ! pesta-t-elle en regardant de tous côtés.

– Julie, que se passe-t-il ?

– Les chaussures. Mes chaussures. Aux pieds d'une superbe paire de jambes. Une cheville tatouée. Une petite robe rouge. Je n'ai pas eu le temps d'en voir plus.

– Ce n'était pas un modèle unique.

– C'était mes Manolo, j'en suis sûre ! s'indigna Julie. Tu as été témoin d'un meurtre, quelqu'un s'introduit chez moi et me pique mes chaussures. Et voilà que je viens de les voir passer devant le restaurant où nous dînons. Ce n'est pas une coïncidence, ce n'est pas possible !

Soudain saisie d'un frisson, dans la fraîcheur de la nuit, Lila se frotta les bras.

– Tu me fais flipper.

– Ash avait bel et bien raison. Tu es suivie. Il faut prévenir la police.

– Je leur dirai, promis. Mais ils me prendront pour une folle, moi aussi.

– C'est un moindre mal. Bloque la porte avec une chaise, cette nuit.

– On s'est introduit chez toi, pas là où je loge.

– Je bloquerai ma porte, moi aussi.

Jai s'engouffra dans la voiture au moment où Julie arrivait en haut de l'escalier. Elle n'aimait pas cette connexion entre le frère de l'idiot et la curieuse qui épiait l'appartement.

Manifestement, cette femme n'en avait pas vu assez pour causer des problèmes. Mais, décidément, Jai n'aimait pas cette connexion. Son patron ne tolérerait pas cette boulette.

Laquelle aurait pu être évitée si Ivan n'avait pas poussé cette stupide greluche par la fenêtre, et si l'idiot n'avait pas tourné de l'œil après quelques bourbons. Jai n'avait pas forcé sur la dose de comprimés. L'imbécile avait déjà dû en prendre avant son arrivée.

Un coup de malchance. Sur cette mission, ils jouaient de malchance.

Le frère savait peut-être quelque chose, après tout. Ou il cachait quelque chose. Son loft était protégé comme une forteresse, mais aucune forteresse n'était imprenable. Jai avait une bonne heure devant elle, voire deux, puisque le frère dînait avec la brunette.

– Chez le peintre, dit-elle à Ivan. Emmène-moi là-bas et reviens ici les surveiller. Contacte-moi quand ils partiront.

– On perd notre temps. La poule ne savait rien, et ce n'était pas chez eux. S'ils l'ont eu, ils l'ont revendu.

Pourquoi devait-elle faire équipe avec ce crétin ?

– Tu es payé pour faire ce que je te dis. Fais ce que je te dis et ferme-la.

Lila ne protesta pas lorsque Ash insista pour la raccompagner, Luke ayant insisté pour raccompagner Julie, dans la direction opposée.

– C'est drôle que vous connaissiez à la fois Julie et Luke sans savoir qu'ils se connaissaient.

– La vie est pleine de curieuses coïncidences.

– Il y a encore une étincelle entre eux, vous ne trouvez pas ?

– Bof…

– La flamme ne demande qu'à se rallumer.

– Ça m'étonnerait.

– Vous pariez ?

– Dix dollars. Luke est avec quelqu'un, en ce moment. Enfin, plus ou moins.

– Ce quelqu'un n'est pas Julie, et si c'est plus ou moins, ce n'est sûrement que sexuel.

– Venez chez moi.

– Pardon ?

Là aussi, une étincelle crépitait, mais Lila n'avait pas envie de se brûler.

– J'habite tout près d'ici. Il n'est pas tard. Venez voir mon atelier. Vous serez moins impressionnée quand vous reviendrez poser. Ne vous inquiétez pas, je ne vous draguerai pas.

– Dommage. Voilà que vous venez de me gâcher ma soirée. Je plaisante, ajouta-t-elle aussitôt. Julie me tannera jusqu'à ce que j'accepte de vous laisser faire au moins quelques croquis, mais vous verrez dès les premières ébauches que vous vous êtes trompé.

– Venez voir mon atelier. Vous aimez découvrir de nouveaux lieux. La visite aura peut-être une influence positive sur votre attitude crispante.

– Vous savez parler aux femmes, vous... Mais OK, je viens. Puisque vous n'avez pas l'intention de me draguer, je ne risque rien.

Il tourna à l'angle d'une rue, en direction de son immeuble, à l'opposé de celui de Lila.

– Je n'ai pas dit que je n'avais pas l'intention de vous draguer, juste que je ne le ferai pas ce soir. Comment avez-vous rencontré l'ex-mari de Julie ?

Ses intentions étaient-elles claires, ou ne l'étaient-elles pas ?

– Il pleuvait à verse, nous avons partagé un taxi. L'un des aspects romantiques de New York. Il ne portait pas d'alliance, et il n'avait soi-disant personne dans sa vie. Je suis montée boire un verre chez lui. Quelques jours plus tard, il m'a invitée à dîner, et voilà. De cette aventure qui aurait pu virer au cauchemar, j'ai retiré une amie formidable. Un bien pour un mal. Quand vous êtes-vous rendu compte que vous aviez du talent ?

Décidément, elle avait le chic pour passer du coq à l'âne.

– Vous n'aimez pas parler de vous, n'est-ce pas ?

– Je ne suis pas très intéressante. Faisiez-vous de fabuleuses peintures au doigt, à la maternelle, que votre mère encadrait ?

– Ma mère n'est pas une sentimentale. La deuxième femme de mon père a encadré un dessin que j'ai fait à l'âge de treize ans. Un portrait de son chien. Voilà, c'est là.

Ash stoppa devant une bâtisse de briques à grandes fenêtres verticales. *Un ancien entrepôt transformé en lofts*, pensa-t-elle. Elle aimait ce genre d'endroits.

– Je parie que vous avez l'étage, pour la clarté.

– Gagné.

Il déverrouilla un imposant portail d'acier, pénétra dans le bâtiment et composa un code d'alarme tandis que Lila entrait derrière lui.

Médusée, elle fit un tour sur elle-même. Elle s'attendait à un petit couloir commun, un vieux monte-charge peut-être, les portes fermées des appartements en rez-de-chaussée.

Or elle se retrouvait dans une immense pièce à vivre, sous des arches de briques, au plancher de bois scarifié mais rutilant. Une mezzanine, bordée d'une rambarde en cuivre patiné, surplombait le niveau inférieur.

– C'est magnifique…

Elle traversa un coin salon aménagé autour d'une cheminée à double foyer, longea le comptoir de granit de la cuisine, carrelée de noir et blanc, contourna une grande table noire entourée de chaises à haut dossier.

Les murs, de couleur neutre, étaient couverts de peintures, croquis, fusains, aquarelles, notes manuscrites épinglées çà et là. *Une collection*, se dit-elle, *à faire pâlir d'envie n'importe quel galeriste*.

– C'est immense. On pourrait vivre à dix ici. Remarquez, vous avez une grande famille. Vous devez souvent avoir de la visite.

– De temps en temps.

– Vous avez gardé le vieil ascenseur, j'adore, dit-elle en s'approchant des grilles, contemplant au passage le coin bibliothèque, doté de sa propre cheminée.

– C'est pratique, parfois, mais on peut monter à pied, si vous voulez.

Elle se dirigea vers l'escalier, effleura la vieille rampe de cuivre.

– Je suis curieuse de voir l'étage, avoua-t-elle. Vous avez superbement agencé l'espace. Parfois, chez les gens, je me demande quelle drôle d'idée leur est passée par la tête, pourquoi ils ont mis ceci ici, pourquoi ils ont abattu cette cloison, ou pourquoi ils ne l'ont pas fait… Mais là, tout est pensé avec goût, les couleurs, les textures, les volumes… Si jamais vous avez besoin d'une *house-sitter*, vous avez mon numéro. Combien de chambres avez-vous ?

– Quatre à ce niveau.

– Quatre à ce niveau, et en haut ? À combien se chiffre votre fortune ? Non que je cherche un bon parti, ce n'est que de la curiosité.

– Voilà que vous m'avez gâché ma soirée.

En riant, elle jeta un coup d'œil dans ce qui semblait être une chambre d'amis. Un grand tableau représentant un champ de tournesols, aux couleurs éclatantes, trônait au-dessus d'un canapé-lit, ouvert. Soudain, elle fronça les sourcils.

– Attendez… dit-elle en suivant son nez.

D'un pas rapide, elle gagna une autre pièce, probablement la chambre d'Ash, meublée d'un grand lit en métal noir, recouvert d'une couette bleue chiffonnée.

– Boudoir, diagnostiqua-t-elle.

– Les hommes n'ont pas de boudoir, Lila-Lou. Des fumoirs, à la rigueur, mais pas de boudoir.

– Non, non, le parfum. Le parfum de Julie. Vous sentez ?

Il s'abstint de lui dire qu'il ne sentait que son parfum à elle, frais et fruité. Toutefois, en y prêtant attention, il percevait effectivement de vagues effluves plus capiteux.

– Je crois, oui…

Le cœur battant, elle lui saisit le bras.

– C'est complètement dingue, mais vous aviez raison, à propos du cambriolage chez Julie. On a récidivé ici. Nous ne sommes peut-être pas seuls…

– Restez ici ! ordonna Ash.

– Sûrement pas ! répliqua-t-elle en s'agrippant des deux mains à sa manche. Je ne voudrais pas qu'à cause de moi vous vous fassiez découper en morceaux par le tueur fou caché dans le placard.

Lila cramponnée à lui, il marcha droit sur le placard et tira brusquement la porte.

– Pas de tueur fou.

– Je parie qu'il y a au moins vingt placards dans cette maison.

Plutôt que de discuter, il l'emmena avec lui inspecter l'étage supérieur.

– Vous avez une arme ?

– Pas de bol, elle est chez l'armurier. Bon, vous avez vu comme moi qu'il n'y avait personne ni en haut ni en bas. C'est dans ma chambre, surtout, qu'on sentait cette odeur.

– La dernière pièce où elle était ? Là où elle s'est attardée le plus longtemps ? Je dis elle, parce que je vois mal un homme porter Boudoir.

– Je vais aller jeter un œil dans mon atelier, au dernier étage. Si vous avez peur, enfermez-vous dans la salle de bains.

– Hors de question. Vous avez lu *Shining* ?

– Seigneur…

Avec un soupir résigné, il monta au niveau supérieur, Lila cramponnée à sa ceinture.

En temps normal, elle aurait été fascinée par le vaste espace de travail plein de couleurs et de désordre. Là, elle se tenait aux aguets, prête à parer une attaque. Elle ne voyait cependant que des tables, des chevalets, des toiles, des bocaux, des flacons de solvant, des chiffons, des pinceaux. Sur un mur, un grand panneau de liège disparaissait sous des photos, des croquis, des notes griffonnées sur des bouts de papier.

Et cela ne sentait que la peinture, l'essence de térébenthine, la craie.

– Parmi toutes ces odeurs, je ne sais pas si je distinguerais celle du parfum.

Elle leva la tête vers le puits de lumière, se résolut à lâcher Ash, s'avança vers un long canapé de cuir, encadré de deux guéridons, d'une lampe, et d'un coffre.

Des dizaines de toiles s'alignaient contre les murs. Elle avait envie de lui demander où il avait puisé l'inspiration, ce qu'il allait en faire, mais le moment ne lui paraissait pas propice aux questions.

Puis elle vit la sirène.

– Waouh... Elle est superbe. Et terrifiante. Terrifiante comme peut l'être la beauté. Elle ne les sauvera pas, n'est-ce pas ? Ce n'est pas une Ariel en quête d'amour rêvant d'avoir des jambes. Elle ne désire pas d'autre amant que la mer. Elle regarde les marins sombrer. Si l'un deux atteint son rocher, il connaîtra un sort pire que la mort. Mais le dernier souvenir qu'il gardera de ce monde sera sa beauté.

Elle aurait voulu toucher cette queue sinueuse, irisée, se retint en croisant les mains dans son dos.

– Quel titre lui avez-vous donné ?

– *Elle attend.*

– Parfait. Savoir qui achètera cette toile ? Son acquéreur verra-t-il ce que vous avez peint, ou seulement une magnifique créature surplombant une mer démontée ?

– Tout dépend de ce qu'il voudra voir.

– Ou de ce qu'il saura voir, déclara-t-elle en se retournant vers Ash, qui l'observait. Enfin, nous ne sommes pas là pour philosopher. Il n'y a plus personne ici, mais nous devons prévenir la police.

– Pour leur dire quoi exactement ? Que nous avons senti une odeur de parfum ? Le temps qu'ils arrivent, elle se sera dissipée. À première vue, on n'a touché à rien.

– Notre mystérieuse visiteuse a volé des trucs chez Julie. Elle a sûrement pris des choses ici. Des petites choses. Des souvenirs, des trophées, allez savoir comment fonctionnent les esprits dérangés. Mais elle n'a pas trouvé ce qu'elle cherchait.

– Non, et ce n'était pas vous qu'elle cherchait, cette fois. Oliver était-il en possession de quelque chose qu'elle convoitait ? En tout cas, elle ne risquait pas de trouver ce quelque chose chez moi.

– Par conséquent, elle continuera à chercher. C'est vous qui devez être prudent, Ash. Pas moi.

7

Peut-être avait-elle raison, mais il tint à la raccompagner à l'appartement qu'elle gardait, dont il inspecta chacune des pièces avant de la laisser seule.

Puis il rentra chez lui en souhaitant presque qu'il lui arrive quelque chose. Il était d'humeur à en découdre, même si l'adversaire était une femme, comme le prétendait Julie, portant des chaussures de luxe et un tatouage à la cheville.

L'assassin de son frère, ou tout du moins l'un – ou l'une – de ses complices, s'était introduit chez lui, malgré un système de sécurité haut de gamme, sans doute pour fureter dans ses affaires, et repartir comme il était venu.

Sans encombre.

Forcément, on devait le surveiller. Il fallait savoir qu'il n'était pas chez lui. Du reste, le loft avait été visité quelques minutes avant qu'il revienne avec Lila. Autrement, le parfum se serait dissipé. Par conséquent, on avait dû être averti de son retour.

Dans quel guêpier Oliver s'était-il fourré ?

Pour que l'on commette deux meurtres, deux effractions, et que l'on file son demi-frère ainsi qu'un vague témoin, il ne s'agissait pas seulement d'une dette de jeu ou de drogue. Dans quelle monumentale arnaque, dans quelle stupide escroquerie Oliver trempait-il ?

Quoi qu'il en soit, on pouvait épier Ash tant qu'on voulait, fouiller chez lui tant qu'on voulait, on ne trouverait rien. Car il ne savait rien, il n'avait rien.

Rien qu'un frère décédé, une famille en deuil, et un monceau de culpabilité et de colère.

De retour au loft, il ferma les portes à double tour. Il modifierait le code de l'alarme, bien qu'à l'évidence elle ne serve pas à grand-chose. Sans doute devrait-il faire renforcer le système de sécurité.

Pour l'heure, il allait essayer de voir si l'indésirable visiteuse avait emporté quelque souvenir.

En fourrageant dans ses cheveux, il regarda autour de lui. La tâche risquait de l'occuper un bon moment…

Il ne lui fallut toutefois pas plus d'une heure pour établir la liste des articles qui avaient disparu, aussi courte qu'étrange.

Les sels de bains de sa mère, une paire de boucles d'oreilles oubliées par l'une de ses demi-sœurs, le petit mobile en verre coloré que l'une de ses autres demi-sœurs (la dernière fille du quatrième mariage de son père) lui avait fabriqué pour Noël, et une paire de boutons de manchettes en argent martelé, dans leur écrin bleu Tiffany.

La petite réserve de liquide qu'il gardait dans un tiroir de son bureau était intacte. Certes, il n'y avait que trois cents dollars, mais on n'y avait pas touché. Pourquoi prendre des sels de bains et délaisser l'argent ?

Trop impersonnel ? Moins attrayant ?

Allez savoir ce qui pouvait passer par la tête de ces gens-là…

Fébrile, préoccupé, il monta à l'atelier. Inutile de tenter de travailler à son tableau, il ne parviendrait pas à se concentrer. Toutefois, il détailla la sirène en repensant aux commentaires de Lila, qui avait presque exactement saisi ce qu'il voulait exprimer. Il ne s'attendait pas à ce qu'elle voie ce qu'il avait vu en peignant ce tableau, encore moins à ce qu'elle le comprenne.

Il ne s'attendait pas à ce qu'elle exerce sur lui une telle fascination. Une femme aux yeux de gitane qui sortait un couteau multifonction de son sac comme d'autres un tube de rouge à lèvres. Une femme qui partageait sa vision d'une peinture inachevée et offrait du réconfort à un étranger.

Une femme qui écrivait des histoires de loups-garous et n'avait pas de domicile fixe, par choix.

Oui, il devait absolument la peindre.

Sans attendre, il dressa un autre chevalet et entreprit de préparer une toile.

De l'extérieur, le loft ne paye pas de mine, se dit Lila. Un vieux bâtiment de briques dont on devait penser, comme elle-même, qu'il abritait plusieurs appartements. D'un certain standing, certes, occupés par de jeunes bobos.

En réalité, il n'en était rien. Ash s'était créé un intérieur qui reflétait exactement ce qu'il était. Un artiste, un homme attaché à sa famille. Une personnalité à double face qui avait su aménager un lieu correspondant parfaitement à chacun des aspects de sa vie.

Pour cela, il fallait un œil avisé, et surtout très bien se connaître. Ashton Archer, pensa-t-elle, savait précisément qui il était et ce qu'il voulait.

Et pour des raisons qui lui échappaient, il désirait la peindre.

Elle appuya sur la sonnette.

Il était sûrement là. Il devait probablement travailler. Elle aussi, d'ailleurs, aurait dû être en train de travailler, mais elle ne parvenait pas à se concentrer. Elle allait certainement le déranger, alors qu'elle aurait pu se contenter de lui envoyer un texto…

– Quoi ?

Le ton était si cassant qu'elle sursauta.

– C'est Lila, bredouilla-t-elle dans l'interphone. Excusez-moi, je voulais…

– Je suis en haut, à l'atelier.

– Euh, je…

Un déclic mit fin à l'échange. Timidement, elle poussa la lourde porte d'acier, lorsque celle-ci s'ouvrit.

Elle referma derrière elle la porte qui cliqueta de nouveau, puis se dirigea vers l'escalier avant de se raviser pour emprunter le vieil ascenseur. Qui aurait résisté à la tentation ?

Elle pénétra dans la cabine, tira la grille, appuya sur le 2, et sourit tandis que l'ascenseur s'ébranlait dans un concert de grincements et de craquements.

Ash dessinait, devant un chevalet, non pas sur une toile, découvrit-elle en s'approchant, mais sur un très grand bloc de papier.

– Bonjour. J'étais sortie faire quelques courses… J'ai apporté des cafés, et un muffin.

– Très bien… marmonna-t-il sans la regarder. Posez tout ça, venez par là.

– Je voulais vous dire que j'étais allée au commissariat.

– Placez-vous en face de moi. Posez vos sacs.

Il s'avança vers elle, lui prit son sac à main et son cabas à provisions, les posa sur une table encombrée, puis la poussa devant la rangée de fenêtres.

– Tournez-vous un peu, mais regardez-moi.

– Je ne suis pas venue poser. On avait dit demain…

– Puisque vous êtes là aujourd'hui… Regardez-moi, s'il vous plaît.

– Je n'avais pas dit que j'étais d'accord. En vérité, ça me gêne…

– Chut ! fit-il, aussi sèchement qu'il avait répondu à l'interphone. Taisez-vous une minute. Non, ça ne va pas, bougonna-t-il avant que la minute soit écoulée.

En son for intérieur, elle poussa un soupir de soulagement. Ces quelques secondes l'avaient déjà mise au calvaire.

– Je vous avais dit que je ne ferais pas un bon modèle.

– Vous êtes très bien. Ce n'est pas le problème.

Il jeta son crayon, la scruta d'un regard pénétrant. Lila sentit son cœur s'emballer, sa gorge s'assécher.

– Il est à quoi, ce muffin ?

– Pomme-cannelle. Ils avaient l'air délicieux. Je me suis arrêtée chez Luke en revenant du commissariat. Je voulais vous appeler, et puis je me suis dit que j'allais plutôt passer…

– Alors, qu'est-ce qu'ils vous ont dit ? demanda-t-il en prenant le muffin dans son cabas à provisions, ainsi que deux gobelets de café.

Elle fronça le nez en le voyant mordre dans le muffin.

– Il est gros, je pensais qu'on le partagerait.

Il en croqua une autre bouchée.

– Alors, la police ? articula-t-il, la bouche pleine.

– J'ai soumis votre théorie à Fine et Waterstone, et je leur ai dit pour le parfum, ici.

Sans la quitter des yeux, il but une gorgée de café.

– Et ils vous ont répondu qu'ils en prenaient bonne note, en vous faisant clairement comprendre que vous leur faisiez perdre leur temps.

– Ils ont été très polis. Ils ont vu que j'étais inquiète. Vous n'êtes pas inquiet, vous ?

– Que voulez-vous qu'ils fassent ? Quand bien même ils vous ont crue, que leur avez-vous apporté qui puisse leur être utile ? Rien. Je n'ai rien, vous n'avez rien. J'ignore à quoi Oliver et son amie étaient mêlés, mais nous n'avons rien à voir là-dedans. Je demanderai dans ma famille si quelqu'un est au courant de quelque chose, bien que j'en doute. S'il était impliqué dans des magouilles, il se sera bien gardé d'en parler.

– Je suis désolée.

– Il n'y a pas de quoi, dit-il en partageant ce qui restait du muffin pour lui en offrir une moitié.

Elle secoua la tête en grimaçant.

– Merci.

– Vous avez tort, il est très bon.

Son gobelet de café à la main, il traversa l'atelier pour ouvrir une double porte. Avec un petit cri émerveillé, Lila le rejoignit devant une sorte de dressing.

– Le vestiaire des costumes ! s'exclama-t-elle avec plaisir. Comme au théâtre. Des robes, des foulards, toutes sortes d'accessoires. Et de la lingerie très coquine. J'ai fait du théâtre au lycée… enfin, brièvement, parce que mon père a été muté. J'adorais me déguiser.

– Je n'ai rien qui convienne vraiment, mais passez ceci, en attendant, dit-il en lui tendant une robe du soir bleu ciel. Elle n'est pas de la bonne couleur ni de la bonne longueur, mais la forme est approchante. Mettez-la, enlevez vos chaussures.

Lila effleura le tissu, léger et fluide.

– Elle est très jolie, mais je ne vais pas me changer maintenant.

– Accordez-moi une heure, et elle est à vous.

– Vous ne m'achèterez pas avec une… C'est une Prada ?

– Portez-la une petite heure et elle sera à vous.

– Il me reste des courses à faire et Thomas…

– Je vous aiderai à faire vos courses. Il faut de toute façon que je sorte chercher mon courrier. Il y a des jours que je n'ai pas relevé ma boîte postale. Quant à Thomas, ce n'est qu'un chat.

– Un chat qui n'aime pas rester seul.

Prada, se dit-elle en palpant de nouveau l'étoffe. Elle avait une paire d'escarpins Prada noirs. Achetés en solde, jamais portés. Elle n'était pas attachée aux marques. Toutefois, une petite voix lui chuchotait : « Prada… »

– Vous ne recevez pas votre courrier à votre adresse ? demanda-t-elle, tant par curiosité qu'afin de s'ôter cette robe de l'esprit.

– Non, j'ai une boîte postale. Une heure, s'il vous plaît, et je vous ferai vos courses.

– Je vous préviens que je dois acheter plusieurs articles au rayon hygiène féminine, dit-elle avec un sourire malicieux. Je vous donnerai la liste.

Il lui coula un regard amusé.

– J'ai grandi avec une ribambelle de sœurs, lui rappela-t-il. Acheter une boîte de tampons ne me pose aucun problème.

– OK, une heure, concéda-t-elle, vaincue. Et je garde la robe.

– Marché conclu. Vous pouvez vous changer ici, dit-il en indiquant une porte. Détachez vos cheveux.

Elle entra dans une grande salle de bains, carrelée de noir et blanc, comme la cuisine, dotée de l'un de ces maudits triples miroirs de salon d'essayage dans lesquels elle détestait se regarder.

Elle enfila la robe, avec un frisson d'émotion à la pensée qu'elle possèderait peut-être bientôt un vêtement de grand couturier. Elle en avait déjà essayé, mais ce n'était bien sûr que pour le plaisir.

Bien qu'un peu large au niveau de la poitrine, comme d'habitude, la coupe lui allait plutôt bien. Elle la ferait retoucher, décida-t-elle en enlevant ses sandales et l'élastique de ses cheveux.

Quand elle reparut dans l'atelier, Ash regardait par la fenêtre.

– Je n'ai pas de quoi me maquiller, dit-elle.

– Pour les croquis préliminaires, ce n'est pas grave.

Il se retourna, l'observa.

– Le bleu vous va bien, mais les couleurs chaudes vous correspondent mieux. Venez par là.

– Vous êtes autoritaire, dans le rôle de l'artiste.

Elle s'approcha du chevalet, découvrit une série d'esquisses de son visage, sous des angles différents, avec différentes expressions.

– Ça fait bizarre, murmura-t-elle. Pourquoi ne reprenez-vous pas le modèle de la sirène ? Elle est si belle.

– Chaque beauté est différente. Pour cette toile, c'est la vôtre qui m'intéresse.

Il lui inclina la tête en avant, lui ébouriffa les cheveux.

– Secouez-les, ordonna-t-il.

Elle s'exécuta, le regard étincelant, non pas de colère mais de pure espièglerie féminine.

– Parfait, approuva-t-il en lui redressant le menton. Impeccable. Vous en savez tellement plus que moi, que n'importe quel homme. Je pourrais vous observer au clair de lune, à la lumière des étoiles, à la lueur du feu, mais je ne saurai jamais ce que vous savez, ce que vous pensez. Ils s'imaginent pouvoir vous posséder, les hommes qui vous regardent danser. Mais ils se trompent. C'est vous qui décidez, qui choisissez. Votre force est de n'appartenir à personne.

Il recula jusqu'à son chevalet.

– Le menton haut, la tête en arrière. Les yeux sur moi.

Les jambes vacillantes, le cœur battant à tout rompre, la gorge serrée, Lila s'efforça de tenir la pose.

Pourquoi lui faisait-il cet effet ?

– Toutes les femmes que vous peignez tombent amoureuses de vous ?

– Certaines finissent par me détester.

Il arracha la page de croquis pour en entamer une nouvelle.

– Mais cela n'a pour vous aucune espèce d'importance, car ce n'est pas elles que vous voulez.

– Bien sûr que si, certaines d'entre elles. Regardez-moi. Pourquoi écrivez-vous des romans pour jeunes adultes ?

– Parce que l'adolescence est une période intense, de découvertes, de frustrations, un âge où l'on se cherche, où l'on se crée un style reflétant un état d'esprit, une appartenance à un clan. Le mythe du loup-garou me permet des incursions dans l'univers du fantastique. C'est plus drôle.

– Les loups-garous sont très à la mode en ce moment. Ma sœur Rylee a adoré votre premier bouquin.

– C'est vrai ?

– Elle a craqué pour Mel.

– Oh, c'est mignon… Mel est un garçon très renfermé, le meilleur copain de Kaylee, l'héroïne.

– Qui se ressemble s'assemble. Elle est plutôt introvertie, elle aussi. J'ai promis à Rylee que je lui offrirais le deuxième tome, dédicacé par l'auteur.

Lila se sentit envahie par une vague de plaisir.

– Je devrais recevoir les premiers exemplaires d'ici un mois. Je vous en donnerai un, elle pourra le lire avant la parution.

– Super ! Je serai son frère préféré.

– Je parie que vous l'êtes déjà, ne serait-ce que parce que vous l'écoutez vous parler de ses lectures.

– Tournez.

– Quoi ?

Du doigt, il fit un mouvement circulaire, sans s'arrêter de dessiner.

– Non, plus vite. Tournoyez.

Elle se sentait ridicule, mais elle s'exécuta.

– Encore… Levez les bras, amusez-vous.

La prochaine fois, pensa-t-il, il mettrait de la musique.

– Magnifique. Ne vous arrêtez pas, continuez de tourbillonner, gardez les bras en l'air. Votre père a-t-il été stationné à l'étranger ?

– Plusieurs fois. En Allemagne, mais je n'avais que quelques mois, je n'en ai gardé aucun souvenir. En Italie, c'était chouette.

– En Irak ?

– Aussi. Une affectation beaucoup moins cool. Nous ne l'avons pas accompagné.

– Dur.

– L'armée n'est pas pour les Bisounours.

– Et maintenant ?

– J'essaie de ne pas être une Bisounours… mais la question concernait mon père. Il est à la retraite. Ils sont partis s'installer en Alaska, à Juneau. Ils adorent. Ils tiennent une petite épicerie et mangent des hamburgers à la viande d'élan.

– Secouez encore vos cheveux. Vous allez les voir de temps en temps ?

– Je n'y suis allée que deux fois, ce n'est pas la porte à côté. J'ai gardé une maison à Vancouver, j'en ai profité pour m'arrêter chez eux au retour. Pareil après un job à Missoula. Vous connaissez l'Alaska ?

– Oui, c'est magnifique.

– J'aime beaucoup, moi aussi. On se croirait dans un autre monde, sur une autre planète. Pas tout à fait sur Hoth, mais presque.

– Sur quoi ?

– Hoth, la planète glaciaire dans *L'Empire contre-attaque*.

– Ah, d'accord…

Vraisemblablement, il n'était pas fan de *La Guerre des étoiles*. Dommage, elle aurait volontiers parlé de sa saga favorite.

– Qu'avez-vous peint en Alaska ?

– Des paysages, évidemment. Une Inuit en reine des glaces. Digne probablement de régner sur la planète Hoth, ajouta-t-il, amenant un sourire sur le visage de son modèle.

– Les femmes semblent être votre sujet de prédilection, mais pourquoi leur attribuez-vous toujours des pouvoirs mystérieux ? La fée jouant du violon dans la prairie au clair de lune, la sirène mangeuse d'hommes…

Le regard d'Ash se fit moins perçant, plus calme, curieux.

– Qu'est-ce qui vous fait dire que la violoniste est une fée ?

– Elle dégage une aura. À mes yeux, en tout cas. C'est ce qui m'a plu dans ce tableau.

– En effet, elle est en proie à une sorte de transe, en partie induite par la musique, en partie par ses vertus surnaturelles. Si je l'avais encore, je vous la céderais à un bon prix, parce que vous comprenez sa signification. Mais j'oubliais… Où l'accrocheriez-vous ?

– De toute façon, elle est vendue. Vous n'avez pas répondu à ma question… Pourquoi toujours des femmes dotées de pouvoirs mystérieux ?

– Les femmes sont des êtres mystérieux, ne serait-ce que parce qu'elles ont le pouvoir de donner la vie. Voilà, ce sera bon pour aujourd'hui, dit-il en posant son crayon, ses yeux verts ne cessant d'observer son modèle. Il faudra que je trouve la robe adéquate, quelque chose avec du mouvement.

Comme elle n'était pas sûre qu'il accepterait, elle s'approcha du chevalet sans demander afin de voir ce qu'il avait dessiné.

Une multitude de portraits d'elle, en pied à présent.

– Un problème ? demanda-t-il.

– C'est comme les triples miroirs dans les cabines d'essayage, répondit-elle en redressant les épaules. Vous voyez tout.

Et il en verrait encore davantage lorsqu'il la ferait poser nue, mais chaque chose en son temps.

– On va faire ces courses ? dit-il en terminant son café.

– Vous n'êtes pas obligé de venir avec moi, vous m'avez déjà offert une robe.

– De toute façon, je dois aller chercher mon courrier. Et j'ai besoin de prendre l'air. On y va ? Vous mettez vos chaussures ?

– Deux minutes, je veux aussi me changer.

Seul, il ralluma son téléphone, et ouvrit une douzaine de textos et de mails qui lui donnèrent instantanément la migraine.

Oui, il avait grand besoin de s'aérer.

Il prit néanmoins le temps de répondre à quelques messages, par ordre de priorité, et rempochait son portable lorsque Lila reparut, vêtue du pantacourt et de la tunique dans lesquels elle était arrivée.

– Je garde votre robe, alors ?

– Ce n'est pas la mienne.

– Elle vous serait trop courte, mais… Oh ! Si elle ne vous appartient pas, je vous la rends, bredouilla-t-elle, déçue.

– Je vous ai dit que je vous la donnais. Chloé n'avait qu'à y penser. À moins que ce ne soit Cora. Peu importe, elles connaissent l'une et l'autre les règles.

– Les règles ?

– Au bout de deux mois, tout ce qui a été oublié ici finit dans ma réserve de costumes, ou à la poubelle, expliqua-t-il en poussant Lila vers l'ascenseur. Autrement, je serais envahi de fanfreluches.

– Strict, mais juste. Qui sont Cora et Chloé ? Vos sœurs, des modèles, des conquêtes ?

– Deux de mes demi-sœurs, du côté de mon père.

L'un des messages étant de Cora, ses pensées revinrent à Oliver.

– Ils restituent le corps demain, dit-il.

Elle posa brièvement une main sur la sienne, tandis qu'il rouvrait la grille au rez-de-chaussée.

– Tant mieux, les funérailles pourront avoir lieu sans tarder.

– Le grand déballage émotionnel, vous voulez dire. Je préfère ne pas y penser.

– Je vous comprends, mais ce n'est pas très flatteur pour votre famille.

– Ma famille me fatigue en ce moment, répliqua-t-il en prenant un trousseau de clés, des lunettes de soleil et un sac en toile. Vous pouvez le mettre dans votre sac, s'il vous plaît ? Pour le courrier.

Elle n'imaginait pas qu'on puisse avoir besoin d'un sac pour le courrier, mais elle le glissa dans le sien.

Dehors, il fourra les clés dans sa poche, chaussa les lunettes noires.

– Vous traversez une épreuve harassante.

– Vous n'avez pas idée, marmonna-t-il. Vous devriez venir aux funérailles.

– Oh, je ne crois pas…

– Si, venez. Vous ferez diversion. En plus, vous savez gérer les crises. Il y en aura quelques-unes. Je vous enverrai un chauffeur.

– Je ne connaissais pas votre frère.

– Vous me connaissez, moi. La voiture prendra Luke en même temps. Dimanche matin, vous êtes libre ?

Mens-lui, s'enjoignit-elle, tout en sachant qu'elle en était incapable.

– C'est mon jour de repos, entre les Kilderbrand et les Lowenstein, mais…

– Alors, c'est bon.

Il la prit par le bras, et l'entraîna dans la rue.

– Je vais de l'autre côté, protesta-t-elle.

– Juste un bref arrêt. Là, dit-il en agitant le bras en direction d'une boutique sur le trottoir opposé.

Le temps que le feu passe au vert piéton, le fracas d'un camion de livraison et les éclats de voix d'un groupe de touristes permirent à Lila de reprendre ses esprits.

– Ashton, vos parents n'apprécieront sûrement pas la présence d'une curieuse aux obsèques de votre frère.

– Lila, j'ai douze frères et sœurs, dont la plupart ont des épouses, des ex-épouses, des enfants, des beaux-enfants. Plus des grands-parents, des oncles, des tantes, et en pagaille. Personne ne fera attention à vous.

En la tirant par la main, il traversa la chaussée puis contourna une jeune maman et un marmot en pleurs dans une poussette afin d'entrer dans la boutique.

– Salut, Jess.

– Salut, Ash.

Une blonde filiforme en minirobe noire et blanche et nu-pieds rouges à talons vertigineux fit le tour du comptoir afin de tendre sa joue à Ash.

– Tu m'as trouvé quelque chose ?

– Je me suis mise au boulot dès que tu m'as appelée. Je pense que j'ai ce qu'il te faut. C'est ton modèle ? Bonjour, Jess.

– Enchantée, Lila.

– Tu avais raison, Ash, le rouge lui ira à merveille. Venez…

Elle les précéda dans une arrière-boutique encombrée, et décrocha deux robes d'un portant à roulettes.

– Celle-là, dit-elle, plutôt que celle-ci, non ?

– Tout à fait.

Avant que Lila ait pu les voir vraiment, la vendeuse remit une robe sur le portant et plaça l'autre devant elle.

– Je l'ai trouvée dans une friperie, expliqua-t-elle. J'étais sûre que tu en aurais l'utilité, un jour ou l'autre.

Ash écarta les pans de la jupe à volants multicolores.

– Ça devrait aller, mais j'aurais voulu de la couleur par en dessous.

– Des jupons risquent d'être encombrants, mais si tu y tiens absolument, on pourra toujours en faire rajouter par une couturière.

– Essayez-la, dit-il en tendant la robe à Lila. Que je voie ce qu'elle donne.

– J'avais des courses à faire, rappela-t-elle à Ash.

– On ira tout à l'heure.

– Suivez-moi, dit Jess. Vous voulez boire quelque chose ? proposa-t-elle aimablement en conduisant Lila à un salon d'essayage. Un verre d'eau gazeuse ?

– Pourquoi pas ? Merci.

Encore une fois, elle se déshabilla et se changea. Comme la jupe bâillait à la taille, elle la resserra au moyen d'un trombone qu'elle tira de son sac.

Ce n'était pas son style, bien sûr. Le rouge était trop criard, le décolleté trop échancré, mais la taille basse la faisait paraître plus grande, ce qui la comblait de plaisir.

– Vous l'avez sur vous ?

– Oui, vous pouvez…

Avant même qu'elle lui en ait donné l'autorisation, Ash avait déjà tiré le rideau de la cabine.

– Pas mal, commenta-t-il. Tournez-vous. Il faudra…

Il s'accroupit, remonta la jupe.

– Eh !

– Détendez-vous. Il faudra la raccourcir. Que l'on voie vos chevilles.

– La jupe est trop large à la taille. J'ai mis un trombone.

– Tu pourras la faire retoucher, Jess ?

– Pas de problème. Il lui faudra aussi un meilleur soutien-gorge. Vous faites du… mmm… 85 ?

Mortifiée, Lila acquiesça d'un signe de tête.

– Ne bougez pas, je reviens.

Gênée par le regard d'Ash, elle sirota quelques gorgées de son verre d'eau gazeuse.

– Vous ne voulez pas sortir, maintenant ?

– Une minute. Des créoles dorées, les poignets couverts de bracelets…

Jess revint avec un soutien-gorge rouge, poussa Ash hors de la cabine.

– Excuse-nous un instant. Il serait capable de rester, le bougre, dit-elle avec un sourire. Enlevez la robe et essayez le soutien-gorge. Je vais mesurer votre tour de taille.

Avec un soupir, Lila posa son verre et s'efforça de ne pas penser qu'elle était seins nus devant une étrangère.

Quinze minutes plus tard, ils ressortaient de la boutique avec la robe, le soutien-gorge – et la culotte assortie, à laquelle elle avait consenti dans un moment de faiblesse.

– Comment cela s'est-il produit ? Je n'ai fait que regarder par la fenêtre.

– Les lois de la physique ?

– Action et réaction ? Je m'en prendrai à la science, dans ce cas.

– Quelles étaient donc ces courses que vous deviez faire de toute urgence ?

– Je ne suis pas sûre de m'en souvenir.

– Réfléchissez, pendant qu'on va à la poste.

Incrédule, elle secoua la tête.

– Vous m'avez acheté des dessous.

– Un costume.

– Des dessous. Rouges. Je vous connais depuis à peine quelques jours et vous m'offrez de la lingerie rouge. Avez-vous seulement regardé les prix ?

– Vous avez dit que mon fric ne vous intéressait pas.

Elle éclata de rire, puis se rappela :

– Un jouet pour chat. Je voulais acheter un jouet pour Thomas.

– Il n'en a pas déjà par-dessus la tête ?

Un clochard en trench-coat jusqu'aux chevilles les dépassa en grommelant des obscénités, laissant dans son sillage de tenaces relents corporels.

– J'adore New York, déclara Lila en regardant les piétons s'écarter de son chemin.

– Il habite dans le coin. Je le croise, ou je le sens, au moins un jour sur deux. Hiver comme été, il a toujours le même manteau.

– Ceci explique cela. Thomas a des milliers de jouets, en effet, mais je veux lui faire un cadeau de départ. Il faut aussi que je trouve une bouteille de vin pour les Kilderbrand. J'achèterai des fleurs samedi.

– Vous leur laissez du vin et des fleurs ?

– Oui, c'est poli. L'une de vos nombreuses mères aurait dû vous l'apprendre, ironisa-t-elle en inhalant une odeur de hot-dogs, bien plus plaisante que celle de Trench Coat Man. Au fait, vous n'avez pas besoin de moi pour aller à la poste, si ?

– On y est.

Il la prit par la main et l'entraîna à l'intérieur de l'agence, jusqu'au mur de boîtes postales.

– Oh, punaise… maugréa-t-il en ouvrant la sienne.

– Bien pleine, observa Lila.

– Ça fait plusieurs jours que je ne suis pas venu, peut-être bien une semaine. Regardez ça, pratiquement que de la pub. Pourquoi détruit-on les forêts pour ces tonnes de courriers inutiles ?

– Sur ce point, je suis entièrement d'accord avec vous.

Il jeta plusieurs plis à la corbeille, en glissa quelques-uns dans le sac en toile que lui tendit Lila, et se figea en retirant une enveloppe rembourrée de la boîte.

– Qu'est-ce que c'est ?

– L'écriture d'Oliver.

Elle se pencha par-dessus son épaule.

– Le cachet est daté…

– Du jour de sa mort, termina Ash en déchirant l'enveloppe, d'où il sortit une clé et une brève lettre manuscrite sur une carte aux initiales de son frère.

« Salut Ash,

Je te contacterai d'ici un jour ou deux pour récupérer la clé. Je te l'envoie afin que tu la gardes le temps que je finalise une affaire. Le client est un peu chatouilleux : si jamais je dois quitter la ville, je t'en informerai. Tu iras chercher la marchandise à l'agence Wells Fargo près de chez moi et tu me l'apporteras à la citadelle. Je me suis permis d'imiter ta signature (comme au bon vieux temps !). Tu n'auras donc pas de problème pour accéder au coffre.

Merci d'avance, frangin.

À très bientôt,

Oliver »

– L'enfoiré…

– Quelle marchandise ? Quel client ?

– À moi de le découvrir, maintenant.

– À *nous* ! se récria Lila. Je ne suis plus une étrangère, ajouta-t-elle lorsqu'il planta ses yeux verts dans les siens.

– OK… marmonna-t-il en glissant la lettre dans le sac, la clé dans sa poche. En route pour la banque.

Elle devait presque courir afin de suivre ses longues enjambées.

– Vous ne devriez pas plutôt remettre cette clé à la police ?

– Il me l'a confiée à moi.

Elle lui saisit la main pour le faire ralentir.

– Il imitait souvent votre signature ?

– Quand on était gamins. Sur les bulletins scolaires, ce genre de trucs. Principalement.

– Mais vous n'étiez pas son tuteur légal, hein ?

– Pas vraiment. C'est compliqué.

Rien d'officiel, mais le grand frère sur qui l'on pouvait compter, en déduisit Lila.

– Il savait qu'il allait au-devant des ennuis, poursuivit Ash. Cela dit, il n'arrêtait pas de s'attirer des ennuis. Un client « chatouilleux »… En d'autres termes, un client en colère. Et une marchandise qu'il préférait ne pas garder sur lui ni dans son appart'. Qu'il a donc mise dans un coffre dont il m'a envoyé la clé.

– Parce qu'il la savait en sûreté, avec vous.

– J'aurais fourré l'enveloppe dans un tiroir, et je la lui aurais jetée à la figure quand il serait venu la chercher, en lui disant que je ne voulais rien savoir de ses embrouilles. Il ne me l'a pas donnée en main propre parce qu'il se doutait que j'aurais refusé. Mais où se trouve cette fichue banque ?

– Première à gauche. On ne me laissera pas vous accompagner au coffre.

– Exact, acquiesça-t-il en ralentissant enfin le pas. Entrez dans un magasin, achetez quelque chose et guettez-moi.

Il s'immobilisa, la tira par le bras et lui chuchota à l'oreille :

– Il se peut qu'on nous suive. N'ayons l'air de rien. Faisons semblant de faire des courses ensemble.

– C'était le programme initial.

– Ensuite, nous irons chez vous, tranquillement.

– Vous pensez vraiment qu'on nous surveille ?

– On ne sait jamais. Mieux vaut prévenir que guérir, dit-il en déposant un baiser sur ses lèvres. Parce que je vous ai acheté de la lingerie rouge, lui rappela-t-il avec un clin d'œil. Allez, à tout de suite.

– Je… Je vais à la supérette, juste là.

– Flânez dans les rayons, je vous rejoindrai.

– OK.

Tout cela ressemble à un rêve étrange, se dit-elle en se dirigeant vers le petit supermarché : poser pour un artiste, des dessous rouges, une lettre d'un défunt, un baiser échangé sur le trottoir parce qu'ils étaient peut-être filés.

Puisqu'elle était là, elle allait acheter une bouteille de vin, et advienne ce qu'il adviendrait. Parfois, cela avait du bon de se laisser porter par les rêves.

8

La signature était parfaite. Sans l'ombre d'un soupçon, l'employée de la banque conduisit Ash à la chambre forte et lui remit le coffre loué par son frère.

Ce qu'Oliver y avait déposé lui avait coûté la vie et constituait le mobile de deux meurtres, Ash en était certain.

Seul dans la pièce blindée, il le déverrouilla, et découvrit des liasses de billets, flambant neufs, entourés de bracelets rayés, une épaisse enveloppe kraft et, logé au milieu, un coffret de cuir embossé.

Il ouvrit les fermoirs dorés, souleva le couvercle.

Une pièce d'exception scintillait de mille feux dans un opulent écrin de velours.

Voilà donc pourquoi Oliver est mort… se dit-il, incrédule.

Ash prit l'enveloppe, en retira les documents qu'elle contenait, les feuilleta rapidement. Oliver avait été tué pour ça ? s'interrogea-t-il encore. Refoulant sa colère, il referma le coffret. Du sac de shopping, il sortit les vêtements emballés de papier de soie, déposa le coffret au fond, le recouvrit de papier chiffon, glissa la robe dans le sac de courrier. Dans le sac de shopping, il dissimula également l'enveloppe et les billets sous le papier. Puis, ses deux sacs à la main, il abandonna le coffre-fort vide sur la table.

Lila flâna dans les rayons de la supérette aussi longtemps qu'il lui sembla raisonnable. Elle acheta du vin, deux belles pêches, un petit morceau de Port-Salut. Histoire de faire durer, elle hésita devant les olives comme s'il s'agissait de son achat le plus important de la journée… voire de l'année.

Puis elle remplit encore son panier de diverses bricoles. À la caisse, elle s'efforça de ne pas tiquer devant le montant de ces achats forcés, et adressa un aimable sourire à la belle Asiatique qui faisait la queue derrière elle, juchée sur des nu-pieds vert émeraude à semelle compensée argentée.

– J'adore vos chaussures, dit-elle, désinvolte, comme elle le faisait souvent, en rangeant ses courses dans son cabas.

– Merci, répondit la femme en baissant ses yeux en amande sur les sandales plates de Lila. Les vôtres aussi sont très jolies.

– Confortables, mais pas très élégantes.

Contente d'elle-même, Lila sortit du magasin et se dirigea tranquillement vers la banque.

Chaussures sans classe pour une vie dénuée de classe, pensa Jai. Mais que fabriquait le frère à la banque pendant tout ce temps ? Peut-être valait-il le coup de prolonger un peu la surveillance. Vu qu'elle était grassement payée et qu'elle aimait New York, autant faire le travail correctement. Le frère était peut-être bel et bien dans le coup. Elle devait en avoir le cœur net.

Ash sortit de la banque juste au moment où Lila s'apprêtait à y entrer.

– Je ne pouvais pas rester au supermarché plus longtemps…

– C'est bon, allons-y.

– Qu'y avait-il dans le coffre ?

– Je vous le dirai quand on sera chez vous.

– Donnez-moi un indice, insista-t-elle, contrainte à nouveau d'allonger le pas afin de suivre Ash. Des diamants, des vertèbres de dinosaure, des doublons d'or, la carte de l'Atlantide ? Je suis sûre que l'Atlantide existe, quelque part sous les mers.

– Non.

– Si, je vous assure. Si l'on considère que les océans recouvrent plus de soixante-dix pour cent de la surface du globe…

– Le coffre ne contenait rien de tel.

– Quoi alors ? Des codes de lancement nucléaire, le secret de l'immortalité, le remède à la calvitie masculine ?

– Vous croyez ? jeta-t-il, amusé malgré lui.

– Je ne sais pas, j'essaie de deviner. Attendez, il travaillait dans les antiquités… Le burin fétiche de Michel-Ange, Excalibur, la couronne de Marie-Antoinette ?

– Vous vous rapprochez.

– C'est vrai ? Bonjour, Ethan, comment allez-vous ?

Il fallut un instant à Ash pour réaliser qu'elle s'adressait au portier.

– Bien, je vous remercie. Et vous-même ? Journée shopping, aujourd'hui ?

– J'avais besoin d'une robe, déclara-t-elle, radieuse.

– Vous partez bientôt, je crois. Vous nous manquerez.

Ethan ouvrit la porte, salua Ash de la tête.

– Il travaille là depuis onze ans, précisa Lila en appelant l'ascenseur. Il sait tout sur tout le monde, mais il est très discret. Comment pourrait-on avoir la certitude que c'était le burin fétiche de Michel-Ange ?

– Je n'en ai aucune idée. Et je vous avoue que j'ai un peu de mal à me repérer dans le labyrinthe de votre cerveau.

– Vous êtes contrarié, ça se voit, répliqua-t-elle en lui frottant le bras. C'est grave ? Ce que vous avez trouvé ?

– Suffisamment pour qu'il en soit mort.

Cesse de faire le pitre, s'ordonna-t-elle, bien qu'elle eût elle-même besoin de plaisanter pour se tranquilliser. Sans un mot, elle sortit ses clés et précéda Ash dans le couloir jusqu'à l'appartement.

Thomas miaulait derrière la porte comme si elle s'était absentée des semaines.

– Je sais, je sais, j'ai été plus longue que prévu. Mais je suis là maintenant. Ils devraient adopter un deuxième chat, dit-elle en posant ses sacs dans la cuisine. Il déteste rester seul.

Afin de se faire pardonner, elle le cajola un moment puis lui donna quelques croquettes.

– Alors, c'était quoi ? lança-t-elle à Ash.

– Je vais vous montrer.

Dans la salle à manger, il posa le sac sur la table, en retira le papier chiffon et sortit le coffret de cuir.

– Luxueux, murmura-t-elle. Il doit contenir quelque chose de précieux.

Elle retint son souffle tandis qu'Ash soulevait le couvercle.

– Oh, que c'est beau ! C'est sûrement quelque chose d'ancien. De nos jours, on ne fabrique plus des objets aussi ouvragés. C'est du vrai, vous croyez, tout cet or ? Et des diamants ? Un saphir ?

– Je ne sais pas… Vous me prêtez votre ordinateur ?

– Je vous en prie, répondit-elle en l'indiquant de la main. Je peux le sortir du coffret ?

– Si vous voulez.

« Ange avec un œuf dans un chariot », inscrivit Ash dans le moteur de recherche.

– Quel travail extraordinaire ! s'émerveilla Lila, en soulevant l'objet comme s'il s'agissait d'une petite bombe, avec d'infinies précautions. Personnellement, je le trouve un peu kitsch, mais c'est un véritable chef-d'œuvre, d'un raffinement incroyable. Un œuf dans un chariot tiré par un chérubin d'or. Les pierres doivent être des vraies, elles brillent tellement… Ce ne serait pas un œuf de Fabergé, par hasard ?

– Ça y ressemble, en tout cas, répondit Ash, d'un ton absent, les yeux rivés sur l'ordinateur, les mains crispées sur la table, de part et d'autre du clavier.

– Si c'en est un, il doit valoir des milliers, voire des centaines de milliers de dollars, j'imagine.

– Plus.

– Un million ?

Ash secoua la tête, tout en continuant de lire.

– Franchement, il faut être dingue pour dépenser un million pour un œuf… Oh, il s'ouvre ! Et dedans… Regardez, Ash ! Il y a une pendulette à l'intérieur. C'est génial !

– Les œufs de Fabergé renferment tous ce qu'on appelle une surprise.

Ravie de l'avoir découverte, Lila brûlait d'envie d'ausculter plus avant le mécanisme et ses subtilités.

– Si je m'écoutais, je le démonterais, murmura-t-elle. Mais je m'en abstiendrai, s'il vaut un million de dollars.

– Probablement vingt fois plus.

– Hein ? !

Aussitôt, elle mit ses mains dans son dos.

– Facilement. « Œuf en or contenant une horloge, décoré de brillants et d'un saphir, lut Ash, dans un chariot en or tiré par un angelot d'or. » Il a été réalisé en 1888, sous la direction de Pierre-Karl Fabergé, le joaillier russe, pour le tsar Alexandre III. L'un des œufs impériaux. L'un des huit œufs perdus.

– Perdus ?

– D'après ce site, Fabergé a fabriqué cinquante œufs impériaux pour les tsars de Russie Alexandre III et Nicolas II. Quarante-deux sont aujourd'hui conservés dans des musées ou par des collectionneurs privés. Les huit autres, dont l'Ange avec un œuf dans un chariot, auraient disparu.

– S'il est authentique…

– À première vue, il correspond au descriptif donné ici. Reste à voir s'il ne s'agit pas d'un faux.

Lila se pencha en avant, les yeux au niveau de l'œuf.

– Ça m'étonnerait, il est trop beau, trop travaillé. Remarquez, il existe des faussaires de grand talent. Si l'original vaut vraiment vingt millions de dollars…

– Au bas mot. Vinnie pourra sans doute nous en dire plus.

– Vinnie ?

– L'oncle d'Oliver, l'antiquaire, son patron.

Sur la table, l'œuf brillait de tous ses feux, reflétant une ère de faste et d'opulence. *Ce n'est pas seulement une exquise œuvre d'art*, se dit Lila, *mais aussi un objet historique*.

– Ash, vous devriez le confier à un musée.

– Vous rigolez. Vous me voyez me pointer au Met en disant : « Eh, regardez ce que j'ai trouvé » ?

– À la police, alors.

– Pas pour l'instant. Je veux d'abord des réponses, et ce ne sont pas les flics qui me les fourniront. En premier lieu, il faut savoir comment Oliver s'est procuré cet œuf.

– Vous pensez qu'il aurait pu le voler ?

– Il n'a sûrement pas commis un casse ni un cambriolage, répondit Ash en se passant les mains dans les cheveux. Mais il ne l'a pas forcément acquis par des moyens légaux.

– Vous avez regardé ce qu'il y a dans l'enveloppe ?

– Des documents, en russe. Et il y avait six cent mille dollars en liquide, au coffre.

– Six cent mille ? répéta Lila, les yeux écarquillés

– À peu près, répondit Ash, distrait. Sans doute Oliver ne tenait-il pas à déposer cet argent sur un compte en banque. Est-ce la somme qu'il avait demandée en échange de cet objet ? S'était-il mis en tête de réclamer davantage ? Qui était ce « client » dont il parle dans sa lettre ? La personne à qui appartenait l'œuf, celle à qui il devait le vendre ?

– S'il est aussi précieux que vous le pensez, ça valait le coup de débourser un peu plus, au lieu de commettre deux meurtres.

Ash s'abstint de souligner que chaque jour des gens se faisaient tuer pour une poignée de menue monnaie.

– Peut-être avait-on l'intention de l'éliminer de toute façon, ou peut-être a-t-il énervé quelqu'un qu'il ne fallait pas énerver… Tout ce que je sais, c'est que je dois en premier lieu faire expertiser ce truc. Après, restera à savoir comment il a atterri entre les mains d'Oliver, et qui le voulait.

– Et ensuite ?

Son regard vert se fit aussi acéré qu'une lame.

– Ensuite, celui qui a tué mon frère et poussé sa nana par la fenêtre devra payer.

– Là, vous ferez appel à la police.

Il hésita un instant, imaginant dans sa furie rendre justice lui-même, et savourant cette image. Mais dans le regard de Lila, il lut qu'il descendrait dans son estime en avouant un tel désir, même s'il ne s'agissait que d'un fantasme.

Et il fut lui-même surpris de l'importance qu'il accordait à son regard.

– Oui, je ferai appel à la police.

– OK, je vais préparer quelque chose à manger.

– Vous allez préparer à manger ?

Avec le plus grand soin, elle remit l'œuf dans son écrin.

– Nous devons réfléchir, et nous réfléchirons mieux le ventre plein. Vous vous donnez tout ce mal parce que vous aimiez votre frère. Il vous en a peut-être fait voir de toutes les couleurs, il vous a peut-être parfois déçu, mais vous l'aimiez. Et par amour pour lui, vous êtes déterminé à découvrir ce qui lui est arrivé. Vous avez du chagrin, poursuivit-elle en le regardant droit dans les yeux et en posant une main sur la sienne. Et vous êtes en colère, vous avez des envies de violence. Vous aimeriez punir celui qui vous a fait du mal, c'est normal. Mais vous ne le ferez pas. Parce que vous avez une moralité. Quant à moi, je voudrais vous aider. Alors pour commencer, je vais préparer quelque chose à manger.

Sur ces mots, elle se rendit à la cuisine et entreprit de déballer les achats du supermarché.

– Pourquoi vous ne me fichez pas à la porte ?

– Pourquoi ferais-je une chose pareille ?

– Parce que vous n'avez pas besoin de cette source d'emmerdes chez vous…

– Je ne suis pas chez moi.

– Parce que vous n'avez pas besoin sur votre lieu de travail d'un objet qui vaut peut-être des millions, certainement obtenu par des moyens douteux peut-être même illégaux. J'ignore ce qu'a fait mon frère, mais à cause de lui quelqu'un s'est introduit chez votre amie dans l'intention de mettre la main sur vous ou tout au moins sur des informations à votre sujet. Tant que vous serez en relation avec moi, il y a des chances que cette personne, probablement un assassin, continue de vous traquer.

– Vous oubliez la tragique disparition des chaussures de Julie.

– Lila…

– Chaque détail a son importance, répliqua-t-elle en mettant une casserole d'eau à chauffer, dans l'idée de préparer une salade de pâtes. Pour en revenir à votre question, quoi qu'ait fait votre frère, vous n'êtes pas votre frère.

– C'est votre réponse ?

– En partie. Peut-être que je l'aurais aimé. Je crois que je l'aurais aimé. Je crois aussi qu'il m'aurait énervée, à gâcher tant de potentiel, tant d'opportunités. Vous, au contraire, vous êtes quelqu'un de réfléchi, et c'est une autre partie de la réponse. Vous portez de la considération aux choses, aux gens, aux opportunités. Vous ne prenez rien à la légère et je trouve cela admirable. Bien que vous soyez persuadé qu'Oliver a non seulement agi bêtement, dangereusement, mais sans doute aussi de façon immorale, vous vous battrez pour lui. Par loyauté. Par amour, par respect, par devoir, me direz-vous ? Autant de valeurs primordiales, mais aucune ne résisterait à l'épreuve sans loyauté. Voilà, c'était la dernière partie de ma réponse, et la raison pour laquelle je ne vous mets pas à la porte, conclut-elle en posant sur Ash un regard plein de compassion.

– Vous vous compliquez inutilement la vie pour quelqu'un que vous ne connaissiez pas.

– Je vous connais, vous, et les complications font partie de la vie. En plus, si je vous mettais dehors, vous ne me peindriez pas.

– Je croyais que vous ne vouliez pas que je vous peigne.

– Je ne suis toujours pas sûre de vouloir, mais maintenant, je suis curieuse.

– J'ai déjà un deuxième tableau en tête.

– Vous voyez, vous ne gaspillez aucune opportunité. Ce sera quoi ?

– Vous, étendue dans l'herbe, au coucher du soleil. Émergeant d'un profond sommeil, les cheveux épars.

– Je me réveille quand le soleil se couche ?

– Comme un elfe, une créature de la nuit.

Le visage de Lila s'illumina.

– Je veux bien être un elfe. Comment serais-je vêtue ?

– D'émeraudes.

Elle cessa de remuer les pâtes qu'elle venait de verser dans l'eau bouillante.

– D'émeraudes ? répéta-t-elle en se tournant vers lui.

– Semblables aux gouttelettes d'un océan magique, roulant entre vos seins, accrochées à vos oreilles. Je voulais attendre avant de vous soumettre cette idée, mais autant jouer cartes sur table tant que vous pouvez encore changer d'avis.

– Je peux changer d'avis quand je veux.

Le sourire aux lèvres, il s'avança vers elle.

– Je ne crois pas. Si vous voulez vous défiler, c'est le moment ou jamais.

– Je ne me défile pas, je prépare le déjeuner.

Il lui prit la fourchette des mains, en donna un tour dans la casserole.

– Maintenant ou jamais.

Elle recula d'un pas.

– Les pâtes sont cuites. Voyons voir… Où est rangée la passoire ?

Il lui saisit le bras, la tira en arrière.

– Maintenant.

Dans la rue, il lui avait à peine effleuré les lèvres. Cette fois, il lui donna un long baiser, profond et possessif, électrisant.

Si elle avait eu les jambes tremblantes dans son atelier quand il la regardait… là, elles se dérobaient, menaçant dangereusement son équilibre.

Soit elle résistait, soit elle lâchait prise.

Elle résista.

Il avait vu cela en elle, la première fois qu'il avait regardé dans ses yeux. En dépit du choc, en dépit du chagrin, il avait vu : sa capacité à donner. Cette lumière en elle qu'elle pouvait offrir ou refuser. Il s'en gorgeait, à présent, s'abreuvait de cet élixir de vie.

– Voilà comment tu seras, murmura-t-il, le regard plongé dans le sien. Quand tu te réveilleras dans l'herbe. Car tu sais ce que tu peux accomplir chaque nuit.

– C'est pour ça que tu m'as embrassée. Pour ton tableau ?

– C'est pour ça que tu ne m'as pas jeté dehors ?

– Peut-être. En partie. Mais ce n'est pas la principale raison.

Il lui ramena les cheveux derrière les épaules. Elle s'écarta, éteignit le feu sous la casserole avant qu'elle ne déborde.

– Tu couches avec toutes les femmes que tu peins ?

– Non. Une certaine intimité se crée peu à peu, qui se transforme souvent en sexualité. Mais mon travail passe avant tout le reste. J'ai eu envie de te peindre quand nous sommes allés discuter au café. J'ai eu envie de coucher avec toi quand… quand tu m'as pris dans tes bras. La première fois que je suis venu ici, tu m'as serré entre tes bras juste avant que je parte. Ce n'était pas le contact physique... Je ne suis pas aussi simple.

Il entrevit son petit sourire tandis qu'elle versait les pâtes dans la passoire.

– C'était la générosité, la simplicité de ton geste, poursuivit-il. J'avais besoin de réconfort, tu m'en as apporté.

À présent, songea-t-elle, *ce n'est plus du réconfort qu'il attend de toi.*

Et pour elle, la situation n'était guère confortable.

– J'ai toujours été attirée par les hommes forts. Par les hommes compliqués. Et ça s'est toujours mal terminé.

– Pourquoi ?

Elle leva une épaule dubitative, transféra les pâtes dans un saladier, y ajouta quelques tomates cerises, des olives noires, un peu de basilic frais, du romarin, du poivre.

– Sans doute parce que je suis compliquée, moi aussi. Je ne suis ni du genre à préparer la popote tous les soirs, ni du genre à sortir tous les soirs. J'aime cuisiner et j'aime faire la fête, mais j'aime surtout faire ce dont j'ai envie au moment où j'ai envie de le faire. La plupart des mecs sur qui je suis tombée, apparemment, ne le comprenaient pas. Bon, bien que ce soit de la triche, pour un repas vite fait, je vais mettre de la sauce toute prête.

– Pourquoi c'est de la triche ?

– Oublie, je n'ai rien dit.

– Je ne cherche ni une cuisinière ni une fêtarde invétérée. Et là, maintenant ? Tu es la femme la plus excitante que j'aie jamais rencontrée.

Excitante ? Personne n'avait jamais employé ce mot pour la décrire. Du reste, elle-même ne se serait pas qualifiée d'excitante.

– C'est la situation. Les situations intenses engendrent de la tension, de l'anxiété. Ceci dit, ce serait dommage de gaspiller cette énergie.

Après avoir mélangé la salade, elle ouvrit le tiroir à pain.

– Il m'en reste un, dit-elle en brandissant un petit pain au levain. On partage ?

– Ça marche.

– J'aimerais que tu me laisses un peu de temps pour réfléchir avant le grand plongeon. D'habitude, je suis plutôt fonceuse, mais je me suis fracassé le crâne plus d'une fois. Et là, nous sommes dans une situation particulière, avec le décès de ton frère et cet œuf extraordinaire. Alors je préférerais y aller doucement plutôt que de plonger d'un coup.

– Tu es dans l'eau jusqu'où pour l'instant ?

– J'en avais déjà jusqu'aux genoux quand tu as commencé à me dessiner. Depuis, je me suis enfoncée jusqu'aux hanches.

– OK.

Sa réponse, fraîche, drôle, directe, lui parut plus sexy qu'un bas de soie noire. Il avait envie de la toucher mais se contenta de jouer avec l'extrémité de ses cheveux, content qu'elle les ait laissés détachés.

– Ça te dit de déjeuner sur la terrasse ? De laisser la situation un moment à l'intérieur ?

– Excellente idée.

Ils ne pourraient pas l'occulter indéfiniment, pensa-t-elle, car la situation était préoccupante. Néanmoins, elle savoura le soleil, ce déjeuner improvisé, et l'énigme de cet homme qui la désirait.

D'autres l'avaient désirée, bien sûr, pour de brefs sprints, voire pour un tour de piste ou deux. Mais elle n'avait jamais couru de marathon. Son existence tout entière était une série de brefs interludes. Il y avait si longtemps qu'elle n'avait pas connu la stabilité qu'elle l'assimilait à la monotonie.

Son mode de vie reposait sur le concept du temporaire, et elle le trouvait très enrichissant ainsi.

Ash s'inscrirait dans ce cadre-là. Il n'y avait pas de raison pour qu'il en soit autrement.

– Si on s'était rencontrés par le biais de Julie, à un vernissage par exemple, ce serait moins bizarre. Mais dans ce cas-là, je ne t'aurais sans doute pas intéressé.

– Tu te trompes.

Elle jeta un coup d'œil vers l'immeuble d'en face. La fenêtre était toujours barricadée.

– De toute façon, nous ne nous sommes pas rencontrés à une expo. Tu as une vie mouvementée, Ash.

– Ce n'est rien de le dire. Toi non plus, tu ne dois pas t'ennuyer.

– Oh non ! Après-demain, j'aurai vue sur l'Hudson, un caniche nain, des orchidées à entretenir et une salle de gym perso qui soit m'intimidera, soit me donnera envie de faire du sport. J'aurai toujours un livre à écrire, un blog, un cadeau à acheter pour l'anniversaire de ma mère – un petit citronnier, je crois… ce sera trop cool de faire pousser des citrons en Alaska. Et j'aurai encore ce qui ressemble fort à un œuf impérial volé d'une valeur dépassant mon imagination, un fond d'angoisse à l'idée d'être peut-être surveillée par un assassin, et la perspective de torrides étreintes avec un homme que le décès de son frère a placé sur mon chemin. Je vais devoir jongler.

– Tu oublies le tableau.

– Parce qu'il m'effraie encore plus que la salle de gym ou les torrides étreintes.

– Les étreintes ne te font pas peur ?

– Si. Se déshabiller pour la première fois devant un homme est purement terrorisant.

– Je veillerai à te faire oublier toute retenue.

– Je compte sur toi, dit-elle en traçant un petit cœur sur la condensation de son verre d'eau citronnée. Qu'allons-nous faire de l'œuf ?

La « situation » revenait déjà les empoisonner, pensa-t-il.

– Je le montrerai à Vinnie, l'oncle d'Oliver, l'antiquaire. S'il ne peut pas l'authentifier lui-même, il nous orientera vers l'un de ses confrères.

– Très bonne idée. Et ensuite ?

– Je l'emporterai demain à la citadelle. Elle est encore mieux protégée que la Maison-Blanche. Il sera en sûreté, là-bas, pendant que je m'occuperai du reste.

– C'est-à-dire ?

– Vinnie doit connaître des collectionneurs, des gros collectionneurs. Ou des gens qui en connaissent.

Lila connaissait elle-même des gens très riches prêts à débourser des sommes folles pour un hobby. Notamment, elle gardait chaque année la maison d'un couple gay qui collectionnait les boutons de portes anciens. Et elle avait séjourné l'hiver précédent chez une dame deux fois veuve qui possédait une fascinante collection de netsuke érotiques.

Mais quelqu'un qui s'offrait des œufs à plus de vingt millions de dollars ? Elle avait beau être douée d'une imagination féconde, l'image refusait tout bonnement de se matérialiser.

– Il faudrait regarder dans les papiers d'Oliver, suggéra-t-elle. On devrait bien y trouver des infos à propos de ce client. Je t'aiderai si tu veux.

Ash ne répondit pas.

– J'ai l'habitude des tâches administratives, ajouta-t-elle. Parfois, moyennant un supplément d'honoraires, mes clients me demandent de mettre de l'ordre dans leur bureau ou de classer leur courrier pendant leur absence.

Ash gardait toujours le silence. Lila contempla la fenêtre condamnée, se souvint des discussions houleuses dont elle avait été témoin.

– Dans tous les cas, Marjolaine, la compagne de ton frère, devait être dans le coup. C'était sûrement à cause de l'œuf qu'ils étaient aussi tendus, qu'ils se disputaient sans arrêt.

– Elle était peut-être au courant de certaines choses, acquiesça Ash, mais pas de tous les détails. Tu l'as vue pleurer, implorer, tu as dit qu'elle avait l'air terrifiée. Elle ne devait pas savoir où était l'œuf. Sinon elle aurait parlé, sous la menace.

– Tu as probablement raison. Et lui, il était dans le coma. Il ne risquait pas de dire grand-chose. C'était une erreur de le droguer.

Lila se leva, ramassa les assiettes. Ash se leva à son tour, lui prit les assiettes des mains, les reposa sur la table, puis la saisit par les deux bras.

– Il avait dû lui dire qu'il voulait la protéger. « Écoute, ma belle, moins tu en sauras, mieux tu te porteras. Je veux juste te préserver. » Quelque part, il devait y croire.

– Alors, quelque part, c'était vrai.

– La vérité, c'est qu'il n'avait pas confiance en elle, qu'il redoutait qu'elle le double. Et par sa faute, elle a été tuée.

À son tour, Lila referma les mains sur les bras d'Ash – d'égal à égal.

– Il est mort lui aussi. Dis-moi… s'il avait pu, aurait-il parlé, aurait-il donné l'œuf pour la sauver ?

– Oui.

– C'est ce qui compte, déclara-t-elle en se hissant sur la pointe des pieds pour poser ses lèvres sur les siennes.

Il la plaqua contre lui, et elle se sentit à nouveau chavirer.

– Je pourrais te faire perdre ta retenue sans attendre.

– Je n'en doute pas une seconde, mais…

Il laissa ses mains courir le long de ses bras.

– Mais… soupira-t-il.

Ils retournèrent à l'intérieur, où elle le regarda remettre le coffret dans le sac de shopping, avec l'enveloppe et les liasses de billets, les recouvrir de papier chiffon.

– Je dois partir dès demain, prendre les dernières dispositions pour les funérailles. Tu n'auras qu'à demander à Julie de venir avec toi, dimanche. Tu te sentiras moins seule.

– Ça risque d'être gênant pour elle et Luke.

– Ils sont grands.

– C'est toi qui le dis…

– Demande-lui. Et envoie-moi ta prochaine adresse par texto. Tu as dit que l'appart' se trouvait dans l'Upper East Side ?

– Oui, à Tudor City.

Il fronça les sourcils.

– Ça fait une trotte, de chez moi. Je t'enverrai une voiture avec chauffeur, dimanche matin.

– Le métro dessert toute la ville. De même que les bus et les taxis. Tu as dû entendre parler du miracle des transports en commun, tout de même.

– Je préfère t'envoyer une voiture. D'ici là, accorde-moi une faveur, s'il te plaît : ne ressors pas.

– Je n'en avais pas l'intention.

– Très bien.

Là-dessus, il prit ses sacs et se dirigea vers la porte.

– Et toi ? Tu ne crois pas que tu ferais mieux de prendre un taxi, plutôt que de te promener dans la rue avec ce trésor ? Il te faudrait même une voiture blindée.

– Pas de bol, ma voiture blindée est chez le garagiste. Je te vois dimanche. Appelle Julie. Ne sors pas.

Un tantinet despotique, se dit-elle une fois seule.

– Tu sais quoi, Thomas ? J'ai envie d'aller faire un jogging, juste pour le narguer. Mais ce ne serait pas raisonnable. La vaisselle, et ensuite mon bouquin. Après… pourquoi pas, tout compte fait ? Je téléphonerai à Julie.

9

Ash réfrigéra un grand verre. En été, Vinnie buvait du gin tonic frappé. La moindre des choses, avec le bébé qu'il allait lui refiler, était de lui servir sa boisson favorite.

Vinnie n'avait posé aucune question, au téléphone. Il avait simplement accepté de passer au loft, après la fermeture du magasin. Ash avait entendu la tristesse dans sa voix, et le désir de se rendre utile. Il exploiterait les deux, afin d'amener Vinnie à… la situation.

Vinnie est un chic type, pensa Ash tout en surfant sur Internet en quête d'informations sur l'œuf. Un commerçant avisé avec un flair sans pareil pour débusquer les pièces intéressantes, dénicher les perles rares. Heureux en mariage depuis quarante ans, père de trois enfants, grand-père gâteau de six petits-enfants. Bientôt sept, non ?

Ash prit note mentalement de vérifier sur son tableau Excel.

L'antiquaire avait pris Oliver sous son aile, en sachant pertinemment que le seul fils de sa sœur était un garçon capricieux et instable. Néanmoins, il n'avait pas eu à le regretter.

Chaque fois qu'Ash lui avait posé la question, Vinnie avait répondu qu'Oliver se débrouillait bien, qu'il devenait de plus en plus autonome, qu'il avait le sens des affaires ainsi que celui du contact.

Son sens des affaires, pensa Ash, *est peut-être bien ce qui l'a précipité dans la tombe*.

Il se renversa contre le dossier de son siège, observa l'œuf. Quel chemin avait-il parcouru, s'interrogea-t-il, cet extravagant cadeau créé pour la famille royale de Russie ? On le croyait perdu, mais il ne l'était pas pour tout le monde. Qui avait eu la chance de contempler ce joyau, de le tenir entre ses mains ?

Et qui était prêt à tuer pour se l'approprier ?

La sonnerie de l'interphone l'arracha à ses réflexions.

– Ashton, dit-il dans le micro.

– Salut, Ash, c'est Vinnie.

– Entre.

Il débloqua les verrous et descendit à la rencontre de l'antiquaire.

Serviette en cuir à la main, celui-ci était vêtu d'un élégant complet gris clair à fines rayures, d'une chemise blanche impeccablement repassée – malgré la chaleur et une journée de travail derrière lui – et d'une cravate Hermès à motif cachemire.

Avec ses beaux cheveux blancs, son teint hâlé et son bouc taillé en pointe, Ash avait toujours trouvé qu'il ressemblait davantage à l'un de ses clients aisés qu'à l'homme qui marchandait avec eux.

– Comment vas-tu, mon grand ? demanda Vinnie avec ce brin d'accent de la côte dont il ne s'était jamais départi, en posant sa serviette pour embrasser Ash.

– Beaucoup de choses à faire, ça aide.

– Je comprends. Que puis-je pour toi ? Olympia arrive ce soir, elle ira directement à la citadelle. Elle m'a dit que ce n'était pas la peine de venir avant dimanche, mais je crois qu'Angie et les enfants la rejoindront dès demain.

– Angie et elle ont toujours été proches.

– Comme des sœurs. Dans les moments difficiles, Angie lui est d'un plus grand réconfort que moi, ou même que Nigel. Tu sais que si tu as besoin d'un coup de main, pour l'organisation des funérailles, je suis là.

– Tu pourrais dissuader sa mère de la cornemuse ?

– Je ne crois pas, répondit Vinnie en riant. Elle est convaincue que c'est ce qu'Oliver aurait voulu. La police a du nouveau ?

– Pas que je sache.

– Qui a pu faire une chose pareille ? Ils avaient l'air de bien s'entendre, avec Marjolaine. Je suis sûr qu'ils auraient pu être heureux ensemble. Un ex jaloux, je ne vois pas d'autre explication, comme je l'ai dit à la police. Une belle femme comme elle, elle avait certainement eu d'autres gars dans sa vie avant Oliver. Il était rayonnant, tu sais, ces derniers temps, il débordait d'énergie. Il projetait de l'emmener en voyage. Je crois qu'il avait l'intention de la demander en mariage. Il avait cet air à la fois euphorique et anxieux de l'homme qui s'apprête à franchir un grand pas.

– J'ai quelque chose que je voudrais te montrer, en haut.

– Bien sûr.

Précédant Vinnie, Ash se dirigea vers l'ascenseur.

– T'aurait-il parlé d'un coup sur lequel il était, d'un client exceptionnel ?

– Non. Il a fait du bon boulot, ces derniers mois. Il s'est occupé de deux successions, et il a fait d'excellentes acquisitions. Il avait du nez, et le sens des affaires.

– Tu l'as toujours dit. Je t'offre un verre ?

– Volontiers. Ce n'est pas facile, ces jours-ci, au magasin… On est tous ébranlés. Tout le monde appréciait Oliver. Que Dieu le bénisse, il nous mettait parfois hors de nous, mais c'était un bon gars, au fond… Tu sais comment il était.

– Oh oui… soupira Ash, emmenant Vinnie à la cuisine. Un gin tonic ?

– Comme d'habitude. Tu as fait quelque chose de bien, dis donc, ici. Quand tu as acheté le loft, tu sais, j'ai pensé que tu étais dingue de ne pas y aménager plusieurs appartements pour les louer. Mais finalement, tu as eu raison de le garder tout entier pour toi. Tu dois être bien, là. C'est superbe.

Ash prépara le cocktail, y ajouta un trait de citron vert, puis se décapsula une bière.

– Je suis au calme, et au large.

Vinnie fit tinter son verre contre la cannette.

– Un luxe, dans une grande ville. Je suis fier de toi. Savais-tu que Marjolaine avait acheté un de tes tableaux ?

– Je l'ai vu, quand je suis allé chercher les affaires d'Oliver dans leur appartement. Viens voir, s'il te plaît, et dis-moi ce que tu penses de ça…

Vinnie sur ses talons, Ash traversa un couloir et entra dans la pièce qui lui tenait lieu de bureau.

L'œuf trônait sur la table de travail.

Vinnie savait masquer ses émotions. Pour avoir maintes fois joué au poker avec lui, Ash était bien placé pour le savoir. Là, cependant, le visage de l'antiquaire s'illumina de la joie hébétée du débutant qui a entre les mains un carré d'as.

– Mon Dieu ! Oh, mon Dieu ! s'écria-t-il en tombant à genoux comme pour un hommage.

Après un bref instant de choc, Ash vit toutefois que Vinnie s'était simplement agenouillé afin de mieux observer l'objet.

– Où l'as-tu trouvé, Ashton ? D'où vient-il ?

– Qu'est-ce que c'est ?

Vinnie se redressa, contourna le bureau, se pencha au-dessus de l'œuf, si près qu'il le touchait presque du nez.

– Tu ne sais pas ? Tu as là l'Ange avec un œuf dans un chariot, de Fabergé. Ou la plus belle des reproductions que j'aie jamais vue.

– D'après toi ?

– Où l'as-tu trouvé ?

– À la banque, dans le coffre d'Oliver. Il m'a envoyé la clé, en me demandant de la garder jusqu'à ce qu'il me contacte. Il avait selon lui un client délicat et des ennuis. Voilà ses ennuis. Et voilà, je crois, pourquoi il est mort. Tu peux savoir si c'est l'original ?

Vinnie se laissa tomber sur une chaise, se passa les mains sur le visage.

– J'aurais dû m'en douter. J'aurais dû me douter de quelque chose. Cette effervescence, cette fébrilité… Ce n'était pas sa bonne amie qui le mettait dans cet état. C'était ça. Voilà ce que c'était. J'ai laissé ma serviette en bas. J'en aurais besoin.

– Je descends la chercher. Je suis désolé.

– De quoi ?

– De te mêler à ça.

– Il était mon neveu, c'est moi qui lui ai appris à estimer la valeur des antiquités, des pièces de collection, comment les acheter, comment les revendre. C'est normal que tu m'aies appelé.

– Je vais te chercher ta serviette.

Ash savait qu'il peinerait Vinnie encore davantage. Mais que pouvait-il faire d'autre ? À qui d'autre aurait-il pu s'adresser ? À qui pouvait-il faire confiance, si ce n'était à un membre de la famille ?

Quand il revint avec la sacoche, l'antiquaire se tenait devant le bureau, penché au-dessus de l'œuf, le nez chaussé de lunettes.

– Si tu savais combien de paires j'en ai perdu, dit-il en les enlevant. J'en rachète tous les mois, au moins. Par contre, j'ai ma loupe de joaillier depuis vingt ans.

Il ouvrit la serviette, en retira des gants de coton blanc qu'il enfila. Puis il alluma la lampe de bureau et examina l'œuf à travers le verre grossissant, millimètre par millimètre, le manipulant avec des gestes de chirurgien, auscultant tour à tour les minuscules mécanismes, les pierres étincelantes.

– Au cours de ma carrière, j'ai acquis deux œufs, pas impériaux, bien sûr, mais deux superbes pièces datant d'environ 1900. Et j'ai eu la chance de voir, j'ai même été autorisé à toucher, un œuf impérial appartenant à un collectionneur privé. Autant te dire, donc, que je ne suis pas un grand expert.

– Tu es le mien.

Vinnie esquissa un sourire.

– À mon avis, mais ce n'est qu'un avis, il s'agit bien de l'Ange avec un œuf dans un chariot, l'un des œufs impériaux de Fabergé disparus. Il n'en existe qu'une photo, et les descriptifs se contredisent sur certains points de détail. Mais à voir la finesse de l'exécution, la qualité des matériaux, le style… et le poinçon de Perchin, à l'époque le meilleur maître artisan de Fabergé, je n'ai quasiment aucun doute. Mais il faudrait la confirmation d'un expert.

– Oliver avait des documents, en russe pour la plupart.

Ash les sortit de l'enveloppe, les tendit à Vinnie.

– Hélas, je ne lis pas le russe, se lamenta celui-ci après y avoir jeté un coup d'œil. Voilà très certainement un acte de vente, daté du 15 octobre 1938, signé par les deux parties. Le prix est en roubles. Trois mille roubles. Je ne connais pas le cours du change en 1938, mais je serais enclin à penser que quelqu'un a fait une très bonne affaire, déclara-t-il en se rasseyant. J'ai un ami qui pourrait nous traduire ça.

– Ce serait bien. Oliver savait de quoi il s'agissait, n'est-ce pas ? Autrement, il t'en aurait parlé.

– Sûrement…

– As-tu un client qui serait particulièrement intéressé par une pièce comme celle-ci ?

– Pas spécialement, mais quiconque affectionne les antiquités et les objets de collection se précipiterait sur l'opportunité. À condition, bien sûr, de pouvoir y mettre une trentaine de millions. Un collectionneur le paierait même beaucoup plus. Oliver le savait très certainement.

– Tu disais qu'il s'était occupé de deux successions, récemment.

– Oui, confirma Vinnie en se massant la tempe. Laisse-moi me souvenir… Chez les Swanson, à Long Island, et chez les Hill-Clayborne, à Park Slope.

– Swanson…

– Oui, mais je n'ai rien vu figurer de tel sur aucun des deux listings.

– Qui a établi ces listings ?

– Oliver, en collaboration avec les clients. Il n'aurait pas pu se permettre d'acquérir une pièce pareille à titre personnel. Et j'aurais certainement remarqué un achat se chiffrant en millions.

– Sauf s'il avait un acquéreur en vue, ou si le client en ignorait la valeur.

– C'est possible. Certains s'imaginent que la porcelaine Wedgwood de leur grand-mère vaut une fortune. D'autres se débarrasseraient pour rien d'un vase Daum.

– J'ai trouvé un contrat de vente dans ses papiers personnels. Pour un angelot ancien avec carriole. Cédé par Miranda Swanson au prix de vingt-cinq mille dollars.

– Seigneur… Miranda Swanson, la dame qui a perdu son père. Elle voulait vendre tout ce qu'il y avait chez lui. Oliver ne m'avait pas dit…

Vinnie reporta son regard sur l'œuf.

– Savait-il ce que c'était ?

– S'il n'en était pas certain, il aurait dû se renseigner. Il l'a peut-être fait. Vingt-cinq mille dollars…

– Sacrée bonne affaire, commenta Ash.

– S'il savait, ce n'était pas éthique. Nous ne fonctionnons pas de cette manière. On perdrait vite notre réputation, sinon. Mais… j'aurais été fier qu'il l'ait débusqué, identifié. Il aurait pu me le montrer. Je l'aurais félicité.

– Il ne t'a rien dit parce que tu lui aurais mis des bâtons dans les roues. Ce n'est pas du vol, pas franchement. Ce n'est même pas vraiment de l'arnaque. Mais à tes yeux, si. Il ne pouvait pas t'en parler.

Vinnie garda le silence. Ash se mit à arpenter la pièce.

– Il en a parlé à sa compagne, et il y a de fortes chances qu'elle lui ait avancé l'argent pour l'acheter. Il est entré en contact avec un collectionneur, soit par son intermédiaire, soit par le biais de relations professionnelles. Il a essayé de le vendre. Il aurait décroché le gros lot. Il savait ce que tu en aurais pensé, mais il a cédé à l'appât du gain.

– Sa malhonnêteté lui a coûté très cher. Tu ne diras rien à sa mère, j'espère.

– Non, je n'en parlerai à personne de la famille.

– Il vaut mieux, je crois. J'aurais été fier de lui, répéta encore Vinnie, dans un murmure affligé, puis il se redressa, se retourna vers Ash. Il t'a laissé un joli merdier, hein ? Comme à son habitude, que son âme repose en paix… Photocopie-moi les documents. Je ne veux pas prendre les originaux. Je les ferai traduire, et je vais tâcher de trouver un expert, discret, il va sans dire, susceptible de l'authentifier.

– OK.

– Je connais mal l'histoire des œufs de Fabergé. Je sais seulement que la famille impériale en a fait réaliser cinquante, dont certains ont été confisqués par Lénine au moment de la Révolution bolchevik.

Staline en a vendu plusieurs, je crois, dans les années 1930, pour renflouer les caisses du gouvernement. Huit ont disparu après la Révolution : perdus, volés, vendus, cachés dans des collections très, très privées, va savoir… Celui-ci, en tout cas, est intact, alors que la plupart de ceux qui sont répertoriés n'ont plus leur surprise, ou il en manque des éléments. Il n'en a que plus de valeur.

– J'ai fait des recherches. L'une des descriptions de celui-ci figure dans l'inventaire de 1917 des biens confisqués. Quelqu'un a dû piller les coffres de Lénine.

Ash emporta les papiers à la photocopieuse.

– Que vas-tu en faire pendant que tu mènes ton enquête ?

– Je le laisserai à la citadelle.

– Bien. Encore mieux que ma chambre forte. Mais ton père va te poser des questions.

– Je ne le mettrai pas au coffre. J'ai mes petites cachettes secrètes. Il sera en sécurité. Je te sers un autre gin ? proposa Ash en glissant les copies dans une enveloppe.

– Je ne préfère pas. Angie m'autorise un verre après le boulot, pas deux. Elle me reprocherait d'avoir une haleine de chacal et m'obligerait à dormir dans la niche du chien.

Vinnie s'efforçait de paraître détendu, mais Ash entendait la tristesse dans sa voix et, pire, à présent, la déception.

– Je vais rentrer, déclara l'antiquaire. Dès que j'arrive chez moi, je passe un coup de fil pour la traduction. Avec un peu de chance, je pourrai te l'apporter à la citadelle. Tu y vas demain ?

– Oui.

Vinnie rangea les documents dans sa serviette.

– Oliver a fait une découverte importante, dit-il, importante pour le monde. Seulement, il n'a pas été réglo.

– Je sais.

– Enfin… Mon offre tient toujours : quoi que nous puissions faire pour toi, n'hésite pas.

Ash l'embrassa, l'accompagna à l'escalier.

– Ce n'est pas la peine de descendre avec moi. Mets l'œuf en lieu sûr. Et prends soin de toi. Je te contacte dès que j'ai du nouveau.

– Merci, Vinnie.

– Attendu qu'il n'a pas été volé, nous n'avons pas besoin de le restituer à son propriétaire. Mais sa place est dans un musée.

– En temps voulu, je le remettrai à un musée.

– Je te fais confiance.

Le chagrin assombrissant de nouveau son regard, Vinnie tapota l'épaule d'Ash avant de prendre congé.

Miranda Swanson, se remémora celui-ci une fois seul. Il avait désormais un début de piste. Sans attendre, il se rassit devant son ordinateur, l'œuf scintillant près de lui.

Par acquit de conscience, Jai devait retourner jeter un coup d'œil chez le frère. L'arrêt à la banque l'avait intriguée, la visite de l'oncle encore plus.

– On devrait choper le peintre, suggéra Ivan, lui mettre la pression. Il nous dira ce qu'il sait.

Jai choisit une paire de boucles d'oreilles en jade et perles, très chic, très classique, qui apportait une touche de fantaisie au carré court de sa perruque.

– Comme la poule, avant que tu la jettes par la fenêtre ? ironisa-t-elle.

– Je ne l'ai pas jetée. La situation a dérapé, c'est tout. On coince le frère, on l'amène ici. Tranquille, entre nous. Ça ne prendra pas longtemps.

Ivan affectait un accent russe, alors qu'il n'avait jamais mis les pieds en Russie. Jai savait – elle prenait toujours soin de se renseigner sur ses partenaires – qu'il était né dans le Queens, d'une petite frappe mafieuse et d'une strip-teaseuse décédée prématurément de son amour pour l'héroïne.

– Cet idiot d'Oliver n'avait pas eu de contact avec son frère depuis des semaines. J'ai vérifié son téléphone, son ordinateur : pas d'appel, pas de mail. Par contre, il travaillait pour l'oncle.

Bien qu'elle détestât qu'Ivan soit présent dans la pièce lorsqu'elle se préparait, Jai se farda les lèvres de Rouge Taboo.

Il avait essayé de la toucher une fois. La lame qu'elle avait plaquée contre sa braguette l'avait dissuadé de recommencer.

Sur ce plan, il ne l'embêtait plus.

– L'oncle est dans le business des antiquités, continua-t-elle. Il a une affaire qui marche bien. C'est en bossant pour l'oncle que l'idiot a mis la main sur l'œuf.

– L'oncle savait que dalle.

– Il en sait peut-être plus maintenant. Le frère est allé à la banque, l'oncle est allé chez le frère. Je crois que le frère fricote avec la salope qui a été témoin de la chute, et qu'il en sait de plus en plus. Peut-être qu'Oliver n'était pas aussi débile qu'on le croyait et qu'il a mis l'œuf à la banque.

– Tu as dit que le frère en était ressorti les mains vides.

– J'ai juste dit que je n'avais pas vu l'œuf. Il avait des sacs, l'œuf était peut-être dedans. Ou il a pu le laisser à la banque. Ou bien il a seulement récupéré des documents. Des informations susceptibles de nous intéresser. Pourquoi il aurait convoqué l'oncle, sinon, le patron d'Oliver ?

D'un coffret à bijoux, elle retira une alliance. Elle trouvait déplorable que le brillant – taille carrée, cinq carats – soit un faux, mais c'était un très joli faux. Elle le passa à son annulaire.

– L'oncle connaît mieux Fabergé. L'oncle est vieux et moins costaud que le frère. L'oncle était plus proche de l'idiot. Je vais rendre visite à l'oncle.

– Perte de temps.

– C'est moi qui décide, rétorqua-t-elle froidement. Je te ferai signe si j'ai besoin de toi.

Elle s'étudia longuement dans le miroir. Le joyeux imprimé de la robe, les escarpins rose poudré, le sac à main en cuir beige et les bijoux discrets ne révélaient rien de la femme qui les portait.

Elle renvoyait exactement l'image recherchée, celle d'une riche Asiatique, mariée, de style conservateur.

Une dernière fois, elle vérifia le contenu de son sac : porte-monnaie, porte-cartes, trousse de maquillage, téléphone mobile, mini-couteau de combat, deux paires de menottes, et son Sig 9 millimètres.

Et elle partit sans un regard en arrière. Ivan ferait ce qu'elle lui dirait de faire, sinon elle le tuerait. Tous deux le savaient.

Ivan ignorait seulement qu'elle le tuerait de toute façon.

Le cœur et l'esprit déchiré entre la perte d'un neveu auquel il était sincèrement attaché et l'improbable découverte de cet œuf disparu, Vinnie s'efforçait de se concentrer sur son travail, ses clients, son équipe.

Il avait transmis les copies des documents à un vieil ami en mesure de les traduire. Il faillit envoyer un texto à Ash, mais préféra s'en abstenir. Ils se verraient le lendemain aux funérailles. Mieux valait n'évoquer le sujet qu'en tête à tête.

Il s'en voulait de faire des cachotteries à sa femme. Dès qu'ils en sauraient davantage, il la mettrait dans le secret. Pour l'instant, il semblait plus prudent de ne pas spéculer. De ne rien ébruiter. Quoi qu'ait fait Oliver, il aurait été injuste d'entacher ses obsèques. Ses proches méritaient de pouvoir lui faire leurs adieux sans arrière-pensées.

Vinnie gardait ses arrière-pensées pour lui. Depuis deux nuits, il n'avait quasiment pas fermé l'œil. Et le manque de sommeil alourdissait le fardeau.

Il aimait le fils de sa sœur, un garçon qui avait du potentiel. Cependant, il avait toujours eu conscience de ses défauts, et à présent il était persuadé que l'attrait d'Oliver pour l'argent facile lui avait coûté la vie.

Pourquoi ? ne cessait-il de s'interroger. *Pourquoi ?*

La découverte de l'œuf disparu aurait assis sa réputation, lui aurait valu une reconnaissance tant sociale que financière. Vinnie craignait que son neveu n'ait vu trop gros. Pour se retrouver sans rien.

– Monsieur Vinnie, vous devriez rentrer chez vous.

Vinnie esquissa un pâle sourire et secoua la tête. Janis travaillait pour lui depuis quinze ans, et s'entêtait, malgré leurs relations amicales, à l'appeler « Monsieur Vinnie ».

– Ça me fait du bien d'avoir l'esprit occupé, dit-il. Et le fait est que ma sœur préfère être avec Angie qu'avec moi en ce moment. Je les rejoindrai demain. Je tournerais en rond, tout seul à la maison.

– Si vous changez d'avis, on fera la fermeture, Lou et moi. Vous seriez mieux auprès de votre famille.

– Vous êtes gentille, je vous remercie. Mais pour l'instant... je vais m'occuper de cette charmante jeune dame, dit-il en voyant Jai entrer dans le magasin. Je suis sûre qu'elle me changera les idées.

– Vous alors !

Pour faire plaisir à son patron, Janis lui adressa un clin d'œil rieur, mais elle le regarda traverser la boutique d'un air inquiet. Il se surmenait, pensa-t-elle, alors qu'il était déjà profondément affecté par le décès de son neveu.

– Bonjour madame, que puis-je pour vous ?

– Que de belles choses ! s'exclama Jai, en forçant l'accent qu'elle s'était donné tant de mal à corriger, et en affectant des manières distinguées. J'ai vu ce meuble dans la vitrine, mais maintenant tout me plaît !

– Le petit bureau Louis XIV a accroché votre regard ?

– Accroché mon regard ? répéta-t-elle en riant et en portant l'index à sa paupière. Oui, accroché mon regard.

– Vous avez beaucoup de goût. Il s'agit d'un bureau Mazarin décoré d'une marqueterie très fine.

– Je peux toucher ?

– Je vous en prie.

– Oh ! s'émerveilla-t-elle en effleurant le plateau du bout des doigts. Très joli. Ancien, oui ?

– Fin du XVIIe siècle.

– Mon mari, il veut l'ancien pour notre appartement à New York. À moi trouver pas ce que j'aime, mais ce qu'il aime. Vous comprenez ? S'il vous plaît, excusez mon anglais, il n'est pas bon.

– Vous parlez très bien. Votre accent est charmant.

– Vous êtes si gentil, minauda Jai en battant des cils. Ce bureau, je crois qu'il aimera beaucoup. Je… Oh, et ceci ?

– Louis XIV, également. Une commode en marqueterie Boulle, de cuivre et d'écaille. Magnifiquement conservée, comme vous le voyez.

– Oui, comme neuve, mais vieille. Comme souhaite mon mari. Mais je ne dois pas prendre tout pareil ? Vous comprenez ? Le meuble doivent être…

– Vous désirez des pièces complémentaires.

– Oui, je pense. Ces deux sont complémentaires ?

– Tout à fait.

– Et ceci ! Nous avons petite bibliothèque dans l'appartement. Cette jolie table parfaite pour la bibliothèque, j'aime beaucoup tiroirs en forme de livres.

– Elle est en bois de rose.

– Bois de rose, très beau nom. Avec cette lampe, pour mettre sur… le commode, on dit ?

– Vous avez le sens de l'esthétique, madame… ?

– Mme Castle. Enchantée de faire votre connaissance, monsieur…

– Vincent Tartelli.

Elle s'inclina, offrit une main.

– Vous m'aiderez, s'il vous plaît, monsieur Tartelli, à sélectionner les pièces pour notre appartement ? Que de belles choses… répéta-t-elle en parcourant la boutique d'un regard rêveur. Mon mari viendra. Je ne peux pas acheter sans son accord, mais je sais qu'il aimera ceci beaucoup, dit-elle en revenant vers le bureau. C'est possible vous me donnez les conseils ?

– Bien sûr.

– Alors je choisirai avec vous et je téléphonerai à lui. Il sera très heureux.

Séduit par l'aimable bavardage de cette exotique cliente, Vinnie lui fit faire le tour du magasin, d'abord du rez-de-chaussée, consacré au mobilier, puis ils montèrent à l'étage, à la demande de Jai, où étaient exposés les objets d'art. Tout en s'émerveillant devant chaque pièce, dans son anglais approximatif, elle eut ainsi tout le loisir de repérer chacune des caméras de sécurité.

– Je voudrais offrir cadeau à ma mère. À mon propre compte. Elle aime les jolies choses. Cette boîte dans la vitrine, il est en jade ?

– Absolument, acquiesça l'antiquaire en déverrouillant l'armoire vitrée. Une ravissante bonbonnière de jade, d'influence chinoise.

– Oh ! maman aimera beaucoup. Elle est ancienne ?

– Fin XIXe, répondit Vinnie en la posant sur un présentoir de velours. Fabergé, précisa-t-il.

– Est-ce français ?

– Russe.

– Oui, oui, oui. Je connais. Russe, pas français. Fabergé, les célèbres œufs, oui ?

Devant le silence de Vinnie, elle prit un air consterné.

– Je dis une bêtise ?

– Pas du tout. Oui, les œufs de Fabergé étaient à l'origine des cadeaux de Pâques commandés par le tsar pour son épouse et sa mère.

– Un œuf pour Pâques, c'est très charmant. Vous avez les œufs ?

– Je… Nous avons des reproductions, et un œuf imitant le style Fabergé du début du XXe siècle. La plupart des œufs impériaux sont conservés dans des musées, ou se trouvent dans des collections privées.

– Je vois. Mon mari peut-être en voudra pour acheter, un jour. Donc cette boîte, cette bonbonne…

– Bonbonnière.

– Bonbonnière, articula-t-elle laborieusement. Je crois que c'est très bien pour ma mère. Vous pouvez la garder pour moi ? Avec les autres sélections ? Mais le cadeau pour ma mère, c'est moi qui achète. Vous comprenez ?

– Parfaitement.

J'ai moi aussi parfaitement compris, se dit-elle. Il est au courant. Il sait où est l'œuf.

– Je vous ai pris beaucoup de temps déjà…

– Pas du tout.

– Je voudrais téléphoner à mon mari, pour demander de venir voir les sélections. Peut-être il verra d'autres choses, vous comprenez, ou peut-être il n'aime pas mes choix. Mais je crois que vous m'avez donné les bons conseils. Je vous dirai, j'espère que je n'insulte pas, il voudra négocier. Il est un businessman.

– Naturellement, je serai heureux de lui accorder une petite remise commerciale.

– Vous êtes très aimable. Je vais téléphoner maintenant.

– Je vous en prie.

Poliment, Vinnie s'éloigna et rejoignit Janis, qui venait de terminer avec un autre client.

– Vous croyez qu'elle est sérieuse ? chuchota la vendeuse.

– Elle a du goût, en tout cas. Et elle joue peut-être les femmes soumises, mais je suis certain que c'est elle qui porte la culotte.

– Ils doivent avoir beaucoup d'argent. Du reste, elle est splendide. Vous avez raison, son mari doit lui passer tous ses caprices. Si vous faites affaire, Monsieur Vinnie, ce sera une belle vente.

– Plutôt pas mal, pour un samedi après-midi.

– Nous fermons dans trente minutes.

– Allez-y, Lou et vous. J'en ai sans doute encore pour plus d'une demi-heure.

– Je peux rester, si vous voulez. Je ne suis pas pressée.

– Non, allez-y. Je fermerai. Si je conclus la vente, et je sens que je vais la conclure, je filerai peut-être dès ce soir dans le Connecticut. Je serai de retour à New York mardi. N'hésitez pas à m'appeler, lundi, au cas où vous auriez besoin de quoi que ce soit.

– Entendu, Monsieur Vinnie, acquiesça Janis en embrassant chaleureusement son patron. Prenez soin de vous.

– Ne vous en faites pas. Passez un bon week-end. À mardi matin.

Tout en rangeant son téléphone dans son sac, Jai s'avança vers eux.

– Excusez-moi. Mon mari est heureux de venir, mais il va mettre peut-être vingt minutes. Vous allez fermer ?

– Nous allons effectivement fermer le magasin, mais je peux tout à fait attendre votre mari.

– Une négociation privée ? C'est pour vous trop de dérangement.

– Un plaisir, je vous assure. Puis-je vous offrir un thé ? Un verre de vin ?

– Un verre de vin ? roucoula-t-elle avec un sourire ingénu. Une petite célébration ?

– Je reviens de suite.

Jai s'approcha de Janis, tout en suivant Vinnie du coin de l'œil.

– Votre employeur, il est très compétent, et beaucoup patience.

– Il n'y a pas plus aimable que lui.

– Ce doit être agréable, travailler tous les jours avec les beaux objets et les œuvres d'art. Et un monsieur si gentil.

– J'aime mon métier, et mon patron.

– Si ce n'est pas trop devant… Non, pas devant… direct… puis-je demander ? J'ai vu une bonbonnière, en haut, pour offrir le cadeau à ma mère. C'est Fabergé ?

– La bonbonnière de jade ? Oui, elle est magnifique.

– Très belle, et ma mère aimera beaucoup. Mais j'ai demandé la question à M. Tartelli, si c'était Fabergé, et s'il avait les fameux œufs. Il a été triste que je demande cela. Vous croyez que j'ai blessé ?

– Je suis certaine que non. Sans doute était-il peiné de vous décevoir. Malheureusement, nous n'avons aucun œuf de Fabergé.

La vendeuse ne savait rien, en conclut-elle.

– Alors ce n'est pas grave, fit Jai en hochant la tête. Je ne suis pas déçue.

Vinnie revint avec un plateau chargé de deux verres, d'une assiette de fromage et de crackers.

– Et voilà, une petite célébration.

– Merci. Vous êtes très aimable. Je suis comme une amie ici.

– Nous considérons nos clients comme nos amis. Asseyez-vous, je vous en prie. Vous pouvez partir, Janis. Lou aussi.

– Nous y allons de ce pas. Enchantée, madame Castle. Au plaisir de vous revoir.

– Je vous souhaite un bon week-end, dit Jai en prenant place sur une petite bergère puis, se tournant vers l'antiquaire : je suis contente être à New York. J'aime New York beaucoup. Et je suis si heureuse de faire votre connaissance, monsieur Tartelli.

– Moi de même, madame Castle, répondit-il en faisant tinter son verre contre celui de sa cliente. Depuis combien de temps êtes-vous à New York ?

– Oh ! quelques jours seulement, mais pas la première fois. Mon mari fait beaucoup le business ici, alors nous avons décidé prendre l'appartement ici, et nous ferons les voyages à Londres, où il fait aussi beaucoup le business. Et aussi à Hong Kong. La famille vit là-bas. C'est toujours plaisir de retourner, mais c'est aussi plaisir d'être là.

– Dans quelle branche travaille votre mari ?

– La finance, et aussi l'immobilier. C'est un peu difficile pour moi expliquer plus. Quand nous recevons les invités, nous devons avoir les meubles uniques, comme vous vendez. Unique est important. Et il doit avoir ce qui le rend heureux, pour être heureux à la maison et dans le travail.

– Je crois que Monsieur est très chanceux.

– J'espère qu'il pense qu'il est. Ah, le voilà !

Jai se leva d'un bond et se précipita à la rencontre d'Ivan.

– Je vous présente mon mari, et voici le très aimable M. Tartelli.

– Enchanté, monsieur Castle. Je me suis fait un plaisir d'aider votre épouse à choisir quelques pièces pour votre résidence new-yorkaise. Madame Castle a très bon goût.

– Vous pouvez le dire.

– Nous avons une entrevue privée, déclara Jai. M. Tartelli est très gentil de rester avec nous après la fermeture du magasin.

– Permettez-moi d'aller tirer les verrous, que nous ne soyons pas dérangés.

Sitôt que l'antiquaire eut le dos tourné, Jai fit signe à Ivan de la suivre vers le fond de la boutique, loin des vitrines.

– Votre dame a repéré plusieurs meubles, commença Vinnie en revenant vers eux.

– Allons discuter dans l'arrière-boutique, le coupa Jai, sans une once d'accent ni de charme, en tirant un revolver de son sac.

– Prenez tout ce que vous voulez, bredouilla Vinnie, soudain baigné d'une sueur glacée.

Jai le poussa brutalement.

– Nous en avons bien l'intention. Coopérez, ce sera plus simple pour nous tous. Sinon, mon associé sera méchant. Il adore ça.

Dans l'arrière-boutique, un entrepôt doublé d'un bureau, comme elle l'avait escompté, elle lui menotta les mains dans le dos et le poussa sur une chaise.

– Une question, une réponse, et nous fichons le camp sans vous faire de mal. Où est l'œuf ?

– Quel œuf ? balbutia-t-il en la regardant d'un air désespéré. Je ne sais pas de quoi vous parlez.

– Une question, soupira-t-elle. Mauvaise réponse.

Elle adressa un signe à Ivan.

Le premier coup fit jaillir le sang du nez de Vinnie et renversa la chaise. De l'index, Jai intima à son partenaire de reculer.

– Même question. Où est l'œuf ?

– Je ne sais pas de quoi vous parlez.

Elle s'assit sur le bord du bureau, les jambes croisées.

– Arrête quand je te dis t'arrêter, dit-elle à Ivan.

Le colosse redressa la chaise, et se mit à la tâche, celle qu'il aimait plus que toute autre.

10

Devant le travail d'Ivan, Jai se sentait remplie d'admiration et de respect. Non pas pour son partenaire – il n'était rien qu'une montagne de muscles au crâne rasé et aux poings vicieux. Mais pour l'oncle. L'oncle était un gentleman, un homme d'éthique. Elle admirait l'éthique de la même manière qu'elle aurait admiré un numéro de jonglage. Fascinée par une capacité dont elle n'avait pas particulièrement besoin.

Parce qu'il forçait le respect, elle le tuerait vite, en le faisant souffrir le moins possible, dès qu'il leur aurait donné les informations qui les intéressaient.

Régulièrement, elle interrompait Ivan et s'adressait à l'antiquaire d'un ton calme et posé.

– L'œuf, monsieur Tartelli. C'est un objet d'une grande beauté et d'une inestimable valeur, bien sûr. Mais il ne vaut pas vos souffrances, votre vie, votre avenir. Dites-nous où il est et votre calvaire prendra fin.

Il roula son œil droit en direction de la voix. Le gauche, fermé par une vilaine tuméfaction violacée, ruisselait de sang et de larmes. Le droit, bien qu'ensanglanté, s'entrouvrait encore légèrement.

– Vous avez tué Oliver ?

Elle se pencha vers lui afin qu'il la voie plus nettement.

– Oliver était un imbécile. Vous le savez, car vous n'en êtes pas un, vous. Il était avide de richesse, et maintenant il est mort. Je ne crois pas que vous soyez cupide, monsieur Tartelli. Je crois que vous tenez à la vie. Où est l'œuf ?

– Fabergé ? Oliver avait un Fabergé ?

– Vous le savez très bien. N'abusez pas de ma patience. Il y a des choses pire que la mort. Nous pourrions vous les faire découvrir.

– Je n'ai pas ce que vous voulez, toussa Vinnie en crachant un filet de sang, que Jai esquiva prestement. Cherchez si vous ne me croyez pas. Cherchez et prenez tout ce que vous voudrez. Je ne peux pas vous donner ce que je n'ai pas.

– Qu'a donc récupéré le frère à la banque, si ce n'est l'œuf ?

– Je n'ai pas de frère.

Elle adressa un signe à Ivan, et s'écarta afin d'éviter de nouvelles projections de sang.

– Le frère d'Oliver, Ashton Archer. Vous êtes allé lui rendre visite.

– Ash…

La tête de Vinnie bascula sur sa poitrine. Ivan la lui redressa d'un taquet dans le front.

– Laisse-le un moment ! aboya Jai. Ashton Archer, répéta-t-elle d'un ton encourageant. Le frère d'Oliver. Pourquoi êtes-vous allé le voir jeudi ?

– Ash. Funérailles. Oliver. Aider Ash.

– Oui, aider Ash. Vous avez vu l'œuf ? L'œuf d'or et de pierres précieuses. Où est-il maintenant ? Dites-le-moi, monsieur Tartelli, et la torture cessera.

En la regardant à travers la paupière gonflée de son œil droit, il articula lentement entre ses mâchoires fracassées :

– Je n'ai pas d'œuf.

La brute lui asséna un violent coup de poing dans le plexus. Pendant que Vinnie suffoquait, Jai prit le temps de réfléchir.

Elle avait vu quelque chose dans ce regard borgne et injecté de sang. De la terreur, oui, ainsi qu'une détermination d'acier. Ce n'était pas pour lui qu'il avait peur.

Pour le frère ? Le demi-frère d'un neveu ? Étrange, où la loyauté pouvait se nicher. Et intéressant. L'homme avait davantage que le sens de l'éthique, et cela pouvait être utile.

– Il faut que je passe un coup de fil. Laisse-le tranquille, ordonna-t-elle à Ivan. Compris ? Je vais lui chercher de l'eau. Laisse-lui le temps de récupérer.

Elle devait appeler son employeur, décida-t-elle en retournant dans le magasin. Certes, il lui faisait confiance, mais elle ne voulait pas courir le risque de le mettre en colère en adoptant une stratégie qu'il n'approuverait peut-être pas.

Cet oncle, d'une loyauté à toute épreuve, armé de principes inébranlables et d'une détermination sans faille, pouvait servir de moyen de pression. Le frère échangerait-il l'œuf contre la vie de l'oncle ?

Peut-être.

Oui, peut-être le frère était-il lui aussi un homme d'éthique.

Ils le tueraient. Dans son agonie, Vinnie en était parfaitement conscient. La mort était inéluctable. Quoi que prétende cette femme, ils ne le laisseraient pas en vie.

Il avait de la peine pour Angie, leurs enfants, les petits-enfants qu'il ne verrait pas grandir. Il aurait volontiers échangé l'œuf contre sa vie, contre les années qu'il lui restait à partager avec les siens. Mais ils se débarrasseraient de lui de toute façon. Et s'il leur révélait que l'œuf était entre les mains d'Ash, ils tueraient aussi Ash.

Comme ils avaient éliminé Oliver et celle qui l'aimait.

Il devait être fort. Quoi qu'ils lui fassent subir, il devait rester fort. Il pria pour trouver la force, la résignation, pour la sécurité de sa famille.

– La ferme ! lui intima le colosse.

Vinnie garda le front baissé, continua de murmurer faiblement ses prières.

Ivan le saisit à la gorge, lui redressa la tête.

– La ferme, j'ai dit. Tu en baves ? Tu as mal ? Attends un peu que je passe aux choses sérieuses. Je commencerai par te casser les doigts.

Il lui lâcha le cou. Dans un râle, Vinnie tenta désespérément de retrouver un brin de souffle. La brute lui attrapa l'auriculaire de la main gauche et le tordit jusqu'à faire craquer l'os. Puis il lui serra de nouveau la gorge, afin d'étouffer un cri de douleur.

La Chinetoque ne devait rien entendre, sinon elle reviendrait l'engueuler. La Chinetoque se croyait plus maline que lui. Il s'imagina lui coller son poing dans la figure, la violer, la tuer à petit feu.

De rage, il brisa l'annulaire de l'antiquaire.

– Et après, je te les couperai, un par un.

Une convulsion secoua le corps de Vinnie, son œil sortit de son orbite.

– Dis-nous où est ce putain d'œuf !

Écumant de fureur, Ivan lui empoigna le cou à deux mains et serra sans pitié en imaginant le visage de son associée.

– Je ne rigole pas. Dis-moi où il est, ou je te découpe en morceaux. Ensuite, je tuerai ta femme et tes gosses. Ton sale clébard.

Le souffle court, ivre de fureur, il serra de plus en plus fort. L'œil droit de Vinnie le regardait fixement.

– Pauvre connard… grogna Ivan, et il le relâcha, le poussa en arrière.

Aux relents âcres de sa propre sueur, se mêlait à présent une odeur d'urine. Le vieux s'était pissé dessus. La pauvre chochotte avait fait pipi dans son froc.

Il parlerait. Il saurait le faire parler.

En revenant avec une petite bouteille d'eau dénichée derrière le comptoir, Jai perçut elle aussi des effluves de transpiration, d'urine. Et l'odeur de la mort. Une odeur qu'elle reconnaissait entre mille.

Sans un mot, elle s'avança vers Vinnie, lui releva la tête.

– Il est mort.

– Penses-tu, il a seulement tourné de l'œil.

– Il est mort, répéta-t-elle du même ton plat. Je t'avais dit de le laisser tranquille.

– Je ne l'ai pas touché. Il a dû faire une crise cardiaque.

Elle prit une profonde inspiration, expira lentement.

– Ce n'est pas de chance, ça…

– C'est pas ma faute s'il a clamsé.

– Bien sûr que non, railla-t-elle en regardant les marques rouges autour du cou de l'antiquaire. Mais ce n'est vraiment pas de chance, mon pauvre ami.

– Il savait que dalle, ou il aurait craché le morceau après quelques torgnoles. Perte de temps, je te l'avais dit. Il faut qu'on chope le frère.

– Je dois passer un autre coup de fil. On laissera le corps ici. Le magasin est fermé demain. Ça nous laisse un jour d'avance pour prendre le large.

– Y a qu'à faire croire à un cambriolage, piquer des trucs, foutre le bordel.

– On pourrait, ou bien…

Elle plongea la main dans son sac, fit mine d'y chercher son portable. Mais en retira son revolver et logea une balle pile entre les deux yeux d'Ivan avant même qu'il ait eu le temps de cligner des paupières.

– Ou bien voilà ce qu'on peut faire, ce qui me paraît encore mieux.

Elle regrettait Vinnie, un homme intéressant, qui de surcroît aurait pu se révéler très utile. Mort, il n'était plus d'aucune utilité.

Ignorant le cadavre pantelant, elle vida les poches d'Ivan : portefeuille, téléphone, armes et, comme elle le soupçonnait, un flacon d'amphétamines.

Bien, se félicita-t-elle. Le patron désapprouvait la drogue. S'il n'approuvait pas entièrement son geste, au moins il le tolérerait quand elle lui révélerait que son partenaire se droguait.

Dans la boutique, elle attrapa un sac de shopping, du plastique à bulles. À l'étage, elle prit la bonbonnière.

Son employeur apprécierait. Il apprécierait ce cadeau bien plus qu'il ne réprouverait la mort d'Ivan.

Elle l'emballa avec soin, redescendit au rez-de-chaussée. Se réjouit de trouver une jolie boîte, du ruban doré, confectionna un élégant paquet.

Ceci fait, elle jeta le portefeuille, le téléphone, le couteau et le flingue d'Ivan dans le sac, les recouvrit de plastique à bulles, déposa le présent dessus et le dissimula sous du papier chiffon.

Après un instant d'hésitation, elle ouvrit une vitrine et choisit un étui à cigarettes, très féminin, orné de minuscules fleurs de nacre formant un motif qui lui rappelait un paon.

Elle s'en servirait de porte-cartes, décida-t-elle en le glissant dans son sac à main.

Devait-elle prendre les vidéos de sécurité, détruire le système ? s'interrogea-t-elle. Pas, sans avoir observé comment il fonctionnait, sinon elle risquait de déclencher une alarme. Mieux valait déguerpir au plus vite. Dans tous les cas, la vendeuse, le vigile et plusieurs clients se souviendraient certainement d'elle. Elle n'avait ni le temps ni l'envie de tous les retrouver pour les éliminer.

Elle allait retourner à l'appartement que le patron mettait à sa disposition en guise de base new-yorkaise. Ivan mort, au moins, il ne serait plus là à lui tourner autour dans l'espoir de la voir nue.

Elle prendrait un taxi, dans un autre quartier. Un peu de marche à pied lui permettrait de réfléchir à la façon dont elle tournerait son rapport au patron.

Lila arrangea le bouquet de tournesols : une touche de bienvenue joyeuse, trouvait-elle ; et elle posa le petit mot qu'elle avait écrit contre le vase bleu.

Elle avait fait sa ronde d'inspection pièce par pièce, deux fois, comme elle s'y astreignait de façon systématique, la liste des choses à vérifier en main.

Draps propres dans les lits, serviettes propres dans la salle de bains, fruits frais dans la corbeille à fruits. Un pichet de citronnade au frigo, ainsi qu'une belle salade de pâtes.

Qui avait envie de cuisiner ou de commander à manger en rentrant de vacances ?

Des croquettes et de l'eau pour Thomas, plantes arrosées, meubles époussetés, sols aspirés et lessivés.

Elle caressa longuement le chat, lui dit au revoir en le couvrant de câlins.

– Ils seront là dans une heure ou deux, lui promit-elle. À bientôt. Sois sage. Je reviendrai peut-être te garder l'an prochain.

Après un dernier regard en arrière, elle prit sa sacoche d'ordinateur sur l'épaule, son sac à main, tira les poignées télescopiques de ses valises, et avec la dextérité de l'habitude, manœuvra le tout hors de l'appartement.

Son aventure chez les Kilderbrand était terminée. Une autre commencerait bientôt.

Mais d'abord, les funérailles.

Le portier accourut à sa rencontre dès qu'elle sortit de l'ascenseur, s'empressa de lui prendre ses bagages.

– Vous auriez dû m'appeler, mademoiselle Emerson, je serais monté vous aider.

– Je suis rodée, j'ai ma technique.

– Oh, je m'en doute ! Votre voiture vient juste d'arriver. Vous deviez déjà être dans l'ascenseur quand ils ont sonné à l'interphone.

– Parfait, tout le monde est pile à l'heure.

– Allez-y, je m'occupe de mettre vos valises dans le coffre.

La vue de la limousine lui fit un drôle d'effet. Elle n'était pas trop tape-à-l'œil, mais tout de même d'une longueur impressionnante, les vitres teintées, la carrosserie noire rutilante.

– Merci pour tout, Ethan.

– Il n'y a pas de quoi. À très bientôt, j'espère.

– Je passerai vous dire bonjour, à l'occasion.

Elle se glissa sur la banquette arrière, où se trouvaient déjà Julie et Luke. Le chauffeur referma la portière derrière elle.

– Je me demande vraiment ce que je vais faire à cet enterrement. Désolée, Luke… Tu connaissais Oliver, mais moi, ça me fait vraiment bizarre.

– Je le connaissais à peine.

– Au moins, on connaît Ash, dit-elle en calant son sac à ses pieds. Et en plus, il fait beau. J'ai toujours l'impression qu'il faut qu'il pleuve aux enterrements.

– Je parie que tu as un parapluie dans ton sac, s'amusa Julie.

– Au cas où. On ne sait jamais.

– Sur une île déserte, dans une zone de guerre ou dans une avalanche, si tu as Lila et son sac avec toi, tu es sauvé. Elle a tout, là-dedans, même de quoi te rafistoler une jambe ou un bras cassés. Un jour, elle m'a réparé mon grille-pain avec une pince à épiler et un tournevis de la taille de mon petit doigt.

– Pas de ruban adhésif ?

– J'en ai toujours sur moi, affirma Lila. Un mini rouleau. Si tu nous donnais un avant-goût de ce qui nous attend, Luke. Qui y aura-t-il ?

– Toute la famille.

– Le tableau Excel au complet ?

– Pratiquement, je dirais, sauf cas de force majeure, répondit-il en se tortillant, manifestement gêné aux entournures par son costume et sa cravate. Ils se font un devoir d'être présents aux événements importants : funérailles, mariages, remises de diplôme, maladies graves, naissances. Dans ces moments-là, ils signent un cessez-le-feu.

– Les hostilités sont fréquentes ?

– Pas rares, en tout cas. Mais pour des obsèques, je pense qu'ils se tiendront à carreau. Il y aura peut-être bien une ou deux petites chamailleries, mais pas de conflit majeur. Aux mariages, par contre, tout est possible. La dernière fois que j'ai été invité, la mère de la mariée et le père d'une demoiselle d'honneur se sont battus comme des chiffonniers, et il a fini par la pousser dans la mare aux nénuphars. Il y a des vidéos, déclara Luke en étendant les jambes.

– Voilà qui serait rigolo, commenta Lila en ouvrant le frigobar. Quelqu'un veut un Ginger Ale ?

Bien qu'il eût encore un tas de choses à faire à l'intérieur, Ash prenait quelques minutes de repos sous la pergola, ombragée par de lourdes grappes de glycine. Il avait besoin d'air, et de calme.

La maison avait beau être immense, elle lui semblait trop pleine, trop bruyante, oppressante.

De là où il était assis, il entrevoyait le cottage pour les invités et son jardinet coloré. Depuis son arrivée, la mère d'Oliver n'en était pas sortie. Elle y restait cloîtrée avec sa belle-sœur, sa fille et ce que le père d'Ash appelait – sans méchanceté – sa basse-cour.

Elle a cette chance, pensa Ash, *d'être entourée de proches et de fidèles amies*. Et elle avait encore un peu de temps avant le début de la cérémonie pour puiser quelque force auprès d'eux.

Il avait respecté ses désirs à la lettre. Que des fleurs blanches – et il semblait y en avoir des champs entiers. Des rangs de chaises blanches alignés sur la pelouse de l'aile nord, un pupitre blanc pour ceux qui prendraient la parole. Les photos d'Oliver qu'elle avait choisies, encadrées de blanc. Le quatuor à cordes vêtu de blanc, alors qu'il avait été expressément recommandé à tous les invités d'être en noir.

Seul le joueur de cornemuse porterait de la couleur.

Ash estimait, et heureusement son père aussi, qu'il fallait exaucer les vœux d'une mère en deuil de l'un de ses enfants.

Lui-même aurait préféré des funérailles dans l'intimité, mais plus de trois cents personnes étaient attendues. La plus grande partie de la famille et quelques amis étaient arrivés la veille. Ils étaient à présent dispersés entre les dix chambres de la maison, le cottage pour les invités, le pool-house, et les jardins.

Ils avaient besoin de parler, de poser des questions auxquelles il ne pouvait leur apporter de réponse, de manger, de dormir, de rire, de pleurer. Ils ne le laissaient pas respirer.

Après trente-six heures, Ash n'aspirait qu'à retrouver son loft, son atelier, son espace vital. Il convoqua néanmoins un sourire lorsque sa demi-sœur Giselle, la beauté aux cheveux de jais, le rejoignit sous la tonnelle.

Elle s'assit à côté de lui, posa la tête sur son épaule.

– Il fallait que je sorte, sinon je crois que j'aurais tordu le cou à Katrina, soupira-t-elle.

– Qu'est-ce qu'elle a fait ?

– Elle n'arrête pas de pleurer. Alors qu'elle n'adressait quasiment jamais la parole à Oliver, à part pour l'insulter.

– C'est peut-être pour ça qu'elle est triste. Elle n'aura plus personne avec qui se friter.

Ash lui passa un bras autour des épaules.

– Il laissera un grand vide.

– C'était un enfoiré, mais on l'aimait. Moi je l'aimais, en tout cas. Toi aussi.

– Je suis presque sûr d'avoir employé exactement les mêmes mots pour le décrire à quelqu'un. Vous vous entendiez bien, tous les deux.

Giselle enfouit un instant le visage au creux du cou de son frère.

– Si tu savais comme je lui en veux d'être mort…

– Je comprends. Moi aussi. Tu as vu sa mère ?

– Très brièvement, ce matin. Angie lui avait donné un calmant. Ça va être dur pour elle, mais elle s'en relèvera. Nous nous en relèverons tous. Il me manquera, terriblement. Il me faisait toujours rire. Il m'écoutait rouspéter, et il me faisait rire. J'aimais bien Marjolaine, aussi.

– Tu la connaissais ?

Giselle tira le carré de soie qui dépassait de la poche d'Ash et s'en servit pour s'essuyer les yeux.

– Oui, c'est moi qui la lui ai présentée. Je l'avais rencontrée l'an dernier à Paris. Quand on était toutes les deux à New York, on déjeunait ensemble. Enfin, je déjeunais, elle mangeait une feuille de salade et une myrtille. Une demi-myrtille.

D'une main experte, elle replia la pochette et la replaça dans la poche, côté humide vers l'intérieur.

– Un jour, poursuivit-elle, elle m'a invitée à une soirée et j'ai décidé d'emmener Oliver. J'étais sûre qu'ils se plairaient. Ce fut le cas. Je n'aurais peut-être pas dû les présenter. C'est idiot, je sais, mais je regrette, maintenant. Peut-être qu'ils seraient encore en vie…

De nouveau, elle se cala le visage contre l'épaule de son demi-frère. Il lui caressa doucement les cheveux.

– Ne dis pas de bêtises, ce n'est pas ta faute.

– Il s'était fourré dans un sale coup, Ash. Il devait tremper dans des magouilles vraiment pas claires, pour qu'on l'ait tué.

– Il t'avait parlé de quelque chose ? D'un deal, d'un client ?

– Non. La dernière fois que je l'ai eu au téléphone, quelques jours à peine avant… avant sa mort, il allait super bien. Il voulait qu'on se voie pour que je l'aide à chercher un appart' à Paris. Il avait envie d'y acheter un pied-à-terre. J'ai pensé que ça ne se ferait jamais, mais que ç'aurait été trop cool…

Elle se redressa, refoula les larmes qui perlaient à ses yeux.

– Tu en sais plus que tu ne le dis, n'est-ce pas ? ajouta-t-elle. Je ne te poserai pas de questions, je ne suis pas sûre d'être prête à entendre les réponses, mais je t'aiderai si je peux.

– Je sais que je peux compter sur toi, répondit-il en l'embrassant sur la joue. Je te dirai. Dans l'immédiat, je dois m'occuper des fleurs et de la cornemuse.

– Je vais voir si Olympia est prête, déclara-t-elle en se levant avec lui. Les invités ne vont pas tarder. Demande à Bob de te donner un coup de main. Bob est un roc.

Bob, un demi-frère par sa mère, avait en effet les reins solides, se dit Ash tandis qu'ils s'éloignaient chacun de son côté. Et il l'avait déjà sollicité pour surveiller la consommation d'alcool de certains. Dans la mesure du possible, autant éviter les chutes dans la mare aux nénuphars.

« Citadelle », selon Lila, avait une consonance beaucoup trop militaire pour la propriété des Archer. Certes, elle était entourée de hauts murs, mais cette enceinte de pierre dégageait une sorte de dignité princière. Oui, le portail était impressionnant, mais la ferronnerie magnifique, et ce blason représentant un A stylisé évoquait davantage le faste de l'ancienne noblesse qu'un camp retranché.

Deux gardes en costume noir, postés devant une guérite, vérifièrent l'identité des passagers de la limousine avant de la laisser passer. D'accord, ce détail faisait carrément caserne. Mais c'était le seul.

Des pelouses verdoyantes, bordées d'arbres majestueux, agrémentées de massifs savamment composés, encadraient une allée rectiligne menant à une imposante demeure en forme de U, aux toits en croupe, façades jaune crème, balcons ouvragés.

Un tantinet ostentatoire, pensa Lila, *mais beaucoup de charme, et un indéniable cachet.*

Son regard s'attarda sur un petit bosquet de topiaires : un dragon, une licorne, un cheval ailé.

– L'actuelle épouse, précisa Luke. Elle est un peu farfelue.

– J'adore.

Le chauffeur stoppa devant un porche couvert. Des lianes couvertes de grosses fleurs mauves s'enroulaient autour des colonnes, s'accrochaient aux rambardes de la galerie. *De belles touches*, se dit Lila, *qui atténuaient le côté intimidant des lieux.*

Toutefois, si c'était à refaire, elle se serait acheté une nouvelle robe noire. La sienne, passe-partout, maintenant à sa quatrième saison, ne lui paraissait soudain plus aussi chic.

Elle espérait que sa coiffure, un chignon bas d'où s'échappaient quelques boucles, lui donnait de l'allure.

Le chauffeur lui tenant la portière, elle descendit de la voiture et admira la maison. Une jolie blonde apparut sur le pas de la porte, s'immobilisa un instant au pied des trois marches du perron et se jeta au cou de Luke.

– Luke, sanglota-t-elle. Oh, Luke…

Dans son dos, Lila et Julie échangèrent un regard.

– Oliver… Oh, Luke…

– Je suis désolé, Rina, dit-il en tapotant le dos de sa robe de dentelle noire.

– Nous ne le reverrons plus jamais. Je suis contente que tu sois là.

Plus que contente, même, se dit Lila, à en juger la façon dont la jeune femme restait pendue au cou de Luke, malgré ses tentatives pour se libérer.

Environ vingt-deux ans, estima-t-elle, de beaux cheveux soyeux, mi-longs, d'interminables jambes bronzées, une peau parfaite sur laquelle roulaient gracieusement des larmes de cristal. Ou de crocodile.

Impitoyable, se sermonna-t-elle. *Réaliste, mais impitoyable*.

La blonde entoura d'un bras la taille de Luke et se colla contre lui tout en dévisageant Lila et Julie.

– C'est qui ?

– Katrina Cartwright, la présenta-t-il. Julie Bryant et Lila Emerson, des amies d'Ash.

– Oh ! Il est occupé dans l'aile nord. Venez avec moi. Les invités arrivent, dit-elle en suivant des yeux une limousine remontant l'allée. Tout ce monde, venu rendre un dernier hommage à Oliver.

– Comment va sa mère ?

Un bras possessif passé sous celui de Luke, elle l'entraîna sur une allée pavée. Lila et Julie leur emboîtèrent le pas.

– Je ne l'ai pas encore vue, aujourd'hui. Elle n'a quasiment pas quitté le cottage depuis qu'elle est là. Elle est anéantie. Nous sommes tous anéantis, gémit-elle. Je ne sais pas comment nous allons nous remettre de ce drame. Si vous voulez boire quelque chose, le bar est ici, enchaîna-t-elle en indiquant une longue table blanche derrière laquelle se tenait une femme en veste blanche.

Sur une vaste pelouse, des rangées de chaises blanches faisaient face à un chapiteau couvert de roses blanches. Dessous, une urne trônait au centre d'une table surélevée.

Le blanc de l'innocence, se dit Lila.

Tout autour du chapiteau étaient exposées de grandes photos d'Oliver Archer, encadrées de blanc, sur des chevalets blancs.

Sous une pergola, un quatuor jouait une marche funèbre. Des gens vêtus de noir discutaient, cocktail ou verre de vin à la main. Quelques personnes avaient déjà pris place sur les chaises, dont une femme coiffée d'un immense chapeau, se tamponnant les yeux avec un mouchoir blanc.

Derrière un joli bouquet d'arbres, Lila entrevoyait un court de tennis, une piscine d'un bleu éclatant sous le soleil, une petite maisonnette de pierre nichée dans un jardin fleuri.

Quelqu'un riait trop fort. Quelqu'un parlait en italien. Une femme en livrée blanche se déplaçait silencieusement parmi les invités, tel un fantôme, ramassant les verres vides. Une autre apporta une flûte de champagne à la femme au chapeau.

Et dire qu'elle ne voulait pas venir, songea Lila. Tout cela était merveilleux. Elle se serait crue au théâtre, dans un film.

Sans doute s'inspirerait-elle de cette scène pour un prochain roman. Aussitôt, elle commença à enregistrer des visages, le décor, des petits détails.

Puis elle aperçut Ash, les traits tirés, le visage fermé.

Pour lui, hélas, ce n'était pas du théâtre.

Elle s'avança vers lui. Il lui prit la main et la tint un instant entre les siennes.

– Je suis content que tu sois là.

– Moi aussi. C'est… étrange et merveilleux. Que du noir et du blanc. Solennel. D'après ce que tu m'as dit de lui, il aurait aimé.

– Sans doute. Olympia, sa mère, avait raison. Oh, punaise ! Rina a crocheté Luke. Elle a le béguin pour lui depuis qu'elle est gamine. Laisse-moi vite aller l'aider à s'en dépêtrer.

– Je pense qu'il saura se débrouiller seul. Je peux faire quelque chose pour t'aider ?

– Non, je te remercie. Tout est quasiment prêt. Viens, je vais vous trouver des chaises.

– On en trouvera nous-mêmes. Tu as autre chose à faire.

– OK. Je dois aller chercher Olympia.

– Ne t'inquiète pas pour nous.

– Je suis content que tu sois là, répéta-t-il. Sincèrement.

Là-dessus, il se dirigea vers le cottage, s'arrêtant au passage pour recevoir des condoléances, échanger quelques mots avec les uns et les autres. Il allait faire le tour par le côté, décida-t-il. Puis il s'arrêta en apercevant Angie.

Elle paraissait épuisée, écrasée par le poids du chagrin, terrassée par la détresse de sa belle-sœur, qu'elle épaulait de son mieux.

– Olympia voudrait parler à Vinnie, dit-elle en arrangeant ses courtes boucles châtaines. Tu l'as vu ?

– Non, mais il faut dire que je suis débordé.

– Il aurait dû arriver il y a au moins une heure, voire deux. Il conduit comme un vieillard et refuse de brancher le kit mains libres. Quand il est sur la route, il ne répond pas au téléphone.

– Je vais voir si je le trouve.

– Non, tu as déjà suffisamment à faire. La cérémonie va bientôt commencer. Tant pis pour lui s'il est en retard. Tu devrais demander au gars des pompes funèbres de faire asseoir les gens. Et ton père, il est où ?

– Je vais le chercher. Tu t'occupes d'Olympia ?

– Nous serons là dans une dizaine de minutes, assura Angie en sortant son téléphone de son petit sac à main. Mince, Vinnie… maugréa-t-elle en repartant vers le cottage.

Vinnie doit être à l'intérieur, pensa Ash. Il jetterait un coup d'œil dans les salons après avoir prévenu son père qu'il était l'heure.

Il donna le signal à l'employé des pompes funèbres, accompagna lui-même la grand-mère maternelle d'Oliver au premier rang.

Lila était assise entre Luke et Julie. À sa gauche, Katrina lui tenait un grand discours, cramponnée à sa main. Un discours truffé de points d'exclamation, probablement.

Cette image lui remonta un peu le moral.

Oui, il était content que Lila soit venue, pensa-t-il une dernière fois en pressant le pas vers la maison.

DEUXIÈME PARTIE

Le sort fait les parents, le choix fait les amis.

JACQUES DELILLE

11

Lila n'avait jamais rien vu de tel. Malgré l'incongruité d'un *open bar* et de ce paysage de blanc, le chagrin était réel, et poignant. Il se lisait sur le visage blême et ravagé de la mère d'Oliver, s'entendait dans les voix tremblantes de ceux qui prenaient tour à tour la parole. Il pesait dans l'air embaumé par le parfum des lis et des roses, sous le soleil radieux.

Pourtant, il s'agissait d'une mise en scène, d'une représentation savamment orchestrée pour un casting de choix, dans un décor sophistiqué.

Lorsque Ash s'avança vers le pupitre blanc, elle pensa qu'il aurait pu être acteur, un jeune premier à la silhouette athlétique et au regard ténébreux. Rasé de près aujourd'hui, nota-t-elle, et en costume noir qui semblait taillé sur mesure. Elle préférait la barbe de trois jours, le look faussement négligé, mais le style classique-chic lui allait comme un gant.

– J'ai demandé à Giselle de prononcer l'oraison d'Oliver. De toute la fratrie, ils partageaient le lien le plus étroit. Bien que nous l'aimions tous, bien que nous le regretterons tous, Giselle le comprenait mieux que n'importe lequel d'entre nous, et elle appréciait son éternel optimisme. Au nom du père et de la mère d'Oliver, merci à tous d'être réunis aujourd'hui autour de nous pour ces derniers adieux à un fils, un frère, un ami.

Les membres du clan Archer étaient-ils tous aussi éblouissants ? se demanda Lila en regardant une jeune femme sublime se lever. Celle-ci échangea avec Ash une affectueuse accolade avant se tourner face à la foule.

Ferme et claire, sa voix ne tremblait pas.

– J'ai essayé de me rappeler mon premier souvenir d'Oliver, mais je ne l'ai pas retrouvé. Il a toujours été à mes côtés, même si parfois nous restions de longues périodes sans nous voir. Il était, par bien des aspects, le rire, la légèreté, le grain de folie indispensables à chacun.

Sourire aux lèvres, elle se tourna vers Ash.

– Optimiste, disais-tu, Ash. Certains d'entre nous sont réalistes, d'autres cyniques, d'autres encore, n'ayons pas peur des mots, de sombres abrutis. La plupart d'entre nous ont en eux un peu de tout cela à la fois. Oliver cependant, Ash a raison, était porté par un indéfectible optimisme. Il pouvait être irréfléchi, mais jamais méchant. Et honnêtement, de qui pouvons-nous en dire autant ? Il était impulsif, et d'une générosité sans limites. Il était une créature sociale pour qui la solitude représentait une punition. Charmant, intelligent, aimable, il était rarement seul.

Un oiseau s'envola derrière Giselle, un éclair bleu qui surgit au-dessus des fleurs blanches et disparut aussitôt dans le ciel.

– Il t'aimait, Olympia, d'un amour profond et sincère. Toi aussi, papa.

Furtivement, son regard se voila, puis, comme l'oiseau, le nuage se dissipa aussitôt.

– Son désir le plus cher, à l'excès peut-être, était que ses parents soient fiers de lui. Il voulait accomplir des choses remarquables, devenir quelqu'un de remarquable. Oliver ne se satisfaisait pas de demi-mesure ni de médiocrité. Il commettait des erreurs, parfois monumentales. Mais il n'était jamais dur, jamais cruel. Et, oui, toujours optimiste. Quoi que nous lui aurions demandé, il nous l'aurait donné. Ce n'était pas dans sa nature de dire non. Peut-être était-il inéluctable qu'il nous quitte ainsi, de façon aussi tragique, dans la fleur de l'âge. Je ne chercherai donc pas à retrouver mon premier souvenir d'Oliver ni ne m'attarderai sur le dernier. Simplement, je lui serai éternellement reconnaissante d'avoir été toujours à mes côtés, de m'avoir offert le rire, la légèreté et la folie. À présent, que la fête commence… car Oliver n'aimait rien tant que la fête.

Tandis que Giselle regagnait l'assemblée, le joueur de cornemuse entonna les premiers accords d'*Amazing Grace*, et des centaines de papillons blancs s'élevèrent à tire-d'aile au-dessus de la pergola.

Subjuguée, Lila regarda Giselle suivre la nuée blanche des yeux puis se tourner vers Ash et éclater de rire.

Histoire de se donner une contenance, Lila sirotait un verre de vin. Des serveurs circulaient avec des plateaux d'amuse-bouches et engageaient les invités à aller se servir en mets plus substantiels à de longues tables blanches. Les gens s'étaient rassemblés en petits groupes, se promenaient dans les jardins, entraient et sortaient de la maison. Bien que curieuse, Lila trouvait qu'il n'aurait pas été correct de s'aventurer à l'intérieur.

Lorsqu'elle jugea le moment opportun, elle s'approcha de la mère d'Oliver.

– Excusez-moi de vous déranger, je suis une amie d'Ashton. Je vous présente toutes mes condoléances.

Une femme au regard absent, pâle comme un linge, lui serra faiblement la main.

– Une amie d'Ashton, répéta-t-elle. Que Dieu le bénisse, il s'est occupé de tout, aujourd'hui.

– C'était une très belle cérémonie.

– Oliver m'offrait toujours des fleurs blanches pour la fête des mères. Tu te souviens, Angie ?

– Bien sûr, il n'oubliait jamais.

– Elles sont magnifiques. Puis-je aller vous chercher un verre d'eau ?

– De l'eau ? Non, je…

– Viens, Olympia, rentrons, trancha Angie en prenant sa belle-sœur par la taille. Il fait plus frais à l'intérieur. Vous êtes gentille, merci, dit-elle à Lila.

– Une amie d'Ashton ?

Lila reconnut la superbe brune qui avait prononcé l'oraison.

– Oui, de New York. Vous avez fait un très beau discours. Très émouvant

– À ce point ?

– Votre sincérité était touchante.

Tout en observant Lila, Giselle but une gorgée de champagne. Elle semblait être née avec une flûte à la main.

– Vous connaissiez Oliver ?

– Hélas, je ne l'ai pas connu.

– Mais Ashton vous a demandé de venir… Intéressant.

Prenant Lila par la main, elle la conduisit vers un petit groupe.

– Monica ? souffla-t-elle à une grande rousse incarnant la beauté de l'âge mûr. Excusez-moi, je vous l'emprunte une minute, dit-elle aux autres en l'entraînant à part. Voici une amie d'Ash. Il tenait à ce qu'elle soit là aujourd'hui.

– Ah oui ? Ravie de vous rencontrer, malgré les circonstances. Je suis la mère d'Ashton.

– Oh, madame…

– Crompton, en ce moment, répondit-elle en scrutant Lila de ses yeux verts élégamment fardés. Je sais, il faut suivre, ce n'est pas évident. D'où connaissez-vous Ash ?

– Je… euh…

– Une longue histoire, je parie. Nous sommes friandes de belles histoires, n'est-ce pas Giselle ?

– Et comment !

– Venez, allons chercher un coin tranquille et vous nous raconterez tout ça.

Prise au piège, Lila regarda désespérément autour d'elle. Où diable était passée Julie ?

– C'est que je…

Il était toutefois inutile de protester : on l'entraînait déjà, avec la plus exquise des courtoisies, en direction de l'imposante demeure.

– Ash ne m'avait pas dit qu'il avait une nouvelle chérie.

Monica poussa la porte de ce qui devait être une salle de musique, supposa Lila, entrevoyant un piano à queue, un violoncelle, un violon.

– Je ne dirais pas que…

– Il faut dire qu'il ne me raconte pas tout, loin de là.

Un peu hébétée, Lila suivit ses hôtesses empressées à travers un salon de jeu lambrissé de bois sombre, où deux hommes disputaient une partie de billard sous le regard d'une femme assise à un bar. Elles passèrent ensuite par une sorte de boudoir où quelqu'un sanglotait, puis par un somptueux hall d'entrée à colonnades, dominé par un double escalier, sous des plafonds immenses d'où pendaient des lustres de cristal. Elles traversèrent encore une bibliothèque surplombée par une mezzanine, où un homme et une femme s'entretenaient à voix basse.

– Voilà, on sera bien ici, annonça Monica lorsqu'elles arrivèrent dans le miracle botanique d'un solarium aux parois vitrées ouvrant sur la féerie des jardins.

– Vous pouvez faire vos cinq kilomètres de cardio quotidiens juste en traversant la maison d'un bout à l'autre.

– Presque, acquiesça Monica en prenant place sur une banquette de rotin et en tapotant les coussins à côté d'elle. Asseyez-vous, je vous en prie, et racontez-moi tout.

– C'est qu'il n'y a pas grand-chose à raconter…

– Vous a-t-il déjà peinte ?

– Non.

Monica haussa des sourcils parfaitement dessinés, pinça des lèvres de la plus chic des teintes de rose nacré.

– Oh ? Vous m'étonnez.

– Il a fait quelques croquis, mais…

– Ah ! Comment vous voit-il ?

– En gitane, je ne sais pas pourquoi.

– À cause de vos yeux.

– C'est ce qu'il dit. Vous devez être fière de lui. Ses tableaux sont merveilleux.

– J'étais loin d'imaginer ce qu'il nous réservait lorsque je lui ai offert sa première boîte de crayons de couleur. Alors, comment vous êtes-vous rencontrés ?

– Madame Crompton…

– Monica. Personne ne m'appelle jamais autrement que Monica.

Lila prit une profonde inspiration, et s'intima d'être brève.

– J'ai rencontré Ash au poste de police. J'ai été témoin de la chute de Marjolaine Kendall.

– C'est vous qui avez appelé le 911, dit Giselle en entrecroisant ses doigts avec la main que Monica avait posée sur la sienne.

– Oui, je suis désolée, ma présence doit vous paraître déplacée.

– Pas du tout. Sa présence te gêne, Giselle ?

– Au contraire, je vous suis reconnaissante d'avoir prévenu la police. Et surtout d'avoir parlé à Ash. La plupart des gens n'en auraient pas eu le courage.

– Il désirait juste savoir ce que j'avais vu. Ça ne m'a pas demandé beaucoup de courage.

Giselle et Monica, les mains toujours entrelacées, échangèrent un regard.

– Comme je l'ai dit dans mon discours, les gens sont parfois de sombres abrutis.

– Je suis contente que vous ne me rangiez pas dans cette catégorie, mais…

– Les médias n'ont pas cité votre nom, l'interrompit Giselle.

– Il n'y avait pas de raison. Je n'ai malheureusement pas été d'une grande aide à la police.

– Vous avez aidé Ash, déclara Monica en posant sa main libre sur celle de Lila, les liant ainsi toutes trois un instant. Il est déterminé à faire le jour sur la mort de son frère, et vous l'avez aidé.

– Vous voulez du vin ? proposa Giselle. Je vais chercher du vin.

– Ne vous dérangez pas, je…

– Apporte-nous du champagne, ma belle, demanda Monica tout en retenant fermement la main de Lila. Ash aimait beaucoup Oliver, nous l'aimions tous autant qu'il pouvait nous mettre à cran. Ash est un garçon responsable. S'il vous dessine, s'il vous a priée d'être là aujourd'hui, c'est que vous lui avez apporté un précieux soutien.

– Parfois, il est plus facile de se confier à quelqu'un que l'on ne connaît pas. Et il se trouve que nous avons une amie commune, ce qui lui a sans doute inspiré confiance.

La tête inclinée, Monica observait Lila.

– Vous avez de très beaux yeux, et vous êtes charmante. Mais vous n'êtes pas son genre, bien qu'il ait des goûts éclectiques. En tout cas, vous n'êtes pas comme la danseuse. Vous avez dû entendre dire qu'il a fréquenté une célèbre ballerine. Une fille superbe, au talent incroyable, et avec un ego à la mesure de son talent et de sa beauté, pour ne rien dire de son caractère. Ash a du tempérament lui aussi, quand on le prend à rebrousse-poil. Je crois qu'il aimait le côté passionnel de cette relation… et je ne parle pas de sexe, mais de passion. Les grandes scènes mélodramatiques. Sur le court terme, toutefois. Au fond, il aime la tranquillité, la solitude. Vous me paraissez plus tempérée.

– J'ai du tempérament, moi aussi, quand on me prend à rebrousse-poil.

Monica esquissa un sourire, dans lequel Lila reconnut son fils.

– Je l'espère. Je déteste les femmes faibles. Encore plus que les hommes faibles. Que faites-vous dans la vie, Lila ? Vous travaillez ?

– Je suis écrivain et *house-sitter*.

– *House-sitter*, quel métier fabuleux ! J'aurais adoré être *house-sitter* à votre âge : voyager, voir comment vivent les autres, découvrir sans cesse de nouveaux endroits. Ce doit être l'aventure.

– Tout à fait.

– Mais pour garder vos clients, et vous en faire de nouveaux, vous devez aussi être sérieuse, fiable, discrète.

– Bien sûr. Les gens me confient leur maison, leurs affaires, leurs plantes, leurs animaux domestiques.

– Rien ne dure sans confiance. Et qu'écrivez-vous ?

– Une série de romans pour jeunes adultes. Des histoires de lycéens et de loups-garous.

– Vous n'êtes pas l'auteur de *Lune rousse*, par hasard ? s'écria Monica avec un accent de joyeuse surprise. Vous ne seriez pas L.L. Emerson ?

– Si. Vous connaissez… Rylee, se souvint-elle. Ash m'a dit que sa petite sœur Rylee avait bien aimé mon premier bouquin.

– Bien aimé ? Elle l'a dévoré ! Il faudra que je vous la présente. Elle sera folle de joie.

Quelqu'un entra dans le solarium. Monica se retourna.

– Ah, Spence, tu es là…

Le père d'Ash, et d'Oliver, pensa Lila. Un bel homme aux tempes grisonnantes, svelte et bronzé, les yeux d'un bleu glacial.

– Lila, voici Spence Archer. Spence, je te présente Lila Emerson.

– Oui, je sais. Nous vous sommes infiniment reconnaissants, mademoiselle Emerson.

– Toutes mes condoléances, monsieur Archer.

– Je vous remercie. Permettez que je vous serve un peu de champagne, dit-il en prenant un seau argenté des mains d'un garçon en livrée blanche. Ensuite, je te la volerai quelques minutes, Monica.

– Ce ne sera pas la première fois que tu m'abandonnes pour une jolie fille. Excuse-moi, ajouta-t-elle aussitôt en se levant pour embrasser son ex-mari. Ne nous disputons pas aujourd'hui, ce n'est pas le jour. Je vous laisse tous les deux. À plus tard, Lila. Attendez-vous à ce que Rylee se prosterne à vos pieds.

Et là-dessus, avec une pression sur le bras de Spence, elle s'éclipsa prestement.

– C'est très aimable à vous d'être là aujourd'hui, dit celui-ci en tendant une coupe à Lila.

– C'était important pour Ashton.

– J'ai cru comprendre, dit-il en s'asseyant face à elle.

Il paraissait las, à cran, ce qui se comprenait, et Lila se sentait dans ses petits souliers. Que dire à un père venant de perdre un fils qu'elle n'avait pas connu ? Au père d'un fils avec lequel elle partageait un dangereux secret ?

– C'était une belle cérémonie, dans un cadre magnifique. Je sais qu'Ash s'est donné beaucoup de mal pour… pour vous soulager autant que possible, vous et la mère d'Oliver.

– Ash s'en tire toujours bien. Depuis combien de temps connaissiez-vous Oliver ?

– Je ne le connaissais pas. Je suis désolée, vous devez trouver bizarre que je sois là alors que je ne le connaissais pas. En fait, je… Il se trouve que je regardais par la fenêtre ce soir-là.

– Avec des jumelles.

– Oui, confessa-t-elle, le rouge aux joues.

– Simple coïncidence ? Il me semble plus plausible que vous espionniez l'appartement de mon fils parce que vous avez eu une liaison avec lui. À moins, plus troublant, que vous ne soyez de mèche avec l'assassin.

Ces paroles, prononcées d'un ton plat, étaient si inattendues qu'il fallut à Lila quelques secondes pour en saisir pleinement le sens.

– Monsieur Archer, je comprends que vous soyez dans la douleur et la colère, que vous recherchiez des réponses. Hélas, je n'en ai pas à vous offrir. Je ne connaissais pas Oliver et j'ignore qui l'a tué. Je m'en vais, dit-elle en posant le verre auquel elle n'avait pas touché.

– Vous avez réussi à convaincre Ash de vous inviter ici aujourd'hui, dans notre propriété familiale. Je me suis laissé dire que vous avez passé beaucoup de temps avec lui depuis votre rencontre soi-disant fortuite au poste de police, le lendemain du décès d'Oliver. Ashton a déjà commencé à vous peindre. Vous n'avez pas perdu de temps, mademoiselle Emerson.

Elle se leva, il l'imita.

– Je ne vous connais pas, dit-elle avec circonspection. J'ignore s'il est dans votre nature d'être blessant. Au bénéfice du doute, je mettrai donc votre amertume sur le compte du choc et du chagrin. Je sais que le deuil peut être dévastateur.

– Pour ma part, je sais que vous n'avez pas de domicile fixe, que vous vivez chez les autres et que vous écrivez des histoires abracadabrantes pour jeunes gens facilement impressionnables. Une relation avec Ashton Archer constituerait pour vous une belle ascension.

Toute once de sympathie se volatilisa sur-le-champ.

– Je n'ai jamais compté que sur moi-même, monsieur Archer. L'argent et le statut ne sont pas les moteurs de tout le monde. Si vous voulez bien m'excuser…

– Faites-moi confiance ! lui lança-t-il tandis qu'elle se dirigeait vers la porte. Quel que soit votre petit jeu, vous ne gagnerez pas.

Elle s'arrêta pour lui jeter un dernier regard. De toute sa superbe, bien que brisé, il la fixait durement.

– Je suis désolée pour vous, murmura-t-elle avant de s'en aller.

Aveuglée par la colère, elle se trompa de couloir mais retrouva rapidement son chemin. Elle détestait Spence Archer. Non seulement il l'avait mise hors d'elle, mais il avait aussi réussi à la faire culpabiliser. Elle était furieuse contre lui, et en même temps consciente qu'elle devait se calmer – ailleurs.

N'importe où ailleurs que dans cette immense propriété irréelle, pleine de gens aux relations tordues, malsaines.

Au diable la belle maison, ses opulentes pelouses, sa piscine et son court de tennis. Au diable ce type odieux qui tentait de la faire passer pour un parasite et une opportuniste.

Elle regagna les jardins, se souvint que Luke avait noté le numéro de portable du chauffeur, lequel avait ses affaires dans le coffre de la limousine. Mais elle n'avait pas envie de parler à Luke, ni à Julie, ni à personne. Elle trouva l'un des gardiens du parking, lui demanda le numéro d'une compagnie de taxis.

Elle laisserait ses bagages, Julie les récupérerait pour elle. Elle enverrait plus tard un texto à son amie, lui expliquerait pourquoi elle avait filé à l'anglaise, et lui demanderait de ramener ses valises chez elle.

Une chose était sûre : il était hors de question qu'elle reste ici une minute de plus. Elle se sentait humiliée, agressée, meurtrie.

En apercevant le taxi qui remontait l'allée, elle s'efforça de respirer calmement. Elle menait sa vie comme elle l'entendait, elle était autonome, elle n'avait besoin de personne, se remémora-t-elle.

– Lila !

La main sur la portière, elle jeta un regard par-dessus son épaule. Giselle la rejoignit en courant.

– Vous partez ?

– Oui.

– Ash vous cherchait.

– Je n'ai pas le temps.

Giselle l'attrapa par le bras.

– Le taxi peut attendre. Venez…

D'un geste ferme, Lila se libéra, serra la main de la jeune femme.

– Je dois rentrer. Toutes mes condoléances pour votre frère.

Sur ces mots, elle monta dans la voiture, referma la portière et, sitôt qu'elle eut indiqué sa destination au chauffeur, se renversa contre le dossier de la banquette en essayant de ne pas penser au trou que le prix de la course jusqu'en ville creuserait dans son budget.

En revenant sur ses pas, perplexe, Giselle trouva Ash devant le cottage, en conversation avec une Angie manifestement contrariée.

– Tu sais que ça ne lui ressemble pas, Ash. Il ne répond pas au téléphone, ni à la maison, ni sur son portable, ni au magasin. J'ai peur qu'il ait eu un accident.

– Je vais bientôt rentrer à New York. En attendant, nous allons encore regarder dans la maison.

– Je pourrais appeler Janis, lui demander d'aller chercher le double des clés de Vinnie dans son bureau à la boutique. Je l'ai déjà eue au téléphone tout à l'heure. Elle ne l'a pas vu depuis qu'elle a quitté le travail hier soir.

– Laisse-moi d'abord aller jeter un coup d'œil à l'intérieur, et je te ramènerai à New York.

– Ça m'ennuie de laisser Olympia, mais je suis vraiment inquiète. Je vais rappeler Janis, et prévenir Olympia que je dois rentrer.

– Ton amie Lila vient de partir en taxi, dit-elle à Ash dès qu'Angie eut disparu dans le cottage.

– Hein ? Pourquoi ?

– Je n'en sais rien. Tout ce que je sais, c'est que papa l'a prise à part pour lui parler. Elle avait l'air furieuse. Elle se maîtrisait, mais j'ai bien vu qu'elle était dans tous ses états.

– Mince… Reste avec Angie, tu veux bien ? Il faut que j'éclaircisse cette histoire.

Son téléphone en main, Ash se dirigea vers la maison en faisant un détour pour éviter le gros des invités. Il tomba directement sur la messagerie de Lila.

– Lila, dis au taxi de faire demi-tour. Si tu veux rentrer, je te ramènerai. Je m'apprête à partir de toute façon. Je gèrerai le problème.

En entrant dans le petit salon, où se trouvait sa mère, il rempocha son téléphone.

– Tu as vu papa ?

– Je l'ai croisé en haut il y a deux minutes. Il est peut-être dans son bureau. Ash…

– Pas maintenant. Excuse-moi, pas maintenant.

Il monta à l'étage de l'aile ouest, longea le couloir des chambres et parvint au bureau privé de son père, où il prit soin, même si ce n'était que pour la forme, de frapper à la porte avant d'entrer.

Assis derrière une table de travail en chêne massif, qui avait été celle de l'arrière-grand-père d'Ash, Spence adressa un signe de la main à son fils.

– Je te rappelle, dit-il au téléphone. J'ai encore une ou deux petites choses à régler, et je redescends.

– Je suppose que tu avais aussi des petites choses à régler avec Lila, lui dit Ash lorsqu'il eut raccroché. Que s'est-il passé ?

Spence se carra dans son fauteuil, les mains sur les accoudoirs de cuir.

– Je lui ai simplement posé quelques questions.

– Quelles questions ?

– Tu ne trouves pas cela suspect que cette femme, comme par hasard amie avec la gérante de la galerie qui t'expose, soit le seul témoin de ce qui s'est passé chez Oliver le soir où il a été assassiné ?

– Non.

– Et par-dessus le marché, cette amie a été mariée avec l'un de tes meilleurs copains.

Ash commençait à comprendre où son père voulait en venir, et il n'avait aucune envie, aujourd'hui encore moins que jamais, de se laisser entraîner sur ce terrain glissant.

– Le monde est petit.

– Savais-tu que Lila Emerson a été la maîtresse du mari de Julie Bryant ?

La tension qu'il s'efforçait de contenir bouillonnait dans ses veines.

– « Maîtresse », en l'occurrence, n'est pas le terme approprié, mais j'étais au courant, oui, que Lila avait eu une liaison avec l'ex de Julie. Tu as embauché un privé pour te renseigner sur Lila ?

Spence ouvrit un tiroir, y prit une chemise en carton et un CD.

– Une copie du rapport. Tu le liras toi-même.

– Pourquoi as-tu fait ça ? demanda Ash, le plus posément possible, en plantant son regard dans celui de son père, impénétrable.

Comme pour étayer ses arguments, Spence frappa le bureau de l'index.

– Et maintenant, tu lui offres des vêtements, tu passes ton temps avec elle, tu la peins et tu l'amènes ici.

Un visage de marbre, pensa Ash, sur lequel transparaissait néanmoins un incommensurable chagrin.

– Je ne te dois pas d'explication, mais aujourd'hui étant un jour particulier, voici ce que je peux te dire. Je lui acheté la robe dans laquelle je veux la peindre, comme je le fais souvent. Je passe du temps avec elle parce qu'elle m'a aidé, et parce que j'apprécie sa compagnie. Je lui ai demandé de venir ici pour des raisons qui me sont propres. C'est moi qui l'ai abordée au poste de police, et c'est moi qui l'ai recontactée par la suite. Elle ne voulait pas poser pour moi, j'ai insisté jusqu'à vaincre sa réticence. Elle ne voulait pas non plus venir aux funérailles, mais je tenais à sa présence.

– Assieds-toi, Ashton.

– Je n'ai pas le temps. J'ai des choses plus urgentes à faire, et elles ne se feront pas pendant que je perds mon temps à essayer de te faire entendre raison.

– Comme tu voudras.

Spence se leva, ouvrit une armoire à liqueurs et se servit deux doigts de whisky.

– Écoute-moi juste une minute, ajouta-t-il. Les femmes ont le chic pour te faire croire que c'est toi qui décides, quand en vérité elles te manipulent habilement. Es-tu sûr qu'elle n'a rien à voir avec le meurtre d'Oliver ?

Le sourcil arqué, il leva son verre, comme pour porter un toast, avant d'en boire une longue gorgée.

– N'oublie pas, poursuivit-il, qu'elle surveillait l'appartement à la jumelle.

– C'est toi qui dis ça ? Toi qui as payé un détective pour l'espionner ?

Spence retourna s'asseoir à son bureau.

– Je protège ma famille.

– Cette femme n'a rien fait d'autre qu'essayer de m'aider et tu l'as attaquée gratuitement. Elle était là parce que je le lui avais demandé, et elle est partie parce que tu l'as insultée.

– Elle vit comme une bohémienne, de revenus précaires. Elle a eu une liaison avec un homme marié – et Dieu sait combien d'autres – beaucoup plus à l'aise qu'elle financièrement.

Davantage las que furieux, à présent, Ash enfonça les mains dans ses poches.

– Tiens-tu vraiment à parler de liaisons illégitimes ? Sur ce plan, je ne crois pas que tu sois bien placé pour donner des leçons de morale.

Une lueur de colère s'alluma dans le regard de Spence.

– Je suis ton père.

– Pour autant, tu n'as pas le droit d'insulter une femme à qui je tiens.

Spence se renversa contre le dossier de son fauteuil et le fit pivoter de droite et de gauche tout en scrutant son fils.

– Quelle relation exactement entretiens-tu avec elle ?

– Ça ne te regarde pas.

– Ashton, tu te voiles la face. Cette femme ne s'intéresse qu'à ta situation.

– Combien de fois as-tu été marié… jusqu'ici ? Combien de maîtresses as-tu entretenues ?

– Tu me dois le respect ! rugit Spence en se relevant brusquement.

– Toi aussi, riposta Ash, en proie à une bouffée de rage contre laquelle il dut lutter.

Pas ici, s'ordonna-t-il. *Pas aujourd'hui.*

– Il me semble très clair maintenant, ajouta-t-il, que ta démarche n'a rien à voir avec Oliver. Le rapport de police et celui que tu as là sur ton bureau prouvent que Lila n'a rien à voir dans le meurtre d'Oliver. C'est ma relation avec elle qui te défrise.

– Le fond du problème reste le même. Tu es dans une position vulnérable.

– Tu te figures peut-être que ta collection de femmes, de maîtresses, d'aventures et de liaisons font de toi un expert en la matière. Mais je n'ai pas besoin de tes conseils.

– C'est le rôle des parents que de préserver leurs enfants des erreurs qu'ils ont eux-mêmes commises. Cette femme n'a rien à t'offrir. Elle a profité d'une tragédie pour gagner ta confiance et ton affection.

– Tu te trompes, et sur toute la ligne. N'oublie pas que c'était Oliver qui recherchait à tout prix ta bénédiction et ta fierté. Je suis content quand tu m'approuves, mais ce n'est pas mon seul but dans la vie. Tu as franchi une limite.

– Nous n'en resterons pas là, déclara Spence en voyant son fils tourner les talons.

– Là encore, tu te trompes.

D'un pas rageur, Ash quitta le bureau et dévala les marches. Il s'apprêtait à sortir lorsque sa mère l'interpela.

– Ash, pour l'amour de Dieu, que se passe-t-il ?

– Mis à part que papa a engagé un détective pour enquêter sur Lila, puis qu'il l'a blessée au point qu'elle a appelé un taxi pour partir, et si ce n'est qu'Oliver n'est plus des nôtres et que Vinnie est introuvable, rien d'inhabituel à une réunion de famille des Archer.

– Spence… Seigneur, je n'aurais jamais dû laisser cette pauvre fille seule avec lui, maugréa Monica en jetant un regard noir en haut de l'escalier. Tu lui présenteras toutes mes excuses. Tu t'en fiches peut-être, mais elle m'a fait très bonne impression.

– Je ne m'en fiche pas.

– Que fabrique Vinnie ?

– Je n'en sais rien. Je dois retourner voir Angie. Elle se fait un souci monstre.

– Je la comprends. Voilà qui ne ressemble pas à Vinnie. J'allais justement passer au cottage, mais j'ai vu Kristal sur le pas de la porte, dit-elle, faisant allusion à l'actuelle épouse de son ex-mari. Vu qu'elle est charmante avec Olympia, j'ai préféré rebrousser chemin plutôt que d'aller la mettre de mauvais poil.

– Tu as bien fait.

– Je parlerai à Spence.

– Non, ne…

Monica passa un bras sous celui de son fils, le contraignant à ralentir le pas… et, par la même occasion, à se calmer quelque peu.

– Laisse-moi lui parler, c'est sans doute ce qu'il y a de mieux à faire. Tu veux qu'on ramène Angie à New York, avec Marshall ?

– Je la ramènerai. Merci, mais il faut que je rentre de toute façon.

– Quand tu verras Lila, dis-lui que j'aimerais l'inviter à déjeuner un de ces jours.

– D'accord.

Ash s'immobilisa en croisant Luke et Julie.

– Il paraît que Lila est partie ? s'étonna cette dernière.

– Oui, un petit accrochage, on dira. Si tu la vois avant moi, dis-lui… Non, laisse tomber, je lui dirai moi-même.

Julie se tourna vers Luke :

– Elle dort chez moi, ce soir. Je dois rentrer.

– Dans ce cas, allons-y, acquiesça-t-il. Tu rentres avec nous, Ash ?

– Non, je t'appellerai.

L'air de rien, Monica lâcha le bras de son fils puis entraîna Luke et Julie vers le parking.

– Je vous raccompagne.

Sa mère était une diplomate sans pareille, pensa Ash, et il traversa la pergola, en ressortit de l'autre côté en plein soleil. Un instant, il savoura le calme, envisagea de rappeler Lila. Son téléphone vibra. Espérant que l'appel venait d'elle, il fronça les sourcils en voyant le nom affiché à l'écran.

– Janis ?

– Ash, mon Dieu, Ash… Je ne pouvais pas… Je ne pouvais pas appeler Angie.

– Que se passe-t-il ? Tout va bien ?

– Monsieur Vinnie… Monsieur Vinnie… La police… J'ai appelé la police. Ils arrivent.

– Respirez, Janis. Où êtes-vous ?

– Au magasin. J'étais venue chercher les clés de l'appartement de Monsieur Vinnie. Dans son bureau. Ash…

– Respirez, répéta-t-il lorsqu'elle éclata en sanglots. Dites-moi ce qui se passe, lui demanda-t-il, redoutant le pire.

– Il est mort. Monsieur Vinnie. Dans son bureau. Il a été agressé. Il y a un homme…

– Un homme ?

– Il est mort aussi. Couché par terre, en sang. Je crois qu'il a reçu une balle. Monsieur Vinnie est attaché à une chaise, le visage complètement… Je ne sais pas quoi faire.

Les émotions attendraient. Dans l'immédiat, il fallait gérer l'impensable, au plus vite.

– Vous avez appelé la police ?

– Ils devraient être là d'une minute à l'autre. Je ne pouvais pas appeler Angie. C'est pour ça que je vous ai appelé.

– Allez attendre la police à l'extérieur du magasin. Sortez du magasin et attendez la police. J'arrive.

– Dépêchez-vous, je vous en supplie. Vous préviendrez Angie ? Je ne peux pas. Je ne peux pas…

– Je m'en chargerai. Attendez la police, Janis. À l'extérieur. Nous arrivons.

Là-dessus, il mit fin à l'appel, regarda un instant son téléphone, pétrifié.

Était-ce de sa faute ? Avait-il causé la mort de Vinnie en lui demandant son assistance ?

Lila.

Il composa son numéro.

– Réponds, nom d'un chien, hurla-t-il à sa messagerie. Écoute-moi : Vinnie a été tué. Je ne sais pas encore ce qui s'est passé, mais je rentre immédiatement à New York. Prends une chambre dans un hôtel, ferme la porte à double tour et n'ouvre à personne. Et la prochaine fois que je te rappelle, réponds, je t'en conjure.

Il fourra son portable dans sa poche, pressa ses mains sur ses yeux. Maintenant, il fallait annoncer à Angie que son mari était mort.

12

Elle ne voulait parler à personne… Et sans arrêt son mobile cornait le poum-poum-tchac d'intro de *We Will Rock You*.

Insupportable, cette sonnerie. À changer au plus tôt.

Il était déjà bien assez pesant de se morfondre dans un taxi après avoir été rabaissée plus bas que terre par le richissime père de l'homme avec qui elle avait décidé de coucher, sans être constamment harcelée par Queen.

Même si elle adorait Queen.

Une trentaine de kilomètres plus loin, sa colère était retombée. Elle ruminait, à présent, et s'apitoyait sur son sort.

Encore pire que de fulminer.

Queen, de nouveau. Elle fit la sourde oreille. Se concentra sur la musique tribale africaine s'échappant de l'autoradio. Le riff de guitare d'*Highway to Hell* lui signala la réception d'un texto. Elle l'ignora.

À l'approche de la ville, d'une humeur un peu moins massacrante bien que toujours maussade, elle sortit son téléphone de son sac et consulta ses appels.

Trois d'Ash, deux de Julie. Et un SMS de chacun. Avec un soupir, elle décida qu'Ash méritait la priorité.

Elle écouta son premier message, roula les yeux.

« Je gèrerai le problème… »

Ah, les hommes…

Elle était assez grande pour régler elle-même ses problèmes. Édit numéro un de Lila Emerson.

Elle écouta ensuite le premier message de Julie : « Lila, Giselle Archer vient de me dire que tu étais partie. Que s'est-il passé ? Tout va bien ? Rappelle-moi. »

OK, OK. Tout à l'heure.

La façon dont Ash, la deuxième fois qu'il avait tenté de la joindre, lui ordonnait de répondre lui arracha un ricanement sarcastique. Puis tout se figea. La main tremblante, elle réécouta le message.

– Non, non, non, murmura-t-elle en affichant son texto.

« Réponds, par pitié. Un hélico me ramène à New York. Donne-moi le nom de ton hôtel. Enferme-toi dans la chambre et ne ressors pas. »

– Excusez-moi, dit-elle au chauffeur. Finalement, vous me déposerez au…

Mince, où était le magasin d'antiquités ? Elle fouilla sa mémoire, retrouva le nom de la boutique, chercha l'adresse sur Internet, et l'énonça au chauffeur.

– Ça vous fera plus cher.

– Conduisez-moi là-bas, s'il vous plaît.

Un agent en uniforme accueillit Ash et l'accompagna sur le seuil du bureau de Vinnie. La rage, la culpabilité, le chagrin, la panique qui l'avaient rongé durant le bref vol en hélicoptère se muèrent en pur choc.

Le costume de Vinnie, habituellement impeccable, était taché de sang et d'urine. Son visage, toujours si serein, si avenant, était couvert d'hématomes, enflé, déformé, presque méconnaissable. Son œil droit fixait le vide, à travers le voile de la mort.

– Oui, c'est bien Vincent Tartelli, articula-t-il. Sur la chaise.

– Et l'autre ?

Ash inspira profondément. Les cris et les gémissements de sa tante, à l'étage, résonneraient sans doute à tout jamais dans sa tête. Une fonctionnaire de police l'avait conduite en haut, afin de lui épargner la vue de cette scène d'horreur. Elle avait aussi emmené Janis. Dieu merci, quelqu'un les avait toutes deux prises en charge.

Il se força à regarder le corps gisant sur le sol. Un malabar aux mains comme des battoirs, égratignées et bleuies aux jointures. Une tête de bouledogue, carrée, le crâne rasé. Et un trou net et noir entre les deux sourcils.

– Je ne le connais pas. Je ne l'ai jamais vu. Regardez ses mains : c'est lui qui a tabassé Vinnie.

– OK, vous pouvez monter rejoindre Mme Tartelli. Les inspecteurs prendront votre déposition.

Fine et Waterstone. Il avait lui-même passé un coup de fil depuis l'hélicoptère, et les avait expressément demandés.

– Mme Tartelli ne doit pas voir son mari dans cet état.

– Nous y veillerons, répondit le policier en retournant avec Ash dans le magasin. Vous pouvez monter attendre en haut…

Il s'interrompit, interpellé par l'un de ses collègues posté à l'entrée du magasin.

– Restez ici, dit-il à Ash avant d'aller voir de quoi il retournait.

Planté au milieu de la boutique, Ash laissa son regard errer sur les collections qui faisaient la fierté de Vinnie. Meubles anciens, objets d'art, bibelots de luxe.

Rien n'était cassé, rien ne semblait avoir été dérangé. Il ne s'agissait pas d'un cambriolage. Vinnie n'avait pas eu affaire à un voyou qui voulait de l'argent ou des articles de valeur.

Il avait été tué à cause d'Oliver. À cause de l'œuf.

– Il y a une femme dehors qui vous demande. Lila Emerson.

– C'est… (Que représentait-elle pour lui exactement ? Il n'aurait su le dire.) C'est une amie. Nous étions ensemble aux funérailles de mon frère cet après-midi.

– Nous ne pouvons pas la laisser entrer, allez lui parler dehors.

– D'accord.

Elle n'aurait pas dû être là. Ceci dit, Angie n'aurait pas dû être là non plus à pleurer. Rien de tout cela n'aurait dû être. Par conséquent, il ne pouvait que faire avec ce qui était.

Elle arpentait le trottoir, s'arrêta en le voyant sortir du magasin. Elle lui saisit les mains et, comme lors de leur première rencontre, ses grands yeux noirs débordaient de compassion.

– Ash, murmura-t-elle en lui serrant les doigts. Que s'est-il passé ?

– Que fais-tu là ? Je t'avais dit d'aller à l'hôtel.

– J'ai eu ton message. Ton oncle, l'oncle d'Oliver a été tué ?

– Passé à tabac. Et étranglé, je crois, ajouta-t-il en repensant aux marques sur le cou de Vinnie.

Il sentit les mains de Lila tressaillir, mais elles demeurèrent fortes autour des siennes.

– Oh, Ash… C'est horrible. Sa femme est au courant ? J'ai parlé un moment avec elle, tout à l'heure.

– Elle est là, en haut. Tu n'aurais pas dû venir.

– Pourquoi devrais-tu affronter seul cette nouvelle épreuve ? Donne-moi quelque chose à faire, dis-moi comment je peux t'aider.

– Il n'y a plus rien à faire.

Elle lui serra les mains plus fort.

– Te soutenir.

Avant qu'il ait pu répondre, avant qu'il ait pu penser à une réponse, il aperçut les inspecteurs.

– Fine et Waterstone sont là. C'est moi qui les ai fait appeler. Va m'attendre dans un hôtel. Non, va chez moi, dit-il en tâtant ses poches à la recherche de ses clés. Je te rejoins dès que possible.

– Je reste ici, décréta-t-elle. Ils m'ont vue, je ne peux pas m'esquiver. Et je ne veux pas te laisser seul.

Sur ces mots, elle se retourna et se campa à ses côtés.

– Monsieur Archer, toutes nos condoléances. Allons nous entretenir à l'intérieur. Suivez-nous, mademoiselle Emerson.

Ils rentrèrent dans le magasin, quittant la chaleur estivale et le bruit de la circulation pour l'air confiné et les sanglots.

– Vous devez interroger son épouse, je suppose, dit Ash à Fine. Pouvez-vous le faire rapidement ? Il faut qu'elle rentre chez elle. Inutile qu'elle reste là trop longtemps.

– Bien sûr. Brigadier, trouvez un coin tranquille où faire attendre Mlle Emerson. Monsieur Archer, vous pouvez monter auprès de Mme Tartelli. Nous viendrons vous entendre au plus vite.

Lila exerça une pression sur la main d'Ash avant de la lâcher pour suivre le policier.

Ils les séparaient, pensa-t-il. La procédure standard, sans doute. Néanmoins, il se sentait frustré, et écrasé de culpabilité.

Il monta à l'étage, s'assit près d'Angie, qui tremblait de tous ses membres, et la tint contre lui. Prit la main de Janis qui luttait contre les sanglots. Et s'efforça de réfléchir à ce qu'il convenait de faire.

Un agent vint chercher Janis, qui posa sur Ash un regard éploré, rougi par les larmes, avant de descendre au rez-de-chaussée.

– Janis dit qu'il a eu une cliente tardive.

– Quoi ?

Secouée de spasmes convulsifs, Angie n'avait pas encore prononcé une seule phrase cohérente. Blottie contre Ash, elle retrouvait la parole, une voix éraillée par les pleurs.

– Il avait une cliente, hier soir, quand Janis est partie. Une jeune femme qui souhaitait meubler un nouvel appartement. Elle a choisi tout un tas de choses, des belles pièces. Son mari devait venir donner son aval. Vinnie a dû rester ici assez tard. Il n'avait pas dû fermer à clé. Et moi qui croyais qu'il était en retard... Je ne lui ai même pas téléphoné, hier soir. J'étais tellement fatiguée, tellement préoccupée par Olympia, que je ne l'ai même pas appelé.

– Ce n'est pas ta faute. Tu n'as rien à te reprocher.

– Quand il est parti travailler, hier matin, je l'ai tarabusté pour qu'il ne reste pas toute la soirée au magasin. Tu sais comment il est, il perd parfois la notion du temps. Il était tellement bouleversé par le décès d'Oliver. Il voulait être un peu seul, mais je lui ai répété mille fois, avant qu'il parte au travail, de ne pas oublier l'heure.

Des larmes roulèrent sur les joues d'Angie.

– Il leur aurait donné tout ce qu'ils auraient voulu, poursuivit-elle. On en parlait souvent, on était bien d'accord : s'il était menacé par un cambrioleur, il obtempérerait sans protester. Le personnel avait les mêmes consignes. Il leur disait toujours qu'il n'y avait rien de plus précieux que la vie. Ils n'avaient pas besoin de le violenter. Ils n'avaient pas besoin de faire ça.

– Je sais.

Elle n'avait plus de larmes mais retomba dans la catatonie, parcourue de frissons, se balançant convulsivement d'avant en arrière. Il la tint contre lui, jusqu'à ce que Fine et Waterstone les rejoignent enfin.

– Madame Tartelli, je suis l'inspecteur Fine, et voici l'inspecteur Waterstone. Toutes nos condoléances.

– Je peux le voir maintenant ? Ils ne m'ont pas laissée le voir.

– Pas encore. Je comprends votre douleur, mais nous devons vous poser quelques questions.

Fine s'exprimait d'une voix apaisante, presque maternelle – comme avec lui, se souvint Ash, lorsqu'elle lui avait annoncé le décès d'Oliver.

– Savez-vous si quelqu'un en voulait à votre mari ?

– Tout le monde aimait Vinnie. Vous pouvez demander à n'importe qui. Il n'avait pas d'ennemis.

– Quand l'avez-vous vu ou eu au téléphone pour la dernière fois ?

Ash garda la main d'Angie dans la sienne tandis qu'elle répétait ce qu'elle lui avait dit, puis expliquait pourquoi elle était partie un jour plus tôt que son mari.

– Olympia, la mère d'Oliver, me voulait auprès d'elle. C'est la sœur de Vinnie, mais nous sommes très proches. Elle avait besoin de moi. (Ses lèvres tremblèrent.) Je suis partie hier matin avec nos enfants, et les leurs. Vinnie devait nous rejoindre hier soir ou ce matin. Il serait venu avec nous si j'avais insisté. Je ne l'ai pas fait, et maintenant…

– Tu n'as rien à te reprocher, Angie, murmura Ash.

– Il leur aurait donné tout ce qu'ils voulaient. Pourquoi lui ont-ils fait du mal ?

– C'est notre rôle de le découvrir, répondit Fine. Il y a beaucoup d'objets de grande valeur ici. Votre mari a-t-il un coffre ?

– Une chambre forte, oui, au dernier étage, où il entrepose principalement les pièces réservées ou en attente d'expertise.

– Qui y a accès ?

– Vinnie, Janis. Moi.

– Nous devrons y jeter un coup d'œil. Sauriez-vous dire si quelque chose a disparu ?

– Non, mais Vinnie doit avoir des dossiers dans son bureau. Et Janis saura.

– Très bien. Nous allons vous faire raccompagner chez vous. Souhaitez-vous que nous appelions quelqu'un ?

– Ash a prévenu nos enfants.

– Ils sont déjà chez toi, lui dit-il. Ils t'attendent.

Les yeux d'Angie s'emplirent à nouveau de larmes.

– Mais pas Vinnie… Puis-je le voir ?

– Nous vous contacterons dès que ce sera possible. Un agent va vous conduire chez vous. Tout sera mis en œuvre pour arrêter le coupable, madame Tartelli.

– Ash…

Il l'aida à se lever.

– Rentre chez toi, Angie. Je m'occuperai de tout ici, je te le promets. Si tu as besoin de quoi que ce soit, n'hésite pas à m'appeler.

– Venez avec moi, madame Tartelli.

Waterstone la prit par le bras.

– Il s'agit de l'oncle et de la tante de votre demi-frère, commenta Fine après le départ d'Angie. Or vous semblez très proches, bien que vous n'ayez pas vraiment de lien de parenté.

Ash pressa ses paumes sur ses yeux.

– Nous sommes une grande famille très unie. Ils étaient mariés depuis quarante ans. Que va-t-elle faire maintenant ? s'interrogea-t-il en laissant retomber ses mains. Enfin… Il doit y avoir des vidéos de surveillance. Je sais que le magasin est équipé d'un bon système de sécurité.

– Nous avons les CD.

– On a donc des images de ce qui s'est passé. Ils devaient être au moins deux.

– Pourquoi dites-vous cela ?

– Vinnie n'a pas tué le gars qui git dans son bureau, celui qui l'a frappé à mort, vu l'état de ses mains. Pas besoin d'être un fin limier. Il suffit d'un brin de logique.

– Quand avez-vous vu le défunt pour la dernière fois ?

– Jeudi soir, chez moi. J'aimerais visionner les CD.

– Votre logique ne fait pas de vous un enquêteur professionnel.

– Vous pensez que le meurtre de Vinnie est lié à celui d'Oliver. Moi aussi. Je ne connais pas le type qui a été abattu dans son bureau, mais j'ai peut-être déjà vu l'autre, ou les autres. Inspecteur, croyez-vous qu'Angie se reposerait sur moi de cette manière s'il y avait la moindre friction entre son mari et moi ? Ce qu'elle a dit est vrai : tout le monde aimait Vinnie. C'était une bonne personne, un ami sur lequel on pouvait compter… et quelle que soit votre définition de la famille, il faisait partie de la mienne.

– Pour quelle raison est-il venu chez vous jeudi soir ?

– J'avais perdu un frère, il avait perdu un neveu. Si vous voulez en savoir plus, montrez-moi les vidéos.

– Est-ce du chantage, monsieur Archer ?

– Je ne me permettrais pas. Deux membres de ma famille ont été assassinés. Mon frère travaillait pour Vinnie, ici, dans ce magasin. Si je peux faire quelque chose pour vous aider à coffrer les coupables, je le ferai.

– M. Tartelli gardait-il quelque chose qui appartenait à votre frère ?

– C'est sans doute ce que l'on s'est imaginé. Vinnie était d'une honnêteté exemplaire. Vous n'êtes pas obligée de me croire sur parole, mais vous ne pourrez que le constater en menant votre enquête.

– Et Oliver ?

Une migraine lui cognait aux tempes avec une telle violence qu'elle couvrait presque la voix de Fine.

– Oliver avait des principes élastiques. Il lui arrivait parfois de franchir des bornes, mais il n'en avait pas conscience… sincèrement. Inspecteur, ma famille est ébranlée.

Il repensa à son père, inflexible, inatteignable dans sa colère et sa douleur.

– Si nous voulons nous relever de ces drames, ajouta-t-il, les criminels doivent être arrêtés.

De nouveau, il se pressa les mains sur les yeux. Fine se leva.

– OK, dit-elle, je vous montrerai les vidéos. Que faisait Mlle Emerson ici ?

– Elle était avec moi aux funérailles.

– Aux obsèques de votre frère ?

– Je tenais à sa présence. Quand Janis m'a téléphoné pour m'annoncer que Vinnie avait été tué, j'ai immédiatement appelé Lila, qui était partie un peu avant moi. Si ce meurtre est lié à celui d'Oliver, elle est peut-être elle aussi en danger.

– Quelle est votre relation avec elle ?

– Naissante, répondit-il simplement.

– Voyez-vous une objection à ce qu'elle voie elle aussi les bandes de surveillance ?

– Aucune, au contraire.

À son tour, Ash se leva et ils redescendirent au rez-de-chaussée.

Les policiers étaient à présent plus nombreux. *Des techniciens de scène de crime*, supposa-t-il, *des spécialistes du sang et de la mort.* Fine lui fit signe d'attendre tandis qu'elle s'entretenait avec l'un des officiers. Il s'avança vers le bureau. Les corps de Vinnie et de son agresseur avaient été enlevés.

– Elle le verra comme j'ai vu Oliver, dit-il à Fine lorsqu'elle revint auprès de lui, un ordinateur portable sous le bras et un sachet contenant un CD à la main. Sur une table d'autopsie, couvert d'un drap. Derrière une vitre. Elle n'effacera jamais ce souvenir de sa mémoire, quand bien même ils devaient en avoir des milliers d'autres, en quarante ans de mariage. Cette image restera gravée en elle à tout jamais.

– Venez avec moi. Mme Tartelli a-t-elle un guide spirituel, un pasteur, un rabbin ?

– Ils n'étaient pas religieux.

– Je pourrai vous indiquer des psychologues spécialisés dans le deuil.

Angie, pensa-t-il, *aura sûrement besoin de se faire aider*.

– Je veux bien, je vous remercie.

Lila et Waterstone étaient assis à une table de salle à manger au fond du magasin. Elle l'écoutait avec attention. Il s'interrompit et rougit légèrement en levant la tête vers sa collègue.

– Je vais leur montrer la vidéo de surveillance, annonça Fine.

Waterstone fronça les sourcils, et Ash eut l'impression qu'il s'apprêtait à soulever une objection ; mais, sur un signe silencieux de sa coéquipière, il se contenta de hausser les épaules.

– On prendra à partir du moment où M. Tartelli s'est retrouvé seul au magasin avec une femme non identifiée.

– Une femme ? s'étonna Lila en regardant l'inspecteur Fine allumer l'ordinateur. Vous croyez qu'une femme aurait pu faire une chose pareille ? Pourquoi pas, après tout… se répondit-elle à elle-même. Les femmes sont capables d'actes aussi monstrueux que les hommes.

Ash se posta près de sa chaise. Elle posa brièvement une main sur la sienne.

– Angie ? demanda-t-elle.

– Elle est rentrée chez elle. Ses enfants l'attendent.

Fine inséra le CD dans le lecteur, chercha l'endroit où elle souhaitait démarrer la lecture.

Vinnie offrait du vin à une cliente en robe légère et talons hauts. Cheveux noirs, coupés au carré, bras gracieusement musclés, jolies jambes. Elle se tourna, révélant son profil. Une Asiatique, aux lèvres pulpeuses, yeux en amande, frange épaisse et droite.

– Vous voyez qu'elle ne se soucie pas des caméras, alors qu'elle sait qu'il y en a. Ils ont déjà fait le tour des deux niveaux de la boutique. Elle a touché les meubles, les objets, sans s'inquiéter de laisser des empreintes.

– Je ne vois pas bien son visage, dit Lila.

– Vous allez le voir.

Ash, pour sa part, avec son œil d'artiste, n'avait besoin que de ce profil pour imaginer le reste. Une beauté exotique aux traits fins et harmonieux.

Il l'aurait peinte en sirène, attirant les hommes au trépas.

Enfin, elle se tourna face à l'écran, tout sourire.

– Attendez… Vous pouvez revenir quelques secondes en arrière ? demanda Lila en se rapprochant de l'ordinateur. Je l'ai déjà vue. Je l'ai déjà vue quelque part, j'en suis sûre… Au supermarché ! À la supérette entre la banque et l'appartement que je gardais. Mais elle avait les cheveux longs. Je lui ai parlé.

– Ah oui ? répondit Fine.

– Oui, elle était juste derrière moi à la caisse. Je lui ai dit que j'aimais bien ses chaussures, de magnifiques nu-pieds à semelles compensées. Elle m'a répondu que les miennes étaient jolies, mais c'était juste par politesse. Je portais mes sandales plates de tous les jours.

– Êtes-vous certaine qu'il s'agit de la même personne ? demanda Waterstone.

– Absolument. Un aussi beau visage ne s'oublie pas.

– Avait-elle un accent ? s'enquit Fine.

– Non, pas du tout. Elle avait un look plus moderne, plus sexy. Je me suis fait la remarque qu'elle avait des jambes superbes. Elle a eu l'air surprise que je lui parle, mais les gens tombent toujours des nues quand on leur adresse la parole.

– Où se trouve ce supermarché ?

Waterstone nota l'adresse que Lila lui indiqua.

– Et vous, monsieur Archer, la reconnaissez-vous ?

Ash secoua la tête.

– Non, je me souviendrais de ce visage, effectivement. Elle est grande. Vinnie mesurait un peu plus d'un mètre quatre-vingts. Avec ses talons, elle est plus grande que lui. Elle doit donc faire à peu près un mètre quatre-vingts. Je la reconnaîtrais si je la revoyais. Elle joue l'épouse d'un homme fortuné, laissant présager une grosse vente.

– Comment le savez-vous ?

– Janis en a parlé à Angie, qui m'en a parlé. Vinnie est resté après la fermeture pour attendre le mari.

Sans rien dire, Fine relança la lecture.

Vinnie trinquant avec son assassin, pensa Ash, *puis accueillant un complice.*

Et tout à coup, la peur dans les yeux de Vinnie, qui leva les mains en signe de soumission, de coopération, avant d'être brutalement poussé dans son bureau sous la menace d'un revolver.

Après quoi, les caméras filmaient le magasin désert.

– Reconnaissez-vous cet homme ? demanda Fine à Lila.

– Non. Non, son visage ne me dit rien.

Fine éjecta le CD, le remit dans le sachet transparent, sur lequel elle porta une nouvelle indication.

– Selon toute vraisemblance, cet individu a tenté de faire parler la victime sous les coups. Au bout d'environ une demi-heure, la femme est sortie du bureau pour passer un appel téléphonique. La conversation a duré quelques minutes. Apparemment satisfaite, elle est retournée dans le bureau. Quatre minutes plus tard, elle est reparue dans la boutique, seule, l'air contrariée. Elle est montée à l'étage, où elle a pris une boîte décorative dans une vitrine, qu'elle a emballée dans du plastique à bulles. Puis elle est redescendue et elle a confectionné un paquet-cadeau, qu'elle a même entouré d'un ruban. Elle a également pris un étui à cigarettes, mis son butin dans un sac de shopping, et elle est partie.

– D'après la vendeuse, enchaîna Waterstone, l'étui à cigarettes est de fabrication autrichienne, début du XXe siècle, valeur de trois mille dollars. La boîte est un drageoir Fabergé, estimé à deux cent mille dollars. Que savez-vous de cette boîte ?

– Absolument rien. Je ne sais même pas ce que c'est.

– Une bonbonnière, intervint Lila. Les drageoirs anciens peuvent valoir des sommes exorbitantes. J'en ai utilisé un dans un livre, expliqua-t-elle. Je n'ai pas vendu le manuscrit, mais le drageoir servait à offrir des truffes empoisonnées. Vous disiez qu'il s'agit d'un Fabergé ? Ash…

Il hocha la tête.

– Ce n'est sûrement pas un hasard, dit-il. Ils étaient à la recherche d'un autre objet Fabergé, d'une bien plus grande valeur. L'un des œufs impériaux disparus. L'Ange avec un œuf dans un chariot, une pièce qui vaut des millions.

– Comment le savez-vous ?

– Oliver avait acquis cet œuf, de façon tout à fait légale, dans le cadre d'une succession dont il s'est occupé au nom de Vinnie. Mais Vinnie n'était pas au courant jusqu'à ce que je l'en informe, jeudi soir.

– Et il ne vous est pas venu à l'idée de prévenir la police ? aboya Waterstone.

– Je n'ai trouvé le paquet dans ma boîte postale que mercredi.

– Oliver vous a envoyé par la poste un œuf Fabergé valant des millions ?

– Non, il m'a envoyé une clé, la clé d'un coffre, en me demandant de la garder jusqu'à ce qu'il me contacte.

– J'étais avec lui, déclara Lila. C'est ce jour-là que j'ai vu l'Asiatique au supermarché. J'étais allée faire quelques courses pendant qu'Ash était à la banque.

– Dès que j'ai compris de quoi il s'agissait, j'en ai fait part à Vinnie. La clé était accompagnée de documents, en russe pour la plupart, dont un acte de vente entre Oliver et une certaine Miranda Swanson, résidant à Sutton Place. Il lui a acheté plusieurs pièces provenant d'une propriété familiale à Long Island. Vinnie l'a confirmé. Il a transmis des copies des documents à l'un de ses amis susceptibles de les traduire. Je ne lui ai pas demandé à qui.

– Où est l'œuf ? demanda Fine.

– En sûreté.

Ash ne regarda même pas Lila, mais elle saisit clairement le message. Ce détail ne serait pas divulgué.

– Quelque part où il restera tant que cette femme ne sera pas sous les verrous, ajouta-t-il.

– C'est une pièce à conviction, monsieur Archer.

– Mon frère était en possession d'un acte de vente en bonne et due forme. Si je vous remets l'œuf, je perds mon seul atout au cas où cette cinglée s'en prendrait à moi ou à l'un de mes proches. Par conséquent, je tiens à le garder. Le voilà, dit-il en tirant une photo de son portefeuille. Si vous le souhaitez, je vous ferai des copies des documents, mais je conserve l'œuf. Inutile d'insister, ou bien je fais intervenir des avocats, ce que je préférerais éviter. Et vous aussi, sans doute.

Waterstone se renversa contre le dossier de sa chaise, pianotant de ses gros doigts aux ongles rongés sur l'exquise table en bois laqué.

– Revenons en arrière, dit-il, à partir du soir où votre frère a trouvé la mort. Cette fois, je vous saurais gré de n'omettre aucun détail.

– Je ne vous cache rien, répliqua Ash. Hélas ! je ne peux pas vous dire ce que je ne sais pas.

13

Lila répondit à son tour à un interrogatoire, et poussa un soupir de soulagement lorsque la police les remercia enfin.

– Un peu plus, et je les ajouterais à mes amis Facebook.

Ash lui jeta un regard distrait tout en lui prenant la main, afin de l'entraîner vers l'angle de la rue.

S'avançant sur le bord du trottoir, il guetta un taxi.

– Je n'arrive même pas à imaginer tout ce que tu dois gérer. Je vais prendre le métro. Je dors chez Julie, ce soir, avant d'attaquer mon nouveau job. Si tu as besoin de parler, n'hésite pas à m'appeler.

– Quoi ? Non. Oui, j'ai des tas de choses à gérer. Dont toi. On va chez moi.

Il héla une voiture, prit Lila par le bras et s'engouffra avec elle à l'arrière en donnant son adresse au chauffeur.

Compte tenu des circonstances, elle s'abstint de tout commentaire quant à sa manière de décider pour elle sans rien lui demander.

– OK, je téléphonerai à Julie pour lui expliquer. Qu'elle ne m'attende pas.

– J'ai envoyé un texto à Luke. Il est avec elle. Ils sont au courant.

– Bien. Monsieur s'occupe de tout…

Soit le sarcasme lui échappa, soit il choisit de l'ignorer.

– De quoi parlais-tu avec Waterstone quand je suis descendu avec Fine ?

– Oh, de son fils, Brennon, qui le rend dingue. Il s'est teint les cheveux en orange et il est subitement devenu végétalien, avec une exception pour les pizzas au fromage et les milk-shakes. Il joue de la basse dans un groupe de garage et, à seize ans, il veut arrêter l'école pour se consacrer à sa carrière musicale.

Ash garda le silence un instant.

– Il t'a raconté tout ça ?

– Il a une fille aussi, Josie, treize ans, le portable greffé au bout des doigts. Elle n'a pas quitté ses copines depuis dix minutes qu'il faut déjà qu'elle leur envoie des SMS. Ça doit être épuisant d'avoir deux ados.

– Je croyais qu'il t'interrogeait.

– Il m'a posé des questions, mais je n'avais pas grand-chose à lui dire. Je lui ai demandé s'il avait des enfants, si ce n'était pas trop dur, quand on travaillait dans la police, de concilier vie professionnelle et vie familiale. Pendant un moment, ça m'a permis d'oublier pourquoi on était là. Je suis sûre que c'est un bon père, il est juste complètement dépassé.

– Dommage que je n'aie pas pensé à demander à Fine si elle avait des mômes.

– Elle est divorcée, sans enfant, répondit Lila en repoussant une épingle s'échappant de son chignon – qu'elle avait d'ailleurs hâte de défaire. Mais elle voit quelqu'un, depuis quelque temps. C'est Waterstone qui me l'a dit.

– Désormais, je t'emmènerai avec moi à toutes les soirées mondaines et à tous les interrogatoires de police.

– Évitons si possible les interrogatoires de police.

Bien que brûlant d'envie de savoir ce qu'Ash comptait faire de l'œuf, elle se garda d'aborder le sujet à l'arrière d'un taxi.

– Tu es vraiment revenu en hélicoptère ?

– Avec Angie. C'était le moyen le plus rapide. On a une hélisurface, derrière les courts de tennis.

– Évidemment…

Le taxi se gara devant le loft.

– Il faut que je l'appelle, poursuivit Ash en sortant son portefeuille. Et ma mère, aussi. Elle préviendra le reste de la famille.

– Tu vas… tout lui dire ?

La course réglée, il descendit de voiture et tint la portière à Lila.

– Non. Pas pour l'instant.

– Pourquoi ?

– Si je n'avais rien dit à Vinnie, il serait encore en vie.

– Ce n'est pas ta faute. Tu n'es pas responsable, insista-t-elle. Tu crois que cette femme n'aurait pas… fait ce qu'elle a fait de toute façon, même si tu n'avais rien dit à Vinnie ? Elle ne pouvait pas savoir ce que tu lui avais dit. En revanche, elle savait sûrement qu'Oliver travaillait pour lui.

– Peut-être.

– Pas peut-être, non. Forcément. C'est logique. Oliver était en possession de l'œuf, et Oliver travaillait pour le compte de Vinnie. Tu raisonnes de travers parce que tu es sous le coup de l'émotion, ce qui est tout à fait compréhensible, je te le concède.

– Tu veux une bière ? demanda-t-il quand ils furent à l'intérieur.

– Volontiers, une bière, pourquoi pas ? acquiesça-t-elle en le suivant dans la cuisine. C'est plus facile pour moi de réfléchir clairement, je ne connaissais ni Oliver ni Vinnie.

Elle s'interrompit pendant qu'il sortait deux cannettes du frigo.

– Tu veux connaître ma théorie ? demanda-t-elle.

– Volontiers. Une théorie, pourquoi pas ?

– En d'autres circonstances, je te mettrais mon pied au derrière, mais, bref… La logique dit que cette femme connaissait Oliver, ou Marjolaine. D'après la police, il n'y a pas eu d'effraction. C'est donc qu'ils l'ont laissée entrer. Dans sa lettre, ton frère parle d'un client. C'est elle, le client. Il l'a peut-être rencontrée par l'intermédiaire de Marjolaine. En tout cas, c'est Marjolaine qu'on a essayé de faire parler. Le type que j'ai vu la frapper était probablement celui qui a été tué dans le bureau de Vinnie. Mais elle ne pouvait pas lui dire où était l'œuf, vu qu'Oliver ne le lui avait pas dit. Qu'en penses-tu, jusque-là ?

Il lui tendit une Corona décapsulée.

– Logique.

– La brute est allée trop loin, Marjolaine est passée par la fenêtre. Ils ont fait une boulette, ils doivent agir vite. À moitié inconscient, Oliver ne leur est plus d'aucune utilité. Le fait qu'ils l'aient drogué corrobore d'ailleurs qu'ils pensaient que Marjolaine détenait l'information, ou qu'il serait plus facile de la lui soutirer à elle qu'à lui. Ils doivent prendre le large sans perdre de temps, ils ne peuvent pas emmener Oliver, alors ils font croire à un suicide. Je suis désolée, c'est horrible…

– Mais c'est comme ça. Continue.

– Je crois qu'ils sont restés dans les parages, aux aguets. Peut-être qu'ils ont fouiné dans le téléphone d'Oliver, ils ont vu qu'il t'avait appelé quelques jours plus tôt. Ah ah ! en déduisent-ils, le frère sait peut-être quelque chose.

Bien que harassé de fatigue, Ash esquissa un sourire.

– Ah ah ?

– Ne te moque pas de moi. Ils t'ont suivi au poste de police, ils t'ont vu avec moi, le témoin de la chute. Qu'ai-je vu exactement ? Se pourrait-il que je joue un rôle dans l'affaire ? Ils se rendent chez Julie… l'Asiatique seule probablement, où elle pense que j'habite, mais n'y trouve rien d'intéressant, à part les souvenirs qu'elle emporte. Puis voilà que je viens te voir chez toi. Dans sa logique, nous tramons quelque chose. Elle nous file, me suit au supermarché, où je la complimente sur ses chaussures. Elle a dû ensuite nous voir entrer dans l'immeuble des Kilderbrand.

– Et en profiter pour venir fureter ici.

– Or l'œuf n'était pas là, ni aucun indice qui puisse la mettre sur une piste. Elle se demande peut-être ce que tu es allé faire à la banque. Elle reste sûrement convaincue que tu es, ou que nous sommes mêlés à l'affaire, mais elle tente d'abord de sonder Vinnie.

– Parce qu'elle l'a vu venir ici.

– Certes, mais il était dans le collimateur de toute façon. La pièce Fabergé qu'elle a emportée me fait dire qu'elle a dû lui poser des questions sur les célèbres œufs, histoire de tâter le terrain. Tu ne crois pas ?

– Rien de plus banal, en effet, qu'une cliente aisée s'intéressant à Fabergé.

– Logique, confirma Lila. Elle appelle la brute en renfort, qui de nouveau ne sent pas sa force, mais cette fois elle se débarrasse de lui.

Ash but une goulée de bière tout en regardant Lila, intéressé et troublé, retirer les épingles de son chignon.

– Coup de nerf ou sang-froid ?

– Certainement un peu des deux. Ce type était une brute, mais elle, c'est un prédateur.

Intrigué, car il avait eu la même image, il prit une autre gorgée de bière, plus lentement.

– Qu'est-ce qui te fait dire ça ?

Sa robe n'ayant pas de poche, Lila posa les épingles sur le comptoir, s'ébouriffa les cheveux, se massa la nuque.

– La façon dont elle s'est amusée avec Vinnie, en lui faisant croire qu'elle désirait acheter des meubles, alors qu'elle était là pour le tuer. Ils l'auraient achevé de toute manière, même s'il leur avait donné l'œuf. C'est une araignée. Elle a pris plaisir à tisser sa toile autour de Vinnie. Ça se voyait sur la vidéo.

– C'est vrai. Ta théorie se tient. Il y a un juste un point qui cloche.

– Lequel ?

– La belle araignée n'est pas le client.

– Il me semble évident qu'elle…

– Alors, qui a-t-elle appelé ?

– Comment ça ?

– À qui a-t-elle téléphoné quand elle a laissé la brute seule avec Vinnie ? La conversation a duré plusieurs minutes. Pour quelle raison est-elle subitement sortie du bureau ?

– Ah oui, j'avais oublié ce détail.

Lila releva ses cheveux, les secoua, tout en réfléchissant. *Ce n'est pas un effet de style*, pensa-t-il. Il reconnaissait les effets de style. Simplement, elle avait besoin de libérer ses cheveux, trop longtemps comprimés par le chignon.

Effet de style ou pas, en tout cas, ce geste était terriblement sexy.

– Elle a pu appeler… son mec, suggéra Lila. Sa mère, la copine qui donne à manger à son chat quand elle n'est pas là… Mais non, suis-je bête ! Son patron.

– Il y a de fortes chances.

Illuminée par cette idée, elle agita la bouteille à laquelle elle avait à peine touché.

– Elle n'est pas le client, elle travaille pour le client, quelqu'un qui a les moyens de se payer cet œuf. Quand tu as autant d'argent, tu ne t'embêtes pas avec des filatures à travers New York et des passages à tabac. Tu embauches quelqu'un. Bien sûr ! Comment n'y avais-je pas pensé ? À nous deux, je crois que nous avons bâti une théorie qui tient la route.

– Reste à savoir qui est le boss.

– Ash…

Lila posa sa cannette.

– Tu veux autre chose que de la bière ? Du vin ?

– Non, merci. Ash, trois personnes ont trouvé la mort à cause de cet œuf. Et maintenant, c'est toi qui l'as. Tu devrais le confier à la police, ou au FBI. Faire du tapage. Donner des interviews. Clamer haut et fort qu'il est à présent sous la protection des autorités.

– Dans quel intérêt ?

– Pour qu'ils n'aient pas de raison d'essayer de te tuer. Je ne veux pas qu'ils essaient de t'atteindre.

– Ils n'avaient pas de raison de tuer Vinnie.

– Il risquait de donner leur signalement.

– Lila, reviens à la logique. Ils… ou tout du moins elle savait qu'ils étaient filmés par les caméras de sécurité. Elle s'en moquait. Ils ont tué Marjolaine, Oliver et Vinnie parce que ce sont des psychopathes. Si je me sépare de l'œuf, ils tenteront de me faire parler et ils me liquideront. Tant que je l'ai, ou tant qu'ils croient que je l'ai, je peux leur être utile.

Elle but une petite gorgée de bière.

– C'est horrible, mais vrai. Pourquoi tu n'as pas dit ça à la police ?

– S'ils ne l'ont pas compris eux-mêmes, c'est qu'ils ne sont pas bien futés, répondit-il en ouvrant une armoire à vins où il prit une bouteille de shiraz.

– Ne la débouche pas juste pour moi.

– J'aimerais te faire poser une petite heure. Un verre de vin te détendra.

– Ash, je ne crois pas que ce soit le moment.

– Il ne fallait pas défaire ton chignon.

– Hein ? Pourquoi ?

– Fais davantage attention à toi la prochaine fois que tu te détaches les cheveux. Ça me changera les idées de peindre, comme toi de bavarder avec Waterstone. On va laisser la bouteille respirer pendant que tu te changes. La tenue est dans le dressing de mon atelier. Je passe juste un ou deux coups de fil et je te rejoins.

– Je ne suis franchement pas sûre d'être d'humeur à poser, avec ce qui s'est passé. En plus, à partir de demain, je serai à l'autre bout de la ville pour plusieurs jours.

– Tu ne vas pas te laisser intimider par mon père, tout de même ?

Pour toute réponse, il n'obtint qu'un silence surpris.

– Bon, on en reparlera. Dans l'immédiat, je dois appeler ma mère. Va te changer.

Elle inspira, expira.

– Essaie de cette manière : « Lila, j'ai des coups de fil à passer. Ça ne t'ennuierait pas de te changer et de poser pour moi une petite heure ? Ça me ferait plaisir. »

– OK, de cette manière, alors.

Il sourit légèrement devant son regard froid, puis lui releva le menton pour l'embrasser, avec une lenteur et une intensité qui arrachèrent à Lila un ronronnement de volupté.

– Ça me ferait très plaisir.

– Bon, d'accord. Et tout compte fait, je veux bien un verre de vin, quand tu monteras.

Il savait donc pourquoi elle avait fui la citadelle. Ce n'était pas plus mal, se dit-elle en gravissant l'escalier jusqu'au dernier étage. Il avait vu juste : c'était à cause de son père qu'elle ne voulait plus poser. Mais pas parce qu'il l'avait intimidée. Parce qu'il l'avait énervée.

Alors qu'elle était décidée à coucher avec Ash, elle ne savait plus que faire, à présent. Franchement, si elle n'inspirait que de l'aversion à son père, et que c'était réciproque, à quoi bon s'empêtrer dans une relation compliquée ?

« Tu as envie de lui », marmonna-t-elle, se répondant à elle-même.

Et l'attirance n'était pas seulement physique. Elle appréciait Ashton, elle aimait discuter avec lui, être avec lui, le regarder, caresser l'idée de coucher avec lui. Certes, la situation attisait le désir, et il y avait de fortes chances que la résolution de la situation signe la fin de l'aventure.

Et alors ? se dit-elle en entrant dans le dressing. Rien ne durait éternellement. D'où l'importance de vivre pleinement l'instant présent.

Elle décrocha la robe de son cintre, l'observa, admira les volants multicolores du jupon. La transformation avait été réalisée en un temps record. Quand on était un peintre renommé, tout devait être plus simple et plus rapide que pour le commun des mortels.

Elle enleva sa robe noire, ses escarpins noirs, et se glissa dans la tenue de gitane.

Elle lui allait comme un gant, à présent. La taille était parfaitement ajustée, le nouveau soutien-gorge lui rehaussait la poitrine, le volume de la jupe lui affinait le buste. *Une illusion*, songea-t-elle, *mais une illusion flatteuse*.

Elle tourna sur elle-même. Les volants produisirent un effet arc-en-ciel.

Il savait exactement ce qu'il voulait. Et il savait comment l'obtenir.

Elle regrettait de ne pas avoir dans son sac davantage que du gloss et des papiers matifiants… et les bracelets qu'il avait évoqués.

Elle fit volte-face en entendant la porte s'ouvrir.

– Voici ton verre de vin.

– Tu pourrais frapper.

– Pourquoi ? La robe est parfaite, déclara-t-il, ignorant le soupir exaspéré de Lila. Impeccable. Tu te feras les yeux plus charbonneux, et les lèvres plus foncées.

– Je n'ai pas de maquillage sur moi.

– Il y a tout ce qu'il faut ici, dit-il en indiquant d'un geste une petite armoire à tiroirs. Tu n'as pas regardé ?

– Je ne fouille pas dans les tiroirs des autres.

– Tu es probablement l'une des cinq personnes au monde à pouvoir l'affirmer sans mentir. Ne te gêne pas, utilise ce dont tu as besoin.

Elle ouvrit le premier tiroir, écarquilla les yeux. Du fard à paupières, des crayons, de l'eye-liner – liquide, en poudre, en gel, du mascara – le tout rangé par catégories et couleurs.

Elle tira le deuxième : fonds de teint, blush, crèmes teintées, des pinceaux, et encore des pinceaux.

– Mon Dieu ! Julie en pleurerait d'extase.

Elle poursuivit l'inspection. Rouges à lèvres, gloss, repulpeurs, crayons.

– Tu pourrais ouvrir un salon de beauté.

– Mes diverses sœurs assurent l'approvisionnement.

Les autres tiroirs contenaient des bijoux. Ash s'approcha, fouilla parmi les boucles d'oreilles, pendentifs, chaînes, bracelets.

– Essaie celui-là, et celles-ci, et, oui… ça, aussi.

Comme de jouer à se déguiser, décida-t-elle. Elle voulait bien se prendre au jeu.

Avec tous ces accessoires, elle parviendrait à un résultat convaincant.

Elle sélectionna un fond de teint, du blush, se pencha sur la palette d'ombres à paupières, puis releva la tête vers Ash.

– Tu comptes rester planté là à me regarder ?

– Pour l'instant.

Haussant les épaules, elle se retourna face au miroir, et commença à jouer.

– Dois-je m'excuser pour mon père ?

Dans le miroir, elle croisa son regard.

– Non. Qu'il le fasse lui-même. J'en serais étonnée.

– Il peut être dur, parfois, même quand tout va pour le mieux dans le meilleur des mondes. Et ce n'était pas le cas aujourd'hui, loin s'en faut. Mais il n'avait pas le droit de te traiter comme il l'a fait. Tu aurais dû venir me trouver.

– Pour te dire quoi ? Bou-hou, ton père m'a vexée. Visiblement, ma présence chez lui le dérangeait. Il me considère comme une intrigante qui cherche à mettre le grappin sur son fils.

– Il se méprend complètement, je le lui ai dit. Et rien ne justifie son comportement.

Elle mélangea plusieurs teintes, observa le rendu.

– Tu t'es disputé avec lui ?

– Pas vraiment. Je lui ai exposé mon point de vue, de façon très nette.

– Je ne veux pas être cause de brouille entre ton père et toi. Surtout en ce moment, vous devez vous serrer les coudes.

– C'est lui qui a semé la discorde. Qu'il assume. Tu aurais dû venir me trouver.

– Je suis assez grande pour me débrouiller seule, répliqua-t-elle en se poudrant les joues.

– Je n'en doute pas une seconde, mais en l'occurrence j'étais moi aussi concerné. Enfin… rejoins-moi quand tu auras terminé. Je vais préparer mon matériel.

Elle s'interrompit un instant afin de boire une gorgée de vin, les nerfs de nouveau en pelote.

Au moins, entre Ash et elle, les choses étaient claires maintenant : il savait, elle savait, et basta.

Ils avaient d'autres chats à fouetter, des problèmes plus graves et plus urgents.

– Tant pis pour lui s'il me considère comme une moins que rien, grommela-t-elle en appliquant l'eye-liner.

Si elle couchait avec Ash, si elle l'aidait à décider que faire d'un œuf Fabergé meurtrier, cela ne regardait qu'eux deux, point.

Elle termina son maquillage, jugea qu'elle s'en était très bien sortie.

Et, pour son propre plaisir, tourna sur elle-même.

Amusée par son reflet, elle prit son verre de vin et sortit du dressing. Lorsque Ash se détourna de son chevalet, elle souleva le bas de sa jupe et agita gracieusement les volants.

– Alors ?

Il l'examina des pieds à la tête, de son regard pénétrant.

– Presque parfait.

– Presque ?

– Le collier ne va pas.

– Tu trouves ? dit-elle avec une moue dépitée en prenant le pendentif entre ses doigts. Je l'aime bien, moi.

– Il ne me plaît pas, mais ce n'est pas grave pour cette fois. Mets-toi devant les fenêtres. Il commence à faire sombre, mais ça ne fait rien.

Il avait enlevé sa veste, sa cravate, retroussé les manches de sa chemise.

– Tu ne vas pas peindre habillé comme ça, j'espère ? Tu ne crois pas que tu devrais mettre une blouse ?

– Les blouses, c'est pour les petites paysannes. Cela dit, je ne vais pas peindre, aujourd'hui. Finis ton verre, ou bien pose-le.

– Ce que tu peux être directif, en mode artiste.

Néanmoins, elle posa son verre.

– Tourne. Les bras en l'air, les yeux sur moi.

Elle tournoya. En vérité, elle s'amusait. La robe, les jupons lui procuraient un sentiment de puissance. Elle se sentait sexy. Elle prit la pose, tourbillonna encore lorsqu'il le lui ordonna, et tenta de s'imaginer sous la pleine lune, devant les flammes dorées d'un feu de camp.

– Encore, le menton haut. Les hommes te regardent, ils ont envie de toi. Sois désirable. Excite-les. Les yeux sur moi.

Elle tournoya jusqu'à ce que la pièce tourne avec elle, garda les bras levés jusqu'à ce qu'ils s'ankylosent… et pendant tout ce temps le crayon d'Ash s'activait, s'activait, s'activait.

– Je peux faire un dernier tour avant de m'écrouler.

– OK, on fait une pause.

– Ouf !

Elle reprit son verre de vin, en but une longue gorgée et s'approcha du chevalet.

– Oh… fut tout ce qu'elle parvint à articuler.

Il l'avait dessinée les cheveux en mouvement, les jupes tourbillonnantes, déhanchée, une jambe jetée hors de la robe, l'expression à la fois candide, farouche et sensuelle. Le regard confiant, perçant la toile, amusé et provocant.

– C'est dingue… murmura-t-elle.

Il posa son crayon.

– Ce n'est qu'un début, mais je ne suis pas mécontent, dit-il en l'observant, de ces yeux qui semblaient voir jusqu'au tréfonds de son âme. J'ai l'estomac dans les talons. On va commander quelque chose.

– Bonne idée, je commence à avoir faim, moi aussi.

– Change-toi, je passe la commande. Qu'est-ce que tu veux ?

– Ni champignons, ni anchois, ni concombre. À part ça, j'aime tout.

– OK. Je serai en bas.

Enlever la robe lui coûta davantage qu'elle ne l'aurait cru. Après l'avoir rangée, elle enleva le plus gros du maquillage, se fit une queue-de-cheval.

Et dans le miroir, elle redevint Lila.

– Fini pour notre performance du jour, conclut-elle.

En bas, elle trouva Ash dans le living-room, au téléphone.

– Je te rappelle dès que j'en sais plus. OK, si tu peux, merci. Oui, moi aussi. À bientôt. Ma sœur, précisa-t-il en raccrochant.

– Laquelle ?

– Giselle. Elle te transmet ses amitiés.

– Oh, c'est sympa, tu lui transmettras les miennes, la prochaine fois. Qu'est-ce qu'on mange ?

– Italien. Mon traiteur favori fait de la parmigiana à se damner. Sans champignons.

– Super.

– Je te ressers du vin ?

– Un grand verre d'eau glacée, d'abord, s'il te plaît. Ça déshydrate de poser.

Elle s'approcha de la fenêtre, regarda les gens qui passaient dans la rue, qui d'un pas pressé, qui en se baladant tranquillement, en contemplant l'architecture des façades, au travers des halos blancs projetés par les réverbères.

La nuit était tombée sans qu'elle s'en aperçoive. *Quelle étrange journée*, pensa-t-elle, *longue, étrange et compliquée*.

– Tu es au spectacle ici, commenta-t-elle en entendant Ash revenir. Pas besoin de jumelles. Tout ces gens qui ont tant à faire. Merci, dit-elle en prenant le verre d'eau qu'il lui offrit. J'adore regarder New York, plus que n'importe quelle autre ville. Il y a toujours quelque chose à voir, quelqu'un qui se dirige vers un but bien précis ou qui erre au hasard. Et des surprises à chaque coin de rue. Je n'avais pas réalisé qu'il était si tard, ajouta-t-elle en posant une fesse sur le rebord de la fenêtre. Je mange avec toi et je file.

– Tu restes.

Elle se retourna face à Ash.

– Ah bon ?

– Tu seras en sécurité ici. J'ai fait renforcer le système. Luke va rester chez Julie, par précaution.

– C'est comme ça qu'on dit dans la haute société ?

– Je te répète ce qu'il m'a dit, répondit Ash avec un petit sourire. Soi-disant qu'il dormira dans la chambre d'amis.

– Je me retrouve donc sans lit, ou avec un lit ici mais sans bagages.

– Je les ai fait venir.

– Tu… les as fait venir ?

– Le coursier ne devrait pas tarder.

– Encore une fois, Monsieur s'est occupé de tout, maugréa-t-elle en se levant pour traverser la pièce.

– Où vas-tu ?

Elle agita une main, sans s'arrêter.

– Me chercher un verre de vin.

– Apporte-m'en un, tant que tu y es.

Il se sourit à lui-même. Il était tout bonnement fasciné, il devait admettre. Tant de compassion, une telle ouverture d'esprit, un sens de l'observation si aiguisé. Et une colonne vertébrale parfois aussi raide qu'une barre d'acier.

Sans doute était-ce ainsi qu'elle avait pris congé de son père, des flammes dans le regard et de l'acier dans le dos.

Quand elle revint avec deux verres, le feu n'était plus que braises qui couvaient.

– Je crois qu'il faut qu'on mette certaines choses au point, toi et moi.

– Ah, voilà notre repas ou tes bagages, dit-il en se dirigeant vers l'interphone qui venait de sonner.

Un coursier monta les valises, et repartit en empochant les billets qu'Ash lui glissa dans la main.

– Tu aurais pu me laisser payer.

– Tu paieras quand ce sera toi qui organiseras la soirée. Pas de problème.

Il ne souciait pas du feu ni des braises, mais il se méfiait des confrontations, si bien qu'il rectifia sa tactique.

– Lila, la journée a déjà été suffisamment éprouvante. J'aimerais autant la terminer en te sachant là, en sécurité. Tu aurais pu opter pour l'hôtel, tu ne l'as pas fait.

– Non, mais…

– Tu es venue me rejoindre, parce que tu voulais m'aider. Laisse-moi t'aider à mon tour. Tu restes ici ce soir, et je t'emmènerai au boulot demain matin. Ou demain après-midi. Quand tu voudras.

Il avait fait ses adieux à son frère, pensa-t-elle – dans une nuée de papillons blancs. Il avait perdu un oncle dans des circonstances horribles. Et à cause d'elle, il s'était disputé avec son père.

Autrement dit, il avait grand besoin de souffler.

– J'apprécie tes attentions, Ash, mais je n'aime pas ta façon de disposer de moi à ta guise. Je passe l'éponge pour cette fois, mais tu aurais pu me demander si je voulais bien rester là, au lieu de décider pour moi. Ç'aurait été la moindre des choses. Bon, je vais me changer avant que le repas arrive. J'ai l'impression d'avoir cette robe noire sur le dos depuis une semaine.

– Montons tes valises, dans ce cas, dit-il en les faisant rouler jusqu'à l'ascenseur. Tu peux prendre la chambre de ton choix. Tu n'es pas obligée de coucher avec moi.

– Tant mieux, je déteste les obligations. (Elle attendit qu'il ouvre la grille.) Mais si c'est une option, il se peut que je la prenne.

Il se tourna vers elle :

– Évidemment que c'en est une.

Et il l'attira contre lui pour l'embrasser, avec fougue et sensualité. Quand l'interphone sonna de nouveau.

– Mince, la parmigiana, murmura-t-il contre sa bouche. Ne bouge pas, j'y vais.

Il vérifia par le judas avant d'ouvrir à un jeune gars coiffé d'une casquette de base-ball.

– Bonsoir, m'sieur Archer. Comment va ?

– Salut, Tony. On fait aller.

– Voici vos deux parmigiana, avec deux salades et des *grissini* maison. On a mis la note sur votre compte, comme vous avez demandé.

– Parfait.

Ash échangea un billet contre le grand sac de livraison.

– Merci, m'sieur Archer. Passez une bonne soirée.

– Je sens qu'elle s'annonce bien.

Ash referma la porte, planta son regard dans celui de Lila.

– Je sens qu'elle s'annonce même excellente.

– Le poulet à la parmigiana supporte très bien le micro-ondes, dit-elle avec un clin d'œil, sur le seuil de l'ascenseur.

– On verra ça plus tard.

Posant le sac sur la table, il suivit l'index replié et le sourire qui l'invitaient.

14

Il tira la grille derrière lui, appuya du plat de la main sur le bouton du dernier niveau et, tandis que l'ascenseur s'ébranlait en grinçant, il la plaqua contre la paroi de la cabine, ses mains remontant de ses hanches à sa taille, le long de ses côtes, sur les côtés de sa poitrine, pour finalement se placer autour de son visage avant de l'embrasser.

Il avait eu envie d'elle peut-être dès les premiers instants, attablé face à elle dans le petit café, ravagé par le choc et la douleur, quand elle lui avait tendu la main.

Il avait eu envie d'elle quand elle avait réussi à le faire sourire, malgré le chagrin et toutes ces impossibles questions qui le rongeaient. Quand elle avait accepté de poser, timide et empruntée.

Elle lui avait offert le réconfort, apporté des réponses, et avait allumé en lui quelque chose qui l'aidait à surmonter l'accablement.

Ce n'était que maintenant, toutefois, le sol s'élevant doucement sous leurs pieds, qu'il prenait conscience de la force de ce désir. Il se répandait en lui, telle une substance vivante, lui étreignant les reins, le ventre, la gorge.

Elle se hissa sur la pointe des pieds, se lova contre lui, attira son visage vers le sien.

Alors il cessa de penser, abaissa les brides de sa robe sur ses épaules, profita de ce qu'elle avait les bras coincés pour refermer les mains sur ses seins. Une peau veloutée, le contact rêche de la dentelle, et le battement effréné de son cœur.

Vive et agile, elle se contorsionna, fit descendre sa robe sur ses hanches. Puis s'en débarrassa en jetant ses jambes nues autour de sa taille, les bras noués autour de son cou.

Avec une secousse, l'ascenseur s'immobilisa.

– Accroche-toi, dit-il en la lâchant afin d'ouvrir la grille.

– Ne t'inquiète pas pour moi, répondit-elle d'une voix rauque, ses dents contre son cou. Évite juste de te casser la figure.

Il arracha l'élastique qui lui retenait les cheveux. Il les voulait libres. Se le passa autour du poignet et lui renversa la tête en arrière, retrouva sa bouche.

Dans la lueur bleutée provenant des réverbères de la rue, il la porta jusqu'à sa chambre et se laissa tomber avec elle sur le lit.

Dans l'élan de la chute, elle le fit rouler sur le dos. Le chevauchant, penchée au-dessus de lui, ses cheveux formant un rideau de part et d'autre de son visage, elle lui infligea une petite morsure à la lèvre inférieure, ses doigts s'affairant déjà à ouvrir les boutons de sa chemise.

Elle en écarta les pans, pressa ses paumes sur sa poitrine.

– Pas mal, pour un mec qui se muscle avec des crayons et des pinceaux.

– N'oublie pas le couteau à palette.

En riant, elle lui caressa les épaules, effleura ses lèvres d'un baiser, lui embrassa le cou, revint à ses lèvres.

– Comment je me débrouille pour l'instant ?

– Plutôt bien.

Il tourna la tête afin de saisir sa bouche, inversa les positions, et se cala entre ses jambes.

Elle se sentit gagnée par une chaleur brûlante, oublia toute retenue.

Elle qui voulait dicter le rythme cette fois, cette première fois, démarrer en douceur, se réserver pour plus tard… il sapait toutes ses bonnes résolutions.

Comment calculer ses mouvements, temporiser, quand ses mains couraient partout sur elle ? Il touchait comme il dessinait, avec des gestes sûrs, habiles, avec un don pour éveiller la passion. La fièvre montant en elle, elle ondulait du bassin, offrant, prenant.

Des muscles puissants, de longues lignes, qu'il lui donnait à explorer, à posséder, dans cette douce lueur bleutée.

Ils roulèrent ensemble cette fois, le souffle court, le sang pulsant sous la peau embrasée.

Il dégrafa son soutien-gorge, le jeta sur le plancher et prit l'un de ses seins entre ses lèvres.

Elle se cambra, ses doigts lui labourant les épaules, submergée par une vague de volupté. Sa langue glissait sur le mamelon, ses dents titillaient, faisant vibrer son corps tout entier.

Ouverte, si ouverte au plaisir, pressée de s'en abreuver, de le partager.

Moites, mêlés l'un à l'autre, ses doigts se battaient avec le bouton de son pantalon. Il lui couvrit le ventre de baisers, descendit plus bas, plus bas, jusqu'à ce que le monde explose autour d'elle.

Un cri lui échappa, une glorieuse onde de choc la secoua.

Maintenant, je t'en supplie, maintenant. Son esprit gémissait, elle parvenait à peine à articuler son prénom, agrippée à son torse, impatiente de le ramener à elle, en elle. De se donner, enfin, complètement.

Il prit le temps de la contempler, de contempler ces yeux noirs, ces yeux de gitane, lunes noires dans la nuit bleue. La courbe harmonieuse de sa gorge tandis qu'il se glissait en elle. Un tremblement le parcourut, qu'il s'efforça de contrôler, de retarder, savourant l'instant de la découverte. En elle, enserré là, ses yeux au fond des siens, les cheveux étalés sur l'oreiller.

Frémissante, elle lui prit les mains, les serra de toutes ses forces.

Doigts entrelacés, ils rompirent les amarres, s'abandonnèrent au désir, à la fougue et au feu.

Puis, comblée, elle se laissa retomber, les bras en croix, sur les draps chiffonnés. Merveilleusement repue, elle ne désirait rien d'autre que baigner dans cette délicieuse sensation de bien-être, le temps de recouvrer l'énergie pour se donner encore.

– Eh bien… soupira-t-elle.

Il émit un grognement qu'elle interpréta comme une approbation. Il pesait sur elle de tout son poids, ce qu'elle trouvait des plus exquis. Elle aimait entendre le galop de son cœur contre sa poitrine, sentir les formes de son corps rassasié contre le sien.

– Tu termines toujours les séances de pose de cette manière ?

– Ça dépend du modèle.

– Salaud… murmura-t-elle.

Elle lui aurait donné un petit coup de poing, ou elle l'aurait pincé, si seulement elle avait eu la force de lever le petit doigt.

– Non, en général, je sors boire une bière. Des fois, je vais faire un jogging, ou je cours sur le tapis.

– Je déteste les tapis de course. Tu sues comme un bœuf, mais ça ne te mène nulle part. Alors que le sexe ? Tu transpires et ça t'ouvre tous les horizons.

Il releva la tête pour la regarder.

– Maintenant, je penserai au sexe chaque fois que je ferai du tapis de course.

– Ça ne peut pas faire de mal.

En riant, il bascula sur le dos.

– Tu es unique.

– C'est l'un de mes buts.

– Pourquoi un but ?

Elle se contenta de hausser les épaules. Il l'enlaça et la força à se tourner sur le côté, face à lui.

– Pourquoi un but ? redemanda-t-il.

– Je ne sais pas. Une réaction, probablement, à mon éducation dans un environnement militaire. Les uniformes, la discipline. Être unique représente peut-être pour moi une forme de rébellion.

– Qui te réussit.

– Et toi ? Tu ne devrais pas être à la tête d'une grande entreprise, un jeune loup dévoré d'ambition avec un jet privé et une villa à Monte-Carlo ? Remarque, tu as peut-être bien une villa à Monte-Carlo.

– Je préfère le lac de Côme. Non, je ne suis pas un jeune loup, et je n'ai pas de villa à Monaco. Je n'ai pas eu à passer par la case artiste crève-la-faim, mais j'aurais ramé s'il l'avait fallu.

– Parce que tu savais non seulement ce que tu voulais faire mais ce que tu voulais être. C'est formidable d'avoir le talent et la passion. Ce n'est pas donné à tout le monde.

– Tu as toujours voulu devenir écrivain ?

– Je crois. J'ai toujours aimé écrire, et j'ai l'impression que je le fais de mieux en mieux. Mais je tirerais le diable par la queue sans le *house-sitting*. Cela dit, j'aime bien garder des maisons, et je le fais très bien.

– Tu ne fouilles pas dans les tiroirs des autres.

– Jamais.

– Je le ferais, moi. Plein de gens le feraient. C'est normal d'être curieux.

– Si je cède à la curiosité, je me retrouve au chômage. J'ai beau être de nature curieuse, je ne suis pas indiscrète.

– C'est bien, dit-il en effleurant du bout du doigt sa minuscule fossette au menton. Si on descendait dîner ?

– Maintenant que tu m'y fais penser, je meurs de faim. Ma robe est restée dans l'ascenseur.

Il attendit un instant.

– Les vitres sont couvertes d'un film teinté, pour frustrer les gens comme toi.

– Même. Tu aurais un peignoir ? Ou un T-shirt ? Ou mes bagages ?

– Si tu insistes

Il se leva, et elle pensa qu'il devait avoir des yeux de lynx pour se déplacer dans la pénombre avec une telle aisance. Il ouvrit le placard de sa chambre, qui devait être grand vu qu'il y pénétra. Il en ressortit avec une chemise qu'il lui lança.

– Elle te sera trop grande.

– Elle me couvrira les fesses. On ne montre pas ses fesses à l'heure des repas.

– Qui a édicté cette loi absurde ?

– Je n'ai pas beaucoup de règles, dit-elle en l'enfilant, mais quelques principes très rigoureux.

La chemise lui couvrait les fesses, et la moitié des cuisses, ainsi que les mains. Elle la boutonna, retroussa les manches.

– Voilà. Comme ça, tu pourras me déshabiller après le dîner.

– Présentés de cette manière, j'adhère volontiers à tes principes.

Il attrapa un pantalon de survêtement, un T-shirt.

– Momentanément, tu as réussi à me faire tout oublier, dit-il en s'engageant dans l'escalier. Merci.

– Après cet interlude, on aura peut-être les idées plus claires pour établir un plan d'action, répondit-elle en regardant dans le sac apporté par le livreur. Hum... ça sent bon.

Il lui caressa les cheveux.

– Si je pouvais revenir en arrière, je ne t'aurais pas embarquée là-dedans. Je suis content que tu sois là avec moi, mais j'aurais préféré que tu ne sois pas impliquée.

– Je le suis, c'est comme ça. Bon, on mange ? Ensuite, on réfléchira.

Il avait déjà sa petite idée, essaya de l'approfondir tandis que le poulet réchauffait, qu'ils dressaient la table dans le coin-repas où il s'installait quand il était seul.

– Tu avais raison, dit-elle en goûtant une première bouchée, c'est délicieux. À quoi penses-tu ? Tu as l'air concentré, comme quand tu réfléchis à ce que tu vas peindre et comment tu vas le peindre. Pas complètement absorbé, comme quand tu dessines, mais comme quand tu t'y apprêtes.

– J'ai des airs ?

– Absolument. Tu t'en rendrais compte si tu faisais un autoportrait. Alors, à quoi tu penses ?

– Je doute que les flics parviennent à identifier la Bombe asiate…

– Ce serait étonnant. La Bombe asiate… ça lui va bien, comme surnom… Elle ne se souciait pas des caméras. Ça signifie qu'elle se fiche d'être identifiée, ou qu'elle n'est enregistrée dans aucun fichier d'identification.

– On dirait qu'elle n'a pas peur d'être arrêtée.

– Elle n'en est sûrement pas à ses premiers meurtres, tu ne crois pas ? Brrr… Ça fait bizarre de déguster une parmigiana en parlant d'une tueuse en série.

– On n'est pas obligés.

– Quand même un peu, si, répondit Lila en enroulant des pâtes autour de sa fourchette. Je pensais que j'arriverais à considérer la situation comme une intrigue de roman, à m'en détacher. Mais non. Cette histoire est bien réelle, et nous y sommes mêlés. Nous disions donc qu'elle avait probablement déjà tué.

L'impact de balle pile entre les sourcils du cadavre revint à la mémoire d'Ash.

– Je ne crois pas qu'elle en soit à son coup d'essai. Quand on a des dizaines de millions en poche, comme son patron, on n'engage pas des amateurs.

– S'il l'a engagée pour qu'elle lui rapporte l'œuf, elle n'a pas encore accompli sa mission.

– C'est là-dessus que nous allons jouer.

Lila agita sa fourchette vers lui.

– Tu cherches un moyen de lui tendre un piège, en l'appâtant avec l'œuf. Si elle ne remplit pas son engagement, elle risque de perdre son job, ou son salaire, voire la vie, vu que son employeur ne semble pas en être à un meurtre près pour parvenir à ses fins.

– Si c'est l'œuf qu'elle veut – et quoi d'autre ? –, elle est à court d'options. J'ignore ce que Vinnie a pu lui révéler, sous la torture. Rien, je dirais, le connaissant, mais ce n'est pas sûr. En tout état de cause, il savait seulement que j'avais emporté l'œuf à la citadelle, mais pas où je l'ai caché.

– Donc, même s'il a parlé, elle n'est pas près de mettre la main sur l'œuf, dans une propriété aussi vaste. À supposer qu'elle parvienne à s'y introduire…

– Peu de chances, avec les mesures haute sécurité de mon père. Admettons toutefois qu'elle soit maline, réussisse à se faire inviter, ou se fasse embaucher comme femme de ménage, elle ne saurait pas où chercher. Je l'ai mis…

Instinctivement, Lila se boucha les oreilles.

– Ne me le dis pas. Imagine que…

– Qu'elle s'en prenne à toi ? Dans ce cas, tu lui diras que l'Ange avec un œuf dans un chariot est enfermé dans le coffre du bureau des écuries. Elles sont vides, nous n'avons pas de chevaux pour le moment. Le code est trois-un-huit-neuf-zéro, la date de naissance d'Oliver – mois, jour, année. Si je l'avais dit à Vinnie, il serait peut-être encore en vie.

– Non, dit-elle en lui caressant la main. Ils l'auraient éliminé de toute façon, même s'il leur avait donné l'œuf. S'ils l'avaient laissé en vie, il les aurait dénoncés.

Ash cassa un *grissini* en deux, davantage parce que ses doigts avaient besoin de briser quelque chose que parce qu'il en avait envie. Néanmoins, il en offrit une moitié à Lila.

– Je sais, mais je m'en veux, je ne peux pas m'en empêcher. Je préfère que tu saches où il est.

– Pour pouvoir négocier si elle s'en prend à moi, ou pour aller le chercher si elle s'en prend à toi.

– Espérons qu'aucune de ces deux éventualités ne se présentera. Oliver a dû manquer à sa parole, ou tenter de modifier les termes du marché initial. Il ne lui est sans doute pas venu une seconde à l'esprit qu'il risquait de se faire tuer.

– Éternel optimiste, murmura Lila.

– Quand il s'est rendu compte qu'il était dans la panade, il m'a envoyé la clé, pour couvrir ses arrières. Il devait rester persuadé de toucher le jackpot. Peut-être leur a-t-il fait miroiter d'autres objets susceptibles d'intéresser le client.

– Il a joué à quitte ou double.

– Mon frère tout craché, dit Ash en regardant son verre de vin. Je pourrais poursuivre la partie.

– Comment ?

– Il devait avoir un moyen de contacter cette femme ou son patron. Il faut que je me mette en contact avec eux. Ensuite, je leur proposerai un nouveau marché.

– Et s'ils te réservent le même sort qu'à Oliver et Vinnie ? Ash, dit-elle en posant une main sur la sienne, je ne plaisantais pas quand j'ai dit que je ne voulais pas qu'ils essaient de te tuer.

– Je leur ferai clairement comprendre que l'œuf est en lieu sûr, et que je suis le seul à pouvoir y accéder. Et que s'il m'arrive quoi que ce soit – meurtre, accident, enlèvement –, j'ai laissé la consigne à l'un de mes représentants de faire sur-le-champ don de l'œuf au Metropolitan Museum of Art.

Lila n'aimait guère la légèreté avec laquelle il exposait son plan – pour le moins hasardeux.

– Il faut qu'on y réfléchisse, dit-elle.

– Le temps que je trouve comment entrer en contact avec eux, nous aurons tout le loisir de réfléchir.

– Et si tu donnais directement l'œuf au musée ? Tu fais parler de l'événement dans les médias, comme on l'a évoqué, et ils n'auront plus de raison de s'en prendre à toi.

– Elle prendrait la fuite. Soit pour échapper aux autorités, soit pour échapper à celui qui l'a engagée. Trois personnes ont été tuées, dont deux auxquelles je tenais. Je ne peux pas botter en touche.

Lila garda un instant le silence. Elle avait des sentiments pour Ash. Elle avait couché avec lui, elle était engagée auprès de lui à différents niveaux maintenant. Mais elle ne savait pas comment formuler le fond de sa pensée.

La franchise, se dit-elle, *est toujours la meilleure des options.*

– Tu as sans doute raison, elle disparaîtrait. Auquel cas, il n'y aurait plus à s'inquiéter.

– Peut-être, peut-être pas.

– Le hic, si elle prend la fuite, c'est que justice ne sera pas rendue. Tout du moins, tu ne pourras pas régler tes comptes avec elle. Or c'est là l'essentiel, non ? Tu veux l'avoir en face de toi, t'expliquer avec elle comme tu le ferais avec un ivrogne inconvenant dans un bar.

– Je n'en viendrais pas aux mains. C'est une femme, et certains principes sont ancrés trop profond.

Elle s'adossa contre le dossier de son siège, scruta son visage. Il paraissait calme, mais sous la pondération se lisait une détermination d'acier. Il avait pris sa décision, et il s'y tiendrait. Avec ou sans sa collaboration.

– OK.

– OK quoi ?

– Je te suis. Nous devrons peaufiner le plan, le mettre au point étape par étape. Rien ne doit être laissé au hasard.

– La nuit nous portera peut-être conseil.

Elle prit son verre de vin, sourire aux lèvres.

– Remontons dans ta chambre, acquiesça-t-elle.

Julie ne parvenait pas à trouver le sommeil. Ça n'avait rien d'étonnant, vu les circonstances. Elle avait commencé la journée par des funérailles, d'où sa meilleure amie était partie furieuse, sans prévenir personne, après s'être fait insulter par le père du défunt, et elle la terminait avec son ex-mari dormant dans la chambre d'amis.

Entre-temps, un deuxième meurtre avait été commis, atroce, d'autant plus choquant qu'elle avait eu l'occasion de rencontrer Vincent Tartelli et son épouse lors d'une expo d'Ash.

Et tout cela découlait de la découverte de l'un des œufs impériaux disparus. Une histoire délirante et invraisemblable.

Elle aurait donné cher pour voir cet œuf, tout en étant consciente qu'il était déplacé de fantasmer sur un objet d'art quand celui-ci avait causé trois morts.

Penser à cela, toutefois, était bien moins embarrassant que de penser à Luke dormant de l'autre côté du mur.

Elle se retourna entre les draps, une fois de plus, contempla le plafond, essaya de l'utiliser en toile de fond pour se représenter l'Ange avec un œuf dans un chariot.

Mais ses pensées revenaient sans cesse vers Luke.

Ils avaient dîné ensemble, deux personnes civilisées discutant criminalité et trafic d'objets d'art en dégustant de la cuisine thaïe. Elle n'avait pas protesté lorsque Luke lui avait proposé de passer la nuit chez elle, car elle était anxieuse, à juste titre. Il semblait parfaitement clair, à présent, que son appartement avait été visité par la femme qui avait tué Oliver, et maintenant ce pauvre M. Tartelli.

La tueuse ne reviendrait pas chez elle, bien sûr, elle n'avait pas de raison de revenir. Mais on ne savait jamais. Julie avait beau militer pour les droits de la femme et l'égalité des sexes, elle se sentait plus rassurée avec un homme dans la maison.

Seul problème : cet homme était Luke, et cela ravivait des tonnes de souvenirs, de bons souvenirs pour la plupart, et notamment des souvenirs érotiques. Les bons souvenirs érotiques ne favorisent pas l'endormissement.

Elle n'aurait pas dû se coucher de si bonne heure, elle n'avait pas l'habitude de s'endormir si tôt. Seulement, il lui avait paru moins risqué, plus judicieux, de se retirer dans sa chambre.

Si au moins elle avait emporté son iPad, elle aurait pu travailler, jouer à des jeux, lire, toutes choses qui lui auraient occupé l'esprit. Elle n'avait qu'à aller chercher sa tablette dans la cuisine, décida-t-elle. En même temps, elle se préparerait une tisane. Ça lui ferait du bien.

Elle se leva, prit la précaution d'enfiler un peignoir par-dessus sa chemise de nuit. Sans un bruit, elle entrouvrit sa porte et, aussi silencieuse qu'une voleuse, traversa le couloir sur la pointe des pieds.

À la seule lumière de l'horloge du four, elle remplit la bouilloire, la fit chauffer. Voilà qui était beaucoup plus raisonnable que de ressasser de vieux souvenirs, se dit-elle en ouvrant le placard où elle rangeait ses infusions. Une bonne boisson chaude, un peu de boulot, et un bouquin bien assommant.

Elle dormirait comme un bébé.

Déjà moins tendue, elle sortit sa jolie petite théière à motif lilas sur fond vert pâle. Mesurer les feuilles séchées, les compresser dans le filtre, les laisser infuser, lui procura un sentiment de sérénité.

– Tu ne dors pas ?

Elle poussa un petit cri, la boîte d'infusion – qu'elle avait, heureusement, refermée – lui échappa et tomba sur le carrelage.

Luke se tenait sur le pas de la porte, vêtu de son seul pantalon de costume, déboutonné. Malgré elle, elle ne put s'empêcher de constater que le garçon qu'elle avait épousé s'était considérablement étoffé.

Et malgré elle, elle regretta de s'être démaquillée.

– Je ne voulais pas te faire peur.

Il s'avança dans la cuisine, ramassa la boîte.

– Je ne voulais pas te réveiller.

– Je ne dormais pas. J'ai entendu du bruit, je voulais m'assurer que c'était toi.

Civilisée, se remémora-t-elle. *Mature*.

– Je n'arrêtais pas de penser à ces meurtres. Et à l'œuf. C'est une immense découverte pour le monde de l'art. Et ma meilleure amie est mêlée à cette histoire.

Elle parlait trop vite, elle s'en rendait compte. Et pourquoi diable sa cuisine était-elle si petite ? Entre le placard et la table, ils étaient quasiment l'un sur l'autre.

– Ash fera attention à elle.

– Lila déteste qu'on la couve, mais, oui, je sais qu'il fera tout pour la protéger.

Elle ramena ses cheveux derrière ses oreilles. Elle était sans doute peignée comme une folle après s'être tournée et retournée dans le lit. Visage nu, coiffure en désordre. Dieu merci, elle n'avait pas allumé le plafonnier.

– Tu veux une infusion ? C'est un mélange de valériane, scutellaire, camomille et lavande. Souverain contre l'insomnie.

– Tu en as souvent ?

– Pas vraiment. C'est plus du stress de fond et de la nervosité.

– Tu devrais essayer la méditation.

Elle le regarda avec des yeux ronds.

– Tu médites ?

– Non, je suis incapable de faire le vide dans mon esprit.

En riant, elle prit un second mug dans le placard.

– Les rares fois où j'ai essayé, mon *ohm* s'est transformé en un « Oh, j'aurais dû acheter ce joli sac que j'ai vu chez Barneys ». Ou bien en un « Devrais-je axer la promo de cet artiste sur cet aspect de son travail, ou bien sur celui-ci ? » Ou bien encore en un « Pourquoi ai-je mangé ce maudit cupcake ? »

– Quant à moi, ça tourne autour du planning de mes équipes et des inspections du service de l'hygiène. Et des cupcakes.

Elle posa le couvercle sur la théière, afin de laisser la tisane infuser.

– Aujourd'hui, je suis obnubilée par ces meurtres, Fabergé et…

– Et quoi ?

– Oh, rien.

– C'est drôle, moi je suis obnubilé par les meurtres, Fabergé et toi.

Elle se tourna vers lui puis, troublée, détourna le regard.

– Je pense très souvent à toi, dit-il en laissant courir un doigt de son épaule jusqu'à son coude, une vieille habitude dont elle se souvenait très bien. Je me pose beaucoup de questions par rapport à nous. Et si nous avions fait ceci au lieu de cela ? Et si j'avais dit ceci au lieu de cela ? Et si je t'avais demandé ceci au lieu de ne rien demander du tout ?

– C'est normal.

– Toi aussi, tu te poses ce genre de questions ?

– Oui, bien sûr. Tu veux du miel ? Je la bois nature, mais j'ai du miel si tu…

– Tu te demandes, des fois, pourquoi ça n'a pas marché entre nous ? Pourquoi on s'est tous les deux comportés comme des imbéciles au lieu d'essayer de mettre les choses à plat ?

– Je préférais me mettre en colère. C'était plus facile de m'énerver contre toi que de regretter d'avoir dit ceci ou cela, ou que de chercher à comprendre pourquoi tu avais fait ceci ou cela. On était des gamins.

Il lui attrapa le bras, la força à se tourner face à lui.

– On est grands, maintenant.

Le contact de ses mains, si chaudes à travers la soie de son peignoir, ce regard plongé au fond du sien… Tous ces souvenirs, tous ces regrets, tous ces non-dits… La ligne que le bon sens lui interdisait de franchir s'effritait dangereusement.

– Oui, dit-elle, on est devenus des adultes.

Plus rien ne la retenant, elle s'approcha et leva son visage vers le sien.

Et plus tard, l'infusion oubliée dans la cuisine, blottie contre lui, elle dormit comme un bébé.

15

Elle avait pris du retard dans son bouquin, et elle devait impérativement le rattraper. Après s'être préparé un café, Lila installa donc son ordinateur dans le coin-repas du loft.

Et là, vêtue de la chemise d'Ash, elle se replongea dans son monde de fiction, regrettant de l'avoir quelque peu négligé ces derniers jours.

Faisant abstraction de tout le reste, elle retourna au lycée et aux guerres de loups-garous.

Elle travailla deux bonnes heures avant qu'Ash descende. D'un doigt levé, elle lui réclama le silence afin de terminer son paragraphe.

Puis elle enregistra son fichier et releva la tête, souriante.

– Bonjour.

– Salut, toi. Qu'est-ce que tu fais ?

– Je bossais. Il fallait absolument que j'avance. Tu arrives pile poil au bon moment, à un endroit charnière parfait pour faire une pause.

– Alors, pourquoi tu pleures ?

– Oh… fit-elle en essuyant ses larmes. Je viens de tuer un personnage sympathique. Je ne pouvais pas faire autrement, mais ça me fait de la peine. Il me manquera.

– Un humain ou un loup-garou ?

Elle sortit un mouchoir du minipaquet qu'elle gardait toujours à portée de main lorsqu'elle écrivait.

– Les loups-garous sont des humains, excepté trois nuits par mois – dans mon bouquin. C'était un loup-garou. Mon héroïne va être anéantie.

– Toutes mes condoléances. Tu reprendras un café ? demanda-t-il en insérant une capsule dans la machine.

– Non, merci, j'en ai déjà bu deux. Ça ne te dérange pas, j'espère, que je me sois installée là ? Je ne commence mon nouveau job que cet après-midi, et je n'ai pas envie d'aller chez Julie. On ne sait jamais, je pourrais arriver comme un cheveu sur la soupe…

Pour toute réponse, elle n'obtint qu'un grognement inintelligible.

– Quelque chose ne va pas ?

– Rien ne va avant mon premier café, répondit-il en buvant une gorgée d'un double expresso sans sucre. Tu veux que je fasse des œufs brouillés ?

Les cheveux en bataille, les yeux gonflés, il paraissait effectivement encore à moitié endormi.

– Je ne suis pas un cordon bleu, mais les œufs brouillés sont l'une des rares choses que je réussis très bien, affirma-t-elle. Je veux bien préparer le petit déjeuner en échange d'un endroit où rester jusqu'à 14 heures.

– Ça marche, acquiesça-t-il en sortant une boîte d'œufs du réfrigérateur.

– Assieds-toi et bois ton café, je m'occupe du petit déjeuner.

Il ne s'assit pas mais la regarda chercher du beurre et du fromage dans le frigo, ouvrir les placards en quête d'une poêle, d'un petit saladier, d'un fouet – ustensile dont il ignorait être en possession.

– Tu es en forme le matin, dit-il.

Elle lui adressa un sourire aussi frais et joyeux qu'une tulipe de printemps.

– Le miracle du café. J'aime bien les matins. Chaque matin est un nouveau départ.

– Ouais… ou la continuité de la veille. Il n'y aurait pas moyen que tu annules ce job ? Tu resterais ici en attendant que le problème de l'œuf soit réglé.

– Impossible. Je ne peux pas faire faux bond à mes clients à la dernière minute, et il est trop tard maintenant pour trouver quelqu'un pour me remplacer. En plus, dit-elle entreprenant de casser les œufs dans le saladier, la Bombe asiate ne saura pas où je suis.

– Peut-être, mais tu seras loin d'ici, au cas où il arriverait quoi que ce soit.

Elle incorpora du fromage râpé dans les œufs, ajouta une pincée de sel, un peu de poivre.

– Tu t'inquiètes pour moi, dit-elle en versant la préparation dans la poêle, où elle avait fait fondre du beurre, mais je suis une grande fille pleine de ressources. Tu veux des toasts ? Tu as du pain ?

Il en avait, en glissa deux tranches dans le toaster. Inutile de la mettre en boule, il reviendrait plus tard sur cette question.

– Tu veux bosser encore combien de temps ?

– Si j'arrive à ébaucher ma prochaine scène, où Kaylee découvre le corps mutilé de Justin, je serai hyper contente de moi. Je l'ai en tête, le premier jet ne devrait pas me prendre plus de deux heures.

– Tu pourras donc poser pour moi une heure ou deux avant de partir. Impeccable.

Il termina son café, s'en refit immédiatement un deuxième avant de sortir des assiettes.

– Essaie de cette manière, s'il te plaît : « Est-ce que tu auras le temps de poser pour moi, Lila ? »

Il déposa un toast sur chaque assiette.

– Est-ce que tu auras le temps de poser pour moi, Lila ?

– Je pense que oui.

– Super.

À quelques rues du loft, Julie se réveilla merveilleusement reposée, d'excellente humeur, et poussa un long soupir de bien-être en s'étirant, les bras au-dessus de la tête. Puis elle se renfrogna en découvrant que Luke n'était plus là… mais chassa très vite toute pensée négative.

Il tenait une boulangerie, se remémora-t-elle. Il l'avait prévenue qu'il devait se lever tôt et partir avant 5 heures.

S'il y avait eu un temps où elle trouvait normal de se coucher à 5 heures du matin, elle était encore loin de pouvoir se lever aux aurores.

Elle admirait la discipline à laquelle il s'astreignait. Néanmoins, elle aurait volontiers traîné un peu au lit avec lui. Ensuite, elle lui aurait montré qu'elle avait elle aussi des talents culinaires. Limités, certes, mais elle faisait très bien le pain perdu.

S'arrachant à ses rêveries de câlins du matin, elle se redressa en position assise. Ce temps-là était révolu, comme celui des soirées endiablées jusqu'au petit matin.

Ils avaient couché ensemble, ils y avaient pris du plaisir, c'était très bien, mais ce n'était que cela : une nuit d'amour sans lendemain entre deux ex contents de se retrouver. Inutile de compliquer les choses. Elle sortit du lit.

Son peignoir était resté où il avait atterri la veille : sur la lampe de chevet.

Ils avaient passé un bon moment, un très bon moment, mais ils étaient adultes, suffisamment matures, maintenant, pour ne pas commettre l'erreur de tenter de renouer une relation.

Comme une adulte mature et responsable, elle allait donc se préparer un café, manger un bagel – non, un yaourt, elle avait oublié d'acheter des bagels – prendre sa douche et partir travailler.

En entrant dans la cuisine, elle se figea net.

Un gros muffin doré trônait sur le comptoir, posé sur l'une de ses jolies assiettes à dessert en porcelaine, surmonté d'un saladier de verre, à la manière d'une cloche.

Elle la souleva, se pencha au-dessus du gâteau, le huma.

Myrtilles. Il avait trouvé la barquette de myrtilles qu'elle avait achetée au marché et les avait utilisées pour lui préparer un muffin. Bien qu'ayant presque l'impression de commettre un sacrilège, tant ses proportions étaient parfaites, elle en cassa un morceau et le goûta.

Aussi délicieux que joli.

Il lui avait préparé un muffin. Un vrai muffin maison, rien que pour elle.

Qu'en déduire ?

S'agissait-il d'un remerciement pour une délicieuse nuit d'amour ? Était-ce une manière de lui faire comprendre qu'il désirait la revoir ? Était-ce…

Comment diable savoir ce que signifiait ce muffin ?

Personne, hormis sa grand-mère, ne lui avait jamais préparé de gâteau. Alors qu'elle n'était même pas encore tout à fait réveillée, qu'elle n'avait pas bu son premier café, il lui posait déjà un cas de conscience.

Elle prit un deuxième morceau de muffin et le dégusta, en proie à des milliers de questions.

Au sous-sol de la boulangerie, Luke pétrissait sur le plan de travail fariné. Il était équipé d'un pétrin électrique mais, quand il avait le temps, il préférait, littéralement, mettre la main à la pâte.

Cette tâche lui donnait le loisir de réfléchir, quand il ne s'abandonnait pas tout simplement au rythme de ses bras.

Il avait déjà préparé une première fournée, qui cuisait dans le four de briques derrière lui ; celle-ci était destinée à un client qui lui avait passé une commande exceptionnelle.

Avec le mitron en chef, il avait aussi déjà confectionné les muffins, les petits pains, les viennoiseries, les *donuts* et les bagels que la clientèle matinale s'arrachait. Pendant la cuisson de la deuxième fournée, il s'attaquerait aux tartes salées, cookies, scones et cupcakes.

Bientôt 8 heures, indiquait la grande horloge murale. Julie devait être réveillée et avait probablement trouvé le muffin…

Elle avait toujours adoré les myrtilles. Et le chocolat noir. La prochaine fois, il lui préparerait un fondant au chocolat.

Elle lui avait manqué, Seigneur ! Bien plus qu'il n'avait voulu se l'avouer, toutes ces années. Comment avait-il fait pour vivre sans la voir, sans l'entendre, sans la toucher ?

Il avait fait une croix sur les rousses, après Julie. Il s'était interdit de regarder les grandes rousses aux yeux bleus. Pendant des mois, des années peut-être, après la séparation, il avait gardé d'elle une douloureuse nostalgie, son cœur se serrant chaque fois qu'il voyait quelque chose qui l'aurait fait rire. Le jour de l'ouverture de Treize à la Douzaine, elle était là, dans ses pensées. Il aurait été fier de lui montrer qu'il avait trouvé sa voie, après avoir galéré en fac de droit.

Toutes les femmes qui avaient traversé sa vie n'avaient fait qu'un passage éclair. Elles n'avaient été que des distractions, des diversions temporaires, alors qu'il aspirait pourtant de tout son être à bâtir quelque chose de solide. Elle avait toujours été là, dans un petit coin de son cœur.

À présent, c'était à lui de jouer s'il voulait la ramener au centre de sa vie, et la garder là.

– Presque fini, lança-t-il en entendant quelqu'un dans l'escalier. Cinq minutes.

– On m'a dit que je pouvais descendre. La fille aux cheveux violets m'a dit de descendre, ajouta Julie lorsqu'il leva la tête.

– Bien sûr, viens.

Cette chevelure flamboyante retenue par des peignes d'argent, ce corps superbe dans une robe de la couleur des myrtilles dont il avait garni le muffin… Elle resplendissait.

– Je ne m'attendais pas à te voir, mais bienvenue dans mon antre. J'ai presque terminé. Baisse la musique. L'iPod est sur l'étagère, là.

Elle mit Springsteen en sourdine, se souvint que Luke avait toujours été fan du Boss.

– Il y a des boissons fraîches dans la chambre froide, si tu veux, dit-il, la suivant des yeux tout en malaxant une boule de pâte. Ou bien je peux monter te chercher un café.

– Ça va, je te remercie. Il faut que je sache ce que ça veut dire.

– Quoi donc ? Tu es à la recherche du sens de la vie ?

Il pressa fermement la pâte du plat de la main, évaluant sa texture. Histoire de gagner quelques secondes.

– Vaste question, ajouta-t-il. Personnellement, je ne suis encore parvenu à aucune réponse définitive.

– Le muffin, Luke.

Seigneur, elle sentait si bon. Encore meilleur que l'odeur du pain chaud s'échappant du four. Un parfum qui lui montait à la tête.

– Ce qu'un muffin veut dire ? C'est simple, un muffin n'a qu'une chose à dire : « Mange-moi ! » Tu l'as mangé ?

– Je veux savoir pourquoi tu m'as préparé un muffin. La question est simple, non ?

– Parce que je suis boulanger.

– Tu prépares des muffins à toutes les femmes avec qui tu couches ?

Il se souvenait de ce ton pincé, il ne s'en souvenait que trop bien. En général, il n'annonçait rien de bon. Mais pourquoi diable s'énerver pour un muffin ?

– Certaines préfèrent les croissants. Mais non, toutes n'ont pas droit à ce régime de faveur. Je ne pensais pas qu'un muffin me vaudrait un carton jaune. Ce n'était qu'un muffin.

– On a couché ensemble, dit-elle en remontant la bride de son énorme sac sur son épaule.

Il continua de pétrir – de s'occuper les mains –, sa bonne humeur commençant à s'assombrir.

– C'est ça qui te gêne, ou le muffin ?

– Je crois qu'on doit être clairs.

– Commence par être claire toi-même.

– Ne prends pas ce ton. On a eu une journée difficile hier, nos amis sont mêlés à une sale histoire. On a été mariés et… on n'arrivait pas à dormir, alors on a couché ensemble. C'était bien, j'ai passé un très bon moment, mais… mais j'aimerais qu'on en reste là. Et toi, tu m'as préparé un muffin.

– Je ne peux pas le nier.

– Je veux juste être sûre qu'on est bien d'accord à propos de ce qui s'est passé hier soir. Inutile de compliquer les choses, surtout qu'à cause de Lila et d'Ash on se retrouve dans une situation… complexe.

– Ne t'inquiète pas, ce n'était qu'un muffin.

– OK. Très bien. Merci. Il faut que j'aille bosser.

Elle attendit un instant, comme si elle attendait qu'il ajoute quelque chose. Puis elle tourna les talons et remonta l'escalier, le laissant sans voix, exactement comme elle l'avait fait dix ans auparavant.

Lila ne protesta pas lorsque Ash insista pour l'accompagner sur son nouveau lieu de travail. Quel mal, après tout, si cela le rassurait de voir où elle serait, de vérifier par lui-même le système de sécurité ?

– Ce sont des clients fidèles, dit-elle dans le taxi. J'ai déjà bossé pour eux deux fois, mais pas à cet endroit. Il y a quelques mois seulement qu'ils ont emménagé là, et adopté Earl Grey.

– Le caniche nain ?

– Il est adorable. Je suis sûr qu'on s'entendra bien tous les deux. Au fait, j'ai reçu un mail de Macey ce matin.

– Macey ?

– Kilderbrand, ma dernière cliente. Ils sont très satisfaits de mes services, et Thomas se languit de moi. Ils referont sûrement appel à moi en janvier, pendant qu'ils seront au ski. Donc, malgré tout ce qui s'est passé, j'ai marqué des points.

– Ta prochaine mission dure combien de temps ?

– Chez les Lowenstein ? Huit jours. Ils sont partis à Saint-Barth, voir des amis et visiter une propriété.

Dès que le chauffeur se gara devant l'entrée de l'imposant complexe néo-gothique, sur la 41e Rue Est, Lila lui tendit sa carte de crédit.

– Laisse, c'est pour moi.

Elle secoua la tête, tapa son code.

– Mon boulot, mes frais professionnels. J'ai peut-être un riche amant, mais je ne l'utilise que pour le sexe.

– Le veinard !

– N'est-ce pas ? répondit-elle en rangeant son reçu et en descendant de la voiture. Bonjour, Dwayne. Lila Emerson, vous ne vous souvenez peut-être pas, mais c'est moi qui…

– Je me souviens très bien de vous, mademoiselle Emerson. Vous venez garder l'appartement de M. et Mme Lowenstein. Ils m'ont laissé les clés pour vous. Vous êtes pile à l'heure.

– Toujours. Enfin, j'essaie. Le départ des Lowenstein s'est bien passé ?

– Très bien. Ils sont partis il y a une petite heure, répondit le portier en sortant la deuxième valise du coffre avant qu'Ash en ait eu le temps. Je vous la monte ?

– Ce n'est pas la peine, je vous remercie. Voici mon ami Ashton Archer. Il va m'aider à m'installer. Sauriez-vous par hasard à quelle heure Earl Grey a fait sa dernière promenade ?

– M. Lowenstein l'a sorti juste avant de partir. EG devrait se tenir tranquille un bon moment.

– Parfait. Quel immeuble magnifique… Je sens que je vais me plaire ici.

– Si vous avez des questions, où sont les choses, besoin d'un taxi, n'importe quoi, faites-moi signe.

– Je vous remercie.

Prenant les clés que le portier lui tendait, elle s'avança dans le hall d'entrée, où filtrait une lumière de cathédrale, à travers les vitraux colorés.

– Je n'ai pas un boulot de rêve ? dit-elle à Ash en montant dans l'ascenseur. Comment, sinon, pourrais-je passer une semaine dans un penthouse à Tudor City ? Tu savais qu'il y avait un petit terrain de golf, à l'origine ? Et un court de tennis. Des personnalités célèbres y ont tapé la balle. Je ne me rappelle plus qui, vu que je ne m'intéresse pas trop au tennis.

– Mon père a failli racheter l'immeuble, avec des partenaires, quand Helmsley l'a vendu.

– C'est vrai ? Waouh !

– Je ne me souviens pas pourquoi ça ne s'est pas fait, mais je sais qu'il en avait vaguement parlé.

– Mes parents ont acheté une petite épicerie en Alaska, et je peux te dire qu'ils en ont longuement parlé, et beaucoup hésité. J'adore travailler dans de l'ancien, dit-elle tandis qu'ils sortaient de l'ascenseur. Je n'ai rien contre le neuf, mais l'ancien a vraiment quelque chose de spécial.

Elle ouvrit les verrous, poussa la porte.

– Regarde un peu, dit-elle avec un ample geste de la main, avant de désactiver l'alarme.

De hautes fenêtres à la française offraient une vue imprenable sur Manhattan, la flèche Art déco du Chrysler Building au centre du tableau. Sous d'immenses plafonds, la pièce au parquet de chêne, meublée d'ancien et décorée d'antiquités, formait le premier plan de ce grandiose panorama.

– Pas mal, hein ? On aurait pu monter directement au deuxième – c'est un triplex –, mais j'ai pensé que tu apprécierais le facteur « Waouh ! » du niveau principal.

– Très chouette, en effet.

– Earl Grey doit être dans la cuisine, ou caché dans la chambre de ses maîtres.

Sur ces mots, Lila traversa le salon puis la salle à manger, dotée d'une longue table en acajou, d'une cheminée à gaz, d'un buffet contenant une ravissante collection de porcelaines dépareillées.

La cuisine reflétait le style de l'immeuble : murs de briques, placards en noyer sculpté, robinetterie de cuivre.

Sur le sol d'ardoise, le plus petit chien qu'Ash ait jamais vu était couché dans un tout petit panier d'osier blanc garni d'un plaid en peluche blanche.

Le pelage aussi blanc que son lit, un brushing confinant au ridicule, la bête portait en guise de collier un minuscule nœud papillon violet à pois blancs. Et il tremblait comme une feuille.

– Salut, mon grand ! lui lança Lila d'une voix gaie mais très douce. Tu te souviens de moi ?

D'une boîte en plastique rouge, posée sur le comptoir, elle sortit un biscuit pour chien pas plus long que son pouce.

– Un petit gâteau ?

Elle s'accroupit. Les tremblements cessèrent. Le petit bout de queue en pompon frétilla. Le modèle réduit de chien sauta hors de son lit, se dressa sur ses pattes arrière et exécuta un pas de danse.

Malgré lui, Ash esquissa un sourire, tandis que Lila, en riant, offrait le biscuit au caniche.

– Tu as là un redoutable chien de garde.

– Je crois que le système de sécurité est bien assez suffisant pour moi, et pour Earl Grey, dit-elle en prenant ce dernier dans ses bras. Tu veux le porter ?

– Sans façon. En vérité, il me fait un peu flipper. Je ne suis pas sûr qu'un chien doive pouvoir tenir dans la poche de ta chemise.

– Taille mini mais intelligence maxi, répliqua-t-elle en embrassant le museau du chien avant de le reposer par terre. Tu veux que je te fasse visiter ?

– Je ne dis pas non.

– Pour repérer les lieux, hein, au cas où tu devrais voler à ma rescousse…

– De toute façon, il faut bien monter tes bagages.

Alors qu'elle s'apprêtait à prendre l'une de ses valises, il s'empara des deux et se dirigea vers l'escalier.

– Dois-je considérer ce geste comme un truc de macho, ou comme un truc de gentleman ?

– Je suis un gentleman un peu macho.

– Sache qu'il y a un ascenseur dans l'appart'. Petit, mais pratique.

– Et c'est maintenant que tu me le dis ?

– Trois chambres, toutes avec salle de bains, le bureau de Monsieur, celui de Madame, davantage un petit salon où elle expose ses orchidées. Elles sont fabuleuses. Je m'installerai dans cette chambre.

Elle entra dans une petite chambre d'amis décorée dans les tons de bleu et de vert, meubles blancs patinés, un tableau de coquelicots égayant la pièce.

Pendant huit jours, Lila serait ici chez elle. Elle s'en réjouissait d'avance.

– C'est la plus petite, mais je trouve qu'elle a une atmosphère reposante. Pose mes valises ici, et allons jeter un œil au troisième.

– Je te suis.

– Tu as ton mobile sur toi ?

– Oui.

– Alors prenons l'ascenseur, juste pour être sûrs qu'il fonctionne. Je sais qu'il a un bouton d'appel d'urgence, mais mieux vaut avoir un téléphone.

Il l'aurait pris pour un placard, signe d'un aménagement bien pensé.

– Le tien a plus de charme, commenta Lila tandis que la cabine s'élevait vers le niveau supérieur.

– Mais il est plus bruyant.

– Je devrais pouvoir y remédier, je pense.

– Tu répares les ascenseurs ? Avec ton petit outil à tout faire ?

– Ça s'appelle un Leatherman, et c'est une invention géniale. Ce serait une première pour moi, de bricoler un ascenseur. Mais en fait, j'aime bien les bruits que fait le tien.

Au dernier étage, la cabine s'ouvrit sur une salle de cinéma à domicile : un écran de projection, six grands fauteuils en cuir inclinables, un bar avec armoire à vins intégrée.

– Ils ont une collection de DVD à tomber par terre, dont j'ai le droit de profiter. Mais ce que je préfère ?

Elle s'empara d'une télécommande et appuya sur l'une des touches. Les tentures noires s'écartèrent pour révéler une baie vitrée donnant sur une terrasse au sol et aux murets de briques, au centre de laquelle se dressait une fontaine – pour le moment arrêtée.

– Il n'y a rien de tel qu'un espace extérieur à New York, dit-elle en ouvrant la porte. Pas de tomates ni d'herbes aromatiques ici, mais de jolies plantes fleuries. Cette petite cabane, là, abrite les outils de jardinage et des fauteuils supplémentaires.

Instinctivement, elle tâta le terreau dans les bacs, satisfaite de le trouver légèrement humide.

– Un petit coin sympa pour prendre un verre avant ou après dîner. Tu mangeras avec moi ce soir ?

– Je ne t'utilise que pour le sexe.

En riant, elle se tourna vers lui.

– Alors on commandera le repas.

– J'ai des trucs à faire cet après-midi, mais je reviendrai vers 19 heures ou 19 h 30. Je ferai les courses.

– Voilà qui me semble parfait. Surprends-moi.

Il prit un taxi et se fit déposer à plusieurs blocs de chez Angie. Il avait envie de marcher, mais surtout, si l'Asiatique surveillait l'appartement de Vinnie, elle aurait pu relever le numéro de la voiture, et retrouver l'adresse où Ash estimait à présent Lila en sécurité.

Parano, peut-être, mais autant limiter les risques.

Il passa une heure éprouvante avec Angie et sa famille. Puis il repartit à pied.

Que valait son radar ? se demandait-il. Le sentirait-il s'il était suivi ? Il reconnaîtrait l'Asiatique, de cela il était certain, s'il la voyait. Et il espérait presque, il espérait même tomber sur elle.

Il vit un homme qui déambulait en parlant tout seul, et une femme qui promenait un bébé dans une poussette. Il se souvenait l'avoir aperçue dans le quartier quelques semaines plus tôt, enceinte jusqu'aux oreilles. Mais il ne vit pas de grande Asiatique aux allures de mannequin.

Il fit un détour par une librairie, flâna dans les rayons, un œil sur la porte. Il trouva et acheta un beau livre sur les œufs de Fabergé, un autre sur leur histoire, et engagea la conversation avec un vendeur, histoire qu'on se rappelle de lui au cas où quelqu'un viendrait à poser des questions.

En quelque sorte, il traçait une piste.

Alors qu'il traversait la rue près de son loft, croyant sentir un picotement à l'arrière de sa nuque, il fit semblant de répondre au téléphone, s'arrêta, regarda autour de lui.

Toujours pas de belle Asiatique en vue.

Il s'apprêtait à rempocher son téléphone lorsque celui-ci sonna dans sa main. Le numéro lui était inconnu.

– Ashton Archer, j'écoute.

– Monsieur Archer ? Bonjour, je m'appelle Alexi Kerinov.

Il ralentit le pas. L'accent était léger, mais indéniablement d'Europe de l'Est.

– Oui ?

– Je suis un ami de Vincent Tartelli, Vinnie. Je viens d'apprendre ce qui lui est arrivé. Je... C'est horrible.

– D'où connaissiez-vous Vinnie ?

– J'étais l'un de ses clients, et il me consultait parfois pour des conseils. Il m'a récemment confié des documents à traduire, du russe vers l'anglais, et m'a donné votre nom et votre numéro de téléphone.

Cet homme n'était pas le patron de l'Asiatique, mais l'ami de Vinnie qui parlait le russe.

– Avez-vous eu le temps de regarder ces documents ?

– Oui, oui. Je n'ai pas tout à fait terminé, mais j'ai trouvé... Je voulais en parler à Vinnie. J'ai eu Angie au téléphone, qui m'a annoncé... C'est un choc terrible.

– Pour nous tous.

– Si j'ai bien compris, ces documents vous appartiennent et vous désirez savoir ce qu'ils contiennent.

– En effet.

– Il faut que j'en discute avec vous. Je suis actuellement en déplacement à Washington, mais je serai de retour à New York demain. Pourrions-nous nous rencontrer ?

Devant chez lui, Ash sortit ses clés, entreprit d'ouvrir tous les verrous, de taper les nouveaux codes.

– Avec plaisir. Avez-vous eu l'occasion d'aller chez Vinnie ?

– Oui, plusieurs fois.

– Pour dîner, peut-être ?

– Oui, pourquoi ?

– Quelle est la spécialité de son épouse ?

– Le poulet rôti à l'ail et à la sauge. Je comprends votre méfiance, monsieur Archer. Appelez Angie, elle vous dira qui je suis.

– Vous connaissez son fameux poulet, ça me suffit. Pouvez-vous me dire en gros ce que sont ces documents ?

Ash s'avança dans le loft, balaya les lieux du regard et jeta un coup d'œil au nouveau moniteur avant de refermer la porte derrière lui.

– Le nom de Fabergé vous dit quelque chose ?

Ash déposa ses livres sur la table.

– Oh que oui… soupira-t-il.

– Avez-vous entendu parler des œufs impériaux ?

– Oui, notamment de l'Ange avec un œuf dans un chariot, l'un de ceux qui ont disparu.

– Vous savez déjà ? Vous avez compris l'un des documents ?

Prudence… Surtout, ne pas commettre d'impair.

– Non, je ne lis pas le russe. Mais certains papiers étaient en anglais.

– Vous savez donc qu'il est possible de retrouver cet œuf, ainsi que l'autre. Ce serait une immense découverte.

– Quel autre ?

– L'Œuf Nécessaire, dont il est également question dans ces documents.

– Deux œufs… murmura Ash. À partir de quelle heure serez-vous disponible demain ?

– J'arrive à 13 heures, par le train.

– Ne parlez de cette histoire à personne.

– Vinnie m'a prié de ne parler de ces documents à personne d'autre que lui ou vous, pas même à ma femme ni à la sienne. Vinnie était un ami, monsieur Archer. Un ami qui m'était cher.

– Je l'ai compris, et je vous remercie. Je vais vous donner une adresse, à laquelle je vous attendrai demain, sitôt que vous serez de retour à New York.

Il indiqua l'adresse de Lila à Tudor City, qui lui semblait le lieu de rendez-vous le plus sûr. Loin de chez lui, et loin du magasin de Vinnie.

– Vous avez mon numéro de téléphone. En cas de problème, ou si jamais vous aviez la moindre inquiétude, appelez-moi. Ou la police.

– Vinnie est-il mort à cause de cela ?

– Je pense que oui.

– Nous nous verrons demain. Savez-vous ce que valent ces objets ?

– Oui, j'en ai une assez bonne idée.

16

Lila déballa ses affaires, en savourant, comme à chaque fois, le plaisir de s'installer dans un cadre nouveau. La cliente lui avait laissé des provisions, une attention qu'elle appréciait. Toutefois, lorsqu'elle sortirait Earl Grey, en fin d'après-midi, elle ferait quand même quelques courses.

Elle joua un moment avec le chien. Sa maîtresse lui avait dit qu'il aimait bien courir après une balle en caoutchouc rouge. Il adorait ! Ils s'amusèrent donc à « Va chercher la baballe ! » et à « Où est cachée la baballe ? » jusqu'à ce que le caniche, épuisé, aille se coucher dans l'un de ses petits paniers.

Désormais au calme, Lila alluma son ordinateur, se servit un grand verre de citronnade et mit son blog à jour, répondit à ses mails, cala deux nouveaux jobs dans son planning.

Elle s'apprêtait à se replonger dans son manuscrit lorsque le fixe de la maison sonna.

– Mademoiselle Emerson ? Dwayne, le portier. J'ai ici une Mlle Julie Bryant.

– C'est une amie, vous pouvez la faire monter. Merci, Dwayne.

– Je vous en prie.

Lila regarda l'heure, fronça les sourcils. Beaucoup trop tard pour la pause-déjeuner de Julie, et encore trop tôt pour qu'elle ait terminé sa journée de travail. La visite tombait cependant à point : elle avait hâte de raconter à Julie sa soirée avec Ash.

Elle alla à la porte, l'entrouvrit, attendit. Inutile qu'un coup de sonnette réveille le chien.

Ce n'est qu'en entendant le *ping* de l'ascenseur qu'un doute lui traversa l'esprit : et si ce n'était pas Julie, mais la Bombe asiate se faisant passer pour Julie ? Les portes de la cabine s'ouvrirent toutefois bel et bien sur son amie.

– Ouf ! C'est toi…

– Ben oui. Je me suis annoncée auprès du portier.

– On ne sait jamais… Tu as déjà fini le boulot ?

– Je me suis sauvée, j'avais besoin de décompresser.

– Tu as choisi l'endroit parfait, répondit Lila en balayant l'appartement d'un geste du bras. Superbe vue, n'est-ce pas ?

– Carrément, acquiesça Julie en posant son sac sur un fauteuil au dossier capitonné. Je suis allée à une soirée dans cet immeuble l'année dernière, mais l'appart' n'était pas aussi chouette que celui-ci. Et pourtant, il était déjà chouette.

– Attends de voir la terrasse, au troisième niveau. Je pourrais y camper tout l'été. Tu as apporté du vin, cool ! ajouta-t-elle lorsque son amie, à la manière d'un magicien tirant un lapin de son chapeau, sortit une bouteille de son sac. Ça tombe à pic, on va devoir trinquer, j'ai un scoop à t'annoncer !

– En fait, moi aussi, avoua Julie en suivant Lila qui se dirigeait vers le bar. Figure-toi qu'hier, après cette journée horrible…

Lila plaça la bouteille sous le tire-bouchon mural.

– J'en étais sûre ! s'écria-t-elle. Tu as…

Elle retira le bouchon.

– J'ai couché avec lui, déclarèrent-elles à l'unisson.

Elles se tournèrent l'une vers l'autre.

– Tu as couché avec Luke ? Salope.

– Tu as du culot ! Rappelle-toi que nous avons été mariés.

– Justement, répliqua Lila avec un claquement de langue amusé. Il n'y a que les salopes qui couchent avec leurs ex. Comment c'était ? Genre balade sur le boulevard des souvenirs ?

– Non. Enfin si, un peu, du fait qu'on se connaissait, qu'il n'y avait pas de gêne entre nous. Mais on a tous les deux changé, donc ce n'était pas pareil. Ça m'a fait l'effet… Comment dire ? D'une sorte de point final qu'on n'avait pas pris le temps de mettre à notre histoire. On était tellement à cran, tellement déprimés, quand on s'est séparés. Tellement jeunes et bêtes. Avec le recul, je me rends compte qu'on avait l'impression de jouer au papa et à la maman. On ne s'est pas demandé une seconde de quoi on vivrait, comment on paierait le loyer. On s'est mariés, je crois, juste pour partir de chez nos parents, sans réfléchir à ce qui nous attendait. Et face à la réalité, on s'est retrouvés complètement démunis.

– Dur…

– Il a fallu faire face, sauf qu'on ne savait pas trop ni l'un ni l'autre ce qu'on voulait faire de nos vies, comment concilier vie de couple, études et ambitions professionnelles. Je me suis mis dans la tête que c'était de sa faute si tout allait de travers. Il pensait probablement que c'était de la mienne, bien qu'il ne l'ait jamais dit. C'était un de mes griefs, d'ailleurs. Il me disait toujours ce que je voulais entendre, et ça me rendait dingue.

– Il voulait te rendre heureuse.

– Oui, et je voulais le rendre heureux. Mais on n'y arrivait pas, parce que la réalité nous dépassait. On n'arrêtait pas de se disputer, nos relations se sont peu à peu détériorées, jusqu'au jour où je suis partie pour de bon en claquant la porte. Il ne m'a pas retenue.

– Tu aurais voulu ?

– Oui, mais je lui avais déjà fait tellement de mal qu'il m'a laissée partir. Et j'ai toujours…

– Regretté, compléta Lila. La séparation, pas Luke. C'est toi-même qui me l'as dit, un jour, après deux martinis au chocolat.

– Les martinis au chocolat devraient être interdits par la loi, mais c'est vrai… J'ai toujours regretté, je crois, la façon dont ça s'est terminé, les erreurs qu'on aurait pu éviter.

Julie prit le verre de vin que Lila lui offrait, y trempa les lèvres.

– Et voilà que maintenant, ajouta-t-elle, c'est de nouveau le sac de nœuds.

– Pourquoi ? Attends, ne me réponds pas tout de suite. Montons nous installer sur la terrasse. Prends la bouteille.

– Allons nous installer dehors, mais laissons la bouteille, protesta Julie. J'ai encore de la paperasse à faire à la maison, vu que je suis partie de bonne heure de la galerie.

– OK.

Sans réveiller le chien qui dormait, Lila emmena Julie sur la terrasse.

– Tu m'étonnes que tu pourrais camper ici ! commenta cette dernière. Il faut absolument que je déménage, que je me trouve un appart' avec un balcon. Que je décroche une augmentation, d'abord. Une grosse.

Lila prit place sur un fauteuil, le visage levé vers le ciel.

– Pourquoi tu dis que c'est un sac de nœuds ? redemanda-t-elle.

– Il m'a préparé un muffin.

– Oh, oh ! fit Lila en souriant.

– Ça veut dire quelque chose, non ? Un mec qui te prépare un gâteau aux aurores, avant le lever du jour même, ce n'est pas anodin, tu es d'accord avec moi ?

– Ça veut dire qu'il pensait à toi, et qu'il voulait que tu penses à lui en te réveillant. C'est trop mignon.

– Alors pourquoi ne m'a-t-il pas donné cette réponse quand je lui ai posé la question ?

– Qu'est-ce qu'il a dit ?

– Que ce n'était qu'un muffin. Je suis passé le voir à la boulangerie. Il était au sous-sol, occupé à pétrir de la pâte. Pourquoi est-ce aussi sexy, un mec les mains dans la farine ? Bref ! Je voulais qu'il me donne une réponse claire.

– Ah…

– Que veux-tu dire par là ? Je connais ce « Ah… ».

– Alors je ne devrais pas avoir à développer, mais OK. Il t'a préparé un muffin, ce qui, j'en conviens, n'est pas dénué de signification. Et tu es allée le trouver sur son lieu de travail pour lui demander des explications.

– Exact. Où est le mal ?

– Tu aurais peut-être pu te contenter de manger le muffin et attendre de le revoir pour le remercier.

Julie s'installa sur une chaise longue.

– Je voulais savoir.

– J'ai bien compris. Mais selon sa perspective… Tu veux que je te dise comment je vois sa perspective ?

– Je t'écoute.

– Il a eu une petite attention charmante, qui ne lui a pas coûté de gros efforts attendu qu'il est boulanger. Il voulait te faire sourire, il voulait que tu penses à lui parce qu'il pensait à toi. Je parie qu'il souriait en préparant ce muffin. Et toi, au lieu d'être touchée, contente, tu psychotes.

– C'est vrai, acquiesça Julie en buvant une gorgée de vin. Bien que la femme rationnelle en moi n'arrête pas de me crier : « Ne sois pas stupide, ne te prends pas la tête. » Je voulais qu'on en reste à une petite aventure sans lendemain. Simple, facile, adulte. Mais dès l'instant où j'ai vu ce maudit muffin…

– Tu es encore amoureuse de lui.

– Je suis encore amoureuse de lui. Ça n'aurait jamais pu marcher avec Maxim. Je le savais, je me voilais la face quand je l'ai épousé. Ça n'aurait pas duré même si tu n'avais pas couché avec lui. Salope.

– Épouse naïve.

– Luke ne m'aurait jamais trompée. Il est trop franc, trop entier. Hier soir, c'était comme des retrouvailles, en mieux qu'avant, en plus sensé.

– Alors, pourquoi tu n'es pas tout simplement heureuse ?

– Ce qui est passé est du passé. Ça ne sert à rien de se bercer d'illusions. Je n'ai pas envie d'essayer de réparer les pots cassés.

– Tu fais ce que tu as envie de faire. Je ne vois pas en quoi ce muffin change la donne.

– Je sais que ça paraît ridicule.

Lila posa une main sur celle de son amie.

– Ça ne l'est pas. Pas du tout.

– Voilà ce que j'avais besoin d'entendre, je crois. J'aurais dû accepter cette charmante attention… parce que ce n'était que ça, une charmante attention, et ne pas chercher à lui trouver un sens caché. En fait, ce qui me fait flipper, c'est qu'au fond j'ai envie que ce muffin signifie quelque chose.

– Les secondes chances sont toujours plus effrayantes que les premières, parce que la deuxième fois tu sais ce que tu risques.

– Exactement, acquiesça Julie en fermant les yeux. Je savais que tu comprendrais. Je vais devoir lui présenter des excuses. Je serai sûrement amenée à le revoir, comme il est très proche d'Ash et que je suis très proche de toi. À ce propos, je suis une mauvaise amie, aujourd'hui. Je ne parle que de moi. Et toi, alors, avec Ash ?

– C'était génial, mais je n'ai pas eu de muffin. C'est moi qui ai préparé le petit déjeuner, des œufs brouillés.

– Vous allez super bien ensemble tous les deux. Je ne te l'ai pas dit plus tôt parce que tu te serais braquée.

– Non. Enfin si, peut-être. Sûrement. Tu trouves qu'on va bien ensemble ? Il est si beau, et sous ses deux facettes.

– Comment ça ?

– En artiste, jean et T-shirt taché de peinture, barbe de trois jours. Et en fils à papa, tiré à quatre épingles dans son costume Armani.

– Hier ? C'était un Tom Ford, son costume.

– Si tu le dis.

– Je te le dis. En tout cas, vous formez un très beau couple. Vous êtes tous les deux canon.

– Il n'y a que ma meilleure amie, et peut-être ma mère, pour me dire des choses pareilles. Bien que je ne sois tout de même pas trop moche quand j'y mets un peu du mien.

– Arrête ton char, s'il te plaît. Tu as des cheveux magnifiques, des yeux superbes, une bouche très sexy et une peau parfaite.

– Tu flattes mon ego. La nuit passée aussi a fait du bien à mon ego. C'est moi qui ai fait le premier pas, mais je crois qu'il n'attendait que ça. Ce sont des choses que l'on sent, pas vrai ?

– Il arrive qu'on se trompe.

– Toujours est-il qu'il a suffi que j'entrouvre la porte pour qu'il s'y engouffre. C'était… géant ! Pas du tout une balade sur le boulevard des souvenirs, la découverte d'un nouveau continent. Le problème…

– Ah ! Je savais qu'il y aurait un « mais ».

Julie leva son verre au Chrysler Building.

– Ce qui m'ennuie, davantage pour lui que pour moi, c'est toute cette culpabilité qu'il porte. Sa famille fait peser un poids énorme sur ses épaules, j'ai pu le constater par moi-même hier. Son père incarne l'autorité, mais c'est Ash qui assume toutes les responsabilités.

– D'après Luke, c'est comme ça depuis des années. Le père dirige les affaires, mais Ash gère la famille.

Avec un soupir, Lila but une gorgée de vin.

– Il prend trop sur lui, dit-elle. Du coup, il faut toujours qu'il régente tout. Il a fait livrer mes bagages chez lui sans rien me demander, hier soir. Parce qu'il avait décidé que je passais la nuit chez lui, vu que Luke était chez toi. OK, ce n'était pas idiot. Mais j'aurais préféré qu'il m'en parle d'abord.

– Tu veux savoir comment je vois sa perspective ?

– Vas-y, rends-moi la monnaie de ma pièce.

– Il veut te protéger. Ce n'est pas une mauvaise chose, à condition qu'il apprenne où sont les limites à ne pas franchir et que, de ton côté, tu sois prête à quelques concessions.

– Je ne voulais pas qu'il fasse mon portrait, et j'ai fini par me laisser fléchir. Et je n'arrive pas à savoir pourquoi… Parce que j'ai envie qu'il me peigne, ou parce que je me suis laissé embobiner ? Je ne suis pas sûre. Ce dont je suis sûre, par contre, c'est que j'ai envie d'être avec lui, de résoudre avec lui cette sombre histoire d'œuf de Fabergé, et de coucher encore avec lui. Sur ce dernier point, je suis parfaitement au clair avec moi-même.

Julie posa son verre, se pencha vers son amie et lui tapota une joue.

– Regarde un peu cette mine. Tu es heureuse.

– C'est vrai, malgré tout ce qui passe autour de moi. Trois personnes ont trouvé la mort, dont deux qui étaient chères à Ash. Il détient un œuf de Fabergé d'une valeur inestimable, recherché par une tueuse asiatique d'une beauté monstrueuse. Elle sait qui je suis, elle a ton parfum.

– Je déteste ce parfum, désormais, à cause d'elle. Je conçois, ma chérie, que tu veuilles aider Ash. Mais ne te mets pas en danger, s'il te plaît. J'ai beaucoup de sympathie pour Ash, mais je tiens à toi.

– Ne t'inquiète pas, je suis prudente. Et la police garde un œil sur nous. En plus, réfléchis : ça n'a servi à rien de tuer Oliver et sa compagne. Pourquoi refaire la même erreur ?

– Je n'en sais rien… parce que cette femme est une psychopathe. Les psychopathes n'ont pas la même logique que nous.

Lila hocha la tête. Julie avait raison.

– Je suis plus maline qu'elle. Ne me regarde pas avec ces yeux, c'est la vérité. Ce n'était pas futé de piquer des trucs chez toi. Si elle s'en était abstenue, tu ne te serais même pas aperçue que quelqu'un s'était introduit dans ton appartement. Ce n'était pas rusé de porter ton parfum pour aller visiter le loft d'Ash. Bien que, je le reconnais, c'était un hasard qu'on arrive juste après son passage. Et ce n'était pas malin de laisser son homme de main seul avec Vinnie, alors qu'il avait déjà perdu le contrôle avec la copine d'Oliver. Tant d'arrogance, tant d'impulsivité ne témoignent pas d'une grande intelligence.

– Sois quand même prudente.

– Cet immeuble est hyper sécurisé, et je peux compter sur les doigts d'une main le nombre de personnes qui savent que je suis là. Je ne risque rien.

– J'espère. Bon, sur ce, je vais te laisser. Il faut que je rentre faire ma paperasse.

– Et mettre de l'ordre dans tes idées à propos de Luke.

– Et ça me prendra sûrement un certain temps…

– Je descends avec toi. Je dois sortir le chien et aller faire quelques courses.

– Quel chien ? Je n'ai pas vu de chien.

– Il passe facilement inaperçu. Tu sais que tu peux travailler ici si tu n'as pas envie d'être seule, proposa Lila en précédant Julie vers le petit ascenseur. Ce n'est pas la place qui manque.

– Je suppose que tu auras la compagnie d'Ash ce soir.

– Oui, il vient dîner. Mais comme je disais, il y a de la place. Je tiens à toi, moi aussi.

En ressortant de l'ascenseur, Julie passa un bras autour des épaules de Lila et la serra affectueusement contre elle.

– J'ai besoin d'être seule ce soir, mais je reviendrai sûrement dans la semaine.

Elle posa son verre vide sur le bar, reprit son sac sur le fauteuil tandis que Lila revenait d'un détour par la cuisine avec une petite laisse bleue incrustée de brillants.

– Oh ! s'exclama Julie lorsque Lila prit dans ses bras la minuscule boule blanche qu'était Earl Grey. Il est trognon !

– Et très sage. Tiens.

Lila passa le caniche à Julie, qui se répandit en bisous et roucoulades pendant que son amie allait chercher son sac à main.

– Oh, je veux le même ! Je l'emmènerais avec moi à la galerie. Il attendrirait les clients et je doublerais mes ventes.

– Calculatrice.

– Bien obligée, si je veux être augmentée et m'acheter un appart' avec terrasse. Je suis contente d'être passée te voir. Je suis arrivée frustrée et stressée, et je repars aussi zen qu'après un cours de yoga.

– *Namasté.*

Elles se séparèrent sur le trottoir, Julie se glissant dans un taxi hélé par le zélé portier. Confortablement installée sur la banquette arrière, elle consulta ses mails. Pas de nouvelles de Luke… mais pourquoi lui en aurait-il donné ? Elle trouverait un prétexte pour l'appeler. Dans l'immédiat, elle avait suffisamment de messages professionnels pour s'occuper l'esprit.

Elle répondit à son assistante, contacta un client afin de discuter d'un tableau sur lequel il avait posé une option puis, après avoir regardé l'heure, décida qu'elle pouvait joindre l'artiste – actuellement en résidence à Rome. Lorsqu'un client souhaitait négocier, il lui appartenait de dégager le meilleur compromis pour la galerie, l'artiste et l'acheteur.

Elle passa le trajet à apaiser la susceptibilité artistique, flatter l'ego, rappeler quelques détails juridiques. Puis elle invita le peintre à se réjouir, car elle pensait pouvoir convaincre le client d'acquérir la deuxième toile pour laquelle il avait manifesté de l'intérêt, à condition qu'il ait l'impression de faire une bonne affaire.

– Vous pouvez acheter des tubes de peinture, marmonna-t-elle en terminant l'appel, et remplir le frigo. Grâce à moi, vous serez bientôt presque riche… Allô, monsieur Barnseller ? Bonjour, Julie à l'appareil, de la galerie Chelsea Arts. Comment allez-vous ? Je crois que j'ai une très bonne proposition à vous faire.

Tout en se lançant dans son argumentaire, elle fit signe au chauffeur de s'arrêter au coin de la rue, farfouilla dans son sac.

– Oui, je viens d'avoir Roderick au téléphone. C'est fou comme il est attaché à *Counter Service*. Je vous avais dit qu'il avait travaillé dans ce fast-food quand il était étudiant aux beaux-arts ? Oui, oui, mais je lui ai expliqué que vous aviez vraiment flashé sur cette toile, et sur celle qui va avec, *Order Up*. Elles sont superbes individuellement, bien sûr, mais exposées côte à côte elles forment un tout vraiment remarquable.

Elle régla la course, sortit de la voiture, sac sur le bras, téléphone à l'oreille.

– Comme il était très réticent à les séparer, j'ai réussi à le convaincre de fixer un prix pour le diptyque. Personnellement, ça me fendrait le cœur de voir quelqu'un d'autre que vous rafler *Order Up,* d'autant que je suis persuadée, sincèrement, que les œuvres de Roderick vont très vite prendre de la valeur.

Elle le laissa argumenter, émettre des réserves, mais à sa voix elle entendait que l'affaire était dans la poche. Il voulait ces tableaux. Ne restait plus qu'à lui faire croire qu'il avait obtenu une faveur.

– Je serai franche, monsieur Barnseller : Roderick ne bougera pas sur le prix de *Counter Service* seul. Mais j'ai réussi à le convaincre d'accepter deux cent mille pour la paire, et je sais que je peux le faire descendre jusqu'à cent quatre-vingt-cinq mille, quitte à réduire notre commission pour vous donner satisfaction à tous deux.

Elle s'arrêta un instant, exécuta un petit pas de danse sur le trottoir, tout en gardant un ton posé et professionnel.

– Vous avez un goût très sûr, et l'œil pour le talent. Je sais que vous éprouverez une grande joie chaque fois que vous regarderez ces tableaux. J'appelle tout de suite la galerie, qu'ils les marquent vendus. Oui, oui, nous vous les expédierons… Comme vous voulez… Soit vous pouvez téléphoner à mon assistante, soit je serai demain à la galerie, si vous préférez passer. Félicitations, monsieur Barnseller. Je vous en prie, c'est moi qui vous remercie. Il n'y a rien qui me fasse davantage plaisir que de placer la bonne œuvre chez la bonne personne.

Elle refit son petit pas de danse, puis rappela l'artiste.

– Achetez du champagne, Roderick. Vous venez de vendre deux toiles. À cent quatre-vingt-cinq mille. Oui, je vous avais dit que je demanderais cent soixante-quinze. Je n'ai pas eu besoin de descendre aussi bas. Il adore votre travail, ce qui a encore plus de valeur que vos quarante pour cent. Annoncez la bonne nouvelle à Georgie, fêtez ça, et demain commencez à me peindre quelque chose de fabuleux pour remplacer les pièces que nous avons vendues. Oui, je vous aime, moi aussi. Ciao.

Sourire jusqu'aux oreilles, en zigzaguant entre les piétons, elle composa un texto à l'intention de son assistante. Les yeux rivés sur l'écran de son téléphone, elle faillit trébucher sur Luke en montant les marches du perron de son immeuble.

Assis là depuis près d'une heure, il l'avait vue descendre du taxi en grande conversation téléphonique, danser de joie sur le trottoir.

Elle eut un sursaut de surprise.

– Je suis passé à la galerie. On m'a dit que tu étais déjà partie, alors je suis venu t'attendre ici.

– Oh… Je suis allée dire bonjour à Lila.

– Et tu viens d'apprendre une bonne nouvelle.

– Une super vente, pour la galerie, l'artiste et le client. C'est cool quand tout le monde est content.

Après un instant d'hésitation, elle s'assit à ses côtés et, comme lui, observa les passants, l'effervescence new-yorkaise.

Seigneur, se dit-elle au bout d'un moment, *comment une femme deux fois mariée, deux fois divorcée, pouvait-elle se sentir exactement dans le même état qu'à dix-huit ans, assise devant la maison de ses parents, à Bloomfield, New Jersey, avec son petit copain du lycée ? L'amour rend bête.*

– On fait quoi, là, Luke ?

– J'ai la réponse à ta question de ce matin.

– Ah, d'accord… J'avais l'intention de te téléphoner. Je me suis comportée bêtement. Je ne sais pas ce qui m'est passé par la tête, je…

– Je suis tombé amoureux de toi au premier regard, le jour de la rentrée en seconde, en cours d'histoire avec Mme Gottlieb.

Une prof d'un ennui mortel, se remémora Julie, la main devant la bouche afin de contenir son émotion.

– On était trop jeunes, on a tout gâché, poursuivit-il d'une voix triste.

Les larmes lui brouillaient la vue, elle les laissa couler.

– Oui, murmura-t-elle.

– Mais je ne t'ai jamais oubliée et je ne t'oublierai jamais. J'ai fait du chemin, j'estime avoir plutôt bien réussi, mais quelque part tu m'as toujours manqué. Tu es la femme de ma vie.

Une boule d'émotion remonta de son cœur vers sa gorge. Les larmes pouvaient couler, elles avaient la chaleur et la douceur des larmes de joie. Elle prit le visage de Luke entre ses mains tremblantes.

– Moi non plus, je ne t'ai jamais oublié, et je ne t'oublierai jamais.

Elle posa ses lèvres sur celles de Luke, chaudes et douces, l'effervescence new-yorkaise bourdonnant autour d'eux, et repensa aux hortensias de sa mère, gros pompons bleus, près du perron où ils aimaient s'asseoir les soirs d'été.

Un nouveau printemps s'annonçait.

– Si on rentrait ?

Il appuya son front contre le sien, poussa un long, long soupir.

– Ouais, rentrons.

Lila pensait dresser la table sur la terrasse, sortir de la jolie vaisselle, allumer des bougies. Quoi qu'il y ait dans les assiettes, tout dîner pouvait être romantique, dans un décor romantique. Et elle considérait New York par un soir d'été comme la plus belle des toiles de fond pour un tête-à-tête aux chandelles.

Sauf qu'il se mit à pleuvoir.

Elle posa donc la table dans la salle à manger. Les fenêtres battues par la pluie, les roulements de tonnerre et le ciel zébré d'éclairs possédaient aussi un bon potentiel romantique.

Elle prit ensuite le temps de se pomponner : queue-de-cheval basse et lâche, maquillage discret. Pantalon noir moulant et chemisier couleur cuivre – dont elle aimait à penser qu'il faisait ressortir le reflet doré de ses yeux – par-dessus un caraco de dentelle.

Il lui traversa l'esprit que si Ash et elle continuaient de se voir, elle devrait renouveler sa garde-robe, un peu fatiguée.

Il lui traversa également l'esprit qu'il était en retard.

Elle alluma les bougies, mit de la musique, se versa un verre de vin.

À 20 heures, elle était sur le point de l'appeler lorsque le fixe de la maison sonna.

– Mademoiselle Emerson ? Dwayne, le portier. Vous avez un M. Archer dans le hall.

– Vous pouvez… Attendez, vous pouvez me le passer ?

– Allô, Lila ?

– Je voulais juste être sûre que c'était toi. Repasse-moi Dwayne.

Bien, se félicita-t-elle en raccrochant. *Prudence, risque zéro.*

Ash arriva les cheveux trempés.

– Ton sourire ne t'a pas protégé de la pluie. Entre, je vais te chercher une serviette.

– J'ai apporté des steaks, dit-il en lui tendant un sac.

Elle passa la tête hors de la salle de bains.

– Des steaks tout prêts ?

– Je connais un endroit, et j'avais envie de viande rouge. Je t'ai pris le tien à point. Je te donnerai le mien, si tu préfères saignant.

– À point, ce sera parfait. J'ai ouvert une bouteille de vin, mais j'ai acheté de la bière, si tu préfères.

– De la bière, ce sera parfait.

En se frottant le crâne, il la suivit dans la salle à manger.

– Tu as mis les petits plats dans les grands.

– Les filles aiment la jolie vaisselle et les bougies.

– Et tu es superbe. C'est la première chose que j'aurais dû te dire. Dommage que je n'aie pas pensé à t'apporter des fleurs.

– Tu me le dis maintenant, et tu as apporté des steaks.

Elle lui tendit une cannette, qu'il posa sur la table pour l'enlacer.

Un frisson la parcourut, intensifié par un coup de tonnerre.

Les mains sur ses bras, il l'écarta de lui.

– Il y a un deuxième œuf.

Ses yeux aux reflets dorés s'élargirent.

– Hein ?

– J'ai reçu un coup de fil du traducteur que Vinnie avait contacté. Il dit que les documents font état d'un autre œuf, l'Œuf Nécessaire, et il pense qu'on peut le retrouver.

Il l'attira de nouveau contre lui, l'embrassa.

– J'ai passé l'après-midi à faire des recherches, ajouta-t-il. Le traducteur sera demain à New York. Je lui ai donné rendez-vous ici.

– Attends. Laisse-moi intégrer l'info, dit-elle en se massant les tempes. Oliver était au courant ? La Bombe asiate est au courant ?

– Je n'en sais rien, mais je ne crois pas, répondit Ash en reprenant sa bière. Si mon frère avait su qu'il y avait moyen de mettre la main sur un deuxième œuf, il aurait tout fait pour le retrouver. Il n'aurait pas pu résister. Moi-même, d'ailleurs, je ne peux pas résister et pourtant je ne suis pas aussi impulsif que lui. Au fait, pardon… J'aurais dû te demander si tu étais d'accord pour recevoir Kerinov ici.

– Le traducteur ?

– Oui. J'aurais dû t'en parler d'abord, je suis désolé. C'était l'endroit qui me paraissait le plus sûr, ici.

– Pas de problème, tu as bien fait. J'ai la tête qui tourne. Un deuxième œuf… impérial, lui aussi ?

– Oui. Il faut que je parle à la femme à qui Oliver a acheté le premier. C'est elle qui a dû lui remettre les documents. Elle ignorait probablement ce qu'elle lui vendait, mais elle pourra peut-être nous dire quelque chose. Elle est absente pour le moment, d'après son employée de maison. Je n'ai pas réussi à savoir où elle était, mais j'ai laissé mon nom et mon numéro de téléphone.

– Un œuf, c'était déjà énorme, mais deux... Tu sais à quoi ressemble le deuxième ? demanda Lila en s'asseyant sur le bras du fauteuil capitonné.

– Il contient un ensemble de manucure. Il est orné de diamants, de rubis, de saphirs et d'émeraudes, tout du moins soi-disant. Il n'existe pas de photo. Il a été saisi en 1917 au palais de Gatchina, envoyé au Kremlin, puis transféré en 1922 au Sovnarkom.

– C'est quoi, ça ?

– Le Conseil des ministres de l'URSS, sous Lénine. À partir de là, on a perdu sa trace.

– Un nécessaire de manucure, murmura-t-elle. Il vaut des millions, lui aussi ?

– Oui.

– Toute cette histoire est complètement incroyable. Tu es sûr de pouvoir faire confiance à ce Kerinov ?

– Vinnie lui faisait confiance.

– OK, acquiesça Lila en se relevant. On réchauffe les steaks ?

– J'ai pris aussi des pommes de terre au four et des asperges.

– Très bien. Je ne me rappelle même pas quand j'ai mangé du bœuf pour la dernière fois. Mettons-nous à table et nous réfléchirons, décréta-t-elle en ouvrant le sac.

Elle releva la tête quand il lui caressa les cheveux.

– Oui ?

– Je pense qu'en dehors de tout ça, et tout ça n'est pas rien, je suis content d'être là, de dîner avec toi, avec la perspective de te faire l'amour, tout à l'heure.

Elle se retourna, noua les bras autour de sa taille.

– Quoi qu'il arrive.

– Quoi qu'il arrive.

Et cela, pensa-t-elle, blottie contre lui, *est la plus belle chose que l'on pouvait demander*.

17

Lila ouvrit un œil lorsque son téléphone, sur la table de chevet, lui chantonna qu'elle avait reçu un texto.

Qui diable avait quelque chose à lui dire de si bonne heure ? Son esprit embrumé ne voyait pas qui de sa connaissance pouvait être levé et opérationnel avant 7 heures du matin.

Elle s'ordonna de faire comme si de rien n'était, tenta de se rendormir… et y renonça trente secondes plus tard.

Elle était une fille, pas de doute. Aucune fille de sa connaissance n'était capable d'ignorer son mobile.

– Tu regarderas tout à l'heure, marmonna Ash en essayant de l'empêcher de prendre son téléphone.

– Je suis une esclave de la communication.

La tête calée au creux de son épaule, elle afficha le message.

« Luke m'attendait hier soir devant chez moi. M'a préparé un chausson aux pommes ce matin avant de partir. Il est mon muffin. »

– « Trop mimi », tapa-t-elle en guise de réponse, tout en l'énonçant à voix haute.

– C'était quoi ?

– Julie. Elle est avec Luke.

– Impec. Mieux vaut que quelqu'un reste avec elle tant que l'histoire n'est pas réglée.

– Non, enfin si, mais il n'est pas là pour la protéger, précisa Lila en reposant son téléphone et en se blottissant contre Ash. Bien sûr qu'il veillera sur elle. Mais ils sont ensemble.

– J'avais compris.

Il lui caressa le dos, s'attarda sur ses fesses.

– Ensemble-ensemble.

– Mmm…

Sa main remonta sur sa hanche, effleura son sein. S'arrêta brusquement.

– Quoi ?

– Ils forment un couple, et ne me demande pas un couple de quoi. Un couple-couple.

– Ils couchent ensemble ?

– Aussi, mais pas que. Ils s'aiment encore. Julie me l'a dit quand elle est passée me voir hier après-midi. Mais ce n'était pas utile, je le savais.

– Ah oui ?

– Ils le portent sur leur visage. Il suffit d'avoir des yeux pour le voir.

– Je ne suis pas aveugle.

– Tu ne les a pas regardés. Tu avais l'esprit l'ailleurs.

Elle glissa une main sous le drap, le trouva en érection.

– Ici, peut-être, ajouta-t-elle.

– Tu me fais perdre la tête.

– J'espère bien.

Elle entrouvrit les lèvres pour accueillir les siennes.

Il se délectait de sa douceur : sa peau, ses cheveux, la courbe de sa joue. Ses lèvres et ses mains ne rencontraient qu'une infinie douceur. Elle avait laissé les rideaux entrouverts, la veille. Un rayon de soleil s'infiltrait dans la chambre.

Il la caressa dans la lumière dorée d'un nouveau matin, éveillant son corps, la laissant éveiller le sien, et tous les désirs qui sommeillaient en lui. Ils n'étaient pas pressés à la lumière du jour, comme ils semblaient l'être tous deux dans le noir. Inutile d'accélérer l'ascension du plaisir. Ils savourèrent au contraire le lent crescendo, se gorgeant de sensations, peau contre peau, glissements de langues, frôlements de doigts, jusqu'à ce qu'ensemble ils franchissent un palier.

Puis un autre encore.

Et encore un autre lorsqu'il se glissa en elle, allant et venant au gré d'une danse alanguie. Elle lui encadra le visage de ses mains, ses doigts lui caressant les joues, ses yeux plongés au fond des siens. L'observant qui l'observait, comme si rien d'autre n'existait.

Que ce moment. Rien qu'elle.

Que ce moment, songea-t-elle, les reins cambrés afin de s'offrir davantage.

Rien que lui. Elle attira son visage vers le sien, se donna tout entière dans ce baiser.

S'abreuva de douceur, de tendresse, de volupté. Puis s'abandonna à l'ivresse qui les fit chavirer ensemble.

Et ce fut en femme comblée, un peu plus tard, qu'elle descendit préparer du café, Earl Grey sur les talons.

– Laisse-moi juste boire une demi-tasse, d'accord ? Ensuite, on ira se promener.

Elle regretta aussitôt d'avoir prononcé le mot « promener ». Elle avait été prévenue : le caniche poussa de petits jappements, se dressa sur les pattes arrière et sautilla de joie et d'impatience.

– OK, OK, au temps pour moi. Juste une minute, s'il te plaît.

Elle ouvrit le placard où se trouvaient la laisse, les sachets pour déjections canines, et la paire de tongs qu'elle avait rangée là précisément en prévision de ce genre d'urgence.

– Que se passe-t-il ? demanda Ash depuis les escaliers. Il fait une crise d'épilepsie ?

– Non, il est content. J'ai fait l'erreur de prononcer le mot P-R-O-M-E-N-E-R. Je le sors avant que son cœur lâche, à danser comme un dingue.

Elle prit un mug isotherme, le remplit de café noir.

– Je n'en aurai pas pour longtemps, ajouta-t-elle.

– Je le sors, si tu veux, proposa-t-il.

– Mon job, lui rappela-t-elle en se torsadant les cheveux d'un tour de main expert, puis en les clippant avec une pince qu'elle sortit de sa poche. Prépare le petit déjeuner. (Elle crocheta la laisse au collier du chien qui frôlait l'hystérie.) Luke a préparé un muffin à Julie, hier, et un chausson aux pommes aujourd'hui.

– Quel frimeur… Moi aussi, je peux préparer le petit déjeuner. J'excelle dans l'art de verser des céréales dans un bol.

– Ça tombe bien, j'ai fait un stock de Coco Pops. Placard du haut, à gauche du frigo. À tout de suite.

– Des Coco Pops ?

– Une petite faiblesse, lança-t-elle par-dessus son épaule, entraînée par le chien en direction de la porte.

– Coco Pops, répéta-t-il dans la pièce vide. Je n'ai pas mangé de Coco Pops depuis… Je ne suis même pas sûr d'avoir déjà mangé des Coco Pops.

Il les trouva, ouvrit la boîte, jeta un œil à l'intérieur. Plongea la main dedans, et avec un haussement d'épaules – pourquoi pas après tout ? – en goûta un.

Pour se rendre compte qu'il avait toute sa vie snobé les céréales.

Il se versa un café, sortit deux bols. Puis se souvenant des efforts de déco que Lila avait faits la veille pour le dîner – et vu qu'il semblait être à présent en compétition avec Luke –, il entreprit de préparer un plateau.

Il dénicha un calepin, un stylo, et griffonna un petit mot à sa façon avant de monter le petit déjeuner sur la terrasse.

Lila revint aussi précipitamment qu'elle était sortie… Earl Grey sous le bras, cette fois.

– Ce chien est un sauvage ! Il a attaqué un Lhassa Apso. Je ne sais pas s'il voulait se battre ou le monter. Après cette aventure, on a tous les deux une faim de… OK, je parle toute seule, réalisa-t-elle.

Sourcils froncés, elle prit le petit mot sur le comptoir. Et son visage s'éclaira d'un sourire amusé.

Ash les avait dessinés tous les deux sur la terrasse, trinquant avec des tasses de café. Il avait même dessiné Earl Grey debout sur ses pattes arrière, agitant les pattes de devant.

– À encadrer, murmura-t-elle, le cœur animé du même mouvement que le chien sur le dessin. Qui aurait cru qu'il puisse être aussi chou ? Bon, EG, il semblerait que le petit déjeuner soit servi sur la terrasse.

Appuyé sur la balustrade, Ash contemplait le panorama. Il se retourna lorsqu'elle arriva, le caniche sous un bras, deux petits soucoupes dans les mains.

– Quelle excellente idée ! le félicita-t-elle.

Elle posa le chien par terre, devant son assiette de croquettes, remplit sa petite gamelle d'eau avec le tuyau d'arrosage.

– Et quelle jolie table ! ajouta-t-elle en se redressant. On reconnaît le sens de l'esthétique de l'artiste.

Il avait posé face à face les deux bols bleus de céréales, deux verres de jus d'orange, une soucoupe de fraises au centre de la table, une cafetière en porcelaine blanche, le pot de lait et le sucrier assortis, des serviettes en papier à rayures bleues et blanches. Et dans un soliflore, une gueule-de-loup jaune… apparemment chipée dans une jardinière.

– Ce n'est pas un chausson aux pommes, mais…

Elle s'approcha de lui, se haussa sur la pointe des pieds pour l'embrasser.

– Je suis dingue des Coco Pops.

– Je n'irais pas jusque-là, mais ce n'est pas dégueu.

Elle l'entraîna à la table, s'installa.

– J'ai adoré ton dessin. La prochaine fois, je penserai à me brosser les cheveux avant de sortir le chien.

– Je les aime en désordre.

– Les hommes raffolent du look grunge. Du lait ?

Il regarda ses céréales d'un air dubitatif.

– Ça fait quoi si tu mets du lait là-dedans ?

Elle en versa dans les deux bols.

– Un délice, promit-elle. Il fait un temps splendide, aujourd'hui. La pluie a tout lavé, et l'humidité s'est complètement dissipée. Qu'est-ce que tu fais ce matin ?

– J'avais l'intention de poursuivre mes recherches, mais je crois que ce serait une perte de temps. Attendons plutôt de voir ce que Kerinov nous dira. Je vais peut-être travailler un peu ici, croquer quelques vues de Manhattan. Et je dois passer quelques coups de fil. Pas dégueu, répéta-t-il en attaquant ses céréales. L'aspect n'est pas très engageant, mais si tu ne regardes pas, ça passe.

– Je vais essayer de travailler, moi aussi, en attendant la visite de ce gars. Ensuite, on verra. Tu ne crois pas qu'ils sont peut-être déjà en possession de l'autre œuf ? L'Œuf Nécessaire. Qui qu'ils soient.

Il n'y avait pas pensé.

– Possible. Mais ils n'ont pas celui que j'ai, et ils le veulent. À mon avis, connaissant Oliver, il comptait obtenir un gros pactole du premier, puis se servir d'une partie de cet argent pour se procurer le second, et en tirer encore plus. Toujours plus, c'était la devise de mon frère.

– OK, donc partons de cette hypothèse. Le deuxième œuf n'est probablement plus en Russie. Il serait toujours perdu s'il était resté là-bas. Il a dû passer les frontières clandestinement, être vendu sous le manteau. Les chances qu'il soit entre les mains de la personne avec qui Oliver a traité sont plutôt minces. Ce serait tout bonnement incroyable que quelqu'un possède deux œufs de Fabergé. Et ton frère se serait débrouillé pour acheter les deux. Toujours plus, non ?

Elle grignota une fraise.

– Inutile d'échafauder des théories, répliqua Ash. Attendons Kerinov.

– Je déteste attendre, maugréa Lila, le menton sur la main. Je regrette de ne pas comprendre le russe.

– Moi aussi.

– Je comprends le français. Un peu. Très peu. J'ai choisi le français comme langue étrangère, au lycée, juste parce que je rêvais d'habiter dans un studio mansardé à Paris.

Il la voyait tout à fait dans un studio mansardé à Paris. Il l'aurait vue n'importe où.

– Qu'aurais-tu fait à Paris ?

– J'aurais appris à porter un foulard de mille manières différentes, je me serais nourrie de baguettes croustillantes et j'aurais écrit un grand roman tragique. Seulement, je me suis rendu compte que je préférais visiter Paris en touriste, et que je détestais les grands romans tragiques.

– À quel moment, cette prise de conscience ?

– En deuxième année de fac. J'avais une prof de littérature anglaise, une vieille snob à l'esprit étriqué, qui nous faisait lire roman tragique sur roman tragique, tous plus rasoirs les uns que les autres. Le déclic s'est réellement produit quand j'ai envoyé une nouvelle à *Amazing Stories*, qui l'a publiée. En fait, c'était un peu un pilote de la série que j'écris actuellement. J'étais folle de joie.

– Il y avait de quoi. Quel âge avais-tu ? Dix-neuf, vingt ans ?

Il devrait se procurer cette nouvelle, pensa-t-il. Elle lui permettrait de comprendre le cheminement de Lila.

– Vingt ans. Même mon père m'a félicitée.

– Pourquoi dis-tu *même* mon père ?

Elle haussa une épaule, continua de manger ses Coco Pops.

– À ses yeux, écrire de la fiction n'était qu'un hobby. Il voulait que je devienne professeur de lettres. Pour en finir avec mon histoire, la prof dont je te parlais a eu vent de la publication de mon texte. Elle a annoncé la nouvelle en classe, en précisant que c'était de la littérature de gare écrite de la main gauche, et que quand on lisait ou écrivait de la littérature de gare, on n'avait rien à faire dans son cours, ni même à la fac.

– Quelle garce ! Elle était jalouse.

– Pour être garce, c'en était une, mais elle était sincère. Pour Madame, aucun roman écrit ces cent dernières années n'était digne d'être lu. Je l'ai prise au mot. J'ai quitté l'amphi, et j'ai quitté la fac. À la grande consternation de mes parents, comme tu peux l'imaginer.

Elle haussa de nouveau une épaule. Il posa une main sur la sienne.

– Tu leur as montré, à tous, de quoi tu étais capable.

– Mouais… Et toi, comment…

– Non, ne me demande pas de te parler de mes études, s'il te plaît. Qu'as-tu fait, après avoir arrêté les tiennes ?

– Je me suis inscrite à un cours de fiction populaire et j'ai créé un blog. Comme mon père commençait à parler de me faire entrer dans l'armée, pour me cadrer, j'ai trouvé un job de serveuse dans un restau. Je ne voulais pas vivre à ses crochets, alors que je refusais de suivre la voie qu'il m'avait tracée. Il est fier de moi aujourd'hui. Il espère toujours que j'écrirai un jour un grand roman, tragique ou pas, mais globalement il respecte ce que je fais.

Ash ne connaissait que trop bien les pères déçus par l'orientation professionnelle de leurs enfants, si bien qu'il préféra changer de sujet :

– J'ai acheté ton livre.

– Ce n'est pas vrai ! répliqua-t-elle, flattée. C'est vrai ?

– Et je l'ai lu. C'est rigolo, bien construit, et incroyablement visuel. Tu sais peindre des tableaux avec les mots.

– Le compliment me va droit au cœur, de la part d'un peintre. Et je suis épatée que tu aies fait l'effort de lire un roman pour la jeunesse.

– Pas besoin d'être un ado pour s'attacher aux personnages. Je comprends pourquoi Rylee attend la suite avec impatience. Ça fait déjà un petit moment que je l'ai lu, mais je ne voulais pas t'en parler, pour éviter que tu croies que c'était une technique de drague.

– C'est… gentil. C'est sûrement ce que j'aurais pensé, en effet, mais tu aurais quand même marqué des points. Tu en marques encore plus comme ça. C'est beau, hein ? dit-elle avec un geste du bras balayant la vue sur les gratte-ciel. On en oublierait presque les œufs impériaux et les collectionneurs impitoyables.

– Kaylee pourrait découvrir un œuf de Fabergé.

En pensant à son héroïne, Lila secoua la tête.

– Non, pas un œuf de Fabergé. Plutôt un œuf mythique, un œuf de légende. Un œuf de dragon, par exemple, ou un œuf en cristal magique. Mmm… Ça pourrait être intéressant. D'ailleurs, si je veux qu'elle fasse quoi que ce soit, il est grand temps que j'aille la retrouver.

Ash se leva avec elle.

– Je peux revenir dormir ici ce soir ?

– Pour me faire l'amour ou parce que tu ne veux pas que je reste seule ?

– Les deux.

– La première raison me plaît davantage. Mais je veux bien t'engager comme *house-sitter* en second.

Il lui caressa le bras tandis qu'elle commençait à débarrasser la table.

– Chaque chose en son temps. Je dors ici ce soir, et on avisera pour la suite.

– D'accord, acquiesça-t-elle.

Un plan à court terme, voilà qui lui convenait mieux.

– Demain, tu pourras venir poser dans mon atelier. Tu n'auras qu'à amener le chien.

– On verra.

– On ira faire un saut à la boulangerie de Luke en allant le promener.

– Chantage aux cupcakes ? Si tu me prends par les sentiments... Mais chaque chose en son temps, n'est-ce pas ? Voyons d'abord ce que la journée d'aujourd'hui nous réserve. En tête de liste, nous avons d'abord Kerinov.

Il aimait les listes, et les plans à long terme, et toutes les étapes à franchir pour aller d'ici à là. Il aimait être ici, avec Lila. Mais il commençait à se demander s'ils ne pouvaient pas aller plus loin, tous les deux, et comment s'y prendre pour en arriver là.

Au retour de sa promenade de l'après-midi avec Earl Grey, Lila trouva le portier en conversation avec un petit homme bedonnant, longue barbe grisonnante, T-shirt des Grateful Dead et jean délavé, une vieille sacoche en cuir sur l'épaule.

Le prenant pour un coursier, elle adressa un sourire au portier tout en se dirigeant vers l'ascenseur, lorsqu'elle l'entendit dire, avec un très léger accent :

– Alexi Kerinov.

Elle s'attendait à un homme plus âgé que ce gars à qui elle donnait une petite cinquantaine – à un vieux monsieur aux cheveux blancs, en costume, portant peut-être un petit bouc bien taillé.

– Monsieur Kerinov ?

De derrière ses lunettes teintées, il lui coula un regard méfiant.

– Je suis Lila Emerson, l'amie d'Ashton Archer.

– Ah, d'accord... Enchanté.

Il lui tendit une main à la peau aussi douce que celle d'un bébé.

– Cela vous ennuierait de me montrer une pièce d'identité ?

– Non, bien sûr.

Il sortit un portefeuille, lui présenta un permis de conduire. Homologué, constata-t-elle, pour les motos de grosse cylindrée.

Décidément, il ne correspondait en rien à l'image qu'elle s'était faite de lui.

– Venez avec moi. Merci, Dwayne.

– Je vous en prie, mademoiselle Emerson.

– Puis-je vous laisser ceci ? demanda Kerinov au portier en désignant la valise à roulettes posée à ses pieds.

– Bien sûr.

– Merci. Je reviens de Washington, précisa Kerinov à Lila en la suivant vers l'ascenseur. Un bref déplacement professionnel. C'est un caniche nain ? Ma mère en a un qui s'appelle Kiwi.

Il approcha sa main de la truffe d'Earl Grey, qui la renifla consciencieusement.

– Lui, c'est Earl Grey.

– Distingué.

– Vous êtes fan des Grateful ? demanda Lila en regardant son T-shirt.

– Mon premier concert sur le sol américain. J'en ai été transformé.

– Depuis combien de temps vivez-vous ici ?

– J'avais huit ans quand nous avons quitté l'Union soviétique.

– Avant la chute du Mur ?

– Oui. Ma mère était danseuse au Bolchoï, mon père professeur d'histoire.

– Comment êtes-vous partis ?

– Ma sœur et moi avons été autorisés à assister à une représentation du *Lac des Cygnes* à Londres. Mon père avait des amis à Londres, des contacts. Nos parents ne nous avaient rien dit, mais ils préparaient notre fuite depuis des mois. Après le ballet, nous avons pris un taxi – un dîner tardif, pensions-nous, Tallia et moi. Le chauffeur était un ami de mon père. Il nous a conduits, comme un fou, à travers les rues de Londres, jusqu'à l'ambassade des États-Unis, où on nous a donné l'asile. De là, nous sommes partis pour New York. C'était très excitant.

– J'imagine. Aussi excitant pour un enfant de huit ans que ce devait être terrifiant pour vos parents.

– Je n'avais évidemment pas conscience des risques. Nous vivions bien à Moscou, nous comptions même parmi les privilégiés.

– Mais vos parents voulaient la liberté.

– Oui, encore plus pour leurs enfants que pour eux-mêmes, et ils nous ont offert ce cadeau.

– Où vivent-ils maintenant ?

– Ils habitent à Brooklyn. Mon père est à la retraite, ma mère dirige une petite école de danse.

– Ils ont tout laissé derrière eux, commenta Lila en sortant de l'ascenseur, pour offrir à leurs enfants une vie en Amérique. Ce sont des héros.

– Oui, vous avez tout compris. Je leur dois… le hard-rock et tout le reste. Vous étiez une amie de Vinnie, vous aussi ?

– Non, je ne le connaissais pas, répondit-elle en déverrouillant la porte du penthouse. Toutes mes condoléances.

– Vinnie était une bonne personne… Les funérailles ont lieu demain. Jamais je n'aurais pensé… Nous nous sommes parlé au téléphone il y a à peine quelques jours. Quand j'ai lu les documents, je me suis dit qu'il allait être fou. J'avais hâte d'en discuter avec lui, de voir ce qu'il comptait faire… Et voilà que…

– Vous devez enterrer votre ami.

Elle lui posa une main sur le bras, l'invita à entrer dans l'appartement.

– Magnifique ! Quelle vue ! George III, dit-il en s'approchant d'une commode galbée en acajou. Superbement conservée. Environ 1790. Je vois que vous collectionnez les flacons à tabac. Cette opale est d'une finesse exceptionnelle. Et celui-ci… Je vous prie de m'excuser. Je me laisse emporter par ma passion.

– Que vous partagiez avec Vinnie.

– Oui. Nous nous sommes rencontrés à une vente aux enchères. Nous étions en compétition pour une bergère… cannée, en bois jaune du Brésil.

Elle entendait dans sa voix l'affection, le regret.

– Qui a gagné ?

– Lui. Il était coriace. Vous avez un goût exquis, mademoiselle Emerson, et un œil sûr.

– Vous pouvez m'appeler Lila. En fait, je…

La sonnette de la porte l'interrompit. Lila, qui avait été prévenue par Dwayne qu'Ash arrivait, s'empressa d'aller lui ouvrir.

– Ash, voici Alexi Kerinov. Je l'ai rencontré en bas en revenant de ma promenade avec Earl Grey.

– Nous ne vous attendions pas si tôt…

– Le train avait un peu d'avance, et j'ai trouvé un taxi tout de suite. Je suis venu directement, comme vous me l'aviez demandé. (Kerinov leva les mains, dans un geste d'innocence.) Vous avez raison d'être prudent.

– Il m'a montré son permis de conduire. Vous avez une moto ?

– Oui, une Harley, une V-Rod, au grand désespoir de ma femme, répondit le traducteur avec un petit sourire, sans quitter Ash des yeux. Vous êtes en photo, avec Oliver et votre sœur Giselle, parmi les portraits des enfants de Vinnie, sur le guéridon en marqueterie William and Mary, dans le petit salon à l'étage. Il vous considérait comme son fils.

– Nous étions très proches. Je vous remercie d'être là.

À présent, Ash tendit la main.

– Je suis nerveux, confessa Kerinov. Je n'ai quasiment pas fermé l'œil depuis que nous nous sommes parlé. Ces documents contiennent des informations importantes. Les antiquaires et les collectionneurs font régulièrement courir le bruit que l'on a retrouvé les œufs impériaux. À Londres, à Prague, à New York. Mais ce ne sont toujours que des rumeurs. Or vous avez là une véritable carte au trésor. Je n'ai jamais rien vu d'aussi concret.

– Asseyons-nous, suggéra Lila. Je prépare du café ? Du thé ? Des boissons fraîches ?

– Je veux bien quelque chose de frais.

– Installons-nous dans la salle à manger, décida Ash.

– Pouvez-vous me dire ce que sait la police ? Concernant Vinnie. Et Oliver. Excusez-moi, j'aurais dû vous présenter mes condoléances pour votre frère. Je l'avais rencontré au magasin de Vinnie. Si jeune… murmura Kerinov avec une sincère affliction. C'était un garçon charmant.

– Oui, très.

– Les documents étaient à lui ?

Ash invita Kerinov à prendre place à la longue table.

– C'est lui qui les avait.

– Et c'est pour cette raison qu'il a été tué. Comme Vinnie. Ces œufs valent des millions. D'un point de vue historique, leur valeur est inestimable… ils portent le sang des tsars. Pour un collectionneur, ils n'ont pas de prix. Certains seraient prêts à tuer, sans aucun doute.

Assis, Kerinov ouvrit sa sacoche, en sortit une enveloppe kraft.

– Voici les documents que Vinnie m'a confiés. Vous devriez les mettre sous clé.

– J'y veillerai.

– Et mes traductions, dit-il en sortant deux autres enveloppes, une pour chaque œuf. Rangez-les également en lieu sûr. Les documents étaient pour la plupart en russe, comme Vinnie le pensait. Quelques-uns en tchèque, qui m'ont demandé un peu plus de temps. Puis-je ? demanda le traducteur avant de décacheter une enveloppe. Voici le descriptif de l'Ange avec un œuf dans un chariot, dit-il en tendant un feuillet à Ash, que nous avions déjà sur la facture Fabergé.

Ash parcourut le texte en anglais.

– Cet œuf avait été commandé par Alexandre III, pour son épouse Maria Feodorovna. Son coût se montait à l'époque à vingt-trois mille roubles. Une dépense scandaleuse, diraient certains, au vu des conditions de vie du peuple. La somme était toutefois modique, comparée à la valeur actuelle.

Lila revint et déposa sur la table un plateau chargé d'un pichet de citronnade et de trois grands verres emplis de glaçons.

– Merci, lui dit Kerinov. La citronnade est mon rafraîchissement préféré.

– Moi aussi.

Sitôt servi, il but à grands traits.

– J'ai la gorge sèche. Tout ceci est à la fois terrible et grisant.

– Comme de fuir l'URSS après le ballet.

– Oui, acquiesça-t-il en prenant une lente inspiration. Oui, la Russie a beaucoup souffert depuis la Grande Guerre, la Révolution de 1917. Lénine a pris le pouvoir dans un bain de sang, confisqué les biens impériaux, la famille royale a été assassinée. Certains trésors ont été vendus, des documents officiels en attestent. Le gouvernement voulait faire rentrer des devises étrangères dans ses coffres, et mettre fin au conflit. C'est de l'histoire ancienne, je sais, mais il faut situer le contexte.

– Votre père vous a appris à tirer des leçons du passé, dit Lila puis, se tournant vers Ash : son père était professeur d'histoire, avant de fuir l'URSS.

Ash ne fut pas le moins du monde surpris qu'elle connaisse déjà l'histoire de la famille de Kerinov.

– Grâce à mon père, oui, je connais bien l'histoire du pays où je suis né. La guerre, hélas, a continué. Les tentatives de Lénine pour négocier la paix avec l'Allemagne ont échoué. Il a perdu Kiev, et l'ennemi n'était plus très loin de Petrograd quand le traité a été signé.

– Une époque terrible, murmura Lila. Pourquoi les Américains la connaissent-ils si mal ?

– Mon père dirait que les hommes de pouvoir sont souvent trop gourmands. Deux guerres, l'une civile, l'autre mondiale, ont coûté à la Russie beaucoup de sang et de précieux trésors. Et la paix a eu un prix, elle aussi. Les biens des tsars ont en partie été vendus officiellement, en partie de manière plus discrète. Certains sont restés en Russie. Huit des cinquante œufs impériaux se sont volatilisés. Les autres sont aujourd'hui dans des musées, ou des collections privées.

Du doigt, Kerinov tapota l'une de ses liasses de feuillets.

– D'après ces documents, poursuivit-il, l'Ange avec un œuf dans un chariot a été vendu en 1924, après la mort de Lénine, par l'un des membres de la troïka des purs, pour son propre compte, à un certain Vladimir Starski, pour deux mille roubles. Une valeur sous-estimée, mais une somme colossale pour un Soviétique.

– En fait, il a été volé, résuma Lila. C'est pour ça qu'il n'existe pas de trace officielle de la transaction.

Kerinov approuva de la tête.

– Tout à fait. Ce Starski a offert l'œuf à sa femme, ils vivaient alors à Prague. Mais en 1938, quand les nazis ont envahi la Tchécoslovaquie, l'œuf a de nouveau été vendu, à un Américain, un New Yorkais, Jonas Martin, par le fils de Starski, pour cinq mille dollars.

– Ils ont dû être obligés de vendre leurs biens pour fuir le pays.

– Très certainement, pour fuir la guerre, pour fuir Hitler, acquiesça Kerinov. Le fils Starski ne connaissait peut-être pas la véritable origine de l'œuf. Et ce Jonas Martin, un riche banquier, d'après mes recherches, qui pouvait dépenser sans compter, n'a sans doute vu qu'un joli bibelot de luxe. Voilà comment l'Ange avec un œuf dans un chariot a atterri à New York, dans une belle demeure de Sutton Place.

– Où Oliver l'a retrouvé, chez l'héritière des Martin, Miranda Swanson.

– La petite-fille de Jonas Martin, opina Kerinov en ouvrant la seconde enveloppe. Quant à l'Œuf Nécessaire, dont nous avons ici une description détaillée, il a suivi exactement le même parcours. Guerre, révolution, changement de pouvoir. Confisqué, dernière trace officielle en 1922, lorsqu'il a été transféré au Sovnarkom. Vendu ensuite par un escroc, acheté par Starski, transmis à son fils, revendu à Martin.

Ash jeta un coup d'œil à Lila.

– Ils sont tous les deux à New York… murmura-t-elle.

– Non. L'Œuf Nécessaire a encore changé de mains le 12 juin 1946. Attendez… Une petite seconde, s'il vous plaît…

Kerinov ouvrit l'enveloppe contenant les documents originaux.

– Voilà, voilà, dit-il en tapotant l'une des pages. C'est du russe, mais truffé de fautes de grammaire et d'orthographe. Un document rédigé par quelqu'un qui avait des notions de russe mais ne le parlait pas couramment. L'œuf n'est pas mentionné par son nom. Il est décrit comme un coffret contenant un ensemble de manucure de treize pièces. Remporté par Antonio Bastone, lors d'un Five-Card Draw contre Jonas Martin Junior.

– Joué au poker, murmura Lila.

– C'est mon interprétation. Comme je disais, le russe est incorrect, mais compréhensible.

– Le fils a misé ce qu'il pensait n'être qu'un vulgaire bibelot…

– La valeur a été fixée à huit mille dollars, regardez. J'ai trouvé Jonas Martin Junior dans le *Who's Who* de 1946. Il avait vingt ans, il étudiait le droit à Harvard. Surnommé Jonnie la Poisse. Mes recherches sur Antonio Bastone n'ont encore rien donné.

– On dirait une farce, commenta Lila. Ni le père ni le fils ne se sont souciés de savoir ce qu'était cet objet. Et ce Jonnie l'a bêtement perdu au jeu.

– Oliver aurait pu en faire autant, déclara Ash sombrement.

Lila lui prit la main, entrecroisa ses doigts avec les siens.

– Oliver n'a pas eu l'opportunité de tirer la leçon de ses erreurs. Nous, en revanche, nous pouvons les réparer.

Kerinov se pencha au-dessus de la table, le visage grave.

– Nous pouvons retrouver les œufs, j'en suis convaincu. Ils ne sont pas perdus, nous avons retrouvé leur trace. Poursuivons les recherches et nous les retrouverons. Vinnie… Vinnie aurait sorti de la vodka, et nous aurions trinqué à cette découverte.

– Qu'en feriez-vous si vous les retrouviez ? s'enquit Ash.

– Je les remettrais à un musée, évidemment, ici, à New York, la plus grande ville du monde. Les Russes les réclameront, mais tout est là, dans ces documents. Ils ont été vendus, puis revendus. Ce sont de merveilleux objets d'art, témoins d'une lourde histoire. Ils appartiennent au patrimoine de l'humanité.

Kerinov prit son verre, puis le reposa brutalement.

– Vous n'avez pas l'intention de les garder, j'espère ? Vous êtes un homme aisé, monsieur Archer, vous pouvez vous permettre d'être généreux. Vous êtes un artiste, vous comprenez que l'art doit être accessible au plus grand nombre.

– Vous prêchez un convaincu. Je voulais juste connaître votre position. Lila ?

– Je suis d'accord avec vous, évidemment.

– Bien. Oliver était en possession de ces documents et de l'Ange avec un œuf dans un chariot.

– Pardon ? « Et » ? Vous voulez dire « concernant » ?

– Et, répéta Ash. Il était en possession des documents *et* de l'œuf.

Kerinov blêmit, s'affaissa contre le dossier de sa chaise, puis son visage devint soudain écarlate.

– Mon Dieu… Seigneur… Il… Vous l'avez ? Vous avez l'un des œufs impériaux ? Ici ? Je vous en prie, je…

– Pas ici. En lieu sûr. Je pense qu'Oliver avait l'intention de le revendre, qu'il avait un acheteur, mais qu'il a vu trop gros, ce qui leur a coûté la vie, à lui et à sa compagne. En essayant de m'aider, Vinnie s'est fait tuer, lui aussi. Il ne s'agit pas d'une chasse au trésor, mais d'une affaire sérieuse.

Kerinov se leva, alla à la fenêtre, revint à la table, retourna à la fenêtre.

– Je comprends. Excusez-moi, j'ai des palpitations. J'aimerais savoir ce que dirait mon père, un homme qui étudie le passé et ne s'intéresse pas aux jouets des riches. Que dirait-il si je pouvais lui dire que son fils contribuera peut-être à restituer au monde une pièce d'une telle valeur historique ?

Kerinov revint à la table et se rassit, aussi lentement, aussi laborieusement qu'un vieillard.

– C'est idiot, peut-être, de penser à mon père dans un moment pareil.

– Non, répondit Lila. Nous souhaitons tous faire la fierté de nos parents.

– Je lui dois… Je lui dois tellement, articula Kerinov d'une voix faible, en tapotant son T-shirt. Pour moi, qui considère les jouets des riches comme des œuvres d'art, ce serait la consécration de ma vie professionnelle. Vinnie…

Il s'interrompit, se frotta les yeux, puis croisa les mains sur la table.

– Vous m'avez accordé votre confiance, dit-il. Je vous en suis infiniment reconnaissant. J'en suis très honoré.

– Vinnie avait confiance en vous.

– Je ferai pour vous ce que j'aurais fait pour lui. Tout ce que je pourrai. Il vous considérait comme l'un de ses propres enfants. C'est pourquoi je ferai tout ce qui m'est possible. Vous avez donc vu l'Ange avec un œuf dans un chariot de vos propres yeux ? Vous l'avez touché ?

Sans un mot, Ash sortit son téléphone de sa poche et afficha les photos qu'il avait prises.

– Mon Dieu, oh mon Dieu ! Exquise beauté… Que je sache, vous êtes le seul à posséder une photo aussi nette de cette exceptionnelle œuvre d'art. Elle doit être confiée à un musée, au Metropolitan. Cette merveille ne doit pas rester cachée.

– Quand l'affaire sera réglée, elle sera exposée au grand jour. Les personnes qui la convoitent ont tué deux membres de ma famille. Cet œuf n'est pas seulement un objet d'art, un vestige historique, il est mon moyen de pression. Et maintenant, il y en a un deuxième. Je veux le trouver avant eux. Pour cela, nous devons retrouver Antonio Bastone, ou plus probablement ses descendants. S'il est encore en vie, il serait presque centenaire. Il y a peu de chances qu'il soit toujours de ce monde.

– Ce ne serait pas étonnant qu'il l'ait revendu, intervint Lila, ou reperdu au jeu, ou offert à une femme. Mais je ne crois pas que ce soit monnaie courante, même pour les fils de riches – s'il était du même milieu que Jonnie la Poisse – de gagner un si précieux bibelot au poker. L'anecdote a dû se transmettre de génération en génération.

– Ils devaient être ensemble à Harvard. Miranda Swanson est peut-être au courant de cette histoire. J'essaierai de la sonder, dit Ash.

– J'approfondirai les recherches. J'ai du travail, mais rien d'urgent. Je vais me concentrer là-dessus. Je suis heureux de prendre part à cette aventure, d'œuvrer pour l'Histoire.

Après un dernier regard à l'écran, Kerinov rendit le téléphone à Ash.

– Ne bougez pas, je reviens, dit Lila en se levant et en quittant la pièce.

Ash se tourna vers Kerinov :

– Il va de soi que nous devons observer la plus grande confidentialité.

– Bien sûr. Vous avez ma parole.

– N'en parlez à personne, pas même à votre famille.

– Vous pouvez compter sur moi, opina Kerinov. Je connais des collectionneurs. Par mon réseau, je peux savoir qui s'intéresse à Fabergé, ou aux antiquités russes.

– Soyez prudent. Trois meurtres ont déjà été commis. Ils n'hésiteront pas à tuer encore.

– C'est mon métier de poser des questions, de rassembler des informations sur les collectionneurs et sur les collections. Je ne dirai rien qui puisse éveiller des soupçons.

Lila revint avec trois petits verres et une bouteille de vodka glacée. Kerinov leva vers elle un regard approbateur.

– Vous êtes très aimable.

– Je crois que les circonstances l'exigent, répondit-elle en remplissant tour à tour les trois verres. À Vinnie, dit-elle en levant le sien.

– À Vinnie, murmura Kerinov en avalant d'un trait sa vodka.

Lila refit le plein.

– Et un autre, à la pérennité de l'art. Comment trinque-t-on en russe, Alexi ?

– *Za vashe zdrorovie* : je bois à votre santé.

– *Za vashe zdrorovie*, répéta-t-elle.

– Vous avez de l'oreille. À la pérennité de l'art, à notre santé, et à notre réussite.

Ils firent tinter leurs verres, trois notes cristallines se fondant en une seule.

Symbole, se dit Lila, *de l'entrée dans une nouvelle phase.*

18

Lila mit son travail de côté pour le reste de la journée et, tandis qu'Ash appelait ses anciens camarades de Harvard, elle entreprit d'enquêter sur les réseaux sociaux.

Un homme presque centenaire – s'il était toujours vivant – n'avait sûrement pas de page Facebook, mais elle avait bon espoir de trouver certains de ses descendants sur la Toile. Un petit-fils, peut-être, portant le même prénom que son grand-père, ou bien une petite-fille – Antonia ?

Éventuellement, elle tenterait de resserrer les recherches avec le nom de Jonas Martin, afin de voir s'il ne renvoyait pas vers des amis communs.

En voyant Ash hésiter sur le seuil de la salle à manger, elle lui fit signe d'approcher :

– Je n'écris pas, je fais des recherches, moi aussi. Tu en es où, de ton côté ?

– J'ai pu joindre un vieux copain qui va contacter un ami à lui, et j'ai vu sur le site Internet de l'annuaire de Harvard que la publication avait été suspendue entre 1943 et 1945, mais qu'elle avait repris en 1946. Je vais me débrouiller pour consulter l'édition de 46 ainsi que celles des deux années suivantes, vu l'âge de Martin.

Elle s'appuya contre le dossier de sa chaise.

– Eh bien, c'est un petit début.

– Si j'engageais un détective ?

– Pour nous priver du plaisir de chercher et de la joie de trouver ? Pas question ! Je suis en train de fureter sur Facebook.

– Facebook ?

– Tu as un compte Facebook, souligna-t-elle. Je viens de te demander de m'ajouter à ta liste d'amis. Tu en as même deux, un personnel et un professionnel. Ta page professionnelle n'a pas été mise à jour depuis plus de deux mois.

– Je croirais entendre mon agent, grommela-t-il. Je posterai des images de mes derniers tableaux, quand j'y penserai. Pourquoi cherches-tu sur Facebook ?

– Pourquoi as-tu une page personnelle ?

– Pour avoir des nouvelles de ma famille, quand je pense à la regarder.

– CQFD. On peut donc supposer que certains membres des familles Bastone et Martin font pareil. Bastone est un nom d'origine italienne. Tu savais que l'Italie est le neuvième pays le plus actif sur Facebook ?

– Je t'avoue que je l'ignorais.

– Il y a soixante-trois Antonio Bastone sur Facebook, et trois Antonia. J'étais en train de chercher les Tony-y et les Toni-i. Il me restera encore les Anthony. Ensuite, je compulserai leur liste d'amis. Si j'y trouve un Martin, ou un Swanson, le nom des héritiers des Martin, ce sera peut-être le bon filon.

– Facebook… marmonna Ash d'un ton sceptique qui la fit rire.

– Tu n'y as pas pensé parce que tu ne tiens même pas ta page à jour.

Il s'assit en face d'elle.

– Lila…

Elle poussa son ordinateur sur le côté, croisa les mains sur la table.

– Ashton…

– Que vas-tu faire de ces soixante-six noms Facebook ?

– Ça en fera beaucoup plus avec les Tony-y et les Toni-i. Je viens de te t'expliquer : éplucher leur liste d'amis. Je les contacterai, aussi *via* Facebook, et je leur demanderai s'ils sont parents d'un Antonio Bastone qui a étudié à Harvard dans les années 40, bien qu'on ne soit pas sûrs que le nôtre ait étudié à Harvard. Si ça se trouve, Jonnie la Poisse l'a rencontré dans un club de strip-tease, mais ça vaut le coup d'essayer. Je compte aussi faire des recherches croisées sur Google.

– Tu as des idées…

– Et un outil en or : les nouvelles technologies.

– Tu t'amuses, en fait.

– Je ne peux pas le nier. Je sais que je prends des risques en menant cette petite enquête. Si jamais elle aboutit, on essaiera peut-être de m'éliminer. Mais je ne peux pas m'en empêcher. C'est trop fascinant.

Il lui saisit la main.

– Je ferai tout pour qu'il ne t'arrive rien. Et ne me dis pas que tu n'as besoin de personne pour te protéger, je ne veux pas te perdre.

– Ash…

Il resserra sa main autour de la sienne.

– Je tiens à toi. Il te faudra sûrement du temps pour l'intégrer, je le conçois. Moi-même, je suis un peu déstabilisé… À part ça, j'ai eu Bob au téléphone.

Elle s'efforça de faire abstraction de cette quasi-déclaration.

– Qui ?

– Mon frère Bob.

Parmi les Giselle, Rylee et Esteban, il y avait donc un Bob ?

– Il faudra me donner une copie de ton tableau Excel.

– Il passe la journée chez Angie aujourd'hui. Il est assez lié avec Frankie, le fils aîné de Vinnie et d'Angie. Il va lui demander d'essayer de se procurer le dossier sur la succession Swanson.

– Tu espères y trouver des infos sur l'Œuf Nécessaire ou sur Bastone ?

– Je n'y crois pas trop, mais on ne sait jamais. J'ai également appelé ma mère. Je me suis souvenu qu'elle connaissait vaguement Miranda Swanson : une belle potiche, d'après elle. Elle va essayer de savoir où Miranda et son mari sont en vacances.

Sur la table, le mobile d'Ash vibra.

– Ma mère, justement, dit-il à Lila. Allô, maman ? Tu as fait vite…

Le laissant téléphoner tranquillement, Lila monta à l'étage mettre des chaussures, une casquette, prendre sa petite pochette zippée, les clés, de l'argent et sa carte d'identité. En redescendant, elle croisa Ash dans l'escalier.

– Où vas-tu ?

– Promener Earl Grey. Viens avec nous, ça te fera du bien de prendre l'air, et tu me raconteras ce que ta mère t'a dit.

– OK, acquiesça-t-il, les yeux rivés sur sa casquette. Tu es fan des Mets ?

Elle plaça ses poings en position de garde.

– Vas-y, critique, le défia-t-elle.

Il secoua la tête.

– Voilà qui met sérieusement notre relation à l'épreuve. Bref, je vais chercher la laisse.

– Et les sachets, lui lança-t-elle.

Emmenés par un Earl Grey frétillant d'enthousiasme, ils gagnèrent Central Park par la passerelle le reliant à Tudor City.

– Est-ce un signe ? s'interrogea Lila. D'emprunter le passage Sharansky, du nom d'un dissident soviétique ?

– Quand l'histoire sera réglée, je crois qu'il ne faudra plus me parler de la Russie pendant un petit moment. Tu avais raison, en tout cas : j'avais grand besoin de m'aérer.

Ils remontèrent une allée bordée de caroubiers, le long de la Première Avenue, puis s'enfoncèrent vers le centre du parc, savourant la fraîcheur et le calme de cette oasis de verdure en plein cœur de la ville. Des mères de familles promenaient leurs bambins, des sportifs faisaient du jogging, écouteurs vissés aux oreilles, ou des séries de pompes sur les pelouses.

– Alors, ta mère ? s'enquit Lila en s'arrêtant pour laisser Earl Grey renifler une touffe d'herbe.

– Elle a contacté une de ses connaissances qui est amie avec Miranda Swanson. Elle connaît tout le monde, c'est incroyable. Tu devrais voir son carnet d'adresses : il est presque aussi gros que l'annuaire de New York. Les Swanson passent l'été dans les Hamptons, bien qu'ils reviennent en ville régulièrement, elle pour voir ses copines, lui pour affaires. Ma mère a réussi à obtenir le numéro de mobile de Miranda Swanson.

– Appelle-la ! s'écria Lila. Appelle-la tout de suite !

– Pas la peine. Ma mère l'a déjà appelée.

– Rapide, en effet, la maman.

– Comme l'éclair. Il se trouve qu'elle est dans les Hamptons, elle aussi, en ce moment. Elle nous a dégoté une invitation, à tous les trois, pour une cocktail-party, ce soir. Ça te dit, une soirée au bord de la mer ?

– Ce soir ? Je n'ai pas de tenue pour une soirée cocktail dans les Hamptons.

– Ils sont en vacances. Ce sera décontract'.

– Les hommes… marmonna-t-elle. Il me faut une tenue. Tu ramènes Earl Grey, OK ? dit-elle en donnant les clés à Ash, et en lui flanquant la laisse entre les mains. Je vais faire du shopping.

Et là-dessus, elle fila comme une flèche.

– Ce sera décontract', répéta-t-il.

Elle estimait avoir accompli un miracle. Une robe dos nu rose pâle avec de fines brides en travers du dos, des spartiates turquoise à talons hauts, et un sac en paille à rayures roses et bleues, assez grand pour contenir son principal accessoire.

Un joli petit caniche nain.

Son téléphone sonna alors qu'elle s'appliquait une deuxième couche de mascara. Ash.

– Tu es prête ? demanda-t-il.

– Dans deux minutes, répondit-elle en raccrochant aussitôt, épatée qu'il ait réussi à rentrer chez lui, se changer et revenir en moins de temps qu'il ne lui en avait fallu pour se préparer.

Elle glissa le chien dans son nouveau sac, plus quelques biscuits et le foulard turquoise à motifs de vaguelettes fuchsia acheté à la dernière minute sur l'insistance de la vendeuse. Puis elle se dépêcha de descendre.

Devant l'immeuble, Ash l'attendait adossé contre une Corvette, bavardant avec le portier, qui s'empressa de lui ouvrir la portière passager.

– Passez une bonne soirée, mademoiselle Emerson.

– Merci, Dwayne. Vous aussi.

Elle s'installa, étudia le tableau de bord tandis qu'Ash contournait le capot pour prendre place au volant.

– Tu as une voiture ?

– Je ne la sors pas souvent.

– Une voiture super classe.

– Quand on sort une nana super classe, une voiture super classe s'impose.

– Je suis un peu nerveuse.

– Pourquoi ?

Il se faufilait dans la circulation comme s'il conduisait tous les jours, avec audace et détermination.

– Imagine que cette Miranda nous dise : « Oh, Antonio ? Mais bien sûr ! Quel charmant vieux monsieur… Il est assis là-bas. Allez lui dire bonjour, ça lui fera plaisir. »

– Ça m'étonnerait.

– Moi aussi, mais je n'arrête pas de me faire des films. Nous irions le saluer et il nous dirait, ou plutôt il nous crierait dans les oreilles – parce que je l'imagine sourd comme un pot : « Une partie de poker ? Jonnie la Poisse ? Ah, c'était le bon vieux temps. » Puis il nous raconterait qu'il a offert l'œuf à sa dulcinée de l'époque. Comment s'appelait-elle déjà ? Il s'étranglerait de rire et tomberait raide mort.

– Au moins, il rendrait son dernier souffle sur un bon souvenir.

– Dans un autre scénario, la Bombe asiate fait irruption à la soirée, en robe Alexander McQueen, un pistolet à bout de bras, son boss sur les talons. Il ressemble à Marlon Brando. Pas le jeune premier des films en noir et blanc, le vieux Brando obèse et bouffi. Il porte un costume blanc et un panama.

– Tenue adaptée pour une soirée d'été en bord de mer.

– Je suis ceinture noire de kung fu. Je me bats avec la Bombe asiate et je lui file la dérouillée de sa vie pendant que toi, tu règles son compte au boss.

Ash lui coula un regard en coin avant de s'arrêter à un feu rouge.

– Tu te tapes la Bombe asiate, et moi le vieux Brando ? Ce n'est pas juste.

– C'est comme ça. On croit qu'on s'en est bien tirés, mais il se passe alors une chose terrible : je ne retrouve plus Earl Grey. J'ai beau le chercher partout, il a disparu. Quand j'y repense, j'en ai des frissons.

– Ne t'inquiète pas, ça ne se produira pas.

– N'empêche que je regrette de ne pas être ceinture noire de kung-fu.

– Moi aussi.

Elle jeta un coup d'œil dans son sac : Earl Grey dormait profondément, enroulé sur lui-même.

– Qu'est-ce qu'il y a là-dedans ? Le chien ?! Tu as amené le chien ?!

– Je ne pouvais pas le laisser. J'en ai la responsabilité. Et je trouve ça très chic d'avoir un petit toutou dans son sac à main. On me prendra pour une excentrique.

– Crois-tu ?

Elle adorait découvrir de nouveaux endroits, et même si elle n'aurait pas aimé habiter là, force lui était de reconnaître que la résidence secondaire des Swanson possédait un certain cachet. Une maison cubique, toute blanche, dotée de grandes baies vitrées et de vastes terrasses, décorées de pots blancs garnis de fleurs rouges.

Trop ostentatoire, à son goût. Toutefois, l'architecture contemporaine s'inscrivait harmonieusement dans le paysage.

Une partie des invités étaient déjà là, sur les terrasses, les femmes en robe légère, les hommes en pantalon clair et veste sport.

Le soleil était encore haut. Le bruit des vagues se mêlait à de la musique s'échappant des fenêtres ouvertes. Des serveurs faisaient circuler des plateaux chargés de cocktails, de coupes de champagne, de chopes de bière et d'amuse-bouches.

La mer et le ciel s'invitaient à l'intérieur, mais la déco, minimaliste, manquait de chaleur et de personnalité : du mobilier ultramoderne, blanc et métal chromé ; des canapés et des fauteuils rouges, bleus, verts ; et aux murs, blancs, des peintures abstraites de couleurs vives, dans des cadres argentés.

Nulle part un arrondi, pensa Lila, *seulement des angles droits, des lignes épurées*.

– Je ne pourrais pas travailler ici, chuchota-t-elle à Ash. J'aurais en permanence la migraine.

Une femme petite et mince, tout de blanc vêtue, blond platine, s'avança avec empressement à leur rencontre. Le vert irréel de ses yeux trahissait des lentilles teintées. Elle prit la main d'Ash, puis lui fit la bise à l'européenne, sur les deux joues.

– Vous devez être Ashton ! Je suis si contente que vous soyez des nôtres ! Miranda Swanson, se présenta-t-elle.

– C'est très aimable à vous de nous avoir invités. Miranda, je vous présente Lila Emerson, mon amie.

– J'adore votre robe, Lila ! Laissez-moi aller vous chercher des verres. Nous buvons des Bellini ce soir, dit-elle, sans regarder autour d'elle. Mais je peux vous servir autre chose, si vous préférez.

– Je veux bien un Bellini, déclara Lila en affichant son plus beau et néanmoins sincère sourire.

Cette femme lui inspirait de la sympathie. Elle devait être à peu près du même âge que la mère d'Ash, mais Miranda avait travaillé à sculpter sa silhouette, aussi sèche qu'une allumette, et elle semblait carburer à l'énergie nerveuse ainsi qu'à la substance mousseuse qui pétillait dans son verre.

– Venez, que je vous présente aux autres. C'est une petite soirée conviviale, sans chichis, aujourd'hui. J'étais ravie que votre mère m'appelle, Ashton. Je ne savais pas qu'elle passait une partie de l'été ici.

Lila prit un verre sur le plateau d'un serveur.

– Vous avez une maison magnifique.

– Nous l'adorons. Nous l'avons achetée l'an dernier et entièrement rénovée. C'est agréable, par les grosses chaleurs, de pouvoir fuir la ville, la foule. Laissez-moi vous présenter…

Earl Grey sortit soudain la tête du sac de paille. La mâchoire de Miranda se décrocha, et Lila retint son souffle, s'attendant presque à un hurlement d'horreur.

Ne résonna qu'un petit jappement joyeux.

– Oh, c'est un petit chien ! On dirait une peluche !

– Son nom est Earl Grey. J'espère que ça ne vous ennuie pas. Je ne voulais pas le laisser seul.

– Pas du tout, pensez-vous ! Il est a-do-ra-ble. Mon Dieu, qu'il est mignon !

– Vous voulez le tenir ?

– Oh, avec plaisir !

Miranda prit le caniche entre ses mains et se mit aussitôt à lui gazouiller des mots doux. Lila coula un sourire entendu à Ash.

– Y a-t-il un endroit où je puisse le sortir un moment ?

– Bien sûr ! Je vais vous montrer. Tu veux aller faire ton petit pissou, mon bébé ? Viens vite faire ton petit pissou, mon grand, roucoula la maîtresse de maison en frottant son nez contre la truffe du chien, et en riant lorsqu'il la gratifia d'un minuscule coup de langue.

Avant de suivre Miranda hors de la maison, Lila adressa un clin d'œil à Ash.

Bellini en main, Monica rejoignit son fils.

– Tu as une nouvelle chérie très sociable.

Il se pencha pour embrasser sa mère.

– Je ne sais pas si elle se considère comme « ma chérie », mais je t'accorde qu'il n'y a pas plus sociable.

– Mon fils sait ce qu'il veut et il se débrouille toujours pour l'avoir, répliqua-t-elle en l'embrassant à son tour. Mêlons-nous un peu aux autres, puis nous trouverons un coin tranquille, dans cette maison ridicule, et tu m'expliqueras pourquoi tu voulais être introduit auprès de Miranda Swanson.

– OK, acquiesça-t-il, un œil sur la porte.

– Ne t'inquiète pas pour Lila, c'est une grande fille.

– Elle n'arrête pas de me le répéter.

– Ça doit te faire drôle, à toi, le grand frère par excellence… Viens, allons parler avec les autres, dit-elle en le prenant par la main et en l'entraînant vers un petit groupe dans le salon. Toots, je ne crois pas que vous ayez déjà rencontré mon fils ?

Toots ? s'interrogea Ash, puis il se résigna à se plier au jeu des mondanités.

Dehors, Lila suivit sa prévenante hôtesse le long d'une large allée blanche bordée d'herbes ornementales et de rosiers en fleur. Miranda tenait la laisse d'Earl Grey.

– Biff et moi voyageons tellement que je n'ai jamais songé à prendre un chien, mais votre petit caniche m'a conquise. Il faudra que vous me donniez le nom de l'éleveur.

– Je vous le ferai passer, promis. C'est très gentil à vous de nous avoir invités, et j'apprécie votre compréhension pour Earl Grey. Je ne savais pas, jusqu'à ce qu'Ash me le dise, que vous connaissiez son demi-frère Oliver.

– Qui donc ?

– Oliver Archer, qui s'est occupé de la succession de votre papa, au nom d'Old World Antiques.

– Ah oui ! Il m'a dit qu'il était le fils de Spence Archer. J'avais oublié. Que de tracas, cette succession… Heureusement qu'il était là pour nous débarrasser de toutes ces vieilleries. Ma grand-mère collectionnait tout et n'importe quoi, déclara Miranda en levant les yeux au ciel.

– Ç'a dû être dur, quand même, de vendre des souvenirs de famille.

– Je préfère vivre dans le présent. Je ne voyais pas l'intérêt de garder cette vieille maison, et tout ce bazar. Les antiquités ne sont jamais que des ramasse-poussière qui ont déjà fait leur temps, n'est-ce pas ?

– Euh… C'est une façon de voir les choses.

– Je n'aime pas les meubles anciens, trop sombres, trop chargés. Biff et moi aimons le moderne, le design. Nous devons une fière chandelle à Oliver… bien sûr que je me souviens de lui. Il faudra que je l'invite, un de ces week-ends, d'ici la fin de l'été.

– Je suis désolée, je croyais que vous étiez au courant. Il a été tué, il y a une quinzaine de jours.

Le choc se peignit sur le visage de Miranda.

– Oh, mon Dieu ! Il était si jeune, si charmant. C'est affreux. Que lui est-il arrivé ?

– Il a été assassiné. La presse en a parlé pendant plusieurs jours.

– Oh, je m'efforce de ne jamais lire les journaux. Il ne se passe que des choses horribles dans le monde.

– Les nouvelles sont souvent déprimantes, c'est vrai.

– Assassiné… murmura Miranda en réprimant un frisson. Comment est-ce arrivé ? Une agression ? Un cambriolage ?

– En quelque sorte. Vous lui aviez vendu un œuf, je crois…

– Tu es gentil, mon garçon, tu as bien fait ton petit pipi… Un quoi ? Un œuf ? Pourquoi lui aurais-je vendu un œuf ?

– Un œuf décoratif. L'Ange avec un œuf dans un chariot.

– Bizarre, je ne me rappelle pas… Ah, si, ça y est, je me souviens ! Mon Dieu que ce truc était vilain et démodé ! Mais apparemment il plaisait à Oliver. Il m'a demandé si je voulais bien le lui vendre.

Nous nous sommes mis d'accord sur un prix, et il l'a emporté, avec un tas de papiers dans je ne sais quelle langue.

– Ces papiers concernaient en fait deux œufs.

– Ah bon ? Comme je vous le disais, cette vieille maison était pleine de bric-à-brac. En matière de déco, nous aimons les espaces épurés, Biff et moi.

– Ash a retrouvé ces documents. C'est lui qui s'occupe de la succession de son frère.

– Le pauvre, je sais ce que c'est… soupira Miranda. Des démarches qui vous prennent énormément de temps et d'énergie…

– Et en jetant un œil à ces papiers, il a découvert que Jonas Martin Junior avait perdu le deuxième œuf au cours d'une partie de poker contre un certain Antonio Bastone.

Une lueur illumina le visage de Miranda.

– C'était donc ça ? D'après une légende familiale, mon grand-père aurait joué et perdu un précieux trésor. Il avait un faible pour le jeu et les femmes. Il faisait le désespoir de la famille.

– Vous connaissez les Bastone ?

– J'ai eu une aventure avec Giovanni, un été, en Italie. Je n'avais même pas dix-huit ans. J'étais folle de lui, sans doute en partie pour faire enrager mon père, qui gardait une vieille rancune envers les Bastone, justement à cause de cette histoire de poker.

– Où, en Italie, si ce n'est pas indiscret ?

– Les parents de Giovanni avaient une villa en Toscane. Nous nous retrouvions à Florence, en cachette, tous les deux. Il a, paraît-il, épousé une Italienne depuis, un mannequin, qui lui a fait une flopée de marmots. Je ne l'ai pas revu depuis des années, mais nous échangeons des cartes de vœux à Noël. Une femme n'oublie jamais son premier amour.

– Un amant italien avec une villa en Toscane… Vous avez dû vivre une aventure merveilleuse. Avez-vous eu l'occasion de parler avec lui de cet œuf que son grand-père avait gagné au vôtre ?

– Nous avions des choses beaucoup plus importantes à nous dire. Et pour ne rien vous cacher, les mots n'étaient pas nécessaires ! Si nous rentrions, très chère ? Je pourrais passer des heures avec ce petit amour, dit-elle en prenant Earl Grey dans ses bras, mais je dois m'occuper de mes invités.

– Bien sûr.

Tandis qu'elles retournaient vers la maison, Lila mit la conversation sur des clients à elle qui avaient une propriété à East Hampton.

Puis elles se séparèrent sur la terrasse face à la mer, après que Miranda l'eut présentée à deux couples, sous le nom de Leïla.

Elle ne prit pas la peine de rectifier. Leïla, décida-t-elle, était une riche héritière, modéliste à ses heures. Elle s'amusa quelques minutes à se faire passer pour ce personnage, puis s'excusa pour partir à la recherche d'Ash.

Ce fut lui qui la trouva, et la surprit en l'enlaçant par-derrière.

– Te voilà. Il faut absolument que tu voies la vue qu'on a depuis l'étage.

– Absolument ? railla-t-elle en se laissant entraîner vers un escalier.

– Ma mère t'attend en haut. J'ai reçu l'ordre exprès d'aller te chercher. Il a fallu que je lui donne des explications, chuchota-t-il.

– Qu'est-ce que tu lui as dit ?

– Le strict minimum. Tu lui tiendras compagnie pendant que j'essaie de voir avec Biff Swanson ce qu'il sait de l'œuf.

– J'ai sondé sa femme, je t'expliquerai. Bonjour, madame Crompton ! Je suis contente de vous revoir.

– Appelez-moi Monica, je vous en prie. Et montrez-moi donc votre gadget.

– Mon gadget ?

– Le fameux Earl Grey.

En entendant son nom, le caniche sortit la tête du sac et poussa un petit jappement réjoui.

– Je préfère les gros chiens, mais je dois reconnaître qu'il est mignon. Il a une tête sympa.

– C'est ce qui fait son charme, son air heureux.

Monica prit Lila par le bras, l'entraîna à l'écart.

– Tout d'abord, je tiens à vous présenter des excuses pour le père d'Ashton.

– Vous n'y êtes pour rien.

– Je ne vous aurais pas laissée seule avec lui si j'avais su ce qu'il avait en tête. Étant donné que j'ai tout de même eu deux enfants de lui, j'aurais pu m'en douter. Sa femme actuelle et moi n'avons pas grand-chose en commun, ni beaucoup de sympathie l'une pour l'autre, mais je sais qu'elle aurait été scandalisée d'apprendre comment il s'était comporté avec l'une de leurs hôtes. La pauvre mère d'Oliver aurait été choquée, elle aussi, de même qu'Isabella, la troisième femme de Spence. Au nom de toutes ses ex et de son épouse actuelle, je suis navrée qu'il vous ait traitée de façon aussi cavalière.

– Merci. C'était une journée difficile pour tout le monde.

– Une journée horrible, qui s'est terminée en cauchemar. Ash m'a expliqué la situation, tout du moins ce qu'il a jugé bon de m'en dire. J'avais beaucoup d'affection pour Vinnie. Sa famille fait partie de la mienne, bien que nous n'ayons pas de lien de parenté directe. J'espère que ceux qui lui ont pris la vie, et brisé le cœur d'Angie, seront arrêtés et punis. Mais je ne veux pas que cela mette mon fils en danger, ni cette jeune femme par laquelle je suis déjà conquise.

– Pour l'instant, nous ne faisons que rassembler des informations.

– Je ne suis pas Oliver, maman, intervint Ash.

La brise faisait voleter les boucles rousses de Monica.

– Oliver était un écervelé, âpre au gain et imbu de sa personne. Dieu merci, tu n'as pas ces défauts. Et ne me dites pas que l'on ne doit pas dire du mal des morts, c'est ridicule. Nous mourrons tous, un jour ou l'autre. De quoi parlerions-nous, d'ici là, si l'on n'avait pas le droit de critiquer les autres ?

Lila ne put retenir un petit rire.

– Ash dit qu'il veillera sur moi, et je veillerai sur lui.

– Soyez prudents.

– Puisque vous êtes au courant de la situation, Monica, je peux vous dire, à tous les deux, que mon gadget m'a permis de faire avancer notre petite enquête. Pour être brève, Miranda n'a pas la moindre idée de la véritable valeur de l'œuf qu'elle a vendu à Oliver. Pour elle, ce n'était qu'un vilain bibelot démodé, un ramasse-poussière de plus qui traînait dans cette vieille maison, et dont elle ne voulait pas.

– Les Martin possédaient l'une des plus belles propriétés de Long Island, déclara Monica. C'est dommage qu'elle soit restée si longtemps à l'abandon. La grand-mère de Miranda ne pouvait plus s'en occuper, sur la fin de sa vie. Et son fils, le père de Monica, n'y avait pas mis les pieds depuis des années. J'ai assisté à des soirées magnifiques, là-bas, quand j'étais jeune. La première fois que j'y suis allée, j'étais enceinte de toi, Ash.

– Tes années folles, dit-il à sa mère avec un clin d'œil. Elle t'a parlé des Bastone ? demanda-t-il à Lila.

– Giovanni Bastone a été son premier amant. Elle se souvient vaguement d'une légende familiale à propos d'un précieux objet que Jonas Martin a perdu au jeu contre Antonio Bastone. L'une des raisons pour lesquelles le père de Miranda ne voyait pas d'un très bon œil que sa fille fréquente un Bastone. Jonnie était le mouton noir de la famille Martin. Quant à Giovanni, il a épousé un mannequin, une Italienne, et il lui a fait toute une flopée de marmots… je cite Miranda. La famille Bastone a une villa en Toscane, près de Florence.

Monica coula à Lila un regard admiratif.

– Vous avez réussi à apprendre tout ça en si peu de temps ?

– En promenant le chien. Miranda n'était pas au courant de ce qui est arrivé à Oliver. Je le lui ai dit. Elle n'a pas fait le rapprochement avec l'œuf. C'est une personne charmante. Un peu nunuche, mais très agréable. Il faudra que je pense à lui donner le nom de l'éleveur d'Earl Grey. Elle veut un caniche nain. Ça me fera un prétexte pour l'appeler et lui demander où habite Giovanni Bastone. Mais nous devrions pouvoir trouver son adresse par nous-mêmes, maintenant.

Satisfaite, Lila prit un autre cocktail sur le plateau d'un serveur.

– J'adore ce genre de soirées, dit-elle.

– Moi aussi, répondit Monica en faisant tinter son verre contre le sien, mais ce pauvre Ash y est allergique. Regardez-le, il cherche déjà comment filer à l'anglaise. Reste encore au moins une petite demi-heure, dit-elle à son fils. Ensuite, vous pourrez vous échapper. Je vous trouverai une excuse, assura Monica en passant un bras autour de la taille de Lila. Il faudra absolument que nous déjeunions ensemble, ma chère, quand je serai de retour à New York.

Une demi-heure au grand maximum, décida Ash en consultant sa montre, avant de précéder sa mère et sa « chérie » dans l'escalier.

19

De retour à New York, Ash décréta que c'était à son tour de sortir Earl Grey – même s'il trouvait ridicule pour un homme de se promener avec un chien de la taille d'un hamster. L'arrangement lui convenant, Lila regarda aussitôt ce qu'elle avait dans ses provisions. Grignoter des amuse-bouches n'avait fait que lui ouvrir l'appétit. Lorsque Ash revint, elle avait préparé son plat de réconfort favori et s'était installée devant son ordinateur.

– Tu as fait un gratin de macaronis ? s'étonna Ash.

– Surgelé. À prendre ou à laisser.

– J'adore celui qui est vendu dans une boîte bleue.

– Tu m'étonnes, c'est le meilleur.

Il prit une bière dans le frigo. Comme il devait prendre le volant, il ne s'était autorisé qu'une seule bière à cette assommante cocktail-party. Il avait bien mérité la deuxième.

– Quand j'ai pris mon premier appart', je ne me nourrissais que de surgelés. Je travaillais souvent la nuit et je mangeais à n'importe quelle heure. À 3 heures du mat', il n'y a rien de meilleur que des macaronis au fromage.

– On pourrait attendre 3 heures du mat', voir si c'est encore vrai, mais j'ai une faim de loup. Yes ! J'ai une touche !

– Pardon ?

– Quelqu'un m'a répondu, sur Facebook. À la question : « Êtes-vous de la famille de l'Antonio Bastone qui jouait au poker avec Jonas Martin dans les années 40 ? », une Antonia Bastone me répond : « Je suis l'arrière-petite-fille d'Antonio Bastone, qui était ami de l'Américain Jonas Martin. Qui êtes-vous ? »

Ash donna un coup de fourchette dans la barquette de macaronis.

– Ton Antonia est peut-être un gros vicelard espérant faire mumuse sur le Net avec une petite nana naïve.

Penchée vers l'écran de son ordinateur, Lila leva à peine les yeux.

– Un gros vicelard qui aurait choisi ce pseudo juste par hasard ? Sois positif. Et passe-moi une fourchette, s'il te plaît. Je veux bien manger dans le plat, mais pas avec les doigts.

– Que tu es délicate ! répliqua-t-il en prenant une autre bouchée. Je me rappelle d'un gratin de macaronis partagé après une longue nuit avec… une fourchette.

Et il partit dans la cuisine.

– Avec une fille à poil ?

Il rapporta une fourchette et des serviettes en papier.

– Pour ta gouverne, sache que j'ai des souvenirs avec des mecs à poil, ajouta Lila.

– Encore heureux, dit-il en s'asseyant. Bon, OK, il y a peu de chances que cette Antonia soit un gros vicelard. Elle écrit « l'Américain » Jonas Martin, sans doute parce qu'elle a consulté ton profil et vu que tu étais américaine. On dirait bien que tu as fait une touche, en effet. Tu es trop forte, Lila. Je n'aurais jamais pensé au chien ni aux réseaux sociaux. Les deux ont marché.

– Je pourrais dire que j'ai été aidée par la chance, mais je déteste la fausse modestie. Que dois-je lui répondre, à ton avis ? Je ne pensais vraiment pas obtenir une réponse aussi vite. Du coup, je n'ai pas eu le temps de réfléchir à la suite. Je ne peux pas lui dire que je suis une amie du demi-frère de l'homme qui s'est fait assassiner à cause de l'œuf de Fabergé que son ancêtre a gagné à Jonas Martin. Mais il faut que je trouve matière à poursuivre le dialogue.

– Je ne sais pas, moi. C'est toi l'écrivain. C'est ton métier d'écrire des dialogues. Tes ados ont des conversations qui sonnent vrai.

– Merci pour le compliment. Le hic, c'est que, là, je ne suis pas maître du déroulement de l'histoire.

– Dis-lui que tu es écrivain. C'est la vérité, elle pourra vérifier. Tu as fait la connaissance de Miranda Swanson – vrai également – qui est la petite-fille de Jonas Martin et qui a gardé des contacts avec Giovanni Bastone. Jusque-là, tout est vrai. Miranda t'a raconté l'anecdote de l'œuf de Fabergé perdu au poker et tu as décidé de t'en inspirer pour écrire un roman. Pas vrai, mais plausible.

Lila piocha dans le plat.

– Tu sais que tu n'es pas bête, toi ? Je retiens l'idée : peut-être que je replacerai cette histoire dans un bouquin, un jour.

Elle tapa une réponse. Et, terminant par « Seriez-vous disposée, vous ou l'un des membres de votre famille, à m'accorder une entrevue ? », elle cliqua sur la touche Envoyer.

– Voilà. Maintenant, il ne nous reste plus qu'à attendre.

– On peut faire mieux. Quel est ton programme pour les jours à venir ?

– Je suis là jusqu'à lundi après-midi. Ensuite, j'ai deux jours de repos et j'attaque un nouveau boulot à Brooklyn.

– Ce sera trop court, deux jours. Tu peux trouver quelqu'un pour te remplacer ?

– Je pourrais, mais…

– Trouve quelqu'un. On part en Toscane.

Elle le dévisagea bouche bée, la fourchette en l'air.

– Eh bien… On peut dire que tu sais mettre du piment dans les macaronis surgelés.

– On partira lundi, dès que tu seras libre. Ça nous laissera le temps, d'ici là, de trouver l'adresse de la villa des Bastone. Et avec un peu chance, de se faire inviter. Sinon, on se débrouillera autrement.

– Tu m'annonces ça comme ça ? dit-elle en agitant les mains en l'air : « Ma chérie, fais tes valises, nous partons en Toscane. »

– Tu aimes voyager, non ?

– Bien sûr, mais…

– Il faut absolument qu'on avance, qu'on retrouve la trace de l'Œuf Nécessaire. Je ne peux pas partir sans toi, Lila… Il est hors de question que je te laisse seule tant que cette sale histoire n'est pas réglée. Ça ne te plaît pas, je sais, mais c'est comme ça. Considère que tu pars avec moi pour me rendre service.

À présent maussade, elle posa sa fourchette.

– Tu es un fourbe, Ash.

– Je plaide coupable. Mais reconnais qu'au fond tu meurs d'envie de venir avec moi. Avoue, ça te ferait enrager de rester sur la touche pendant que je pars explorer une piste en Italie.

Il y avait un chat, et un chien, et un aquarium de poissons tropicaux – et un jardin – à Brooklyn. Elle attendait avec impatience ce séjour de deux semaines.

Sur l'autre plateau de la balance, il y avait toutefois la Toscane, le mystère des œufs Fabergé, et Ashton…

– Je dois trouver quelqu'un pour me remplacer. Je ne peux pas laisser mes clients en plan.

– Je comprends bien.

– Je vais voir ce que je peux faire.

Earl Grey avait pris le pli. Il suffit à Lila d'ouvrir le sac de paille devant lui pour que le caniche y bondisse joyeusement. Et elle se rendit ainsi à la galerie de Julie.

Deux touristes regardaient les tableaux. *Des curieux seulement, pas des acheteurs*, jugea Lila. Devant une sculpture représentant une femme en pleurs, un couple était en discussion, sérieuse, avec un membre de l'équipe.

Quelle drôle d'idée, pensa Lila, *que de vouloir mettre chez soi une œuvre aussi triste*... Mais l'art parlait à qui il parlait.

Elle rejoignit Julie dans l'arrière-boutique, comme convenu par texto, qui emballait un tableau.

– Encore une grosse vente. J'ai promis de m'occuper personnellement de l'expédition. J'adore ton sac. Tu l'as acheté quand ?

– Hier. Qu'est-ce que tu fais pieds nus ?

– Je me suis coincé le talon dans une grille de métro. Il faudra que je trouve un moment pour aller chez le cordonnier.

Lila ouvrit son sac, en retira un morceau de papier de verre et un minitube de Super Glue.

– Donne-moi ta chaussure, je vais te la réparer.

Elle se baissa pour ramasser un ravissant escarpin Jimmy Choo à bout ouvert et se mit aussitôt au travail.

– Il est chouette, hein, ce sac ? dit-elle en ponçant la base du talon. Je l'ai acheté pour transporter Earl Grey, pour aller à une cocktail-party dans les Hamptons.

– Tu l'as emmené à une soirée ?

– Ben oui... Ç'aurait été mieux avec de la colle spéciale, mais... (Elle testa le talon fraîchement recollé.) Ça devrait tenir. Je voulais te voir, en fait, parce que j'aurais besoin d'un petit conseil.

Elle se mit dans un coin, afin de ne pas gêner son amie qui déroulait des mètres de film à bulles, et lui fit le compte rendu de la situation.

– Il n'y a que toi pour avoir l'idée de chercher des objets d'art et des assassins sur Facebook.

– Antonia n'a pas répondu à mon dernier message, elle ne donnera peut-être plus signe de vie. Mais, quoi qu'il en soit, Ash a décidé de partir en Toscane, la semaine prochaine. Et il veut que je l'accompagne.

– Génial !

– Ce n'est pas une escapade romantique, Julie, et j'ai du boulot, en principe, la semaine prochaine.

– Excuse-moi, ce n'est peut-être pas une escapade, mais il n'y a pas plus romantique qu'un voyage en amoureux en Italie, déclara Julie, les mains sur les hanches. J'espère que tu vas y aller.

– C'est justement à ce sujet que je voulais ton avis. Ça me fera un manque à gagner, mais je peux trouver quelqu'un pour me remplacer, une fille très bien, dont les clients seront contents. En vérité, j'ai envie d'y aller pour… plein de raisons. Dans tous les cas, je dois donner une réponse à Ash, aujourd'hui. Je le rejoins tout à l'heure chez lui. Il est à l'enterrement de Vinnie. J'ai eu un mal fou à le convaincre qu'il pouvait me laisser seule une demi-journée. Et j'ai dû lui promettre de prendre un taxi.

– C'est plus sage, en effet.

– À au moins dix rues de l'appart' où je travaille. Je commence à avoir l'impression d'être Jason Bourne. Julie… soupira-t-elle en écartant ses cheveux de ses yeux, dans quoi me suis-je embarquée ?

– Tu es en sécurité, je pense, avec Ash, mais la situation est dangereuse. Si jamais il te semble que tu es suivie ou que…

– Vis-à-vis d'Ash, je voulais dire. La situation, j'y suis mêlée de toute façon, en tant que témoin de la chute. Mais avec Ash, où je vais, là ?

– Ça me paraît clair. Tu es amoureuse, et tu vas au-devant des complications.

– J'aimerais autant les éviter, justement. Voilà pourquoi j'essaie d'anticiper.

– Je ne connais personne qui sache aussi bien que toi profiter de l'instant présent. Tu es bien avec lui, tu as des sentiments pour lui, et manifestement c'est réciproque. Pourquoi anticiper d'hypothétiques problèmes ?

– Je ne suis pas aussi sûre que toi que ce soit réciproque.

– Si tu veux mon avis, les circonstances ne sont pas vraiment propices aux grandes déclarations d'amour.

– C'est vrai, tu as raison. Mais ce qui me gêne le plus, c'est qu'il décide toujours de tout.

– Alors que toi, répliqua Julie en prenant un rouleau de ruban adhésif dans un tiroir, tu as l'habitude de mener ta barque toute seule et de vivre au jour le jour. Mais ça peut avoir du bon, des fois, d'être deux, de prendre des décisions à deux. C'est un autre genre d'aventure.

– Toi, tu as des étoiles dans les yeux. Et la lune.

– J'avoue. Je suis amoureuse de Luke depuis l'âge de quinze ans. Je me suis trop longtemps voilé la face, mais je n'ai jamais aimé que Luke.

Lila posa une main sur son cœur.

– Quel romantisme ! On se croirait dans un roman de Jane Austen.

– C'est pourtant la réalité.

– Et ça la rend d'autant plus romantique.

Se souriant à elle-même, Julie entreprit de scotcher son colis.

– Sans doute, acquiesça-t-elle. Je m'autosuffisais, l'indépendance me convenait à merveille. Et toi aussi, tu étais une célibataire épanouie. Voilà pourquoi, je crois, c'est d'autant plus formidable, d'autant plus fort, que nous puissions franchir ce pas, que nous puissions nous dire : OK, voici quelqu'un à qui je peux faire confiance, quelqu'un avec qui je suis bien, avec qui je peux faire des projets.

– Vous avez des projets ?

– Je parlais de toi, mais... oui, on commence tout doucement à parler de l'avenir. On a déjà perdu assez de temps, ces douze dernières années. Tu veux un conseil ? Ne perds pas de temps à te poser des questions inutiles. Va en Toscane, poursuivez votre enquête, soyez prudents et aimez-vous.

– Je reconnais que je me prends la tête, mais c'est plus fort que moi.

– Tu serais la première à me le dire : saisis l'instant présent.

– Si je pars avec Ash, ça changera tout.

Julie agita un doigt en l'air.

– Tu déménages au moins douze fois par an et tu as peur du changement ? À d'autres, s'il te plaît ! Ce qui te contrarie, en fait, c'est de lâcher les commandes. Essaie le pilotage à deux. Tu verras, ça roulera tout seul.

– Lâcher les commandes, partir en Toscane, poser pour un tableau, alors que je ne voulais pas, et avoir hâte maintenant de le voir terminé. Être amoureuse. À côté de ça, appâter un tueur avec des objets d'art me paraît aussi un jeu d'enfant.

– Être prudente, n'oublie pas, c'est l'essentiel. Envoie-moi un mail tous les jours quand tu seras en Italie. Deux fois par jour, même. On ira faire du shopping, avant que tu partes.

– Je perds deux semaines de boulot. Je ne peux pas me permettre de faire des frais.

– Tu pars en Italie. Tu ne peux pas te permettre de *ne pas* faire de frais.

Les dés sont jetés, se dit Lila en quittant la galerie. Et au diable l'avarice, elle allait faire quelques petites folies. Il y avait des années qu'elle n'avait fait pas de folies, et le contenu de ses valises commençait à s'en ressentir.

Profite de la vie, s'ordonna-t-elle, et elle décida de se rendre à pied chez Ash, de faire les vitrines en chemin. Une ou deux nouvelles robes d'été, un pantacourt, quelques petits hauts et un ou deux corsages habillés… Elle avait un peu d'argent de côté. Et vraiment besoin de renouveler sa garde-robe. Elle recyclerait certains de ses vêtements passe-partout en tenues de travail, et jetterait les plus usées de ses tenues d'intérieur. Tant que ses affaires tenaient dans ses deux valises, elle restait dans la limite du raisonnable.

Une vitrine retint son regard : un mannequin blanc sans visage vêtu d'une robe à fleurs multicolores, chaussé de sandales à talons compensés vert émeraude.

Serait-ce une bonne idée d'acheter des chaussures vertes ? se demanda-t-elle en les contemplant. *Ne vaut-il pas mieux opter pour une couleur neutre, qui aille avec tout ?*

Le vert pouvait être neutre. L'herbe était verte, et l'herbe ne jurait avec rien, si l'on y réfléchissait…

En plein débat avec elle-même, elle sentit une présence dans son dos et, avant qu'elle ait pu se retourner, une piqûre entre les côtes.

– Pas un geste, pas un mot, ou le couteau s'enfoncera beaucoup plus profond, et très vite. Hoche la tête si tu as compris.

Dans la vitrine, elle distinguait à présent un reflet, celui d'un visage aux traits parfaits, des cheveux noir de jais. Elle hocha la tête.

– Bien. Il faut qu'on parle, toi et moi. Mon associé nous attend en voiture au coin de la rue.

– Vous avez tué votre associé.

– Personne n'est irremplaçable. Il ne me donnait pas satisfaction. Dans ton intérêt, je te conseille de me donner satisfaction. Avance, maintenant. Nous allons marcher jusqu'à la voiture, tranquillement, comme si on se baladait ensemble.

– Je n'ai pas ce que vous cherchez.

– Allons en discuter au calme.

L'Asiatique enlaça la taille de Lila, comme si elles étaient les deux meilleures amies du monde, ou deux amantes.

Garde ton sang-froid, s'intima Lila. Elles étaient en pleine rue, en plein jour. Il y avait sûrement quelque chose qu'elle pouvait faire, malgré la lame discrètement pressée contre son flanc.

– C'est un hasard si je regardais par la fenêtre à ce moment-là. Je ne connaissais pas Oliver Archer.

– Tu es allée à ses funérailles.

– Pour son frère.

– Que tu connais bien, lui, par contre, n'est-ce pas ? Qu'il me donne ce qu'il a à me donner et tout se passera bien pour toi.

Lila scrutait les visages des passants. « Regardez-moi !, hurlait-elle en silence. Appelez la police ! »

Les passants, hélas, ne faisaient que passer, tous plus pressés, plus indifférents les uns que les autres.

– Pourquoi faites-vous cela ? Pourquoi tuez-vous ?

– Pourquoi gardes-tu des maisons ? rétorqua Jai avec un sourire cynique. C'est ton métier, chacun le sien. On te couvre d'éloges sur ton site web. Tu es quelqu'un de consciencieux, moi aussi.

– Ce n'est donc qu'un job.

– Bien plus qu'un job, une vocation. Mon employeur me paie bien. En retour, il attend des prestations de qualité supérieure. Je lui offre un service de qualité supérieure. Mon associé doit faire le tour du bloc, je pense. New York, beaucoup de circulation, beaucoup d'animation. J'aime ça. Toi aussi, je crois. Et notre travail nous amène toutes les deux à voyager. Finalement, nous avons pas mal de points communs. Si notre discussion se passe bien, tu pourras revenir acheter cette jolie robe que tu as repérée.

– Et sinon ?

– Je ferai mon boulot. J'ai un devoir envers mon employeur. Tu sais ce que c'est, n'est-ce pas ?

– Je ne tuerais pour personne. La police a votre signalement. Vous ne pouvez pas…

La lame s'enfonça un peu plus profond.

– Tu vois la police quelque part ? Moi pas.

– Je ne vois pas non plus votre associé.

– Patience. Tout vient à point à qui sait attendre, railla Jai sur un ton sardonique.

Lila, en revanche, apercevait Trench Coat Man, arrivant en face d'elles. Voilà qui pourrait lui servir, pensa-t-elle. Il faudrait juste qu'elle calcule son coup à la seconde près…

Earl Grey sortit soudain la tête du sac et poussa un petit aboiement.

L'Asiatique, surprise, relâcha quelque peu son emprise. Lila bondit sur l'opportunité. Elle la poussa, Jai trébucha. Elle lui décocha un uppercut au menton. Jai perdit l'équilibre et tomba sur les fesses.

Lila détala à toutes jambes, fonçant droit devant elle, les oreilles bourdonnantes, le cœur battant à tout rompre.

Elle risqua un regard derrière elle, vit l'Asiatique repousser brutalement un homme qui s'était arrêté pour l'aider à se relever.

Elle porte des talons, pensa-t-elle, un faible espoir surgissant à travers la panique. *Sa vanité la perdra.*

Elle redoubla de vitesse, son sac serré contre elle, le chien tapi au fond. Elle était déjà trop loin de la galerie pour y retourner, à bonne distance encore du loft d'Ash.

Treize à la Douzaine ! La boulangerie de Luke, par chance, n'était qu'à quelques pas.

À toute allure, elle zigzaguait entre les passants, ignorant les jurons quand elle heurtait quelqu'un. Hors d'haleine, les jambes flageolantes, elle tourna au coin de la rue et s'engouffra en trombe dans le petit établissement.

Les clients se figèrent, levant les yeux de leur clafoutis à la pêche ou de leur tarte au kiwi. Elle se rua derrière le comptoir, malgré les cris d'orfraie de la vendeuse, puis dans une immense cuisine où flottait un parfum de caramel.

Un grand gaillard aux cheveux longs et à la barbe fournie déposait des rosettes de crème sur un gâteau d'anniversaire.

– Madame, vous n'avez rien à faire ici ! lui lança-t-il.

– Luke… parvint-elle à articuler. Je viens voir Luke.

– Encore une ? railla une fille aux cheveux violets en sortant une plaque de muffins du four.

L'arôme du chocolat se répandit dans l'air. Et la jeune pâtissière, à la vue de la tête de Lila, s'empressa de se libérer les mains pour lui approcher un tabouret.

– Asseyez-vous, je vais le chercher.

Tout en s'efforçant de reprendre son souffle, Lila fouilla dans son sac à la recherche de son téléphone. Earl Grey tremblait comme une feuille.

– Oh, mon pauvre bébé, je suis désolée.

– Qu'est-ce que c'est que cette bestiole ? hurla le jeune barbu en posant sa poche à douille, la voix montant de deux octaves. Sortez-moi ça d'ici !

– Excusez-moi, c'est un cas de force majeure, bredouilla Lila.

Le caniche serré contre sa poitrine, elle continua de chercher son portable. Avant qu'elle ait pu composer le 911, Luke fit irruption en haut de l'escalier.

– Que s'est-il passé ? Où est Julie ?

– À la galerie. Tout va bien. Elle avait un couteau.

– Julie ?

– Non. L'Asiatique. Je me suis enfuie en courant. Je ne sais pas si elle m'a vue entrer là. Je n'ai pas regardé en arrière. Ou bien elle est partie en voiture. Je n'en sais rien.

Luke la colla littéralement sur le tabouret.

– Assieds-toi. Simon, donne-lui un verre d'eau.

– Patron, elle a un animal. Les animaux sont interdits dans les cuisines.

– C'est un caniche nain, précisa Lila en le serrant plus fort contre elle. Il s'appelle Earl Grey et il m'a sauvé la vie. Il m'a sauvé la vie, répéta-t-elle en se tournant vers Luke. Il faut appeler la police. Et Ashton.

– Je m'en occupe. Bois un peu d'eau.

– Ça va, il y a eu plus de peur que de mal. J'ai paniqué. Je n'avais pas couru aussi vite depuis le lycée. (Elle engloutit le verre d'eau.) Vous auriez un bol ? Il faut que je donne à boire à Earl Grey. Il a été secoué, lui aussi.

– Va lui chercher un bol, ordonna Luke.

– Patron…

– Un bol, s'il te plaît ! Je vais t'accompagner chez Ash, Lila, et nous appellerons la police. Tu nous expliqueras ce qui t'est arrivé.

– OK, acquiesça-t-elle.

– C'est pas un chien, ce truc, maugréa-t-il.

– C'est mon héros.

– Ouais… Oh, vous saignez, madame !

La panique ressurgit lorsqu'elle regarda son chemisier. Elle le souleva, et frissonna de soulagement.

– Elle m'a juste picotée avec son couteau. Ce n'est qu'une égratignure.

– Hallie, la trousse de premiers secours !

– Ce n'est rien, je vous assure. Le plus grave, c'est qu'elle a fait un trou dans ma seule chemise blanche présentable. Et une tache de sang.

– Passez-moi le chien, madame, je vais lui donner à boire.

Elle regarda dans les yeux de Simon, et à présent y vit de la douceur.

– Lila, vous pouvez m'appeler Lila. Lui, c'est Earl Grey, dit-elle en lui tendant le chien.

– Laisse-moi nettoyer la plaie, s'il te plaît, demanda Luke, la voix et les mains aussi douces qu'une mère réconfortant un enfant effrayé.

– OK, OK. Il faut que j'appelle l'inspecteur Fine. Je lui dirai de passer chez Ash. Il doit m'attendre. Je suis en retard.

Elle se sentait vaseuse, réalisa-t-elle soudain. L'adrénaline retombée, son corps lui paraissait trop léger. Si bien qu'elle apprécia le bras de Luke autour de ses épaules, sur les quelques centaines de mètres qui les séparaient du loft. Sans lui, elle se serait peut-être envolée.

Il s'était montré si calme et si gentil à la boulangerie. À présent, il dégageait la force tranquille d'un arbre centenaire, capable de résister à toutes les tempêtes.

Guère étonnant que Julie l'aime tant.

– Tu es son arbre.

– Pardon ?

– Tu es l'arbre de Julie. Un arbre aux racines profondes et solides.

D'un geste apaisant, il lui tapota l'épaule. Elle vit Ash sortir du loft et foncer à leur rencontre. Elle se sentit soulevée de terre.

– Je vais bien, s'entendit-elle bredouiller.

– Je vous laisse, déclara Luke. Je vais faire un saut à la galerie, m'assurer que Julie n'a pas eu d'ennuis.

– Vas-y. Je m'occupe de Lila.

– Ce n'est pas la peine de me porter, protesta-t-elle. C'est ridicule. J'ai couru sur deux mille mètres. Environ. Je peux marcher.

– Pas pour l'instant. J'aurais dû rester avec toi. Ou venir te chercher.

– Arrête.

N'ayant toutefois pas la force de discuter, elle posa la tête sur son épaule et se laissa porter jusqu'au loft.

– Montre-moi où elle t'a blessée, dit-il après l'avoir déposée sur le canapé.

– Luke a déjà désinfecté la plaie, et il a mis un pansement. Elle m'a à peine égratignée. Elle voulait juste me faire peur, et elle a réussi. Mais elle ne m'a pas fait de mal, et elle n'a toujours pas ce qu'elle veut. Par contre, elle m'a bousillé ma chemise, cette garce.

– Lila…

Il posa son front contre le sien, elle poussa un long soupir, et sentit le vertige se dissiper. Elle avait retrouvé ses racines. Elle ne s'envolerait pas s'il était là avec elle.

– Earl Grey a encore marqué des points.

– Hein ?

– Il a sorti la tête du sac, ça l'a surprise. Je comptais sur Trench Coat Man pour faire diversion, mais Earl Grey lui a damé le pion. Qui s'attend à voir un chien jaillir hors d'un sac ? Il l'a distraite, je l'ai poussée et lui ai donné un coup de poing. Elle est tombée, je me suis enfuie en courant. Elle portait des talons très hauts, signe qu'elle est orgueilleuse et trop sûre d'elle. Elle m'avait sous-estimée. Mais elle a vu à qui elle avait affaire.

Lila se leva du canapé, sortit le caniche de son sac, puis marcha de long en large en le berçant, comme elle l'aurait fait avec un bébé agité.

La colère montait, à présent, indicible soulagement. La colère et l'humiliation bouillonnaient, prenaient le pas sur la frayeur.

– Elle ne s'attendait pas à ce que je lui résiste. Elle croyait que j'allais la suivre docilement, en tremblant comme une feuille, comme une pauvre gourde sans défense. Elle s'imaginait me kidnapper en plein Chelsea, en plein jour, et que j'allais me laisser faire sans broncher ?

Elle fit demi-tour, repartit dans l'autre sens, ses yeux jetant des éclairs, le visage empourpré par la fureur.

– Non mais, punaise, je suis la fille d'un lieutenant-colonel de l'US Army ! Je ne suis peut-être pas championne de kung-fu, mais j'ai quelques notions de self-défense. Je sais manier une arme. Je sais me défendre. C'est elle qui s'est lamentablement affalée sur le trottoir.

– Elle t'a donné un coup de couteau.

– Elle ne m'a blessée que dans mon orgueil. « Il faut qu'on parle, toi et moi », qu'elle m'a dit, de son air hautain, de son ton supérieur. Et si je ne lui donnais pas satisfaction, Madame ferait son travail. Qui consiste à tuer des gens. Elle voulait que je tremble, et que je pleure, et que je la supplie, comme cette pauvre Marjolaine. Eh bien, elle a vu de quel bois je me chauffe ! Elle a peut-être bousillé ma plus jolie chemise blanche, mais elle pensera à *moi* chaque fois qu'elle se regardera dans une glace et chaque fois qu'elle s'assiéra, pendant quelques jours.

Il s'avança vers elle, se campa face à elle, les mains dans les poches.

– C'est bon, tu as fini ?

– Pas tout à fait. Où est Luke ?

– À la galerie, voir s'il n'est rien arrivé à Julie.

– Très bien. Sauf qu'elle va s'inquiéter pour moi, marmonna-t-elle en jetant un coup d'œil à Earl Grey, qui s'était endormi sur sa poitrine. Cet épisode l'a épuisé.

De son sac, elle sortit une petite couverture qu'elle étala sur le canapé. Avec mille précautions, elle posa le caniche dessus puis le borda douillettement.

– J'étais en train de calculer mon coup. J'avais l'intention de la pousser contre Trench Coat Man et de m'enfuir à toute vitesse. Mais elle m'aurait donné un vrai coup de couteau et je me serais retrouvée aux urgences, avec des points de suture. Grâce à Earl Grey, je m'en tire indemne. Je l'emmènerai à l'animalerie, et je lui offrirai tout ce qu'il voudra.

– Comment sauras-tu ce qu'il veut ?

– Nous communiquons par télépathie, tous les deux, comme les Jedi.

Un peu calmée, Lila s'assit sur le bras du canapé, au-dessus du chien endormi.

– J'ai un don pour lire dans les esprits. Je suis observatrice, je l'ai toujours été. Quand tu es toujours la nouvelle de l'école, tu prends l'habitude de rester à l'écart et tu apprends à regarder, à évaluer, à jauger. Je me rends très vite compte de ce que valent les gens. Si elle m'avait emmenée là où elle voulait m'emmener, j'aurais pu lui dire n'importe quoi, elle m'aurait tuée de toute façon. Et elle y aurait pris du plaisir. Elle aime tuer, elle a ça dans le sang.

– Je lui aurais donné le Fabergé et elle t'aurait relâchée.

– Elle ne s'en serait pas contentée. C'est ce que je m'efforce de t'expliquer. Elle n'est à la recherche de l'œuf que pour son employeur. Elle travaille pour quelqu'un, elle me l'a dit. À elle, il lui faut autre chose. Et maintenant, c'est sûr, elle mettra un point d'honneur à me faire la peau.

Elle se releva, se blottit dans les bras d'Ash, éprouvant à présent le besoin d'un contact physique.

– Elle a un visage parfait, poursuivit-elle, d'une beauté à couper le souffle. Mais de près, tu vois qu'il y a quelque chose qui cloche dans ses yeux. J'ai un personnage comme elle dans mes livres, une prédatrice redoutable. Elle a le même regard que cette fille.

– Sasha.

– Sasha, tout à fait, acquiesça-t-elle en riant. Tu as donc vraiment lu le bouquin. J'ai eu l'occasion de voir ses yeux aujourd'hui. C'est une tueuse. Une bête sauvage, féroce, pour qui la lune est toujours pleine.

Elle poussa un soupir, calme et posée, à présent.

– Ash, nous pourrions lui offrir le Fabergé sur un plateau d'argent, elle me tuerait quand même, et toi aussi, et quiconque se mettrait en travers de son chemin. Elle a besoin de tuer, comme toi de peindre ou moi d'écrire. Un besoin peut-être même encore plus impérieux.

– Plus que de peindre, j'ai besoin de te savoir en sécurité.

– Tant qu'elle ne sera pas derrière les barreaux, nous n'aurons pas de répit. Crois-moi, Ash, je l'ai vu dans ses yeux.

– Je te crois. Et crois-moi, toi aussi, quand je te dis que tant qu'elle ne sera pas en prison, je ne te laisserai pas sortir seule. Inutile de discuter, ajouta-t-il avant même qu'elle proteste. La prochaine fois, elle ne te sous-estimera pas.

Elle devait prendre sur elle, mais force lui était de reconnaître qu'il avait raison.

– D'accord, acquiesça-t-elle.

– Tu as dit que tu savais manier une arme… C'est vrai ?

– J'ai été élevée par un militaire, lui rappela-t-elle. Mon père m'a appris à me servir d'un pistolet. Je n'ai pas tiré depuis cinq ou six ans, mais ce sont des choses que l'on n'oublie pas. J'ai fait aussi un peu de boxe, et j'ai de bonnes notions de self-défense. Un taré a essayé de m'agresser, environ un mois après mon arrivée à New York. Je lui ai fait remonter ses bijoux de famille dans la gorge.

– Tu arrives toujours à me surprendre.

Il la prit de nouveau dans ses bras, la serra contre lui, autant pour la réconforter que pour se rassurer lui-même. Elle n'aurait pas à se servir d'une arme, se promit-il. Il n'avait jamais frappé une femme, jamais il n'avait seulement esquissé un geste violent envers une femme. Mais il ferait une exception pour celle qui avait fait couler le sang de Lila.

Il protégeait les siens, et Lila faisait désormais partie des siens.

Il lui releva le menton, lui effleura les lèvres d'un baiser.

– J'y vais, dit-il quand on sonna à l'interphone.

La police, pensa-t-il. *Ou Luke*. D'une manière ou d'une autre, il s'agissait d'aller de l'avant. Il était plus que prêt à aller de l'avant.

20

Julie se jeta sur Lila, la serra dans ses bras.

– Ça va ? Oh, mon Dieu, Lila…

– Ça va, je n'ai rien. Luke ne te l'a pas dit ?

Elle s'écarta de son amie, scruta son visage.

– Si, mais… Tu t'es fait agresser.

– Pas vraiment.

– Elle avait un couteau. Oh, mon Dieu ! Elle t'a blessée ! Tu saignes !

Lila prit le visage de Julie entre ses mains, la regarda dans les yeux.

– Non, je n'ai qu'une petite égratignure que Luke a désinfectée. Et je l'ai envoyée au tapis.

– Elle a dû te suivre depuis la galerie.

– Je ne sais pas. Elle devait faire le guet dans le quartier, je pense, dans l'espoir de finir par me croiser. Tout ce qu'elle a gagné, c'est de bousiller ma chemise.

– Un moindre mal. Tu devrais aller passer quelque temps chez tes parents. Elle ne te suivra pas jusqu'en Alaska.

– Hors de question. On a prévu autre chose, avec Ash. On…

La sonnerie de l'interphone l'interrompit.

– La police, annonça Ash après un coup d'œil au moniteur.

Tandis qu'il allait ouvrir, Lila exerça une pression sur la main de son amie.

– Je t'expliquerai. Ne t'inquiète pas, fais-moi confiance.

Fine et Waterstone s'avancèrent dans le living-room, parcourent le petit groupe d'un regard impassible, puis les yeux de Fine se posèrent sur le sang maculant le corsage de Lila.

– Vous avez été blessée ?

– Rien de méchant. Vous voulez du café ? Une boisson fraîche ?
Je boirais volontiers quelque chose de frais.

– Je m'en occupe, déclara Luke en se dirigeant vers la cuisine.

Ash passa un bras autour de la taille de Lila, en prenant soin d'éviter la blessure.

– Asseyons-nous, suggéra-t-il. Lila ne doit pas rester debout.

– Je ne vois pas pourquoi, riposta-t-elle.

Ash ne la lâchant pas, elle s'installa avec lui sur le canapé. Fine et Waterstone prirent place en face d'eux.

– Pouvez-vous nous raconter ce qui s'est passé ? demanda Fine.

– Je venais ici, Ash devait me peindre cet après-midi. Je suis d'abord passée voir Julie à la galerie où elle travaille. En sortant…

Et elle leur raconta la suite, en s'efforçant de se rappeler un maximum de détails.

Lorsqu'elle leur montra Earl Grey, Fine réprima une grimace, mais le visage las de Waterstone s'illumina d'un sourire.

– La bestiole de compagnie la plus cocasse que j'aie jamais vue.

Elle le posa par terre, afin qu'il puisse reconnaître les lieux.

– Je lui dois une fière chandelle. Quand il a sorti la tête du sac, elle a été surprise. J'en ai profité pour lui filer un coup de poing et prendre le large.

– À aucun moment vous n'avez vu cet associé à qui elle a fait allusion ?

Fine coula un œil méfiant au chien qui reniflait le bas de son pantalon.

– Non. Je dois aussi une fière chandelle aux embouteillages new-yorkais. À pied, elle ne risquait pas de me rattraper. Elle portait des talons hauts et j'avais une bonne longueur d'avance. Dès que j'ai retrouvé mes esprits, j'ai foncé à la boulangerie de Luke.

Elle lui adressa un sourire tandis qu'il revenait de la cuisine avec des grands verres de thé glacé.

– J'ai dû passer pour une hystérique là-bas, ajouta-t-elle.

– Tu as eu le bon réflexe, en tout cas, commenta-t-il en distribuant les verres.

– Merci. Ensuite, je vous ai téléphoné, et vous voilà. Elle a les cheveux longs, aux épaules, et les yeux verts, vert clair. Elle doit mesurer environ un mètre soixante-quinze sans talons, et elle parle l'anglais comme vous et moi, si ce n'est un très léger accent. Elle est tueuse à gages, et elle aime ça. Mais vous le savez déjà, conclut Lila. Vous savez qui elle est.

– Son nom est Jai Maddok. Sa mère est de nationalité chinoise, son père était anglais. Il est décédé, précisa Fine. (Puis elle marqua une pause, comme si elle réfléchissait, avant de continuer.) Elle est recherchée dans plusieurs pays, pour vols et homicides. Il y a trois ans, elle a tendu un piège à deux agents du MI6 et les a tués tous les deux. Nous n'avons que peu d'informations à son sujet, mais les enquêteurs qui ont travaillé sur ce dossier sont unanimes : elle est impitoyable, rusée, persévérante. Tant qu'elle n'est pas parvenue à ses fins, elle ne lâche pas le morceau.

– Je suis d'accord avec tout cela. Mais la ruse n'est pas toujours synonyme d'intelligence. (De nouveau, Lila revit ces yeux vert pâle.) Elle est sociopathe et narcissique.

– J'ignorais que vous étiez diplômée en psychiatrie.

Lila soutint posément le regard de Fine.

– J'ai vu à qui j'avais affaire. Je lui ai échappé parce que je ne suis pas idiote, et parce qu'elle est trop sûre d'elle.

– On peut avoir confiance en soi quand on a éliminé deux agents des services secrets.

– C'était un coup minutieusement préparé, intervint Ash avant que Lila ait pu répliquer. Et il s'agissait pour elle d'une question de survie. D'une sorte de défi, aussi, sans doute, vis-à-vis de professionnels chevronnés, dont elle devait respecter les compétences.

Lila approuva de la tête. Il comprenait. Il comprenait exactement ce qu'elle pensait, ce qu'elle ressentait.

– Alors qu'elle prenait Lila pour une oie blanche, poursuivit-il. Elle s'est trompée.

– Vous avez eu de la chance, mademoiselle, déclara Waterstone. Ne comptez pas en avoir autant la prochaine fois.

– Il est évident qu'elle ne commettra pas deux fois la même erreur, répondit Lila.

– Alors, remettez-nous le Fabergé. Nous annoncerons publiquement qu'il n'est plus entre vos mains et elle n'aura plus de raison de vous traquer.

– Vous savez que ce n'est pas vrai, dit Lila à Fine. Je lui ai infligé un affront, aujourd'hui, dont elle voudra se venger. Si nous vous donnons l'œuf, il ne lui restera plus qu'à nous prendre la vie.

Waterstone se pencha en avant et prit le ton patient qu'il devait employer avec ses deux adolescents :

– Lila, nous pouvons vous protéger. Il s'agit désormais d'une enquête que nous menons conjointement avec le FBI et Interpol.

– Bien sûr que vous pouvez nous protéger, et vous le ferez. Pendant un temps. Jusqu'au moment où vous estimerez que cela vous coûte trop cher, en termes de budget, d'hommes. Elle, en revanche, peut se permettre d'attendre. Depuis combien de temps est-elle tueuse à gages ?

– Depuis l'âge de dix-sept ans, voire seize.

– Autrement dit, la moitié de sa vie.

– Peu ou prou.

– Savez-vous pour qui elle travaille actuellement ? intervint Ash.

– Pas encore. Nous poursuivons les recherches, nous avons de très bons agents sur le dossier, déclara Fine sèchement. Nous ne tarderons pas à savoir qui l'a engagée.

– Quand bien même vous mettriez la main sur son patron, elle sera toujours en liberté.

– Raison de plus pour accepter notre protection.

– Lila et moi allons nous absenter quelques jours. Vous devriez venir avec nous, suggéra Ash à l'intention de Luke et de Julie. On en discutera.

– Où allez-vous ? demanda Fine.

– En Italie. Nous préférons quitter New York pendant quelque temps. Si vous l'arrêtez pendant que nous ne sommes pas là, le problème sera résolu. Je ne veux pas que Lila soit en danger. Je veux retrouver le cours de ma vie, et je veux que l'assassin d'Oliver et de Vinnie soit écroué. Autrement dit, Jai Maddok doit être mise hors d'état de nuire.

– Il faudra nous donner un numéro où vous joindre en Italie, ainsi que les dates de votre voyage.

– Je vous les communiquerai.

– Nous ne voulons pas vous compliquer la tâche, affirma Lila.

Fine se tourna vers elle.

– Vous ne nous la facilitez pas.

Lila remâcha cette remarque après le départ des inspecteurs.

– Que sommes-nous censés faire ? Partir nous cacher quelque part jusqu'à ce qu'ils l'attrapent ? Depuis plus de dix ans, personne n'y est encore arrivé. Nous ne sommes pas responsables de cette situation, mince ! Nous n'avons rien demandé à personne. J'ai regardé par la fenêtre, tu as ouvert une lettre de ton frère, c'est tout ce que nous avons fait.

Ash revint dans le salon après avoir fermé les verrous derrière les policiers et se rassit à côté de Lila.

– S'il suffisait de se cacher, je ferais tout pour que tu restes cachée. Hélas, tu avais raison en disant qu'elle pouvait attendre, et qu'elle attendrait. Si elle fait profil bas pour le moment, rien ne nous dit quand et où elle reparaîtra pour régler ton cas.

– Ou le tien.

– Ou le mien. Par conséquent, Italie.

– Italie, opina Lila, puis elle se tourna vers Luke et Julie. Vous venez avec nous ?

– Je ne sais pas, répondit Julie. Je n'avais pas prévu de prendre des congés.

– L'union fait la force, déclara Ash. À quatre, nous serons moins vulnérables qu'à deux. En tout cas, après ce qui s'est passé aujourd'hui, je ne veux pas que Lila sorte seule. Tu sais te défendre, OK, ajouta-t-il, mais mieux vaut prévenir que guérir.

– Ash a raison, approuva Luke. Je vais voir, de mon côté, si je peux prendre quelques jours. (Puis il croisa le regard de son ami, capta le message – *J'ai besoin de ton aide* –, hocha discrètement la tête.) Ça ne devrait pas poser de problème, ajouta-t-il. Julie ?

– Je pourrais dire à mes patrons que je pars en voyage de prospection, visiter des galeries, repérer des artistes de rue. Je leur en parlerai. Vu que je viens de faire quelques belles ventes, ils devraient être d'accord.

– Très bien. Je m'occupe du reste.

Lila se tourna vers Ash.

– C'est-à-dire ?

– Les billets d'avion, un endroit où loger, un moyen de transport sur place. Je m'occupe de tout ça.

– Pourquoi toi ?

Il posa une main sur la sienne.

– Oliver était mon frère.

Difficile de contrer la simplicité et la sincérité de cet argument, songea-t-elle, et elle noua ses doigts aux siens.

– OK, mais c'est moi qui ai contacté Antonia Bastone. Je continue à exploiter le filon.

– C'est-à-dire ?

– Ce serait bien qu'on se fasse inviter à la ville Bastone. Je m'en occupe.

– Je te fais confiance.

– Tu peux compter sur moi.

– Bon, en principe, nous serons donc des vôtres, déclara Luke. Dans l'immédiat, je dois retourner à la boulangerie, si vous n'avez plus besoin de moi.

– Vas-y, si tu as à faire, répondit Ash en se levant. Merci. Pour tout, dit-il en caressant les cheveux de Lila.

– J'allais dire : tout le plaisir est pour moi, mais j'espère que je n'aurai plus à panser ta belle.

Lila se leva à son tour, embrassa Luke.

– Tu le fais si bien. Si jamais j'ai besoin d'un infirmier calme et efficace, je saurai à qui m'adresser.

– Évite plutôt les cinglées avec des couteaux.

Il l'embrassa sur les deux joues, échangea par-dessus sa tête un autre message silencieux avec Ash.

– Je te raccompagne à la galerie, dit-il à Julie. Et je reviendrai te chercher quand tu auras fini ta journée.

Elle se leva, pencha la tête sur le côté.

– Tu es mon garde du corps ?

– Jusqu'à nouvel ordre.

– Je n'y vois pas d'objection, répliqua-t-elle en embrassant Lila. Sois prudente.

– Promis.

– Et comme tu sais si bien le faire, ne charge pas trop ta valise. On fera du shopping en Italie.

Elle se tourna vers Ash, lui donna l'accolade.

– Prends soin d'elle, que ça lui plaise ou non.

– Compte sur moi.

Puis avant que Luke l'entraîne vers la porte, elle pointa un index en direction de Lila :

– Je t'appelle dans la soirée.

Lila attendit qu'Ash ait de nouveau tiré les verrous.

– Je ne suis pas complètement inconsciente.

– Non. Le goût du risque n'est pas forcément de l'inconscience. Et le fait de s'occuper des détails pratiques n'est pas forcément de la tyrannie.

– Hum… Ça y ressemble, pour quelqu'un qui a l'habitude de s'organiser à sa guise.

– Je le conçois. Essaie de concevoir que j'ai pour ma part l'habitude de préserver les autres du danger, et que je n'aime pas qu'on se mette en danger pour moi.

Il s'approcha d'elle, posa délicatement une main sur sa blessure.

– Ma priorité, pour l'instant, est de veiller à ce que cela ne se reproduise plus jamais. En d'autres termes, de trouver un moyen d'envoyer Jai Maddok derrière les barreaux.

– Nous le trouverons peut-être en Italie, ce moyen.

– Je l'espère. Si j'avais su que tu en pâtirais, je ne t'aurais jamais abordée au commissariat. Pour autant, je ne t'aurais pas oubliée. Parce que, en dépit des circonstances, j'ai eu le coup de foudre au premier regard.

– Si j'avais su comment les choses évolueraient, c'est moi qui t'aurais accosté.

– Mais à part ça, tu n'es pas inconsciente…

– Des fois, ça vaut le coup de prendre des risques. J'ignore ce que le prochain chapitre nous réserve, Ash, mais je suis prête à tourner les pages pour le découvrir.

– Moi aussi, répondit-il.

Il ne pensait qu'à elle, toutefois, rien qu'à elle.

– Je renonce à Brooklyn pour l'Italie, je te laisse organiser le voyage et je m'occupe de la connexion Bastone. Et advienne ce qu'il adviendra.

– Ça marche. Tu as envie de poser pour moi un moment ?

– Je suis là pour poser. Le reste n'était que contretemps.

– Alors, allons-y.

Elle prit le chien dans ses bras.

– Il m'accompagne partout, désormais.

– Je n'ai plus rien à y redire.

Quand il peignait, il faisait abstraction de tout le reste. Elle voyait qu'il était tout entier à son travail. Elle le voyait aux gestes de sa main, à l'angle de sa tête, à la manière dont il se campait sur ses jambes. À un moment, il coinça son pinceau entre ses dents, en prit un autre pour mélanger de la peinture sur la palette.

Elle avait envie de lui demander comment il savait quel pinceau utiliser, comment il choisissait les couleurs. Était-ce de la technique, ou du feeling ? Du pur instinct ?

Il paraissait cependant si concentré qu'elle préféra garder le silence. Il la regardait comme s'il pouvait percer chacun de ses secrets, tous ses secrets passés, tous ceux à venir.

De toute façon, il avait monté le volume de la musique à fond, et sa main balayait la toile, ou se figeait sur un point de détail.

Après un certain temps, il cessa de la regarder et ses yeux ne quittèrent plus le chevalet. Il semblait avoir oublié sa présence. Elle n'était plus qu'une image à créer, rien que couleurs, formes, textures.

Puis son regard revint sur elle, se planta au fond du sien, brûlant, vibrant, lui coupant presque la respiration.

Et il reporta son attention sur la toile.

Il lui mettait les nerfs à rude épreuve. Certes, elle aimait les sensations fortes, mais il exerçait sur elle un pouvoir effrayant. Sans un mot, sans la toucher, il pouvait la laisser à bout de souffle. Se rendait-il compte de l'effet qu'il produisait sur elle, du rythme auquel il faisait battre son cœur, de la tension à laquelle elle était en proie ?

Ils étaient amants à présent, et elle n'avait jamais eu de mal à assumer les relations charnelles. Mais cette tornade émotionnelle était quelque chose de nouveau, de puissant, de déstabilisant.

Alors que ses épaules commençaient à s'ankyloser, le chien se réveilla, poussa un petit gémissement et trottina vers elle.

– Non ! tonna Ash quand elle fit mine de baisser les bras.

– Ash, mes bras pèsent une tonne et Earl Grey veut sortir.

– Une minute, s'il te plaît. Juste une minute.

Le chien gémissait, les bras de Lila tremblaient, le pinceau balayait la toile à longs et lents traits.

– OK, c'est bon.

Il recula d'un pas, les yeux plissés, le sourcil froncé, observa son travail.

– OK, c'est bon, répéta-t-il.

Lila prit le chien dans ses bras, fit jouer ses épaules engourdies.

– Je peux voir ?

– C'est toi, répondit-il avec un haussement d'épaules, et il emporta ses pinceaux à une table sur tréteaux, entreprit de les nettoyer.

Il avait dessiné son corps, vêtu de la robe rouge, le mouvement des jupons. Ses bras et son visage n'étaient que vaguement esquissés, il ne les avait pas encore peints. En somme, elle n'était que lignes, courbes, une jambe, un pied.

– Ça pourrait être n'importe qui.

– Mais c'est toi.

– La Gitane sans tête.

– Elle en aura bientôt une.

Il avait également commencé à composer l'arrière-plan : les flammes orangées du feu de camp, une volute de fumée, une partie du ciel étoilé. Et il n'avait pas besoin d'elle pour cela.

– Qu'attends-tu pour peindre le visage ?

– *Ton* visage, rectifia-t-il. Je le garde pour la fin parce que c'est le plus important. C'est ton visage qui dira tout.

– Que dira-t-il ?

– On verra. J'ai fini pour aujourd'hui. Tu peux te changer. Si tu n'as pas envie de remettre ta chemise, prends ce que tu veux dans le dressing. Je sortirai le chien. Ensuite, on ira dormir tous les deux chez les Lowenstein.

– Ah oui ?

Une lueur d'irritation s'alluma furtivement dans le regard de Lila.

– Arrête ces enfantillages, rétorqua-t-il. Si tu ne veux pas de moi dans ton lit, tu n'auras qu'à me dire d'aller dormir dans une autre chambre. Je n'irai pas, je te charmerai, mais tu pourras toujours me le dire.

Incapable de déterminer si ce ton désinvolte l'agaçait ou l'excitait, elle s'abstint de répondre.

Dans le dressing-room, elle hésita entre plusieurs options, arrêta son choix sur un débardeur vert menthe, examina son pansement avant de l'enfiler. Puis observa son visage dans le miroir.

Que dirait-il ? Ash avait-il déjà son idée ? Ou attendait-il une inspiration ? Elle aurait aimé qu'il eût peint ses traits. Ainsi, elle aurait su ce qu'il voyait quand il la regardait.

Comment être sereine tant qu'elle ignorait comment il travaillait, comment il fonctionnait ?

Elle nettoya son maquillage trop souligné, en se demandant pourquoi il avait tenu à ce qu'elle se farde si c'était pour laisser son visage en blanc sur la toile. Sans doute avait-il ses raisons, des raisons artistiques. Sans doute devait-elle incarner pleinement le personnage qu'il avait en tête…

Cette séance de pose l'avait mise à cran, elle devait l'admettre. *Mais il est ridicule de se tourmenter pour si peu*, se raisonna-t-elle. Elle avait d'autres raisons d'être à cran. Le sang sur sa chemise était là pour le lui rappeler. En regardant de près la tache, elle repensa à l'agression. Force lui était de reconnaître qu'elle aurait dû être plus prudente. Si elle s'était tenue sur ses gardes, peut-être aurait-elle pu éviter ce déplorable incident. Elle ferait attention, désormais. Néanmoins, elle avait le sentiment d'avoir gagné cette petite bataille.

Jai n'avait obtenu d'elle que quelques malheureuses gouttes de sang.

Elle roula la chemise en boule, la fourra dans son sac. Elle la jetterait chez les Lowenstein, plutôt que chez Ash. S'il la trouvait dans sa poubelle, il n'en éprouverait que davantage le besoin de la protéger.

Elle sortit son téléphone du fond de son sac, en profita pour consulter ses diverses messageries.

Cinq minutes plus tard, elle dévalait l'escalier, juste au moment où Ash rentrait avec le chien.

– Antonia m'a répondu ! Elle a téléphoné à son père, l'amour de jeunesse de Miranda Swanson. En plus, elle a une amie qui a lu mon livre. J'ai fait mouche !

– Qu'a dit son père ?

– Il veut en savoir un peu plus sur ce que je fais, sur ce que je cherche. J'ai dit à Antonia que je serai à Florence la semaine prochaine, avec des amis. Je lui ai demandé s'il serait possible que je rencontre son père. S'il est d'accord, qu'il me fixe un rendez-vous à sa convenance. J'ai cité le nom d'Archer, l'air de rien, parce que l'argent parle à l'argent, non ?

– Disons que l'argent est davantage disposé à prêter une oreille à l'argent.

– C'est ce que je disais.

Contente d'elle, Lila sortit une petite balle de son sac et la lança au chien.

– Je crois que la porte s'entrouvre, déclara-t-elle joyeusement.

– Espérons. Miranda Swanson ignorait peut-être qu'elle possédait un œuf de Fabergé, mais ça m'étonnerait qu'un type comme Bastone ne sache pas qu'il a chez lui un objet d'art valant une fortune.

Earl Grey rapporta la balle aux pieds d'Ash, qui la lui renvoya d'un coup de pied.

– S'il l'a toujours, ajouta-t-il.

Le caniche s'élança ventre à terre à la poursuite de la balle.

– C'est vrai, mince… Ils peuvent l'avoir vendu. Je n'y avais même pas pensé.

– Dans tous les cas, les affaires familiales – vignes, oliveraies – rapportent chaque année des millions, et c'est lui le P-DG. On peut donc supposer qu'il a la tête sur les épaules. S'il a toujours l'œuf, pourquoi nous le dirait-il ? Pourquoi nous le montrerait-il ?

– Tu as ruminé des idées négatives en promenant le chien.

Ash shoota de nouveau dans la balle.

– Réalistes.

– Nous avons le pied dans l'entrebâillement de la porte. Attendons de voir la suite.

– Avec des attentes réalistes. Laisse-moi juste préparer un sac pour la nuit et nous partons chez toi. Enfin, chez tes clients. Avec des attentes réalistes, ajouta-t-il en prenant son visage entre ses mains.

– C'est-à-dire ?

Il posa ses lèvres sur celles de Lila, avec douceur, puis l'embrassa fougueusement, l'obligeant à lui retourner son baiser.

– Il y a quelque chose entre nous, dit-il, les mains enserrant toujours son visage. Quelque chose qui serait là de toute façon, indépendamment des circonstances dans lesquelles nous aurions pu nous rencontrer. Nous devons en tenir compte.

– Il se passe tant de choses…

– Dont celle-ci. Cette porte-là est grande ouverte, Lila, je vais m'y engouffrer et je t'emmène avec moi.

– Je ne veux pas qu'on m'emmène où que ce soit.

– Alors, tu devras me rattraper. Bon, je vais préparer mon sac. Je n'en ai pas pour longtemps.

Elle le regarder monter l'escalier, le corps vibrant de toutes ses fibres, à cause du baiser, à cause de ses paroles, à cause de la détermination qu'elle avait lue dans son regard.

– Dans quoi diable me suis-je fourrée ? murmura-t-elle au chien. Si je n'en sais rien moi-même, ce n'est pas toi qui vas m'aider, hein, mon pauvre ami…

Elle enroula la laisse, la rangea dans son sac, revit la chemise roulée en boule. La vigilance s'imposait, oui, sur tous les plans.

L'effet de surprise pouvait engendrer davantage que des petites égratignures.

Le chemin du retour l'amusa, une sorte de safari. Sortir par l'entrée de service du loft, prendre le métro jusqu'au cœur de la ville, où Ash tint à faire un détour par un grand magasin pour lui acheter une nouvelle chemise blanche, puis la balade en direction de Central Park, où ils prirent un taxi.

– Mon nouveau corsage t'a coûté deux fois plus que ce que valait l'ancien, dit-elle en déverrouillant l'appartement, où Earl Grey fonça comme une flèche sur son os à mâcher. En plus, tu ne peux pas sans cesse m'offrir des vêtements.

– Je ne t'avais pas encore offert de vêtements.

– La robe rouge, d'abord.

– C'est un costume, indispensable pour le tableau. Tu veux une bière ?

– Non. Ensuite, un chemisier.

– Tu avais abîmé le tien, souligna-t-il. Si j'avais abîmé ma chemise en venant chez toi, tu m'en aurais acheté une nouvelle. Tu vas travailler, là, maintenant ?

– Peut-être. Oui, se corrigea-t-elle. Au moins une heure ou deux.

– Pendant ce temps, je m'occupe du voyage.

– Je venais chez toi pour le tableau.

– Exact. Et maintenant je suis là pour que tu puisses travailler, dit-il en lui caressant les cheveux, puis en les lui tirant gentiment. Lila, tu cherches des complications là où il n'y en a pas.

– Pourquoi alors ai-je l'impression que tout est compliqué ?

– Bonne question. Je serai au dernier étage, si tu as besoin de moi.

Et si j'avais voulu m'installer au dernier étage ? pesta-t-elle intérieurement. Il ne s'était pas soucié de savoir où elle voulait s'installer. D'accord, son ordinateur était branché dans la salle à manger, mais si elle avait eu envie, pour une fois, de travailler sur la terrasse ?

Ce n'était pas le cas, mais ç'aurait pu l'être.

OK, c'est peut-être elle qui était compliquée, mais elle n'y pouvait rien.

En deux temps trois mouvements, il l'avait pour ainsi dire séquestrée, avec une telle habileté qu'elle n'avait pas vu les murs se dresser autour d'elle. Les murs l'angoissaient, raison pour laquelle elle n'en louait pas ni n'en avait jamais acheté. Les choses étaient plus simples ainsi, plus pratiques, adaptées à son mode de vie.

Il bousculait sa routine, réalisa-t-elle. Elle se retrouvait dans un cadre de vie complètement réorganisé. Au lieu d'apprécier, elle ne cessait de vérifier que la porte n'était pas bloquée.

– Cesse donc de te prendre la tête, bougonna-t-elle.

Elle sortit sa chemise de son sac, l'enfouit dans la poubelle de la cuisine, qu'elle sortirait plus tard. Puis elle se prépara un pichet de jus de citrons pressés et le posa à côté de son ordinateur.

L'avantage, quand on était écrivain, c'était que lorsque votre monde devenait trop compliqué, vous pouviez vous réfugier dans un autre.

Elle retourna donc à son univers imaginaire, atteignit peu à peu cet état de transe où les mots et les images s'enchaînaient presque indépendamment de sa volonté. Aux côtés de Kaylee, ravagée par la perte de son ami, puis déterminée à le venger, elle perdit la notion du temps, et ne releva le nez de son écran que pour laisser son héroïne souffler avant de préparer l'ultime combat du roman, et ses examens de fin d'année.

Elle se renversa contre le dossier de sa chaise, frotta ses yeux fatigués, détendit ses épaules courbatues.

Et se rendit tout à coup compte qu'Ash était assis dans le canapé, tourné vers elle, un carnet de croquis à la main et le caniche nain couché à ses pieds.

– Je ne t'ai pas entendu descendre.

– Tu étais concentrée.

Elle ajusta la pince qui retenait ses cheveux.

– Tu me dessinais ?

– Oui, répondit-il en continuant de crayonner. Tu te métamorphoses quand tu travailles. Tu changes sans cesse d'expression. Un coup, tu es au bord des larmes, et deux minutes plus tard, tu as l'air enragée. Je pourrais faire toute une série de toi en train d'écrire. Maintenant, tu es gênée. Désolé. Je peux remonter, si tu veux, le temps que tu finisses.

– Pas la peine, j'ai terminé pour aujourd'hui. Je dois mettre la suite à turbiner un peu.

Elle se leva, s'approcha de lui.

– Je peux voir ?

Sans attendre de réponse, elle lui prit son carnet, le feuilleta, et se découvrit penchée au-dessus du clavier – dans une très mauvaise posture –, les cheveux en bataille, son visage reflétant l'ambiance des différents épisodes qu'elle avait rédigés.

– Mon Dieu... maugréa-t-elle en portant la main à sa pince à cheveux, mais il l'empêcha de l'enlever.

– Laisse. C'est toi, telle que tu es quand tu es absorbée par ton bouquin.

– J'ai l'air d'une folle.

– Non, tu as l'air concentrée, c'est tout.

Il lui retint le bras jusqu'à ce qu'elle abdique et vienne s'asseoir sur ses genoux.

– J'ai l'air d'une folle concentrée, dit-elle en riant et en tournant une page, sur laquelle elle avait la tête renversée en arrière, les yeux fermés. Celui-là, tu pourras l'intituler *Endormie sur son travail.*

– Non, *L'Imagination au travail.* Qu'écrivais-tu ?

– J'ai bien avancé. Kaylee a grandi, elle s'est endurcie. J'ai du chagrin pour elle, mais je n'avais pas le choix. Elle a perdu un être cher, tué par un membre de son clan, qui voulait la punir. C'est... Oh, c'est elle ! s'exclama-t-elle après avoir tourné une autre page.

Kaylee, en louve majestueuse, le corps fin et musclé, le regard étrangement humain, empli de tristesse, dans une forêt obscure et sinistre, la lune se levant au-dessus des arbres décharnés.

– C'est exactement comme ça que je la vois. Comment pouvais-tu savoir ?

– Je t'ai dit, j'ai lu le premier tome.

– D'accord, mais… C'est elle. Jeune, belle, triste, déchirée entre ses deux natures. C'est la première fois que je la *vois*, ailleurs que dans ma tête.

– Je te ferai encadrer ce dessin. Comme ça, tu pourras la voir quand tu voudras.

Elle posa la tête sur son épaule.

– Tu as dessiné l'un des personnages les plus importants de ma vie comme si tu le connaissais. Est-ce un moyen de me charmer ?

– Non. Tu veux que je te montre comment j'ai l'intention de te charmer ? dit-il en glissant une main sous son T-shirt.

– Je dois d'abord sortir le chien.

– Je propose qu'on aille promener le chien, qu'on mange au restau, et ensuite on reviendra ici et je te charmerai.

Les nouveaux aménagements, se dit Lila, *sont faits pour être explorés, testés.*

– D'accord. Mais vu que j'ai maintenant une idée très claire de ce à quoi je ressemble, j'ai besoin d'une dizaine de minutes pour me préparer.

– Je t'attends.

Tandis qu'elle montait à l'étage, il reprit son carnet et son crayon. Et entreprit de la dessiner de mémoire : nue, entre les draps froissés, riant aux éclats.

Oui, il attendrait.

TROISIÈME PARTIE

Fortune perdue, grande perte ;
Honneur perdu, c'est pis encore ;
Courage perdu, tout est perdu.

PROVERBE ALLEMAND

21

Lila était une adepte des listes. Couchés sur le papier, les mots devenaient réalité. Tout ce qu'elle écrivait, elle le faisait. Avant de partir en voyage, notamment, une liste simplifiait les préparatifs et permettait de ne rien oublier.

Avec un peu d'avance, elle recensa donc ce qu'elle emporterait en Italie, et entreprit de faire des piles sur le lit de la chambre d'amis.

Une pile à mettre dans la valise, une autre à laisser chez Julie, une troisième de vêtements à donner. Inutile de se charger, Julie ne démordrait pas du shopping.

– Kerinov vient de m'appeler, annonça Ash en entrant dans la pièce. Il va passer ici.

– Maintenant ?

– Dans un petit moment. Il a des informations à nous communiquer. Qu'est-ce que tu fais ? On ne part que dans trois jours.

– Un premier tri. Ce n'est pas la peine que j'emporte toutes mes affaires, comme quand je m'installe chez des clients. En plus, ma garde-robe a besoin d'être renouvelée. Et je dois revoir l'organisation de mon sac à main, à cause des articles interdits en cabine. Ça, par exemple, dit-elle en brandissant son fidèle Leatherman, je ne pourrai pas le garder avec moi, ni mes bougies de voyage, ni mon briquet, ni mon cutter, ni mon…

– J'ai pigé. Mais on vole en privé. Il n'y a pas de restrictions.

Elle lâcha son Leatherman.

– On vole en quoi ? En jet privé ?

– Quand on en a un, ce serait bête de ne pas l'utiliser.

– Tu… Tu as un jet privé ?

– Deux. Enfin, ils sont à toute la famille. Je t'avais dit que je m'occupais de la logistique.

– De la logistique… répéta-t-elle, hébétée, en s'asseyant au bord du lit.

– Ça te gêne de pouvoir garder ton redoutable outil et ton cutter à bord ?

– Non. Mais ça m'en bouche un coin.

Il s'assit à côté d'elle.

– C'est à mon arrière-grand-père que nous devons tous ces privilèges. Le fils d'un mineur gallois qui voulait offrir un avenir meilleur à ses enfants. Son fils aîné a réussi, il a émigré à New York, où il a fait fortune. Les générations suivantes ont fait fructifier le patrimoine… bien que certains aient allègrement dilapidé leur héritage. J'espère que tu ne rumines plus ce que t'a dit mon père. Ça me ferait de la peine.

– Je n'ai pas l'habitude de voyager aux frais de la princesse. Et je n'ai pas les moyens de me payer un vol en jet privé.

– Tu veux que je te réserve une place sur une ligne régulière ?

Elle esquissa un sourire.

– Non, je ne suis pas complètement névrosée. Je te dis juste que je n'ai pas besoin de jets privés. J'apprécierai l'expérience, mais je ne veux pas que tu penses que je trouve ça normal.

– Avec la tête que tu as faite, comme si j'avais dit qu'on allait prendre un avion de chasse, je ne risquais pas de penser une chose pareille.

– Je suis déjà montée dans un chasseur, avec mon père. Je devais être toute verte. Enfin, soupira-t-elle en ramassant son Leatherman, je reverrai l'organisation de mes bagages. Je prépare un dîner ?

– Pourquoi pas ?

– Je voulais dire, pour Kerinov.

– Il ne s'attardera pas. Il passe juste en coup de vent entre une réunion et un repas de famille. Tu pourras lui dire où nous en sommes avec les Bastone.

– Je vais quand même préparer le dîner pour nous, dit-elle en contemplant ses piles de vêtements sur le lit. Quant à ça, je verrai plus tard.

– OK, acquiesça Ash en sortant de sa poche son téléphone qui sonnait. Mon père. Je le prends en bas. Allô, papa ? dit-il en quittant la pièce.

Lila resta assise sur le lit. Elle détestait se sentir redevable. Or ce maudit Spence Archer lui avait mis en tête qu'elle profitait de la situation.

– Laisse courir, s'ordonna-t-elle, et elle entreprit d'établir une nouvelle liste.

Tandis qu'elle révisait sa stratégie de voyage, Ash contemplait Manhattan tout en parlant au téléphone avec son frère Esteban. Appartenir à une famille nombreuse présentait cet avantage de vous fournir des traits d'union avec autant de milieux que vous aviez de frères et sœurs.

– C'est sympa, merci. Je me doutais que tu me pourrais me donner un coup de pouce. Sacré Oliver, ouais, comme tu dis… Non, je ne sais toujours pas ce qu'il magouillait… Je sais, c'est vrai, je n'aurais sûrement rien pu faire pour le raisonner mais… Oui, je serai prudent.

Il leva les yeux vers le haut des marches, pensa à Lila, pour qui il redoublerait de vigilance.

– Merci encore, tiens-moi au courant. Je te rappelle, OK ? dit-il quand le fixe de l'appartement sonna. Ouais, promis. À plus.

Il rempocha son mobile, décrocha le combiné, indiqua au portier qu'il pouvait faire monter Kerinov.

La situation commençait à se décanter, il le sentait. Où les mènerait-elle, il l'ignorait, mais il avait enfin le vent en poupe.

Il alla ouvrir la porte, accueillit Kerinov.

– Bonjour, Alexi. Content de vous revoir.

– Ash, je viens d'avoir… Bonjour, Alexi, comment allez-vous ? lança Lila depuis l'escalier.

– Bien, et vous-même ? J'espère que je ne vous dérange pas.

– Pas du tout. Je vous sers quelque chose à boire ? proposa Ash.

– Je vous remercie, je n'ai pas trop le temps. J'ai rendez-vous bientôt avec ma famille.

– Asseyons-nous.

– Nous n'avons pas eu l'occasion discuter, l'autre jour, aux funérailles de Vinnie, dit Kerinov en le suivant dans le living-room.

– Dure journée.

Il regarda ses mains, écarta les doigts, les entrecroisa.

– Oui. La famille était presque au complet. C'est bien d'avoir une grande famille dans les moments difficiles.

Il les décroisa avec un soupir silencieux.

– J'ai de nouvelles informations, reprit-il en sortant une enveloppe brune de sa serviette. Je vous ai mis l'essentiel par écrit, vous verrez.

J'ai contacté des confrères spécialisés dans l'art russe de la période des tsars et de Fabergé. Les rumeurs ne manquent pas, comme vous vous en doutez. L'un des œufs disparus serait peut-être en Allemagne. Ça n'a rien d'impossible, les nazis ayant pillé des centaines de milliers d'œuvres d'art. En Pologne, en Ukraine, en Autriche. Hélas, leur trace est perdue, maintenant. C'est une chance inouïe que d'avoir retrouvé des documents écrits concernant ces deux œufs impériaux.

– On sait au moins que l'un est à New York, intervint Lila. L'autre en Italie. Enfin, nous l'espérons.

– Oui, Ashton m'a dit que vous partiez en Italie, tenter de retrouver l'Œuf Nécessaire. Comme vous le savez, nous en avons déjà discuté, certaines collections privées sont très confidentielles. Mais j'ai pu obtenir quelques noms, et je crois avoir trouvé une piste intéressante.

Kerinov se pencha en avant, ses mains pendant entre ses genoux.

– On m'a parlé d'un certain Basil Vasin, poursuivit-il, qui se prétendait fils de la grande-duchesse Anastasia, la quatrième fille du tsar Nicolas II de Russie et de son épouse Alexandra. Anastasia a été exécutée par les bolcheviks avec le reste de la famille impériale, mais une légende a longtemps plané autour de sa mort, ou plutôt de sa survie.

– Il y a eu un film, se souvint Lila. Avec… Ingrid Bergman.

– Elle jouait le rôle d'Anna Anderson, confirma Kerinov, l'une des nombreuses femmes qui ont tenté de se faire passer pour la grande-duchesse Anastasia. Vasin, comme je vous le disais, prétendait être son fils. Un bel homme, charmant et charmeur, qui a épousé une riche héritière, Annamaria Huff, une lointaine cousine de la reine d'Angleterre. Laquelle cousine s'est piquée de collectionner les objets d'art russe, en hommage à la famille de son mari. Son vœu le plus cher était de retrouver les œufs impériaux disparus, mais elle n'y est pas parvenue… du moins, pas que l'on sache.

– Vous croyez qu'elle en aurait acquis un ? demanda Ash.

– Je ne sais pas. D'après mes recherches, le couple vivait dans l'opulence, l'un et l'autre très fiers de leur sang bleu.

– S'ils avaient été en possession d'un œuf impérial, ils s'en seraient vantés, avança Lila.

– Je crois, oui… mais qui sait ? Ils avaient un fils, un enfant unique qui a hérité de tous leurs biens, dont leurs collections. Ainsi que de leur obsession pour les œufs disparus.

– Il savait que son père ne descendait pas des Romanov, souligna Ash. J'ai fait des recherches, moi aussi. Le corps d'Anastasia a finalement été retrouvé, et formellement identifié par des tests ADN.

– Les gens croient ce qu'ils ont envie de croire, murmura Lila. Qui reconnaîtrait que son père était un affabulateur et un imposteur ? Il y a eu beaucoup de déclarations contradictoires à propos du massacre de la famille impériale… moi aussi, j'ai mené ma petite enquête. Le nouveau gouvernement russe, qui tentait de négocier un traité de paix avec l'Allemagne, a notamment prétendu que les filles du tsar et de la tsarine avaient été épargnées. Ce n'est pas étonnant, dans cette période trouble, que beaucoup aient essayé de se faire passer pour Anastasia ou l'une de ses sœurs.

– Oui, oui, opina Kerinov. Les bolcheviks ont tenté de dissimuler qu'ils avaient assassiné des innocents.

– Et ces déclarations mensongères, enchaîna Ash, se sont transformées en rumeurs selon lesquelles une partie de la famille impériale avait survécu. Mais on a fini par retrouver les corps, et la science a parlé, bien que certains aient refusé de l'écouter.

– Les gens croient ce qu'ils ont envie de croire, en effet, acquiesça Kerinov avec un sourire. Au mépris de la science et de l'Histoire.

– Quand a-t-il été officiellement prouvé qu'Anastasia avait été fusillée avec le reste de sa famille ? demanda Lila.

– En 2007. Une deuxième fosse a été découverte, et les analyses génétiques ont confirmé que les ossements étaient ceux d'Anastasia et de son jeune frère. La barbarie n'a pas de limites, soupira Kerinov. Pour tenter de dissimuler le meurtre de ces enfants, ils ont été privés du repos éternel aux côtés de leurs parents.

– En 2007, le fils de Vasin était adulte. Il a dû se sentir humilié que l'histoire de sa famille se révèle un énorme mensonge.

– Il continue de revendiquer son ascendance royale, comme vous le verrez, déclara Kerinov en tapotant l'enveloppe qu'il avait apportée. Il affirme que les analyses ont été falsifiées. Et il n'est pas le seul à entretenir la légende de la survie d'Anastasia, plus romantique que la sinistre réalité.

– Croyez-vous qu'Oliver ait acquis l'œuf pour ce Vasin ?

– Il y a d'autres possibilités… Je vous ai tout noté, vous regarderez à tête reposée. Une Française, notamment, qui semble avoir un réel lien de parenté avec les Romanov, et un Américain, dont on dit qu'il n'a pas de scrupules à acheter des œuvres volées. Mais la piste Vasin me semble plus probable. Nicholas Romanov Vasin, ainsi qu'il se fait appeler, possède de nombreux intérêts dans la finance internationale et diverses industries. Il vit en reclus, entre le Luxembourg, Prague, la France et New York.

– New York ?

Kerinov se tourna vers Ash.

– Sur la côte nord de Long Island. Il ne reçoit que rarement, et gère ses affaires à distance, par téléphone, mails, vidéoconférences. On dit qu'il souffre de mysophobie, la peur des germes.

– Il n'aime pas se salir les mains, murmura Ash. Ça colle. Il embauche des larbins pour faire le sale boulot.

– Vous étudierez de plus près le petit dossier que je vous ai préparé. Malheureusement, je n'ai pas mieux à vous offrir que ces informations somme toute assez vagues. Je suis désolé, j'aurais aimé vous être plus utile.

– Votre aide nous sera précieuse. Vous nous avez indiqué des noms, une piste possible. Des noms que nous pourrons mentionner à Bastone, quand nous le verrons.

– Jeudi après-midi, déclara Lila. J'ai reçu un message d'Antonia, tout à l'heure. Son père veut bien nous rencontrer. Il nous communiquera davantage de précisions ultérieurement, mais nous sommes invités jeudi prochain à la Villa Bastone.

– À 14 heures, compléta Ash. Mon frère Esteban travaille dans la même branche que Bastone. Je lui ai demandé d'intercéder en notre faveur.

– Super.

– Vous me tiendrez au courant ? demanda Kerinov. J'aurais aimé vous accompagner, mais la famille et les affaires me retiennent à New York ces jours-ci. D'ailleurs, en parlant de famille, je dois rejoindre mon épouse. *Udachi*, dit-il en se levant. Bonne chance.

Il échangea une poignée de main avec Ash, rougit légèrement lorsque Lila lui donna l'accolade, sur le pas de la porte.

Après l'avoir refermée, elle se tourna vers Ash en se frottant les mains.

– Googlons ce Nicholas Romanov Vasin. Nous avons le dossier d'Alexi, je sais, mais fouillons un peu nous-mêmes.

– J'ai une meilleure source que Google. Mon père.

L'argent parlait bel et bien à l'argent…

– Bonne idée. Appelle ton père, et je m'occupe du dîner, comme promis. Parle-lui aussi des deux autres personnes, il les connaît peut-être.

– Par ailleurs, je n'ai pas oublié qu'il te doit des excuses.

– Les excuses de ton père ne figurent pas au Top Ten de nos priorités.

– Pour moi si, répliqua Ash en précédant Lila dans la cuisine, où il remplit deux verres de vin. Pour la cuisinière, dit-il en lui en tendant un. Je te laisse nous concocter un bon petit plat.

Seule, elle contempla son verre de vin, haussa les épaules, en but une gorgée. Le père d'Ash pouvait peut-être apporter une pierre à l'édifice, et c'était ce qui comptait. Peu importait qu'elle ait inventé un prétexte pour ne pas assister aux funérailles de Vinnie – et tous deux savaient que c'était un prétexte. Peu lui importait, pour l'heure, ce que Spence Archer pensait d'elle.

Par la suite… Qui savait ce qui importerait par la suite ?

Dans l'immédiat, elle devait décider de ce qu'elle allait préparer à manger.

Une heure plus tard, elle avait terminé de préparer le repas.

– Ça sent bon. Qu'est-ce que c'est ?

– Des *linguine agli scampi*. J'ai la tête en Italie.

Elle les servit dans de grands bols, avec le pain au romarin qu'Ash avait acheté chez Luke, et un deuxième verre de vin bien mérité.

– Pas mauvais, commenta-t-elle en goûtant une première bouchée.

Juste ce qu'il fallait d'ail, et une délicieuse touche citronnée.

– Excellent, tu veux dire.

– J'ai improvisé. Je m'en tire plutôt bien, en général, quand j'invente des recettes. Mais quand je me plante, c'est la cata.

– Tu devrais noter celle-ci.

– Rien ne vaut la spontanéité. Alors, ton père ? demanda-t-elle en dégustant une des grosses crevettes.

– Il connaît Vasin. Ou plus exactement, il sait qui c'est. Il ne l'a rencontré qu'une fois, il y a une dizaine d'années. Il n'était déjà pas très sociable à l'époque, mais il ne vivait pas encore en reclus. Il ne s'est jamais marié, ne s'est jamais particulièrement attaché à une femme… ni à un homme. Mon père l'a rencontré à une réception hyper sélect, où plusieurs chefs d'État étaient présents. Déjà, Vasin ne serrait jamais une main, et il était accompagné d'un assistant qui lui servait de l'eau d'une bouteille personnelle. D'après mon père, c'était un type pompeux, maniéré, d'un excentrisme frôlant le ridicule, au physique toutefois très avenant.

– Un grand brun ténébreux. J'ai jeté un coup d'œil sur Google et trouvé des photos des années 80 et 90. Le look d'une star de cinéma.

– L'un des secteurs où il avait des intérêts, à l'époque. Il a financé plusieurs films, et il s'apprêtait à produire un remake d'*Anastasia* : le script était écrit, le casting en cours. Puis le projet est tombé à l'eau quand les analyses ADN ont révélé que la grande-duchesse était morte avec le reste de la famille impériale.

– Grosse déception, j'imagine.

– Il s'est retiré de l'industrie du cinéma. La soirée où mon père l'a rencontré est l'une des dernières auxquelles il ait assisté. C'est à partir de ce moment qu'il a commencé à traiter ses affaires à distance, comme l'a dit Vasin, et il s'est peu à peu coupé du monde.

Pensive, Lila enroula des pâtes autour de sa fourchette.

– Avoir autant d'argent, et ne pas en profiter pour voyager, sortir, rencontrer du monde... Sa phobie des germes doit confiner à la psychose.

– Ça ne l'empêche pas, d'après mon père, d'être un businessman impitoyable. Il a été accusé d'espionnage industriel. Ses avocats ont étouffé l'affaire. C'est un spécialiste des OPA hostiles.

– Il se prend pour un prince.

– Il agit comme un baron, en tout cas.

– Ha !

Amusée, elle piqua une crevette.

– À une époque, il acceptait de montrer ses collections aux journalistes, mais plus personne ne les a vues depuis plusieurs années.

– Un ermite qui amasse les objets d'art et gouverne son empire par des moyens technologiques est forcément un homme très riche.

– Tellement riche que personne ne sait à combien se chiffre sa fortune. Et... autre chose m'incite à pencher, comme Alexi, dans la direction de Vasin.

– Quoi donc ?

– Deux de ses concurrents ont péri dans un tragique accident.

– Impitoyable, en effet...

– Et en 1995, un journaliste qui écrivait une biographie de Vasin père, toujours en vie à l'époque, a mystérieusement disparu alors qu'il couvrait l'attentat d'Oklahoma City. On ne l'a jamais revu, on n'a jamais retrouvé son corps.

– C'est ton père qui t'a raconté ça ?

– Il s'en est souvenu en pensant à ce qui est arrivé à Oliver. Il ne sait pas ce que je cherche...

– Tu ne lui as pas parlé de l'œuf, j'espère ?

– Bien sûr que non. Mais il n'est pas idiot, il se doute que cet intérêt subit de ma part pour Vasin est lié à la mort d'Oliver. Et il est déjà bien assez inquiet sans que je sois rentré dans les détails.

– C'est vache de le laisser dans le flou… Cela dit, ce n'est pas moi qui te jetterai la pierre : je me suis bien gardée de dire à mes parents pourquoi je partais en Italie. Ils croient que je m'offre des petites vacances.

– Tu as bien fait.

– Il n'empêche que je me sens coupable. Pas toi ?

– Pas le moins du monde. Quant à la Française dont a parlé Alexi, papa ne la connaît pas. En revanche, il connaît Jack Peterson, l'Américain. Il le connaît même assez bien. D'après ce qu'il m'a dit de lui, le type me semble tout à fait du genre à acheter des œuvres volées, à tricher aux cartes et à donner dans le délit d'initiés. Mais je ne crois pas qu'il irait jusqu'à tuer, surtout le fils d'une connaissance. Mon père me l'a décrit, en gros, comme quelqu'un qui aime jouer, qui aime gagner, mais qui sait aussi être bon perdant.

– Pas le style à engager un tueur à gages.

– Je ne crois pas.

– OK. Dans un premier temps, donc, nous nous concentrons sur Nicholas Romanov Vasin. On pourrait, par exemple, commencer par évoquer son nom devant Bastone…

– Pourquoi pas ? Tu as réglé ton problème de bagages ?

– Tout est sous contrôle.

– Bien. On débarrasse la table et on sort le chien ? Ensuite, j'aimerais faire quelques croquis de toi.

Afin de prolonger cet agréable moment, retarder la vaisselle, et la promenade du chien, Lila se resservit un verre de vin puis se cala contre le dossier de sa chaise.

– Pourquoi des croquis ? Tu as déjà commencé à peindre.

– Pour un autre projet. J'ai envie de monter une nouvelle expo, l'hiver prochain. J'aimerais avoir au moins deux autres tableaux de toi, et ce que j'ai en tête, pour l'instant, c'est la fée dans le bosquet.

Il se leva, ramassa les deux bols.

– Ah oui, tu m'en avais parlé. La fée Clochette aux émeraudes.

– Elle ne ressemblera sûrement pas à Clochette. Davantage à Titania, se réveillant d'un songe d'une nuit d'été. Nue.

– Pardon ? se récria Lila en riant. Il est absolument hors de question que je pose nue.

Puis elle se rappela qu'elle avait d'abord dit non à la gitane.

– Hors de question, répéta-t-elle et, pour faire bonne mesure, dit une troisième fois : absolument hors de question.

– On en reparlera. Allons promener le chien. Je t'offrirai une crème glacée.

– Si tu crois que je me déshabillerai pour un cornet de glace…

– Je sais très bien comment te faire déshabiller.

Il l'enlaça et la plaqua contre le réfrigérateur, glissa sa langue entre les lèvres de Lila, et la main sous son T-shirt.

– Je ne poserai pas nue. Je ne m'afficherai pas nue dans la galerie de Julie.

– C'est de l'art, Lila, pas du porno.

– Je sais, mais c'est quand même ma nu… dité, parvint-elle à articuler, malgré ses pouces sur ses tétons.

– Tu as un corps de fée, svelte, délicat sans être fragile. Je ferai juste quelques croquis. S'ils ne te plaisent pas, je les déchirerai.

– Tu les déchireras.

Il lui donna un long baiser.

– Je te laisserai les déchirer. Mais d'abord j'ai besoin de te toucher, de te faire l'amour, pour te dessiner ensuite les paupières lourdes, les lèvres gonflées. Si tu ne vois pas combien tu es belle, fascinante, ensorcelante, tu les détruiras. Le compromis me paraît honnête.

– Je… oui, je…

– Cool, dit-il en l'embrassant. Je sors le chien.

Songeuse, Lila prit la laisse dans le placard. Se figea. D'un non catégorique, elle venait de passer à un oui timide.

– Tu m'as bien embobinée.

– Je te rapporte une crème glacée.

– Pour un artiste, tu es un habile négociateur.

– Le sang des Archer, rétorqua-t-il. On va se promener, Earl Grey ? dit-il au chien en attachant la laisse à son collier, et en riant quand le caniche effectua son pas de danse.

Puisqu'elle n'avait pas de restriction de bagages, Lila répartit ce qu'elle voulait emporter entre deux valises. Elle aurait ainsi de la place pour ses nouveaux achats. Ash avait emporté chez lui les affaires qu'elle comptait laisser chez Julie, de même qu'un sac de vêtements à donner.

Il s'en occuperait.

Cela lui rendait service, elle devait l'admettre. Elle était incapable, toutefois, de savoir à partir de quel moment elle avait commencé à s'accommoder du « Je m'en occuperai... ».

Par ailleurs, elle avait abdiqué et posé nue. Elle s'était sentie très mal à l'aise... jusqu'à ce qu'il lui montre le premier croquis.

Elle s'était trouvée magnifique, magique. La fée ailée en laquelle elle s'était métamorphosée était certes nue, mais dans une pose élégante, sensuelle sans être érotique.

Les émeraudes étaient devenues des gouttelettes de rosée dans ses cheveux, sur les feuilles frémissantes du bosquet.

Le dessin n'avait rien de choquant, mais elle se demandait tout de même ce qu'en dirait le lieutenant-colonel, s'il avait l'occasion de le voir.

Elle n'avait pas déchiré les croquis. Comment aurait-elle pu ?

– Il le savait, dit-elle à Earl Grey en terminant d'arranger le bouquet de bienvenue acheté à l'intention de ses clients. Il savait qu'il arriverait à me convaincre. Ça m'énerve, mais un tel pouvoir de persuasion, ça se respecte, non ?

Elle s'accroupit près du chien qui l'écoutait en l'observant, les pattes repliées autour du petit jouet qu'elle lui avait offert en cadeau de départ.

– Tu me manqueras, vraiment, mon héros miniature.

Un coup de sonnette interrompit la conversation. Elle se redressa, regarda par le judas avant d'ouvrir à Ash.

– Tu aurais dû me passer un coup de fil, je serais descendue.

– Je voulais dire au revoir à Earl Grey. Salut, mon pote, à la prochaine. Tu es prête ?

Ses deux valises, son ordinateur portable et son sac à main étaient posés près de la porte.

– Sois sage, dit-elle au caniche. Ils ne vont pas tarder.

Elle jeta un dernier regard circulaire – tout était en ordre – puis prit son sac à main, empoigna l'une de ses valises.

– Je suis allé chercher Luke et Julie, ils nous attendent dans la voiture. Tu as ton passeport ? Désolé, ajouta-t-il devant son regard noir. L'habitude. Tu es déjà partie en Europe avec six frères et sœurs, dont trois adolescentes ?

– Jamais.

– Crois-moi, ce voyage sera une partie de plaisir pour moi, malgré sa raison principale.

Tandis que les portes de l'ascenseur se refermaient, il lui caressa les cheveux.

Il a ce don-là, pensa-t-elle. Il organisait tout, il gérait tout, mais dès qu'il la touchait, dès qu'il la regardait, il semait en elle un désordre indescriptible.

Elle se hissa sur la pointe des pieds, attira son visage vers le sien.

– Merci, dit-elle en l'embrassant.

– Pour quoi ?

– D'abord, pour avoir emporté mes affaires chez toi, et t'être occupé de celles que je voulais donner. Je ne t'avais pas encore remercié.

– Tu ne voulais pas que je m'en occupe.

– C'est mon petit problème, je le reconnais. Mais je tenais quand même à te remercier. Ensuite, merci pour le voyage. Quelle que soit sa principale raison, je pars en Italie, l'un de mes pays préférés, avec toi, ma meilleure amie et son chéri, que j'aime beaucoup. Merci, je suis super contente.

– Je pars avec toi, mon meilleur copain et sa chérie. Merci à toi, je suis super content.

– Et merci, d'avance, de ne pas te moquer de moi quand je pousserai des cris d'émerveillement en montant dans le jet. Merci aussi de me laisser aller dans le cockpit, poser des questions aux pilotes et jouer avec les boutons et les manettes. Je comprends que ça puisse te faire honte.

– Lila, dit-il en l'entraînant hors de l'ascenseur, j'ai emmené des adolescentes en Europe, je n'ai honte de rien.

– Tant mieux. Et *buon viaggio* à nous.

22

Elle ne poussa pas de cris, mais elle joua avec tout, et avant même le décollage elle appelait déjà le pilote, le copilote et l'assistant de vol par leur prénom.

Quelques minutes après l'embarquement, elle suivit l'assistant dans le bloc-office pour un tutoriel.

– Il y a un four à convection, annonça-t-elle en revenant dans la cabine. Pas un micro-ondes, un vrai four.

– Tu veux cuisiner ? plaisanta Ash.

– Je pourrais, si on était détournés vers la Chine, comme dans *2012*, le film. On a aussi le BBML. Tu ne me l'avais pas dit, Ash.

– Je ne risquais pas, je ne sais même pas ce que c'est.

– Le Broadband Multilink. On peut envoyer des mails du ciel. Il faut que j'envoie un mail à quelqu'un, j'adore la technologie ! Et il y a des fleurs dans les toilettes, c'est super chouette.

Elle virevolta sur elle-même, éclata de rire lorsque le bouchon de champagne sauta.

– Yeah !

Et elle en but une longue goulée.

Elle croquait la vie à pleines dents, se dit Ash. Peut-être était-ce cela qui l'avait séduit, inconsciemment, lors de leur première rencontre, malgré le chagrin, la colère, le choc. Sa curiosité, l'intérêt qu'elle portait à toute chose nouvelle. Et ce principe de ne rien considérer comme normal.

Savoure l'instant présent, s'intima-t-il. *Profite à fond de cet interlude hors de l'espace-temps* – New York et le deuil derrière eux, l'Italie et ce qu'elle leur réservait encore loin devant.

Quelque part au-dessus de l'Atlantique, après un délicieux repas arrosé de chianti, elle disparut dans le cockpit.

Nul doute, quand elle en ressortirait, qu'elle connaîtrait toute la vie des pilotes. Et Ash ne serait pas étonné qu'ils la laissent prendre les commandes.

– Tu paries que c'est elle qui pilote ? dit Julie.

– Exactement ce que je me disais à l'instant.

– Tu la connais déjà bien. Et elle commence à s'apprivoiser.

– Ah oui ?

– C'est dur pour elle d'accepter ce qu'elle n'a pas gagné à la sueur de son front, d'accepter qu'on lui prête la main et surtout, d'apprendre à se reposer sur quelqu'un. Mais elle s'y fait, petit à petit. Moi qui l'aime beaucoup, je suis contente pour elle. Bon, je vais bouquiner un moment.

Julie se leva, gagna son fauteuil à l'avant de la cabine, inclina le dossier et s'installa confortablement. Luke la suivit du regard puis se pencha vers Ash :

– Je vais la demander en mariage. Enfin… la re-demander.

Ash lui retourna un regard effaré.

– Quoi ? !

Luke se pencha sur le côté, jeta un coup d'œil vers la flamboyante chevelure rousse.

– Je ne veux pas la brusquer. Si elle dit non, si elle veut attendre, je prendrai mon mal en patience. Je ne suis pas inquiet, je sais qu'elle finira par m'épouser, tôt ou tard. Le plus tôt sera le mieux.

– Il y a un mois, tu jurais tes grands dieux que tu ne te marierais plus jamais. Et tu n'avais même pas picolé.

– Parce qu'il n'y a qu'une Julie au monde, et je croyais avoir loupé ma chance. Je lui achèterai une bague à Florence, et je lui demanderai sa main. Je préfère te prévenir, vu qu'on a des trucs à faire là-bas. Si tu as besoin de moi, pour quoi que ce soit, je suis à ta disposition. Je voudrais juste quelques heures pour ma demande en mariage.

Il versa le reste du champagne dans leurs coupes.

– Souhaite-moi bonne chance.

– Je croise les doigts. Et je ne te demande même pas si tu es sûr de toi, je le vois.

Luke jeta de nouveau un œil vers l'avant de la cabine.

– On ne peut plus sûr. Ne dis rien à Lila, s'il te plaît. Elle essaierait de tenir sa langue, mais les bonnes copines se disent tout. Un code de l'amitié féminine, je crois.

– Je serai muet comme une tombe. Katrina va sombrer dans la dépression.

En riant, Luke secoua la tête.

– Sérieux ?

– Elle s'en remettra. Au moins, elle cessera enfin de m'envoyer des textos pour m'inviter – « avec ton copain boulanger, si tu as peur de te sentir seul » – dans le dernier club branché, faire de la voile, ou je ne sais quoi qui lui donnerait l'occasion de te draguer.

– Elle fait des trucs comme ça ? Elle a douze ans.

– Elle en a vingt, depuis le temps. Je t'ai épargné un certain nombre de soirées pénibles. Tu peux me remercier.

– Ça, c'est un pote. Tu seras mon témoin.

Il pensa au mariage, au grand tournant qu'il représentait. Il pensa à son frère, toujours fou amoureux, jamais fidèle.

Il somnolait lorsque Lila émergea du cockpit et s'allongea près de lui. Quand il se réveilla, la cabine était plongée dans le noir, Lila dormait, un bras accroché au sien. Il était sûr, lui aussi.

Il avait toujours su ce qu'il voulait, et il s'était toujours débrouillé pour l'avoir.

Seulement, là, c'était quelqu'un qu'il désirait, et non pas quelque chose. Quelle part de lui-même devait-il consentir à Lila pour obtenir sa main, pour obtenir son cœur ? Comment avoir une vision claire de leur relation quand de si sombres nuages planaient au-dessus d'eux ?

Il l'avait rencontrée dans le deuil. Elle l'avait soutenu dans sa peine puis, peu à peu, des liens plus forts s'étaient noués. La mort, toutefois, continuait de les poursuivre, et ils s'étaient lancés ensemble dans une périlleuse aventure.

Dans un premier temps, ils devaient mener leur quête à bien. Ensuite, l'horizon se dégagerait et ils pourraient envisager l'avenir.

Il consulta sa montre. Dans un peu plus d'une heure, ils se poseraient sur le sol italien.

L'interlude touchait à sa fin.

Ils descendirent de l'avion sous un soleil éclatant. Une voiture les attendait sur le tarmac de l'aérodrome, ainsi qu'un jeune chauffeur volubile prénommé Lanzo qui les accueillit dans un anglais excellent et se déclara à leur entière disposition, jour et nuit, durant leur séjour à Florence.

– Mon cousin tient une trattoria à deux pas de votre hôtel. Je vous donnerai sa carte. Vous serez reçus comme des princes. Ma sœur travaille à la Galerie des Offices, elle vous fera visiter le musée. En privé, si vous le souhaitez.

– Vous avez une grande famille ? demanda Lila.

– Oh, *sì*. Deux frères, deux sœurs et beaucoup, beaucoup de cousins.

– Tous à Florence ?

– Ou dans les environs proches. J'ai des cousins qui travaillent pour les Bastone. Je vous conduirai à la villa, après-demain. Ce sont des gens très importants, leur maison est magnifique, vous verrez.

– Vous y êtes déjà allé ?

– *Sì, sì*. Ils m'embauchent comme, euh… serveur quand ils donnent des réceptions. Mes parents sont fleuristes. Je leur livre des fleurs, aussi, de temps en temps.

– Vous avez de nombreuses cordes à votre arc.

– *Scusi* ?

– Vous exercez plusieurs métiers. Vous savez faire beaucoup de choses.

– Ah, *sì*.

Il conduisait comme un dingue, à l'instar des Florentins, qui ne souciaient guère ni du code de la route ni des limitations de vitesse. Le trouvant sympathique, Lila entretint la conversation tout le long du trajet jusqu'à l'hôtel.

Elle adorait Florence, où la lumière lui évoquait des tournesols, où l'atmosphère respirait la richesse artistique. La ville, qu'ils traversèrent de bout en bout, s'étendait sous la soie azur du ciel d'été. Les deux-roues se faufilaient habilement entre les voitures, dans les ruelles étroites bordées de vieilles maisons aux fenêtres fleuries. Une brume de chaleur irradiait des toits de tuiles rouges, dominés par le *duomo* de la cathédrale.

Sur les piazzas, toutes les nationalités se côtoyaient dans un joyeux mélange de couleurs, aux terrasses des cafés, sur le parvis des églises.

Elle entrevit l'Arno, se demanda s'ils auraient le temps de se promener au bord du fleuve, sur les ponts – s'ils auraient le temps d'*être*, tout simplement.

– Vous avez choisi un hôtel excellentissime, annonça Lanzo. Vous serez satisfait du service.

– Des cousins à vous y travaillent ?

– Un oncle, groom. Il prendra soin de vous.

Dans le rétroviseur, Lanzo adressa un clin d'œil à Lila, tout en se garant devant un bel édifice blanc aux fenêtres encadrées de riches boiseries. Dès l'instant où il coupa le moteur, un homme en complet gris s'empressa à leur rencontre.

Tandis que le manager distribuait de chaleureuses poignées de main, Lila regardait autour d'elle, les boutiques, les restaurants, les passants, grisée par le dépaysement, pressée de découvrir un endroit nouveau, différent. Où, hélas, elle ne serait pas libre de ses mouvements, elle devait l'accepter.

Pendant qu'Ash réglait les formalités à la réception, elle fit le tour du hall d'entrée, savourant le calme et la fraîcheur, admirant les fauteuils de cuir, les lampes Art déco, les bouquets.

Julie la rejoignit, lui tendit un verre.

– Jus de pamplemousse pétillant, un délice. Ça va ? On ne t'entend plus, tout d'un coup.

– Je découvre. C'est beau, hein ? Ça me paraît un peu irréaliste qu'on soit là tous les quatre.

– C'est cool. J'ai hâte de prendre une douche. Ensuite, j'irai visiter une ou deux galeries, histoire de me donner bonne conscience. Demain, on ira faire les magasins, toutes les deux. Il nous faut une tenue chic pour aller en visite à la villa d'une grande famille florentine.

– Tu écoutais ?

– Notre chauffeur a un charme fou. Il doit avoir autant de prétendantes que de cousins.

– Il te regarde droit dans les yeux quand il te parle, ce que je trouvais moyennement rassurant quand il conduisait. C'est vrai qu'il est… Mmm ! dit-elle, à court de mots.

Puis elle réalisa qu'Ash faisait exactement la même chose : lorsqu'il lui parlait, lorsqu'il la peignait, il la transperçait de son regard intense, magnétique.

Ils prirent un minuscule ascenseur, et Lila se réjouit que le manager s'adresse principalement à Ash. Pour une fois, elle n'avait pas à faire la conversation.

Ash avait réservé deux suites communicantes, spacieuses, claires, luxueusement meublées d'ancien et de moderne se mariant à merveille.

Elle s'imagina écrire au petit secrétaire en acajou face aux fenêtres donnant sur les toits de la ville, prendre le petit déjeuner sur la terrasse ensoleillée, bouquiner douillettement calée entre les coussins crème du canapé. Contempler le plafond doré, dans les bras d'Ash, sur le majestueux lit à baldaquin en velours rouge.

Elle prit une pêche dans une corbeille de fruits, jeta un regard dans la salle de bains, toute de marbre blanc veiné de noir, dotée d'une généreuse douche italienne, d'une grande baignoire à jets... et décida qu'elle devrait absolument prendre un bain avec Ash, à la lueur des bougies, Florence scintillant sous la lune derrière la fenêtre.

Au lieu de déballer ses bagages, de ranger ses affaires, comme elle avait l'habitude de le faire sitôt arrivée dans un nouvel espace afin de prendre ses marques, elle continua d'explorer la suite en humant sa pêche, ouvrit les fenêtres pour laisser entrer l'air, la lumière, les odeurs de Florence.

– Ce n'est pas la première fois que je séjourne dans des lieux d'exception, dit-elle à Ash, mais celui-ci détrône tous les autres. Où sont Julie et Luke ? On peut facilement se perdre ici.

– Dans leur chambre. Julie voulait défaire ses valises, se rafraîchir. Elle a une liste de galeries à visiter, des coups de fil à passer.

– OK.

– Tu n'as pas demandé au manager s'il était marié, pour qui il votait, quels étaient ses passe-temps favoris.

Elle ne put s'empêcher de rire.

– J'étais absorbée dans mon petit monde. Je suis contente d'être à Florence, que je n'avais jamais vue sous cet aspect. Mais mieux que ça ! Je suis vraiment contente d'être là avec toi. Et encore mieux ? D'être là avec toi sans que nous ayons ni l'un ni l'autre à regarder sans cesse derrière nous. Tout me paraît un peu plus beau, encore plus extraordinaire.

– Bientôt, nous n'aurons plus à nous tenir sur nos gardes. On reviendra ici, ou on ira où tu voudras.

Le cœur un peu serré, elle scruta le visage d'Ash, tout en faisant rouler la pêche entre ses mains.

– C'est une grande promesse.

– Quand je fais des promesses, je les tiens.

– Je n'en doute pas une seconde.

Elle posa la pêche, elle la dégusterait plus tard. Pour l'heure, elle avait envie d'une autre gourmandise.

– Je devrais défaire mes bagages, moi aussi, ranger mes affaires, mais j'ai envie d'une longue douche chaude dans cette sublime salle de bains.

Elle se dirigea vers la porte, se retourna :

– Ça te tente ?

Il arqua un sourcil.

– Ce serait idiot de refuser.

– Et tu n'es pas idiot.

Elle se débarrassa de ses chaussures, continua d'avancer.

– Tu es en forme pour quelqu'un qui vient de débarquer d'un vol transatlantique.

– Je suis comme le jersey, infroissable.

Elle enleva la barrette qui retenait ses cheveux, la posa sur le bord du lavabo.

– D'entretien facile et confortable pour voyager, ajouta-t-elle.

Dans une corbeille, elle prit un flacon de shampooing, le sentit. Approuva. En coulant un regard à Ash, sourire aux lèvres, elle ôta son corsage, son pantalon, et la brassière de dentelle qui lui tenait de lieu de soutien-gorge.

– Et inusable.

Shampooing et gel douche en main, elle entra dans la grande cabine vitrée.

– La soie est plus chic, mais le jersey plus pratique.

Elle ouvrit le robinet, se plaça sous le pommeau. Laissa la porte ouverte. Sans la quitter des yeux, il se déshabilla. Elle renversa la tête en arrière, le jet lui aplatit les cheveux.

Quand il la rejoignit, elle se tourna face à lui, noua les bras autour de son cou.

– C'est le troisième endroit, ici, où nous faisons l'amour.

– J'étais dans le coma ?

– C'était dans ma tête, mais c'était excellent.

– Où étions-nous les deux autres fois ?

– Fais-moi confiance, tu verras.

Elle se hissa sur la pointe des pieds, l'embrassa. Il sentit l'odeur de la pêche mûre quand elle lui caressa la joue, son corps chaud et humide plaqué contre le sien.

Il pensa à la gitane, défiant les hommes de la séduire ; à la reine des fées, se réveillant langoureusement après avoir séduit celui qu'elle avait choisi.

Il pensa à elle, si spontanée, si fraîche – avec ses petites alvéoles secrètes recélant tellement plus qu'elle ne voulait en révéler.

Dans un nuage de vapeur, sous le martèlement de l'eau, ses mains couraient partout sur lui, un défi et une invitation.

Le désir bouillonnait dans ses veines. Il enfla lorsqu'elle commença à se frotter contre lui.

Il la souleva, la tenant comme une danseuse en pointe, dévora sa bouche, sa gorge, jusqu'à ce qu'elle lui empoigne les cheveux afin de garder l'équilibre.

Un barrage venait de céder. Elle le sentait à la violence des battements de son cœur, à l'impatience de ses mains sur son corps.

Son désir l'excitant autant que ses caresses, elle succomba avec lui à l'appel de la chair. Prenant, juste prenant, avide de ses mains, du goût de sa langue.

Le souffle court, il agrippa ses hanches, la souleva un peu plus. Et plongea en elle, avec une telle fougue qu'elle poussa un cri, de surprise autant que de triomphe.

Susciter un tel désir, au-delà de la raison, et désirer en retour, avec la même force, dépassait tout ce qu'elle avait jamais osé imaginer. Elle se cramponna à lui, ses gémissements se mêlant aux claquements de leurs peaux mouillées. L'accueillant en elle, le possédant avec autant de passion qu'elle se laissait posséder.

Et lorsque le plaisir hurla en elle, embrasant son sang et ses os, elle largua les amarres.

Pendue à lui, elle se serait transformée en une mare de liquide en fusion s'il ne l'avait fermement retenue entre ses bras musclés. Elle avait oublié où ils étaient, se rappelait à peine qui ils étaient. Elle n'était plus que le galop de son cœur.

Il l'aurait portée jusqu'au lit s'il en avait eu la force. Il se contenta de la tenir contre lui, sous le jet brûlant, comblé, épuisé.

Quand il retrouva son souffle, il posa la joue sur sa tête.

– C'était assez chaud ?

– Oh oui…

– Pas particulièrement long.

– On était pressés. Ça arrive.

– Mais maintenant, on a le temps.

Il déboucha le shampooing, s'en versa au creux de la paume et le lui étala sur les cheveux, les démêlant de ses doigts. Sans quitter son visage des yeux, il rassembla sa chevelure sur le dessus de son crâne, lui massa le cuir chevelu.

Un nouveau frisson la parcourut.

– Mmm, tu fais ça comme un pro.

– Bon à savoir, au cas où je devrais me reconvertir.

Cette fois, ce fut long.

Il se réveilla dans la pénombre, tendit le bras vers elle. Une habitude maintenant, réalisa-t-il. Et il roula sur lui-même en ne la trouvant pas.

Il regarda l'heure : la matinée était bien avancée. Il serait volontiers resté au lit – si elle avait été là. Seul, il se leva, ouvrit les rideaux et se laissa envelopper par la chaleur du soleil italien.

Il avait peint des vues semblables : le relief des toits, des couleurs saturées de lumière. Des scènes magnifiques, désormais trop classiques pour son style.

S'il devait peindre Florence, il peindrait une femme sur un cheval ailé, les cheveux au vent, l'épée tirée. Une armée de femmes, harnachées de cuir et de métal, survolant la cité historique. Qui partaient-elles combattre ?

Il le découvrirait en se mettant à l'œuvre.

Il sortit de la chambre. Le salon était aussi vide que le lit. Guidé par l'arôme du café, il trouva Lila dans la deuxième chambre de la suite, assise devant son ordinateur au petit secrétaire à pieds cambrés.

– Tu travailles ?

Elle sursauta comme un lapin surpris.

– Tu es fou ! dit-elle en riant. Fais du bruit la prochaine fois, ou appelle une ambulance. Tu as bien dormi ?

– Comme un bébé. Tu as fait monter du café ?

– J'espère que je pouvais…

– Bien sûr.

– Il ne doit plus être très chaud. Je suis levée depuis un moment.

– Comment ça se fait ?

– Mon horloge interne, je suppose. J'ai regardé par la fenêtre, et je n'ai pas pu me recoucher. Qui pourrait dormir dans un cadre pareil ? Luke et Julie, tu me diras. Je ne les ai pas encore entendus.

Ash se servit une tasse de café. Lila avait raison, il était tiède.

– C'était sympa, hein, notre soirée d'hier ? dit-elle. Les pâtes étaient succulentes, et j'ai bien aimé notre petite balade après le restau, le dernier verre de vin tous ensemble sur la terrasse. Julie et Luke sont trop mignons tous les deux.

Se souvenant qu'il avait promis à Luke de tenir sa langue, il s'abstint de tout commentaire.

– Tu as envie de prendre le petit déjeuner, ou tu veux encore travailler un peu ? Dans tous les cas, je vais commander un autre pot de café.

– Je suis partante pour le petit déjeuner. J'ai bien bossé, j'ai fini mon bouquin.

– C'est vrai ? C'est génial !

– Enfin, « fini », pas tout à fait. Il me restera encore les relectures et le fignolage. Mais j'ai mis le point final à l'histoire. J'avais terminé le premier à Cincinnati. Florence a plus de cachet.

– Il faut fêter ça.

– Je suis à Florence, c'est déjà une fête en soi.

Il commanda néanmoins du champagne, et un pichet de jus d'orange pour préparer des mimosas. Un choix auquel elle ne trouva rien à redire, et qui semblait également convenir à Julie.

– Mmm… fit celle-ci en les rejoignant, les yeux encore ensommeillés.

C'est chouette, se dit Lila, *de partager un petit déjeuner de célébration avec des amis*. Elle était seule à Cincinnati avec son premier manuscrit, seule à Londres avec le deuxième.

– C'est cool, dit-elle en passant la corbeille de viennoiseries à Luke. Je n'étais jamais venue en Italie avec des amis. C'est super agréable.

– Ta copine t'emmène faire les magasins dans… une heure, décida Julie. Après, j'irai voir les artistes de rue, regarder s'il y en a un ou deux que je peux rendre riches et célèbres. On se retrouve tous en fin d'après-midi ? Qu'est-ce que vous en pensez, les garçons ?

– Ça marche, acquiesça Luke. Pour ma part, je vais faire le touriste. Tu viens avec moi, Ash ?

– OK.

Une journée de vacances, pensa Ash. Celle du lendemain serait stressante. Ils méritaient tous une journée de détente.

Et si son ami souhaitait la consacrer à chercher une bague, il voulait bien l'accompagner.

– On se donne rendez-vous vers 16 heures ? suggéra-t-il. Et on décidera ensemble, autour d'un verre, de ce qu'on fait ensuite.

– Où ?

– Je connais un endroit sympa. Je vous enverrai un texto.

Trois heures plus tard, Lila était assise, le regard éteint, devant une montagne de ce qu'elle avait envie d'appeler des « chaussures-bonbons » : des escarpins à talons, des ballerines plates, des nu-pieds, de toutes les couleurs possibles et imaginables. L'odeur du cuir lui montait à la tête.

– J'ai déjà trop dépensé, soupira-t-elle. Il faut que je me calme.

– Fais-toi plaisir, répondit Julie en contemplant une paire de stilettos bleu électrique à talons argentés. Je sais ce que je m'achèterai pour aller avec. Ce sont de vrais petits bijoux. Qu'est-ce que tu en penses ?

– Je ne les vois même pas. Je suis devenue aveugle.

– Je les prends, avec les nu-pieds jaunes, et les sandales plates… celles-ci, avec le motif brodé.

Elle se rassit, ramassa l'une des sandales rouges que Lila avait essayées avant d'être frappée de cécité.

– Prends-les, elles sont belles.

– Je n'en ai pas besoin. J'ai déjà acheté deux sacs de fringues ! Je n'aurais pas dû prendre la veste en cuir.

– Mais si ! Tu l'aurais payée deux fois plus cher à New York, elle te va super bien, et tu as terminé ton bouquin.

– Presque.

– Prends-les ! insista Julie en agitant les sandales devant son amie. Si tu ne les prends pas, je te les offre.

– Ah non !

– Tu ne pourras pas m'en empêcher. C'est classe, le rouge. Et tu as vu la qualité ? Elles te dureront des années.

– C'est vrai, soupira Lila, en se sentant faiblir. C'est la dernière fois que je fais les boutiques avec toi. Où vais-je mettre tout ça ? Et pourquoi diable ai-je acheté une robe blanche, et ce cardigan blanc ? Il n'y a rien de moins pratique que le blanc.

– Les deux te vont hyper bien, et la robe sera parfaite pour demain. Avec ces chaussures.

Julie brandit un nu-pied vert à semelle compensée. Lila cacha son visage derrière ses mains, et regarda entre ses doigts.

– Arrête de me tenter.

– Une femme qui n'achète pas de chaussures à Florence n'est pas une vraie femme.

– Je t'en prie !

– Tu peux laisser tout ce que tu veux chez moi, tu le sais. D'ailleurs, je pense sérieusement à chercher un appart' plus grand.

– Tu veux vraiment déménager ?

– On sera trop à l'étroit, à deux, chez moi. Je vais demander à Luke de m'épouser.

– Hein ? !

Lila se releva d'un bond, bouche bée, et se rassit aussitôt.

– Tu plaisantes, j'espère ?

Rêveuse, Julie posa une main sur son cœur.

– Quand je me suis réveillée, ce matin, et que je l'ai regardé, j'ai su que je voulais qu'il soit là chaque matin près de moi, et je veux être là pour lui. Nous allons nous remarier. Je n'ai même pas peur de lui en parler. S'il refuse, je le pousse sous les roues d'une voiture.

Lila se pencha vers son amie, lui passa un bras autour du cou et la serra affectueusement contre elle.

– Il ne refusera pas. Julie, c'est formidable. Je suis trop contente pour vous. Je t'aiderai à organiser le mariage.

– Avec plaisir, je sais que tu as toujours de bonnes idées. Je veux un vrai mariage, cette fois. Peut-être même que je porterai du blanc.

– Bien sûr que tu porteras une robe blanche ! décréta Lila.

– Alors, c'est décidé, je serai en blanc. Je ne veux pas forcément une cérémonie extravagante, mais je veux que ce soit réel.

– Des fleurs, de la musique, et les invités écrasant discrètement une larme.

– Tout ça, cette fois. Pas un passage éclair devant le juge de paix. Je veux lui dire « oui » devant ma famille et mes amis, avec ma meilleure amie comme demoiselle d'honneur.

Radieuse, Julie fit claquer une bise sur la joue de Lila.

– On se lâche sur les chaussures !

– On se lâche sur les chaussures !

Elle avait à présent trois sacs, pensa Lila en sortant du magasin, alors qu'elle s'était juré de ne pas faire trop de frais, de n'acheter que des vêtements pratiques, pas trop chers, pour remplacer ceux qu'elle avait donnés.

Je me suis menti, s'avoua-t-elle.

Néanmoins, elle s'était fait plaisir et ne le regrettait pas.

– Tu vas lui en parler quand ? demanda-t-elle à Julie.

– Ce soir. Inutile de remettre à demain ce que tu peux faire aujourd'hui.

– Sur la terrasse, au coucher du soleil, suggéra Lila, qui n'avait qu'à fermer les yeux pour visualiser la scène. Une déclaration d'amour un soir d'été à Florence, tu ne pouvais pas rêver décor plus romantique.

– J'ai hâte d'être à ce soir, soupira Julie.

– Je m'arrangerai pour aller boire un verre ailleurs avec Ash. Tu commanderas du vin, tu mettras une de tes nouvelles tenues, et quand le soleil commencera à décliner, que le ciel s'embrasera, tu lui demanderas sa main. Ce sera trop beau. Ensuite, vous viendrez nous annoncer la nouvelle, nous trinquerons à votre bonheur et nous irons dîner à la trattoria du cousin de Lanzo.

– On ne vous rejoindra peut-être pas tout de suite, si tu vois ce que je veux dire…

– Ah non ! La moindre des choses, après m'avoir fait acheter trois sacs de fringues, c'est de fêter ça avec moi avant de le fêter au lit avec lui !

– Tu as raison. Je ne suis qu'une égoïste. Tu sais quoi, on…

Lila saisit soudain le bras de son amie.

– Julie, regarde !

– Quoi ? Où ?

– Là ! Viens vite !

Elle prit Julie par la main et s'élança en courant vers le bout de la rue.

– Qu'est-ce qu'il y a ? Qu'est-ce qui te prend ?

– L'Asiatique. Jai Maddok.

– Lila, ce n'est pas possible. Arrête.

Mais Lila continua de courir, tourna au coin de la rue.

– C'est elle, j'en suis presque sûre. Tiens, dit-elle à Julie en lui collant ses sacs entre les mains. Je vais la suivre.

Julie écarta les bras, lui barra le chemin.

– Tu délires, ce n'est pas elle, ce n'est pas possible. Et quand bien même, tu ne vas pas la suivre seule !

– Je veux en avoir le cœur net, et voir où elle va.

Là-dessus, Lila se glissa sous le bras de son amie et détala dans la ruelle pavée.

– Oh, mon Dieu…

Encombrée par une demi-douzaine de sacs, Julie s'efforça de lui emboîter le pas, tout en composant un numéro sur son mobile.

– Luke, je cours après Lila, qui court après la tueuse. Elle est trop rapide, je ne peux pas… Où je suis ? Je n'en sais rien. Sur une place. Une grande place. Il y a plein de monde. C'est… la place avec la fontaine de Neptune. Luke, je la perds de vue. Piazza della Signoria ! Dépêchez-vous, je vous en supplie !

Tant bien que mal, Julie se faufila entre les touristes massés autour de la statue d'Hercule et Cacus, mais Lila avait trop d'avance.

23

Lila ralentit le pas, se glissa derrière une statue. La femme qu'elle filait était bien Jai Maddok, elle en était certaine. Elle la reconnaissait à son allure, à ses cheveux, sa silhouette. Elle chaussa ses lunettes de soleil, se mêla à un groupe de touristes, réduisit la distance qui la séparait de l'Asiatique ; celle-ci s'engagea sous des arcades, dont Lila savait qu'elles débouchaient sur une artère perpendiculaire.

Elle était déjà venue plusieurs fois à Florence, et savait exactement où elle se trouvait.

Elle poursuivit sa filature, s'efforçant de rester à une centaine de mètres derrière Jai. Si celle-ci se retournait, elle devrait l'affronter ou prendre la fuite. Le cas échéant, elle aviserait.

Mais ce ne fut pas nécessaire. D'un pas déterminé, l'Asiatique tourna au coin d'une rue, la remonta, puis entra dans un bel immeuble ancien.

Sur son téléphone, Lila releva l'adresse. Il lui sonna dans les mains.

– Où tu es, nom d'un chien ? hurla Ash.

– Via della Condotta, près de la Piazza della Signoria. Je viens de voir Jai Maddok entrer dans un immeuble.

– Retourne à la Piazza. Tout de suite. Je t'y rejoins.

– OK. On…

Il avait déjà raccroché.

– Aïe… murmura-t-elle avec une grimace.

Et après un dernier regard à l'immeuble, elle se dirigea vers la place.

– Aïe aïe aïe ! marmonna-t-elle en l'apercevant qui venait à sa rencontre, la démarche rageuse, le visage fermé, furieux.

– Qu'est-ce qui t'est passé par la tête, bon sang ?

Il lui empoigna le bras et l'entraîna dans la direction par laquelle il était arrivé.

– Calme-toi, Ashton.

– Ne me dis surtout pas de me calmer ! Je te laisse seule une après-midi et tu ne trouves rien de mieux à faire que te lancer à la poursuite d'une femme qui a essayé de te tuer. Si encore c'était elle…

– C'était elle. Et ce n'est pas une coïncidence. Comment a-t-elle su que nous étions là ?

– Tu as pris un risque idiot ! Qu'aurais-tu fait si elle t'avait attaquée ?

– Il aurait d'abord fallu qu'elle m'attrape, et j'ai prouvé que j'étais plus rapide qu'elle. Cette fois, c'est moi qui l'aurais prise au dépourvu, pas l'inverse. De toute façon, elle ne m'a pas vue. Je voulais savoir où elle allait, et j'ai l'adresse. Tu aurais fait exactement la même chose.

– Tu n'avais pas à prendre cette initiative toute seule. Elle t'a déjà blessée. Je dois pouvoir te faire confiance, Lila.

Il lui parlait comme à un enfant désobéissant, et ce ton la hérissait.

– N'essaie pas de me faire culpabiliser. Je l'ai aperçue, j'ai vu une opportunité, je l'ai saisie. Et j'ai une adresse, tu m'as entendue ? Je sais précisément où elle est en ce moment.

– Tu as vu son visage ?

– Tu imagines bien que je ne suis pas allée me planter en face d'elle… Si je te dis que c'est elle, c'est elle. Elle nous a suivis. On croyait être tranquilles, ici. Or elle est là.

– Dieu merci !

Julie, assise sur le rebord de la fontaine de Neptune, se précipita vers Lila et jeta ses bras autour de son cou. Puis elle s'écarta, l'attrapa par les épaules et la secoua comme un prunier.

– Tu es folle ou quoi ?

– Désolée de t'avoir plaquée comme ça, mais il fallait que je la suive.

– Tu n'as pas le droit de me faire des frayeurs pareilles. Tu n'as pas le droit, Lila.

– Excuse-moi. Il ne m'est rien arrivé, c'est l'essentiel. Toi aussi, tu m'en veux, dit-elle en croisant le regard de Luke. OK, soupira-t-elle, trois contre une, je m'incline… Pardon. Je suis navrée d'avoir contrarié les trois personnes qui comptent le plus pour moi.

Maintenant, si on appelait la police ? Je peux leur indiquer où pincer une criminelle internationalement recherchée.

Sans un mot, Ash tira son téléphone de sa poche, et tourna le dos à Lila qui s'apprêtait à lui dire quelque chose.

– Il était fou d'inquiétude, chuchota Luke. Il a essayé de t'appeler plusieurs fois, tu ne répondais pas. On ne savait même pas où tu étais.

– Je n'ai pas entendu. Mon téléphone était au fond de mon sac, il y avait du bruit. Je suis sincèrement désolée.

Ash revint vers eux.

– Donne-moi cette adresse.

Sitôt qu'elle la lui eut dictée, il s'éloigna de quelques pas.

– Il est rancunier ? demanda-t-elle à Luke.

– Ça dépend.

– J'ai transmis l'information à l'inspecteur Fine, déclara Ash sèchement. Elle aura plus de poids auprès de la police italienne qu'un touriste lambda. On retourne à l'hôtel, maintenant, s'assurer qu'on peut rester là-bas.

De nouveau, Lila dut s'incliner devant la majorité.

Ash s'arrêta à la réception, puis ils prirent l'ascenseur.

– Personne ne nous a demandés, aucun de nous. Le personnel est briefé : ils ne nous transmettront aucune communication, et ne diront à personne que nous sommes là. Si Jai Maddok est bel et bien à Florence, elle aura du mal à nous trouver.

– Elle est là, je te dis.

– Je l'ai décrite aux vigiles, poursuivit Ash, ignorant sciemment Lila. Ils ouvrent l'œil.

Ils sortirent de l'ascenseur, gagnèrent la suite.

– J'ai des appels à passer, dit Ash, et il se rendit directement sur la terrasse.

– Il est dur avec moi…

– Essaie d'imaginer comment il se serait senti s'il t'était arrivé quelque chose, répondit Luke. Ce n'est pas le cas, et c'est tant mieux, mais ça ne change rien aux dix minutes d'angoisse que tu lui as fait vivre.

Penaude, Lila se rencogna dans un fauteuil. Luke lui embrassa le sommet du crâne.

– Que diriez-vous d'un verre de vin, les filles, pour nous remettre de ces émotions ?

Tandis qu'il débouchait une bouteille, Julie s'assit en face de Lila.

– Ne boude pas, lui dit-elle.

– Je ne boude pas. Enfin, si. Tu ne ferais pas la tête, toi, si tout le monde t'engueulait ?

– Je ne serais jamais partie en courant comme une folle après une tueuse en série.

– Je l'ai suivie discrètement. Et je vous ai présenté des excuses. Vous ne m'avez même pas félicitée d'avoir relevé son adresse.

Luke lui tendit un verre.

– Félicitations, Lila, mais ne refais plus jamais ça.

– Ne sois pas fâchée contre moi, dit-elle à Julie. J'ai acheté les chaussures que tu voulais que j'achète.

– Tu m'as refilé tous tes paquets. Je ne pouvais pas te suivre. Si tu m'avais attendue, on aurait été deux, au moins, en cas de problème.

– Tu ne voulais pas croire que je l'avais vue.

– Sur le coup, non, c'est vrai, je ne t'ai pas crue. Mais après, j'étais malade d'angoisse. Enfin… dit-elle en se levant lorsque Ash revint. Je vais essayer mes chaussures. Tu viens avec moi, Luke, que je te montre mes emplettes ?

Faux-fuyant ou discrétion ? se demanda Lila en regardant Luke prendre les sacs et suivre Julie vers leur chambre. Sans doute un peu des deux.

– Je leur ai refait mes excuses. Tu veux que je te demande encore pardon ?

– J'ai appelé l'aérodrome d'où nous avons décollé, répondit-il d'un ton froid, le regard chargé de ressentiment. Quelqu'un a utilisé le nom de l'assistant personnel de mon père pour se faire communiquer mon plan de vol. Ce n'était pas l'assistant de mon père.

– Elle savait donc qu'on partait.

– Brillante déduction, railla-t-il en se versant un verre de vin. J'ai réservé la voiture et l'hôtel séparément, sur une recommandation que ma sœur Valentina m'avait donnée il y a plus d'un an. Maddok aura du mal à retrouver notre piste, mais si elle creuse, elle y arrivera.

– On devrait prévenir Lanzo.

– C'est fait.

– Je comprends que tu m'en veuilles, mais c'est mieux qu'on sache qu'elle est là, non ?

– Vinnie s'est déjà fait tuer par ma faute. Je ne veux pas qu'il t'arrive la même chose.

Il se tourna vers elle, le visage toujours crispé.

– Je ne veux pas qu'il t'arrive la même chose, répéta-t-il. Alors soit tu me donnes ta parole que tu ne vas plus nulle part toute seule, qui ou quoi que tu croies voir, soit je te mets dans l'avion et je te renvoie à New York.

– Comment ça, tu me « mets » dans l'avion ? Tu peux me mettre à la porte, mais à partir de là je ferai ce que je voudrai.

– Ne joue pas à me provoquer, tu ne seras pas gagnante.

Elle se leva du fauteuil, arpenta la pièce.

– Pourquoi tu me pousses dans mes derniers retranchements ?

– Parce que je tiens à toi. Tu le sais.

– Tu aurais fait exactement la même chose que moi.

– Hors sujet. Donne-moi ta parole.

– J'aurais dû faire comme si de rien n'était ? Me dire : « Ah, tiens, voilà Jai Maddok, criminelle internationale qui veut notre mort à tous » et continuer de faire du shopping avec Julie ?

– Tu aurais dû m'appeler et me dire que tu pensais l'avoir aperçue. Ensuite, tu aurais pu la suivre et j'aurais déjà été en chemin pour te rejoindre. On serait restés en contact téléphonique et je ne me serais pas imaginé, qu'au moment même où je t'achetais un collier elle te trucidait.

– OK, c'est vrai, tu as raison. Mais je n'ai pas l'habitude de passer des coups de fil à tout bout de champ.

– Il faudra la prendre.

– J'essaie. Tu as un demi-million de frères et sœurs, toi, une famille tentaculaire. Tu as l'habitude de les appeler, pour prendre de leurs nouvelles, leur donner des tiennes. Pour ma part, j'ai fait le choix, il y a des années, de n'avoir de comptes à rendre à personne. Je n'ai pas pensé que vous vous feriez tellement de souci. Je… Je tiens à toi, moi aussi. Je m'en voudrais terriblement si j'avais tout gâché entre nous…

– Je te demande ta parole. Tu peux me la donner, ou tu ne peux pas ?

Acculée, pensa-t-elle. Quand trois personnes qui tenaient à elle voyaient les choses du même œil, force lui était d'admettre qu'elle devait réviser sa position.

– Je te donne ma parole que j'essaierai de me souvenir que je dois tenir compte de toi.

– OK.

Elle lâcha le soupir qu'elle retenait, plus tendue qu'elle ne l'aurait pensé. Les conflits ne lui faisaient pas peur, mais elle ne pouvait décemment pas faire la forte tête quand elle avait vraiment conscience d'être en tort.

– Je m'en veux de t'avoir causé une telle frayeur, de ne pas avoir entendu la sonnerie de mon téléphone quand tu essayais de me joindre. À ta place, j'aurais été horriblement inquiète, moi aussi, et je t'en aurais voulu. J'ai réagi comme j'ai l'habitude de réagir et... Au fait, qu'est-ce que tu as dit tout à l'heure ? Que tu m'avais acheté un collier ?

– Je ne suis pas sûr de vouloir toujours te l'offrir.

– Ce n'est pas bien d'être rancunier.

– Je suis en colère.

Elle secoua la tête, s'approcha de lui, l'enlaça.

– Je suis sincèrement désolée.

– C'est une tueuse, Lila. Une tueuse professionnelle.

– J'aurai beau te dire que j'ai été prudente, tu n'étais pas là, tu ne peux pas en être sûr. Elle avait un grand sac à main très chic, des chaussures plates cette fois. À aucun moment, elle n'a regardé derrière elle. Elle marchait comme quelqu'un qui se dirige vers un but précis. Soit elle loge à cette adresse, soit elle allait à un rendez-vous. On pourrait passer un appel anonyme à la police locale.

– Fine et Waterstone font ce qu'il y a à faire.

– Et nous ? On attend ?

– Demain, on ira voir Bastone, comme prévu. C'est à toi, tous ces sacs de shopping ? demanda-t-il en les désignant du menton.

– Par la faute de Julie. D'ailleurs, on devrait leur dire qu'ils peuvent sortir de leur chambre. Elle voulait aller voir les peintres de rue.

– On ira tous ensemble. Dorénavant, nous ne nous séparons plus.

– D'accord, acquiesça-t-elle, en se remémorant qu'elle devait faire des efforts.

Certes, ils devaient de nouveau se tenir sur leurs gardes, mais Lila trouvait agréable qu'ils se promènent tous ensemble. Ils flânaient sur le pont, afin que Julie puisse observer le travail des peintres, discuter avec eux.

Lila se pencha vers Luke :

– Quand elle passe en mode galeriste, je ne comprends pas la moitié de ce qu'elle raconte. Ash non plus, on dirait, à voir la tête qu'il fait.

– Je ne capte pas grand-chose, mais j'aime bien la toile qu'ils regardent.

Lila contempla le tableau en question : dans une cour fleurie, un garçonnet accroupi devant un pot de fleurs cassé ; sur le seuil de la maison, aux murs de plâtre brut envahis par la vigne vierge, une femme, les poings sur les hanches.

– La mère a un petit sourire qu'elle essaie de dissimuler, observa Lila. Elle l'aime, son petit garçon qui se mord les doigts d'avoir fait une bêtise. Il va se faire disputer, mais ils replanteront les fleurs ensemble.

– Tu as plus d'imagination que moi ! Julie a l'air de bien aimer ce tableau, en tout cas, du moins suffisamment pour s'intéresser aux autres œuvres de l'artiste.

– Tu voudras qu'on aille visiter des boulangeries ? Tu y puiseras peut-être de nouvelles idées.

– J'ai goûté un *cornetto al cioccolato*, ce matin, que je crois pouvoir refaire. Et j'ai les adresses de quelques pâtissiers secrets.

– Qu'ont-ils de secret ?

– Ils n'ont tout simplement pas pignon sur rue. Ils travaillent dans des arrière-cours, la nuit, pour livrer les cafés à la première heure. En principe, ils ne font pas de vente au détail, mais il y a toujours moyen de s'arranger.

– Une chasse nocturne aux pâtisseries secrètes… Je suis de la partie ! Julie m'a dit que tu voulais ouvrir un deuxième point de vente. Parle-moi de ce projet.

Elle passa son bras sous le sien, longea le pont avec lui, entre les rangées de tableaux, jusqu'à ce que Julie les rejoigne, tout excitée.

– Je viens peut-être de changer une vie ! Mon patron m'a donné le feu vert pour le signer, le peintre de *L'Enfant dans la cour*. C'est lui, sur le tableau. Un souvenir d'enfance, un petit accident causé par un ballon de foot un après-midi d'été.

– Trop mignon. J'adore.

– Ses œuvres ont du mouvement, et elles racontent une histoire. Nous en prenons trois. La première chose qu'il a faite, après m'avoir embrassée, a été de téléphoner à sa femme.

– Encore plus mignon.

Avec son rire décontracté, Julie leva les bras au ciel.

– Des superbes chaussures, et un nouvel artiste pour la galerie. Je n'ai pas perdu ma journée.

Luke lui prit la main et la fit tournoyer, la faisant rire aux éclats.

– Une journée n'est jamais parfaite sans *gelato*. Qu'en dis-tu, Ash ?

– Je vote pour.

– S'il y a de la *gelato* au programme, marchons encore un peu, décréta Julie. Tu aimes son travail, Ash ?

– On sentait le parfum des fleurs, la chaleur, l'exaspération amusée de la mère, et la résignation du gamin à accepter la punition. Non seulement ce gars a de la technique, mais en plus il peint avec son cœur.

– Exactement ce que j'ai ressenti. Il n'a même pas d'agent. J'espère qu'il en prendra un.

– Je lui ai donné quelques noms. Quand il sera redescendu de son petit nuage, il prendra des contacts, je pense.

– Tu te rappelles ta première vente ? demanda Lila.

– Tout le monde se rappelle sa première vente.

– C'était quoi ?

– Une toile que j'avais baptisée *Sœurs*. Trois fées cachées dans un sous-bois, épiant un cavalier. Je venais juste de la terminer, dans les jardins de la citadelle. Mon père est venu me présenter la femme qu'il fréquentait à l'époque. Elle a dit qu'elle voulait l'acheter. Il lui a répondu que c'était chose faite.

– Sans te demander ton avis ?

– Il ne comprenait pas grand-chose à ce que je faisais. Elle si. Elle était agent. J'ai toujours pensé qu'il espérait qu'elle me décourage de peindre. Manque de bol pour lui, elle m'a proposé de me représenter et m'a laissé sa carte. C'est toujours mon agent.

– J'adore les happy ends, et les *gelati*, c'est moi qui vous les offre, annonça Lila. Je vous dois bien ça, pour me faire pardonner.

Ils dégustèrent leurs glaces dans les jardins de Boboli, puis Ash entraîna Lila vers le plan d'eau où se dressait la statue d'Andromède.

– Assieds-toi là, en tailleur.

Elle s'exécuta, pensant qu'il voulait la prendre en photo, puis agita les mains quand il sortit son carnet à croquis.

– Oh, non ! Une photo, ce sera plus rapide.

– J'ai quelque chose en tête. Cinq minutes. Tourne la tête. Juste la tête. En direction du lac. Impec.

Elle se résigna en voyant Luke et Julie s'éloigner.

– Il en a pour un moment, prédit Julie.

– Je sais comment il fonctionne, acquiesça Luke en balançant leurs mains entrelacées, comme lorsqu'ils étaient adolescents, puis en lui embrassant le bout des doigts. C'est beau, ici. Asseyons-nous un moment.

– Il fait un temps magnifique. J'ai passé une journée fabuleuse, bien qu'on ait frôlé le drame. Ils vont bien ensemble tous les deux, tu ne trouves pas ? Je ne connais pas Ash aussi bien que toi, mais je ne l'ai jamais vu aussi radieux. Quant à Lila, elle est folle de lui, et c'est une grande première pour elle.

– Julie ?

– Mmm ?

Elle posa la tête sur son épaule, sourire aux lèvres, tout en regardant Ash dessiner.

– Je t'aime.

– Je sais. Moi aussi, je t'aime. Je suis heureuse.

Il se tourna, lui redressa la tête afin de la regarder dans les yeux.

– Te rendre heureuse est mon vœu le plus cher. Je veux que nous soyons heureux ensemble, pour la vie.

Il sortit un écrin de sa poche, en souleva le couvercle.

– Épouse-moi.

– Oh, Luke…

– Ne dis pas non. Dis-moi que tu veux attendre, mais ne me dis pas non, je t'en supplie.

– Non ? Je n'ai pas l'intention de dire non. J'avais l'intention de te proposer le mariage, moi aussi, ce soir. J'avais tout prévu.

– Tu voulais me demander de t'épouser ?

Elle jeta ses bras autour de son cou.

– Je ne veux pas attendre. Remarions-nous, comme si c'était la première fois. Oh ! Cette bague est magnifique !

Il la lui glissa à l'annulaire.

– J'ai préféré une émeraude à un diamant. Un nouveau départ, vers tous les lendemains de notre amour.

Les larmes aux yeux, elle prit son visage entre ses mains, et la pierre scintilla dans l'éclat du soleil.

– Nous nous sommes retrouvés. C'est une chance inouïe, dit-elle, ses lèvres contre les siennes.

Il fallut à Ash plus près de vingt minutes que de cinq mais, finalement, il vint s'asseoir près de Lila et lui montra son carnet.

Elle regarda avec attention les divers croquis qu'il avait faits d'elle, assise dans la verdure, la statue sur son île à l'arrière-plan, comme posée sur la main qu'il lui avait demandé de lever, paume vers le ciel.

– Que suis-je ?

– Une divinité de la fin du jour, puisant de nouveaux pouvoirs auprès d'une princesse de l'Antiquité. Je referai peut-être le dessin au fusain, une absence de couleur, avec une tempête approchant par l'est.

Il se redressa, lui tendit la main, l'invitant à se lever.

– C'est Boboli qui t'a inspiré tout ça ?

– C'est toi, dit-il simplement, en regardant autour de lui. Ah ! ils sont là…

Il la prit par la main, l'entraîna vers le banc où Luke et Julie étaient assis.

– Excusez-moi, je n'ai pas vu le temps passer.

– Moi non plus ! répondit Julie en leur montrant sa bague.

– Oh, qu'elle est belle ! Quand l'as-tu… Oh, Julie !

– Nous allons nous marier.

Julie se leva, embrassa Lila, puis Ash.

– Tu n'as pas pu attendre le coucher du soleil ?

– Il m'a devancée.

Lila embrassa Luke chaleureusement.

– Félicitations. Je suis si heureuse. Allons vite arroser cette bonne nouvelle.

– Je connais un endroit sympa, dit Ash.

– Ah oui, tu en as parlé ce matin. Allons-y. Nous trinquerons au véritable amour, perdu et retrouvé.

– Excusez-moi, dit-il en sortant de sa poche son téléphone qui sonnait. Un appel important.

– C'est…

Un doigt sur les lèvres, il s'éloigna de quelques pas.

Savoure l'instant présent, s'ordonna Lila.

– Nous avons donc un mariage à préparer.

– Et vite. Pour fin septembre.

– Ça ne nous laisse pas beaucoup de temps, en effet, mais vous pouvez compter sur mon aide. Première chose, il faut choisir le lieu. Je ferai une liste. Qu'est-ce que c'était ? demanda-t-elle à Ash lorsqu'il revint.

– Maddok n'était pas à l'adresse que tu as relevée.

– Je l'ai vue entrer dans l'immeuble. C'était elle, j'en suis sûre.

– Tu ne t'es pas trompée, c'était bien elle, mais elle n'était plus là quand la police est arrivée. Ils n'ont trouvé qu'un marchand d'art, du nom de Frederick Capelli. La gorge tranchée.

De sa suite dans l'un des plus beaux hôtels de Florence, Jai envoya un texto à son patron.

Colis expédié.

Puis elle entreprit de nettoyer son couteau. Elle avait été efficace, et elle avait su faire d'une pierre deux coups. Le boss serait content. Après le fiasco new-yorkais, elle remonterait dans son estime.

La brunette n'aurait jamais dû lui échapper. Sur ce coup, force lui était de reconnaître qu'elle avait manqué de vigilance. Mais qui aurait cru que cette maigrelette aurait le cran de la frapper, et qu'elle courait aussi vite ?

Jai n'oublierait pas cet affront.

Elle n'était pas responsable de la mort d'Oliver et de sa poule, ni de celle de son oncle. La faute en revenait entièrement à cet abruti d'Ivan. Elle comprenait, toutefois, elle comprenait très bien que le boss ne veuille pas entendre ses excuses.

Elle éleva la lame dans la lumière filtrant entre les volets, s'assura qu'il n'y restait pas de traces, éprouva son tranchant. Le marchand d'art n'avait guère offert de résistance. Du bon boulot, vite fait bien fait.

Lui trancher la gorge avait égayé sa journée, même s'il ne s'agissait que d'une exécution strictement pratique, presque pathétique.

Jai jeta un coup d'œil à ce qu'elle considérait comme son bonus : le portefeuille, contenant quelques beaux billets tout neufs de cent euros ; la montre, une Cartier ancienne ; la chevalière ridicule et prétentieuse qu'il portait au petit doigt, sertie toutefois d'un diamant de taille honorable, d'une pureté tout à fait acceptable.

Elle avait pris le temps de fouiller l'appartement. Sur un coup de tête, parmi les objets de valeur facilement transportables, elle avait pris une cravate Hermès.

Elle se débarrasserait du reste, mais elle garderait la cravate : un joli petit souvenir pour sa collection personnelle.

Du reste, dans un premier temps tout du moins, la police croirait à un cambriolage.

Or Capelli était mort parce qu'elle lui avait donné la mort, parce qu'il n'avait pas trouvé l'œuf, comme promis, parce qu'il s'était fait doubler par Oliver Archer.

Personne ne se soucierait de lui avant lundi, ce qui laissait à Jai le temps de localiser le peintre et sa pétasse.

Elle les avait suivis jusque-là, non ? Elle avait eu raison de se payer, à ses frais, un studio d'où elle pouvait surveiller le loft d'Archer, à New York. Et elle avait eu la chance de voir la limousine, de le voir partir avec une valise.

Sans compétences, toutefois, la chance ne suffisait pas. Le filer jusqu'à l'aérodrome, et obtenir son plan de vol… cela avait exigé des compétences. Et lui avait valu les louanges de son employeur, ainsi qu'un voyage pour l'Italie dans l'un de ses jets privés.

Le peintre avait besoin de vacances, supposait-elle, pour se remettre de tous ces deuils. En compagnie d'un couple d'amis. Ils devaient loger dans un palace, avec tout le pognon qu'avait Archer, ou dans une location de luxe. Ils visiteraient les sites touristiques, les galeries d'art. Ils ne se doutaient sûrement pas qu'elle les avait toujours dans sa ligne de mire, ils ne se méfieraient pas.

Maintenant qu'elle avait expédié le colis, elle pouvait se mettre à leur recherche. Et la traque serait suivie de la mise à mort. Jai attendait ce moment avec impatience.

Elle glissa le couteau dans la mallette où elle rangeait ses armes blanches. Plusieurs lui serviraient pour tuer la garce qui lui avait fendu la lèvre.

Ils trinquèrent à la terrasse d'un petit café, Lila surveillant les passants du coin de l'œil tandis qu'ils discutaient salles de réception et compositions florales.

– En gros, dit-elle, tu veux une cérémonie chic et simple à la fois, suivie d'une grande fiesta.

– Exactement, acquiesça Julie en souriant à Luke. Tu es d'accord ?

– Absolument.

Elle déposa un baiser sur ses lèvres.

– Heureusement que j'ai mes lunettes de soleil, plaisanta Lila. Vous rayonnez d'un bonheur aveuglant, tous les deux. J'ai une idée ! On pourrait distribuer des lunettes noires aux invités, le jour du mariage. Ce serait rigolo, non ?

– Elle plaisante, précisa Julie.

– Pas forcément. Mais on en reparlera, ce n'est qu'un détail. L'élément le plus important reste la robe de la mariée. Si on a le temps, on commencera à regarder à Florence, tu ne crois pas ?

– Tu lis dans mes pensées.

Lila décocha un coup de coude à Ash.

– Tu es bien silencieux…

– Les hommes, que je sache, n'ont pas à se mêler de l'organisation des mariages. Leur rôle se borne à être là le jour de la fête.

– Alors là, ne crois pas t'en tirer aussi facilement. Je te ferai une liste, monsieur le témoin. Tu la transformeras en tableau Excel, si tu préfères. Je crois…

Elle fut interrompue par la sonnerie du téléphone d'Ash.

– Archer, j'écoute… Oui… D'accord… Elle n'a pas laissé de nom ? Parfait, je vous remercie… Oui, oui, très bien. Merci encore.

Il coupa la communication, leva son verre.

– L'hôtel vient de recevoir un appel d'une femme qui voulait me parler. Conformément à mes instructions, ils ont dit qu'ils n'avaient personne de ce nom dans l'établissement. Ni de ton nom, quand elle a demandé, ajouta-t-il en se tournant vers Lila.

– Elle nous cherche.

– Si tu ne l'avais pas vue, je n'aurais pas prévenu la réception.

– Et elle saurait où nous logeons. Je suis fière de moi.

– L'avoir vue et lui avoir couru après sont deux choses différentes. Mais … commandons une deuxième tournée, et continue de vérifier qu'elle ne rôde pas dans la foule.

– J'étais discrète pourtant !

Avec un sourire en coin, Ash interpella un serveur.

24

Lila portait sa nouvelle robe blanche et l'une de ses nouvelles paires de chaussures. Julie, comme toujours, avait été de bon conseil. Une tenue estivale classique et chic, qu'elle compléta par une tresse lâche enroulée sur la nuque.

– Tu es presque parfaite, commenta Ash en entrant dans la chambre.

– Presque ?

Il ouvrit le tiroir supérieur de la commode, en sortit une boîte qu'il lui tendit.

– Essaie ceci.

Ravie, elle ouvrit la boîte, contempla le petit écrin de cuir qu'elle renfermait. Bizarre… Les colliers fantaisie ne se présentaient pas dans des écrins de cuir.

– Un problème ? lui lança Ash.

Stupide de se sentir nerveuse à cause d'un cadeau…

– Non. Je ménage le suspense.

Elle souleva le couvercle, et découvrit un pendentif en forme de larme, d'un bleu lavande très clair, serti d'un liseré de minuscules diamants, accroché à deux chaînes, aussi délicates que des fils d'araignée, constellées elles aussi de petits brillants pareils à des gouttelettes de rosée.

– C'est… C'est magnifique. C'est une pierre de lune ?

– Ça me semblait approprié, pour une femme qui vient de terminer son troisième roman de loups-garous.

Il le sortit lui-même de l'écrin, dégrafa le fermoir et le referma autour du cou de Lila. Puis il l'entraîna devant le miroir et regarda avec elle.

– Maintenant, tu es parfaite.

– Il est superbe, dit-elle en le regardant dans les yeux. Je l'adore, pas seulement parce qu'il est très beau, mais parce que tu as pris la peine de chercher un bijou qui me corresponde. Merci. Je ne sais pas quoi dire.

– Inutile d'en dire plus.

Elle se retourna vers lui, pressa une joue contre la sienne.

– C'est le plus beau cadeau qu'on m'ait jamais offert, et celui qui me touche le plus.

Il s'écarta d'elle, lui caressa les épaules tout en scrutant son visage.

– Il faudra qu'on parle de certaines choses quand nous serons de retour à New York.

– Dont on ne peut pas parler en Italie ?

– Ne nous dispersons pas. Nous avons rendez-vous avec Bastone, aujourd'hui. D'ailleurs, nous n'allons pas tarder à partir. Je vais appeler Lanzo.

– Quand tu veux, je suis prête.

Lorsqu'il quitta la pièce, elle se retourna face au miroir, effleura la pierre du bout des doigts. Et jeta un coup d'œil aux jumelles posées sur le rebord de la fenêtre.

N'était-ce pas étrange qu'elles l'aient menée à Florence ? Et que faire de cette sensation de glisser dans un long, long tunnel vers l'amour ?

Sans rambarde où s'agripper, sans palier où reprendre son souffle, où réduire la vitesse. Aussi grisante que soit la chute, Lila n'avait pas la moindre idée de la manière dont elle atterrirait.

Chaque chose en son temps, se dit-elle en prenant son sac à main. Ash avait raison : qu'ils règlent d'abord ce qu'ils étaient venus faire là, et advienne ensuite ce qu'il adviendrait. Elle avait toujours fonctionné de la sorte et ne savait pas fonctionner autrement.

Une dernière fois, elle admira le collier dans le miroir. Il la comprenait, il savait comment l'émouvoir. Et cela était aussi beau que le bijou lui-même.

De ce trajet à travers la campagne toscane, Lila garderait un souvenir en Technicolor. Le bleu du ciel, le jaune des tournesols dansant dans les champs le long de la route. Le camaïeu de verts des collines, des oliveraies, des cyprès, l'éclat acidulé des citrons et des oranges alourdissant les arbres, le riche pourpre des grappes de raisins sur les vignes, s'étendant à perte de vue en rangées régulières ou étagées sur le flanc des coteaux.

Des explosions de rouge et de rose dans les jardins, des gerbes d'or et d'orangés éclaboussant les façades blanchies à la chaux, les murs de pierres des vieilles fermes.

Si elle avait su dessiner, elle aurait peint cette mosaïque de couleurs inondée d'un soleil radieux.

Lanzo ponctuait le trajet d'anecdotes locales, ou de questions sur les États-Unis, qu'il se jurait de visiter un jour. Comme Ash durant le voyage en avion, Lila se sentait affranchie de l'espace et du temps. Elle avait l'impression de rouler à travers une galerie de tableaux, de paysage en paysage, tour à tour blafards et arides, ou flamboyants de couleurs saturées d'une lumière éclatante.

Ils quittèrent la route pour s'engager dans un étroit chemin gravillonné montant à travers des plantations d'oliviers.

Des fleurs sauvages perçaient la roche, sur le bas-côté, pour s'abreuver de soleil. Des marches grossières, comme taillées par un géant de l'Antiquité, grimpaient vers un petit promontoire rocheux couronné d'un banc en fer forgé.

De là, songea Lila, *on doit avoir avoir une vue époustouflante*.

– Voici la propriété des Bastone, annonça Lanzo. Giovanni Bastone, que vous allez rencontrer, vit dans la grande villa. Sa mère et sa sœur habitent là aussi, dans une très belle maison, un peu plus loin. Son frère est à Rome. Il s'occupe de leurs... comment dit-on, déjà ? De leurs intérêts. La dernière sœur est partie à Milan. Elle est chanteuse d'opéra, soprano. Il y avait un autre frère, le pauvre... Il est mort jeune dans un accident de voiture.

Un mur d'enceinte blanc apparut au détour d'un virage. Les grilles s'ouvrirent à leur approche.

– Ils vous attendent, *sì*, et ils connaissent ma voiture.

Au fond d'un parc arboré se dressait une majestueuse demeure au toit de tuiles, façades jaune pâle, fenêtres cintrées et grands balcons arrondis, ourlés de vigne vierge.

Au bout de l'allée, ils contournèrent une fontaine, une sirène alanguie sur un rocher, les mains en coupe, d'où l'eau s'écoulait en cascade.

– Je me demande s'ils prennent une *house-sitter* quand ils s'absentent...

Julie leva les yeux au ciel.

– Alors toi, tu ne perds pas le nord !

Lanzo descendit de la voiture et s'empressa d'ouvrir les portières. Un homme en pantalon beige et chemisette blanche apparut sur le seuil de la villa, un ventre de notable, les cheveux poivre et sel, d'épais sourcils noirs en accent circonflexe sur un visage hâlé et buriné.

– Bienvenue, soyez les bienvenus, mes amis ! Giovanni Bastone, se présenta-t-il en tendant la main à Ash. Vous ressemblez à votre père.

– Signor Bastone, merci de votre hospitalité.

– Je vous en prie, tout le plaisir est pour moi.

– Je vous présente mes amis, Lila Emerson, Julie Bryant et Luke Talbot.

Bastone baisa la main de Lila, puis celle de Julie et serra vigoureusement celle de Luke.

– Enchanté. Venez, entrez, il fait si chaud dehors. Lanzo, Marietta te servira un verre à la cuisine.

– *Grazie, signor Bastone.*

– *Prego.*

– Votre maison se fond dans le paysage. On dirait qu'elle a poussé ici sous le soleil il y a des centaines d'années.

Bastone se tourna vers Lila avec un sourire bienveillant.

– Voici un très beau compliment. La partie la plus ancienne a été construite il y a deux siècles. Mon grand-père l'a ensuite agrandie. Un homme ambitieux, et rusé en affaires.

Déjà charmé, il la prit par le bras et guida ses hôtes à l'intérieur, dans un vaste hall d'entrée aux poutres apparentes et au sol dallé de tomettes couleur sable, d'où partait un escalier circulaire si large que l'on aurait pu y monter à quatre de front. Les murs disparaissaient derrière d'innombrables tableaux, paysages, portraits et natures mortes dans des cadres dorés patinés par le temps.

– Vous êtes là pour parler d'art, je crois, dit-il. L'une de mes passions. Mais prenons d'abord un verre. Votre père se porte bien, j'espère ?

– Très bien, je vous remercie. Il vous transmet ses amitiés.

– Nos chemins ne se sont pas croisés depuis des lustres. J'ai rencontré aussi votre maman, plus récemment.

– Je ne savais pas.

– *Una bella donna*, dit-il en embrassant ses doigts. Une femme exceptionnelle.

Il les conduisit sur une terrasse ombragée par une pergola envahie de bougainvilliers, bordée d'énormes pots de *terracotta* débordant de fleurs. Un chien dormait à l'ombre. Au-delà, la campagne toscane s'étendait à perte de vue.

– C'est à vous faire tourner la tête… murmura Lila. La vue est grisante, ajouta-t-elle devant le froncement de sourcils de Bastone.

– Ah, oui, comme le vin. Vous êtes une littéraire. Écrivain, c'est cela ?

– Oui.

– Asseyez-vous, je vous en prie, dit-il en indiquant du geste une table déjà garnie de plateaux de fruits, fromages, pains, olives. Il faut absolument goûter notre fromage local, vous ne trouverez le même nulle part ailleurs. Ah, voici mon épouse ! Gina, nos amis d'Amérique sont arrivés.

Une femme mince s'avança vers eux, ses cheveux châtains éclaircis par le soleil, de grands yeux noirs.

– Excusez-moi de ne pas être venue vous accueillir, dit-elle, puis elle parla à son mari en italien, lui tirant un petit rire amusé. J'expliquais à Giovanni, j'avais ma sœur au téléphone. Impossible de m'en défaire.

Bastone fit les présentations, déboucha une bouteille de vin.

– Vous avez fait bonne route ? s'enquit Gina.

– Le paysage était magnifique, répondit Julie.

– Florence vous plaît ?

– Les musées, les boutiques, les restaurants… Il y a tant à faire, et nous n'avons hélas que peu de temps. Mais, oui, c'est une ville superbe.

La conversation s'engagea, autour de menus propos, agréable et détendue. Les Bastone semblaient avoir vécu ensemble toute leur vie, et donnaient l'impression d'un couple heureux.

– Vous avez rencontré l'*amante* de mon mari, il paraît, dit Gina à Lila.

En riant, Bastone leva les yeux au ciel.

– Ah, la jeune Américaine ! Nous étions tellement passionnés, tellement fougueux. Son père désapprouvait cette idylle, ce qui la rendait d'autant plus savoureuse. Je lui écrivais des odes et des sonnets, je lui composais des chansons. Telle est la joie et la douleur d'un premier amour. Et puis elle s'est envolée, comme ça, dit-il en claquant dans ses doigts. Comme si elle n'avait été qu'un rêve.

Il prit la main de sa femme, l'embrassa.

– J'ai alors jeté mon dévolu sur la beauté toscane, qui me regardait de haut, pour que je la supplie, pour que je me mette à genoux, jusqu'à ce qu'elle prenne pitié de moi. Avec elle, j'ai vécu les odes et les sonnets, la chanson du bonheur.

– Depuis combien de temps êtes-vous mariés ? demanda Lila.

– Vingt-six ans

– Et vous chantez toujours la chanson du bonheur, c'est formidable.

– Chaque jour. Parfois, nous sommes à contretemps, mais jamais nous ne nous en lassons.

– Voici la meilleure description d'un mariage heureux que j'aie jamais entendue, déclara Lila. N'oubliez pas de chanter, dit-elle à Julie et à Luke. Ils sont fiancés, depuis hier, précisa-t-elle à l'intention des Bastone.

Gina applaudit et se pencha au-dessus de la main de Julie pour admirer sa bague.

Giovanni leva son verre.

– Que la chanson vous soit douce. *Salute*.

– C'était intéressant de rencontrer Miranda, intervint Ash. Nous avons été captivés, Lila et moi, par l'anecdote de la partie de poker entre votre grand-père et Jonas Martin.

– Ils sont restés amis, bien qu'ils se soient rarement revus, après le retour de mon grand-père en Italie. Jonas Martin adorait jouer, mais d'après mon grand-père, il n'était pas très chanceux. Ils l'appelaient, euh…

– Jonnie la Poisse, compléta Ash.

– Oui, voilà, c'est cela.

– Miser un trésor familial… Il a eu du culot…

– Il était… Comment dit-on déjà ? C'était un enfant gâté, qui n'en faisait qu'à sa tête. Son père était fou de rage, mais un pari est un pari. Vous allez raconter cette histoire dans un livre ?

– J'aimerais bien, répondit Lila. Miranda ne savait pas exactement ce que son grand-père avait mis en jeu. Pouvez-vous me le dire ?

– Je peux même faire mieux. Cela vous ferait plaisir que je vous le montre ?

– Oh oui ! acquiesça-t-elle, le cœur battant.

Bastone se leva.

– Venez, dit-il en les invitant tous à le suivre. Prenez vos verres. Mon grand-père adorait l'art et les voyages. Il voyageait beaucoup pour son travail, et il en profitait, partout où il allait, pour rencontrer de nouveaux artistes. Il a transmis cette passion à mon père, et j'en ai à mon tour hérité.

Dans un couloir aux murs couverts de tableaux, Julie s'arrêta devant un portrait de femme.

– C'est un Boccioni ? Vous avez une collection impressionnante.

– L'une de ses premières œuvres.

Elle s'approcha d'une autre peinture : des formes entremêlées de couleurs vives, dans lesquelles, après quelques secondes, Lila distingua des silhouettes humaines.

– Et celle-ci est l'une de ses dernières, de la période futuriste, commenta Julie. Les deux sont superbes. Et c'est une excellente idée de les exposer côte à côte, de façon à montrer l'évolution de l'artiste.

Bastone glissa un bras sous le sien, comme il l'avait fait plus tôt avec Lila.

– Je vois que vous vous y connaissez.

– Je travaille dans une galerie d'art.

– Ceci explique cela.

Ils franchirent une dernière porte, et Julie se figea net.

Impossible de donner à la pièce le nom de « salon », pensa Lila. *Le terme est trop ordinaire. « Salle d'apparat », peut-être... mais « musée » ne serait pas exagéré.*

Outre les meubles anciens et raffinés, il y avait des œuvres d'art partout : vieilles peintures religieuses aux teintes passées, toiles de maître, tableaux contemporains. Des statues de marbre sur piédestal, des sculptures de bois ou de pierre. Des objets d'art exposés en vitrine ou sur des étagères.

– Oh ! murmura Julie, une main sur la poitrine, mon cœur...

En riant, Bastone l'entraîna dans la pièce.

– L'art est aussi un chant d'amour, n'est-ce pas, Ashton ?

– D'amour ou de désespoir, de joie ou de tristesse, de guerre ou de paix. C'est un opéra que vous avez ici.

– Trois générations d'amoureux de l'art, et pas un artiste parmi nous, soupira Giovanni. À défaut de créer, nous nous contentons de mécénat.

– Sans l'œil et la générosité des mécènes, beaucoup de grandes œuvres n'auraient jamais vu le jour.

– Il faudra que je vienne voir votre travail, la prochaine fois que nous serons à New York. J'ai été interpellé par ce que j'en ai vu sur Internet. Et Gina a été conquise par certaines pièces. Laquelle, *cara*, te plaisait particulièrement ?

– *La Clairière*. Les arbres sont des femmes et sur le coup, on pense qu'elles sont prisonnières d'un sortilège. Mais non, quand on regarde bien, on comprend qu'elles sont... (Gina chercha ses mots, interrogea son mari en italien.) Oui, oui, voilà, ce sont elles les magiciennes, ce sont elles qui jettent des sorts. Elles sont les arbres, la forêt, des créatures de la nature. C'est une œuvre puissante, et féministe. Je me trompe ?

– Toutes les interprétations sont possibles, mais la vôtre correspond à ma vision, et c'est un immense compliment.

– Me feriez-vous l'honneur de peindre mes filles ?

– Gina, voyons…

Elle adressa un geste d'indifférence à son mari.

– Giovanni dit que ce sont des choses qui ne se demandent pas, mais qui ne demande rien n'a rien, n'est-ce pas ? dit-elle avec un clin d'œil à Ash. Nous en discuterons, si vous le voulez bien, d'accord ?

– Ma chérie, ces jeunes gens sont là pour voir le trophée de mon grand-père.

Il les mena devant une petite armoire vitrée, où il prit un étui à cigarettes parmi une collection de boîtes émaillées et de coffrets ornés de pierreries.

– Une très belle pièce, en or guilloché, émaillée de citrines, avec un fermoir en saphir cabochon. Vous voyez là les initiales de Michael Perchin, maître artisan chez Fabergé. Une grande perte pour les Martin.

– Une merveille, commenta Lila en scrutant le regard de Bastone.

– Qui a hélas semé la discorde entre deux familles, et à cause de laquelle je n'ai pas pu épouser la belle Américaine.

Il fit un clin d'œil à sa femme. Lila posa une main sur la sienne.

– Signor Bastone, parfois il faut savoir faire confiance, dit-elle en coulant un bref regard vers Ash. Faites-nous confiance, signor Bastone. Connaissez-vous un certain Nicholas Vasin ?

Le visage de Bastone resta impassible, mais elle sentit sa main tressaillir. Et vit Gina blêmir.

– Ce nom ne me dit rien, répondit-il en replaçant l'étui dans l'armoire. Voilà, vous aurez vu le fameux trophée. C'était un honneur de vous recevoir.

– Signor Bastone…

– Nous vous remercions de votre hospitalité, intervint Ash. Nous n'allons pas tarder à reprendre la route pour Florence. Auparavant, toutefois, je tiens à ce que vous sachiez que mon frère Oliver avait acheté un objet d'art à Miranda Swanson, lorsque celle-ci a vendu la propriété et les biens de son père… de son grand-père avant lui. Mon frère a acheté cette pièce à titre personnel, et non pour le compte de l'antiquaire, son oncle, chez qui il travaillait.

Ash marqua une pause, remarqua que les traits de Bastone s'étaient durcis.

– À une époque, les Martin ont été en possession de deux des œufs impériaux disparus. L'un a été perdu au poker. Miranda a cédé le deuxième à mon frère, sans savoir, manifestement, de quoi il s'agissait. Mon frère, sa compagne et son oncle antiquaire ont tous les trois trouvé la mort.

– Je suis désolé.

– L'œuf qu'avait acquis mon frère était accompagné de documents décrivant clairement la pièce jouée et perdue au poker au profit d'Antonio Bastone. L'Œuf Nécessaire. C'est moi qui détiens ces documents, à présent.

– Je ne comprends pas où vous voulez en venir.

– Votre épouse connaît le nom de Nicholas Vasin. Il lui inspire de la crainte. Je pense que cet homme a fait tuer Oliver parce qu'il était en possession du deuxième œuf, dénommé l'Ange avec un œuf dans un chariot. Mon frère a dû essayer de le faire chanter. Il était inconscient, mais il était mon frère.

– Je suis sincèrement navré. Toutes mes condoléances.

– Vous connaissez mon père, ma mère. Vous avez dû vous renseigner sur nous, je suppose, avant de nous accueillir, sachant que nous nous intéressions à ce trophée. Comme vous vous en doutez, je me suis moi aussi renseigné sur vous et les vôtres, avant d'amener mes amis ici.

– Je vous assure que je ne suis au courant de rien.

– Une certaine Jai Maddok, tueuse à gages, opère pour le compte de Nicholas Vasin. Elle a blessé celle que j'aime, dit-il en se tournant vers Lila, ce qui lui a valu un coup de poing dans la figure. Nous avons l'intention de nous battre, signor Bastone. Vasin et cette femme sont connus des services de police new-yorkais et internationaux. Ils paieront pour ce qu'ils ont infligé à ma famille. M'aiderez-vous ?

– Je n'ai pas ce que vous cherchez.

Gina interrompit son mari et lui parla en italien, le regard enflammé. Tandis qu'ils discutaient, ses yeux s'emplirent de larmes, mais sa voix restait ferme, insistante, presque violente. Son mari lui prit les mains, les porta à ses lèvres et, en hochant la tête, lui murmura quelques mots.

– La famille est sacrée, dit-il. Mon épouse vient de me le rappeler. Vous êtes ici pour la vôtre. J'ai fait ce que j'ai fait pour la mienne. Venez, j'ai besoin d'air.

Ils regagnèrent la terrasse, où la table avait été débarrassée. Bastone s'avança vers le parapet, contempla le paysage.

– Les Martin possédaient deux œufs, en effet. Mon grand-père les avait vus. Jonas lui avait donné le choix entre les deux. Mon grand-père était très jeune quand il a gagné l'Œuf Nécessaire, il ne connaissait encore rien aux objets d'art. Il a vite appris. Cette pièce a été son premier amour. La querelle entre les deux familles s'est envenimée. Une dette de jeu est certes une dette de jeu, mais Jonas n'aurait pas dû miser un bien qui ne lui appartenait pas. Mon grand-père n'a rien voulu entendre, il a refusé de rendre l'œuf, même quand on lui en a offert le double de sa valeur. L'affaire a pris des proportions énormes, chacun en a fait une question de fierté et de principes, et ce n'est pas à moi de dire qui avait tort ou raison. L'œuf est resté dans notre famille. Mon grand-père le gardait dans sa chambre. Cela, il ne le partageait pas. Mon père, à son tour, l'a gardé dans la sienne, et j'ai fait de même. Depuis trois générations, nous nous sommes transmis l'amour de ce joyau, et celui de l'art.

– Cette pièce est à l'origine de votre vocation familiale de collectionneurs, résuma Lila.

– Oui. Au décès de mon père, je me suis demandé si je devais la transmettre à mes enfants. Gina et moi en avons longuement discuté. Et nous avons décidé que cet œuf ne nous appartenait pas. Nous envisagions d'en faire don à un musée, au nom de notre famille et de celle des Martin. Au préalable, nous devions toutefois le faire authentifier, discrètement…

– Frederick Capelli ! s'écria Lila, et Bastone se tourna brusquement vers elle.

– Comment savez-vous ?

– Il a été tué, hier, par la femme qui a tué les autres.

– Bien fait pour lui, cracha Gina, le menton défiant. Il nous a trahis ! Il a parlé de l'Œuf Nécessaire à ce Vasin, qui nous a envoyé cette femme pour nous faire une offre. Nous avons décidé d'agir selon notre conscience, c'est-à-dire de ne pas le vendre. Elle est revenue nous offrir davantage, et nous menacer.

– Ma femme, mes enfants, mes petits-enfants, enchaîna Giovanni. Leur vie valait-elle cet objet, cet objet contre lequel on nous offrait une fortune ? Je l'ai chassée en lui disant que j'allais prévenir les autorités. Le soir même, elle nous a téléphoné. Elle détenait notre petit-fils en otage. Elle s'était introduite chez notre fille. Pendant que tout le monde dormait, elle avait enlevé le plus jeune des enfants. Notre petit Antonio, quatre ans. Elle me l'a fait entendre, qui réclamait sa maman, et m'a promis de le tuer, dans d'horribles souffrances, si je ne lui cédais pas l'œuf. Elle enlèverait et assassinerait autant de nos petits-enfants qu'il le faudrait pour parvenir à ses fins. Elle m'a mis au défi d'alerter la police : elle égorgerait le *bambino* sur-le-champ.

Julie s'approcha de Gina, dont les joues ruisselaient de larmes, et lui offrit un mouchoir en papier.

– Vous lui avez donné l'œuf, vous n'aviez pas le choix.

– *Puttana !* cracha Bastone. Ils nous ont payé la moitié de la somme qu'ils nous avaient initialement offerte.

– Nous leur avons dit de garder leur argent, de se le mettre où je pense. Elle nous a forcés à le prendre et à signer l'acte de vente. Autrement, elle aurait enlevé un autre petit. Nos bébés... murmura Gina, les mains croisées sur son cœur.

– Le lendemain matin, Antonio était de retour chez ses parents, couvert de bleus, mais, grâce à Dieu, sain et sauf.

– Vous avez fait ce que vous deviez faire, intervint Luke. Vous avez protégé votre famille. Pour en revenir à Capelli, s'il a pris contact avec Vasin, c'est qu'il devait être au courant de l'anecdote du poker...

– Oui, nous lui avions tout raconté.

– Ce qui a dû mener Vasin à Miranda... Or elle avait vendu le deuxième œuf à Oliver. Quand tout cela s'est-il passé ? demanda Lila.

– Elle a enlevé le petit le 18 juin. Je n'oublierai jamais ce jour de cauchemar.

Lila se tourna vers Ash.

– Maddok est ensuite partie à New York. Les dates collent. Elle est probablement allée trouver Miranda, qui lui a confirmé qu'elle avait vendu l'œuf, sans s'alarmer puisqu'elle ignorait de quoi il s'agissait. Capelli a peut-être tenté de négocier avec Oliver.

– Et Maddok a mis la pression sur Marjolaine. Ils ont fixé un prix, puis Oliver s'est rétracté, il a réclamé davantage. Avez-vous prévenu la police, *signor* ?

– Ces ordures ont leur maudit œuf, ils n'ont plus de raison de nous harceler.

– Je les tuerai, si je pouvais, de mes propres mains, assura Gina, les poings serrés. Elle a torturé notre bébé, elle lui a pris son petit mouton en peluche. Il n'a pas pu dormir tant que nous n'avons pas retrouvé le même.

– Pour sa collection de souvenirs, marmonna Ash.

Bastone lui posa une main sur le bras.

– Ashton, permettez que je vous parle comme je parlerais à mon propre fils. Votre frère est mort. Donnez-leur ce qu'ils veulent. Ce n'est qu'un objet. Rien ne vaut votre vie, celles des membres de votre famille et de votre bien-aimée.

– Si je pensais qu'il suffisait de cela pour mettre un terme à cette histoire, j'y songerais, éventuellement. Maddok n'avait pas besoin de faire du mal à votre petit-fils. Elle l'a fait souffrir parce qu'elle y a pris du plaisir. Oliver lui a résisté, et je continue de lui résister. Elle nous le fera payer. Cette femme doit être traduite en justice, puis enfermée. Vasin aussi, bien sûr.

– Est-ce la justice que vous désirez, ou la vengeance ?

– Les deux.

– Je comprends, soupira Bastone. Mais je crains que Vasin soit intouchable.

– Personne ne l'est. Il suffit de trouver le point faible.

Lila passa presque tout le trajet du retour à griffonner dans un calepin. Et dès l'instant où ils eurent regagné leur suite à l'hôtel, elle s'installa devant son ordinateur.

Elle travaillait encore lorsque Ash lui apporta un grand verre de jus de pamplemousse pétillant.

– Merci. Je fais une sorte de synthèse. Je note tout ce que nous savons des différents protagonistes, les liens entre eux… J'ai retracé la chronologie des faits. Ça m'aide à y voir plus clair.

– Ta version du tableau Excel.

Elle but une gorgée de jus, regarda Ash s'asseoir sur le bord du lit.

– On n'aura pas le temps de regarder les robes de mariée à Florence, avec Julie.

– Je suis désolé.

– Ça ne fait rien. On aura passé deux journées merveilleuses, et productives. Si on partait ce soir ? Maddok nous cherchera encore ici et nous serons déjà à New York. Ça nous laissera de la marge.

– On peut partir dans trois heures, si vous êtes tous prêts d'ici là.

– Aucun problème pour moi.

– On reviendra quand l'affaire sera réglée.

– Je ne dis pas non, j'ai trop envie de faire cette chasse nocturne aux pâtisseries secrètes dont Luke m'a parlé. Il avait raison, quand il a dit aux Bastone qu'ils avaient fait ce qu'ils devaient faire pour protéger leur famille. Tu te rends compte… si elle avait assassiné un petit garçon…

– Je voudrais te proposer quelque chose, bien que je sache d'avance comment tu vas réagir. Réfléchis bien, s'il te plaît, avant de me répondre. Je peux t'emmener quelque part où tu seras en sécurité, où ils ne risqueront pas de te trouver. Si je pensais qu'il suffisait de conclure un marché avec Vasin, je le ferais, crois-moi.

– Je suis tout à fait d'accord, ils ne nous laisseront pas tranquilles pour autant.

– Elle a compris quel était le point faible des Bastone, et elle a frappé là. Elle sait quel est le mien.

– Ta famille, mais…

– Non, elle a déjà tué deux membres de ma famille, et ça n'a servi à rien. Mon point faible, c'est toi, Lila.

– Ne t'inquiète pas, je…

Il lui prit les mains, les lui serra afin de la faire taire.

– Elle ne s'est pas attaquée directement à moi. Ce n'est pas son mode de fonctionnement. Elle s'en est prise à Marjolaine pour faire pression sur Oliver, au petit-fils des Bastone. Elle a déjà essayé de s'en prendre à toi.

– Ça ne l'a pas avancée à grand-chose.

– Tu es mon point faible, répéta-t-il. Je me suis demandé pourquoi j'ai eu envie de te peindre la première fois que je t'ai vue, pourquoi je *devais* te peindre, malgré les circonstances. Pourquoi chaque fois que j'ai une inspiration, c'est toi qui me l'insuffles.

– Dans les situations critiques, on…

– C'est toi… Ton visage, ton corps, ta voix dans ma tête. Ton odeur, la douceur de ta peau. Ton sens du bien et du mal, ta peur de trop te dévoiler, la fascination que j'éprouve à te découvrir peu à peu par moi-même. Tes talents de bricoleuse. Tout ce que tu es. Tu es mon point faible parce que je t'aime.

– Ash, je… bredouilla-t-elle, le cœur serré par un mélange de joie et de frayeur qu'elle se sentait incapable d'analyser.

– Ça te fait peur. L'amour est plus effrayant que la complicité, que le sexe, plus terrifiant encore que cette affaire dans laquelle nous sommes impliqués tous les deux. L'amour laisse une marque indélébile. Du reste, je me suis promis de ne pas reproduire les erreurs de mes parents. Autrement dit, il n'y aura qu'une femme dans ma vie. Je comprends que cette perspective t'angoisse, mais…

– Crois-tu que ce soit vraiment le moment de parler de ces choses-là, alors que nous sommes en plein… en plein je-ne-sais-quoi ? répliqua-t-elle, la gorge nouée par la panique.

– Si je ne peux pas te dire que je t'aime en plein je-ne-sais-quoi, alors quand ? Le moment parfait se présentera peut-être, mais les chances sont minces, surtout avec une couarde qui a peur de s'engager.

– Je n'ai pas peur de m'engager !

– Oh si ! Mais disons que tu es réticente, si tu préfères.

– Là, tu commences à m'énerver.

Il lui prit les mains, les embrassa, les relâcha.

– Je ne suis pas inquiet, je finirai par obtenir ce que je veux, car je n'ai jamais rien désiré aussi fort que toi. D'ici là, je peux t'emmener quelque part où tu ne risqueras rien et où tu auras le tout temps de réfléchir.

– Il est hors de question que tu m'enfermes en haut d'une tour comme une damoiselle sans défense.

– OK.

– Et ce ne sont pas tes habiles manipulations qui…

Il l'attira contre lui, referma sa bouche sur la sienne.

– Je t'aime, dit-il. Il faudra te le mettre dans la tête. Sur ce, je vais faire ma valise.

Et là-dessus, il sortit de la pièce, sous le regard d'une Lila sidérée.

Quel était son problème ? Qui déclarait son amour comme une sorte de menace ? Et pourquoi diable était-elle incapable de freiner cette chute dans le tunnel de l'amour, même quand il la mettait en rage ?

Quel était son problème à elle ?

25

Il faisait nuit noire, et le silence régnait dans la rue, mais Ash était tout à ait réveillé, l'horloge interne détraquée par ce rapide aller-retour entre deux continents.

Le cadran lumineux de sa montre lui indiqua 4 h 35. Lila n'était plus dans le lit.

Il n'avait pas eu de mal à la convaincre qu'elle serait mieux chez lui, plutôt que dans les pattes de Julie et de Luke, ou à l'hôtel, en attendant de commencer son prochain job.

Il l'avait déstabilisée, en lui disant qu'il l'aimait, qu'il voulait faire sa vie avec elle, mais ce n'était pas très grave. Les choses étaient claires, à présent. Dans la mesure du possible, il préférait mettre les points sur les i. Elle devrait s'y faire.

Il comprenait bien qu'elle n'ait pas apprécié d'être mise au pied du mur ; cela non plus n'était pas grave. Avec les membres de sa famille, cette technique portait en général ses fruits. Maintenant qu'elle savait à quoi s'en tenir, il ne la brusquerait pas – pas trop, pas trop tôt. Il avait certes toujours atteint ses buts, mais là, l'enjeu était de taille. Il devrait opérer tout en douceur et en finesse.

Une femme, une femme qu'il souhaitait faire sienne, n'en méritait pas moins.

Dans l'immédiat, toutefois, seule comptait sa sécurité. Pour que Lila soit en sécurité, Jai Maddok et Nicholas Vasin devaient être mis hors d'état de nuire.

La clé de leur arrestation était cachée dans les vieilles étables de la citadelle familiale.

Bon… Puisque à l'évidence il ne se rendormirait pas, Ash avait besoin de deux choses : un café, et Lila.

En descendant l'escalier, il entendit de la musique. Ou plutôt… quelqu'un qui fredonnait : *Rollin' rollin' rollin'*… Étonné, il s'immobilisa, se passa les mains sur le visage.

Rain and wind and… Rawhide, reconnut-il. Dans la cuisine, Lila chantait *Rawhide*, au beau milieu de la nuit, d'une voix claire au timbre agréable.

Elle était assise sur le comptoir, en peignoir, ses jambes nues se balançant au rythme de la chanson, les ongles des orteils vernis en bleu turquoise, les cheveux relevés en un chignon improvisé.

Même sans café, il pensa qu'il serait le plus heureux des hommes de la trouver ainsi chaque matin du reste de sa vie.

– Qu'est-ce que tu fais ?

Elle eut un petit sursaut, posa l'outil qu'elle tenait à la main.

– Décidément, il faudra vraiment que je t'achète un collier avec une clochette. J'ai fait un drôle de rêve : mon père m'apprenait à pêcher à la mouche, il était en uniforme, dans l'eau jusqu'aux genoux, et les poissons…

Elle fit de grands gestes des bras, suggérant les sauts des poissons.

– Mais c'était des poissons de dessin animé, il y en avait un qui fumait le cigare.

Il écarquilla les yeux.

– Hein ?

– Ben oui, c'était un rêve. Et du coup, j'ai cette chanson dans la tête, parce que mon père ne manquait jamais un épisode de *Rawhide*.

– OK… Mais que fais-tu avec cet outil à 4 h 30 du matin ?

– Il y avait du jeu dans les charnières des placards… un truc qui me rend dingue. Je les ai revissées. Et la porte de la buanderie grinçait. Je n'ai pas trouvé de WD-40 dans ton tiroir à bricolage. Heureusement, j'avais le mien. On ne peut pas vivre sans WD-40, Ash. Le dégrippant est aussi indispensable que le ruban adhésif ou la Super Glue.

– Je prends note.

– Sérieusement. Le jour où WD-40 a sorti la bombe format voyage, je leur ai écrit pour les remercier. J'en ai toujours une dans mon sac, au cas où.

Il s'avança vers elle, posa les mains sur le comptoir de part et d'autre de ses cuisses.

– Il est 4 h 30 du matin.

– Je n'arrivais plus à dormir… Le décalage horaire, et ce poisson qui fumait le cigare. Et je n'aurais pas pu travailler, avec la fatigue du voyage. Alors je bricole. On dira que ce sera mon paiement pour le logement.

– Je ne te demande pas de paiement.

– Je préfère. J'aurai l'esprit plus tranquille. Je dors là pour ne pas embêter Julie.

– OK.

Il la souleva, la déposa sur le plancher.

– Je n'avais pas tout à fait fini, protesta-t-elle.

– Tu me bloquais l'accès à la cafetière.

– Oh, pardon ! J'en ai déjà bu deux tasses. Je n'aurais peut-être pas dû. Je suis un peu surexcitée, maintenant.

– Ah bon ? Je n'avais pas remarqué.

Il vérifia le niveau des grains, vit qu'elle avait rempli le réservoir.

– Ne te moque pas de moi. Tu ne crois pas qu'il faudrait repeindre les toilettes du bas ? Il existe des peintures qui imitent les vieux plâtres. Je me disais que ça nous rappellerait Florence. Je ne pense pas que la technique soit trop compliquée. Et si je me loupe, dans les toilettes, ce sera vite repeint.

Il la regarda, tandis que la machine commençait à moudre les grains.

– Tu peux m'expliquer comment il t'est venu à l'idée en plein milieu de la nuit de repeindre les toilettes ?

– J'ai quasiment terminé mon bouquin, je ne commence mon prochain job que dans deux semaines, et j'ai bu deux tasses de café. Si je ne m'occupe pas, je vais péter un plomb.

– Tu ne crois pas que nous sommes déjà bien assez occupés, avec une tueuse professionnelle à nos trousses ?

Justement, elle s'était efforcée de ne pas y penser.

– M'occuper m'aide à assimiler le fait que j'ai côtoyé une tueuse professionnelle d'assez près pour lui coller mon poing dans la figure. C'est la deuxième fois que je donne un coup de poing à quelqu'un.

– Qui a reçu le premier ?

– Trent Vance. On avait treize ans et je croyais être amoureuse de lui, jusqu'à ce qu'il me coince contre un arbre pour essayer de me tripoter les seins. J'étais plate comme une limande, mais quand même, il a… (Elle mima le geste.) Résultat, il a goûté de mon direct du droit.

Ash laissa cette image se matérialiser dans son cerveau encore privé de caféine.

– Dans les deux cas, ta réaction était légitime.

– Je n'en ai jamais douté. Il n'empêche que ce n'est pas dans mes habitudes d'en venir aux mains. Voilà pourquoi j'ai besoin de temps pour digérer. Et de m'occuper les mains pour me libérer le cerveau et réfléchir à ce que nous devons faire, maintenant, ou ne pas faire.

– Repeindre les toilettes t'aidera ?

– Peut-être.

– Alors, vas-y.

Il engloutit une première tasse de café, ce qui lui fit instantanément un bien fou.

– C'est vrai, je peux ?

– Tu utiliseras les toilettes autant que moi, voire plus, si tu habites là entre deux jobs.

– Je n'ai jamais dit que…

– Repeins les toilettes, la coupa-t-il, et on verra après.

– Et d'ici là ?

– D'ici là, puisque la police n'a pas l'air de faire grand-chose, je vais contacter Vasin directement.

– Directement ? Comment ?

– Si tu veux qu'on ait cette conversation là tout de suite, il faut que je mange quelque chose, répondit-il en ouvrant le réfrigérateur, au contenu passablement limité. J'ai des gaufres surgelées, dit-il en regardant dans le congélateur.

– J'en veux bien une. Vasin vit en reclus, on ne sait même pas où. Imagine qu'il soit au Luxembourg en ce moment… OK, tu vas me dire qu'on peut y être ce soir, avec ton jet privé. Ça, je ne m'y ferai jamais.

– Ce n'est pas *mon* jet privé, c'est celui de la famille.

– C'est du pareil au même. Riche comme il est, ce type doit avoir des remparts infranchissables. Métaphoriquement.

– Les remparts métaphoriques ne sont jamais que des êtres humains : des avocats, des comptables, des gardes du corps. Par ailleurs, il doit avoir des femmes de ménage, des cuisinières. Des médecins. Il collectionne les œuvres d'art, donc il est sûrement en contact avec des courtiers, des galeristes. Il a tout un tas de gens à son service.

– Dont une tueuse à gages.

Ash acquiesça d'un signe de tête tout en glissant deux gaufres dans le toaster. Le cœur de Lila fit un bond.

– Tu n'a pas l'intention de passer par elle, j'espère ?

– Ce serait le plus direct, mais vu qu'elle est probablement encore en Italie, je crois que je vais tenter le coup avec les avocats. Il a des affaires et des biens immobiliers à New York, donc forcément aussi des avocats.

Il fouilla dans un placard – à la porte parfaitement assujettie –, en sortit du sirop d'érable. Lila regarda la bouteille d'un œil circonspect.

– Elle est là depuis combien de temps ?

– Quelle importance ? Ce n'est plus ou moins que de la sève d'arbre, ça ne s'abîme pas.

Il déposa les gaufres sur des assiettes, les nappa de sirop, en tendit une à Lila.

– Tu as toujours eu des cuisinières, non ? demanda-t-elle en regardant la gaufre à peine cuite, noyée dans une mare de sirop sans doute périmé.

– Oui. Et je connais des gens à Long Island qui emploient des cuisinières, ce qui pourrait être un début de piste.

Dans un tiroir, il prit deux paires de couverts, en donna une à Lila puis, debout devant le comptoir, il entama sa gaufre.

– Mais l'avocat sera plus direct, poursuivit-il. Nos avocats contactent ses avocats, l'informent que je souhaite avoir une entrevue avec lui. On verra bien comment il réagit.

– Il ne s'attend sûrement pas à ce qu'on fasse le premier pas. Ça peut le mettre en colère, ou l'intriguer. Ou les deux.

Certaine qu'elle aurait besoin de quelque chose pour faire descendre la gaufre, elle ouvrit le réfrigérateur.

– Tu as du jus de mangue.

Sa boisson matinale favorite. Par chance, la bouteille n'était pas ouverte. Elle la secoua.

– Pourvu qu'il accepte de nous recevoir, c'est l'essentiel.

– Tu en veux un verre ?

N'obtenant pour toute réponse qu'un vague grognement, elle sortit deux grands verres.

– Tu crois qu'il reconnaîtra être impliqué dans la mort d'Oliver ? Pas folle, la guêpe.

– Un ermite qui engage une tueuse à gages pour se procurer des objets d'art qu'il ne montre à personne ? Si ça, ce n'est pas de la folie…

Elle posa un verre de jus de mangue devant Ash.

– Vu sous cet angle…

– Cela dit, je ne lui demanderai pas des aveux, juste une offre pour l'œuf. Je lui ferai comprendre que je sais qu'il possède déjà un œuf impérial, prestige immense pour un collectionneur.

Lila goûta un morceau de gaufre. Tout compte fait, elle n'était pas si mauvaise. Néanmoins, si elle devait habiter là, ne serait-ce que par intérim, elle se chargerait des courses.

– Et tu lui feras miroiter qu'il peut accroître encore son prestige en t'achetant le second. Mais comment comptes-tu le piéger ? Vu que tu as un acte de vente en bonne et due forme, la transaction n'aurait rien d'illégal.

– Je refuserai son offre. Je lui dirai que je ne lui céderai l'œuf que contre une seule chose : Maddok.

– Sa Bombe asiate ? Pourquoi s'en débarrasserait-il ? Et pourquoi se laisserait-elle troquer comme une vulgaire marchandise ?

– Ce n'est qu'une employée, très certainement précieuse, mais personne n'est irremplaçable.

– C'est un être humain, objecta Lila. Une psychopathe, mais un être humain.

– Tu ne raisonnes pas comme quelqu'un qui n'hésite pas à tuer pour un œuf en or.

– C'est vrai, reconnut-elle, s'efforçant aussitôt de faire abstraction de ses valeurs et de sa morale pour se mettre à la place de Vasin. À ses yeux, elle n'est qu'un instrument.

– Exactement. Frederick Capelli travaillait pour lui, ou du moins il lui offrait un service rémunéré, et Vasin n'a eu aucun scrupule à le faire éliminer.

– Tu as raison, l'œuf a plus de valeur pour lui qu'une vie humaine. Mais il ne peut pas risquer de nous livrer Maddok. Elle se retournerait contre lui. Elle le dénoncerait, en échange d'une remise de peine.

– Je ne la livrerai pas à la police, répliqua Ash, en buvant une gorgée de jus de mangue, qu'il trouva délicieux. Elle s'en tirerait trop bien, en effet.

– Que veux-tu faire d'autre ?

Il reposa son verre brutalement.

– Prendre ma revanche. Elle a tué mon frère, fait couler le sang de ma famille. Je ferai couler le sien.

De nouveau, le cœur de Lila s'emporta.

– Tu ne veux tout de même pas dire que tu… Non, ce n'est pas possible. Tu ne ferais pas ça ?

– Tu y as cru, en tout cas, pendant quelques secondes, dit-il en agitant sa fourchette avant de la piquer dans un morceau de gaufre. Tu commences pourtant à me connaître et tu y as cru. Vasin ne me connaît pas, il me croira. Il me croira, répéta-t-il, parce qu'une partie de moi veut vraiment la mort de cette femme.

– OK, admettons qu'il te croie, et qu'il te dise : « Marché conclu, serrons-nous la main », Maddok ne se laissera pas faire pour autant. Elle a déjà tué deux agents chevronnés qui devenaient trop menaçants.

– C'est le problème de Vasin. S'il veut l'œuf, qu'il me donne le monstre qui a tué mon frère. Autrement, je détruis l'œuf.

– Il ne t'en croira pas capable.

Ash s'écarta du comptoir si violemment que Lila eut un mouvement de recul.

– Je n'hésiterai pas une seule seconde ! tonna-t-il. Cet objet a coûté la vie de deux membres de ma famille. Il est entaché de leur sang. J'en ai assez d'être traqué, par la police, par un collectionneur fou et ses machines à tuer. À cause d'un bibelot ayant appartenu à un tsar mort depuis des lustres. Je ne suis pas Oliver, je ne cours pas après le pognon. Mais je vengerai ma famille, en tuant la femme qui a tué mon frère, ou en fracassant ce maudit œuf.

– OK, OK, tu es convaincant… murmura Lila, prenant sa tasse de café d'une main tremblante.

Ash revint s'accouder au comptoir, se frotta les yeux.

– Je me fiche royalement de cet œuf, c'est la vérité, dit-il. Pour moi, il n'a plus aucune valeur, depuis qu'elle t'a blessée.

– Oh, Ash, ce n'était qu'une…

– Ne me dis pas que ce n'était qu'une égratignure, s'il te plaît. Tu sais très bien qu'elle aurait pu te tuer. Je veux que les responsables de la mort d'Oliver et de Vinnie soient punis. Enfermés. L'œuf n'a de valeur que pour le monde de l'art. Sa place est dans un musée, et je le remettrai à un musée, en temps voulu, conformément aux souhaits de Vinnie. Sinon, je le briserai en mille morceaux.

Il planta son regard, acéré, intense, dans celui de Lila, comme lorsqu'il la peignait.

– Je le fracasserai, Lila, parce que tu vaux beaucoup plus.

– Je ne sais pas quoi dire, murmura-t-elle, bouleversée. Personne avant toi n'a jamais autant tenu à moi, et j'éprouve pour toi des sentiments que je n'avais jamais éprouvés pour personne.

– Eh bien, c'est formidable.

– Je n'ai jamais rien eu de solide que je ne me sois procuré par moi-même. Je ne me suis jamais attachée à rien, de peur de devoir le laisser derrière moi, de peur d'en souffrir.

Il lui prit la main, referma son poing et le posa sur son cœur.

– C'est du solide, Lila, et tu te l'es procuré par toi-même.

Elle sentait les battements de son cœur, puissants, réguliers. Un cœur qui battait pour elle si elle voulait bien l'accepter.

– Je ne sais pas comment j'ai fait…

– Tu m'as tendu la main, une main à laquelle me raccrocher, alors que tu ne me connaissais pas. Ne me demande pas de lâcher cette main. Nous ne laisserons rien derrière nous, dit-il en l'attirant contre lui, je te le promets. Je prendrai contact avec les avocats. Tu feras ton travail, je ferai le mien. Et je patienterai jusqu'à ce que tu sois prête.

Elle ferma les yeux, s'efforça de retrouver son calme. Elle voulait bien prendre ce qu'il lui offrait, accepter ce qu'elle ressentait. Pour le moment.

Lessiver les murs des toilettes, se documenter sur la technique, acheter les fournitures, choisir la couleur de base – et elle aurait pu se douter que l'artiste aurait sur le sujet des idées bien arrêtées –, tout cela la tint occupée.

Elle prit une journée afin de laisser le projet mûrir, qu'elle mit à profit en commençant à peaufiner son manuscrit, puis elle retroussa ses manches et se mit au travail.

Ash passait la majeure partie de son temps dans son atelier. Elle s'attendait à devoir de nouveau poser, mais non. Il avait sans doute d'autres chats à fouetter, entre les coups de téléphone aux avocats et la préparation de sa confrontation avec Vasin.

Elle évitait d'aborder le sujet, imaginant des dizaines de scénarios dont aucun ne fonctionnait sans point de départ. Elle laissait donc Ash mettre le processus en branle. En temps voulu, elle lui donnerait son avis, apporterait sa pierre à l'édifice.

Du reste, elle avait elle aussi du pain sur la planche, leur relation à méditer, pour commencer. Pouvait-elle se permettre de faire la fine bouche ? Non, merci, je ne mange pas de ce pain-là… bien qu'il ait l'air succulent. Devait-elle se contenter d'en goûter un morceau ? Ou le dévorer de bon cœur ? Mais après la dernière miette, que lui resterait-il ?

– Ça suffit, s'ordonna-t-elle. Arrête, maintenant.

– Si tu arrêtes maintenant, on ne pourra pas utiliser les toilettes.

Rouleau et pinceau en main, elle jeta un coup d'œil par-dessus son épaule.

Il était là, le centre de ses pensées, les cheveux ébouriffés, son beau visage mangé par une barbe de trois jours, son corps superbe se devinant sous un T-shirt noir et un jean taché d'une traînée de peinture vermillon. Dans son look d'artiste, un look qui la faisait fondre.

Les pouces accrochés à ses poches, il l'observait qui l'observait.

– Quoi ?

– Pourquoi le style négligé fait-il sexy chez les hommes, et tue-l'amour chez les femmes ? La faute à Ève, je suppose. Tout est toujours la faute à Ève.

– Quelle Ève ?

– La femme d'Adam… Cela dit, je ne laisse pas les travaux en plan. Il faut juste que j'arrête de ruminer des trucs qui me prennent la tête. Ne regarde pas le mur avec cet air sceptique, c'est seulement la couche de base, dit-elle en agitant, un peu dangereusement, son rouleau couvert de peinture. Le plâtre vénitien s'applique en plusieurs étapes. Laisse-moi travailler tranquillement.

– Je sors faire quelques courses. Tu as besoin de quelque chose ?

– Non, je… Si, se ravisa-t-elle en pressant une main sur son estomac. Je ne vais pas tarder à avoir faim. Rapporte un *calzone*, on se le partagera. J'aurai fini la couche de base quand tu reviendras.

– Je suis partant pour un *calzone*, mais j'en veux un entier.

– Je ne peux pas manger un *calzone* entier toute seule.

– Moi, si.

– Dans ce cas, prends-moi un sandwich, pas trop gros, à la dinde et au provolone, bien garni, mais un petit modèle.

– OK, acquiesça-t-il en l'embrassant, et en regardant de nouveau le mur qu'elle badigeonnait.

– Tu comprends le concept de la couche de base ? lui demanda-t-elle.

– Bien sûr.

Il comprenait aussi le concept de la peinture laissée aux mains d'un amateur. Mais ce n'étaient que des toilettes, se remémora-t-il, et de surcroît il les utilisait rarement.

– N'ouvre à personne, ne sors pas, et n'entre pas dans mon atelier.

– Si j'ai besoin de…

– Je n'en aurai pas pour longtemps, dit-il en lui donnant un autre baiser.

– Tu n'as pas peur de sortir seul ? lui lança-t-elle. Attends-moi, je prends un couteau et je viens avec toi.

– Je n'en aurai pas pour longtemps, répéta-t-il avec un sourire.

– Je n'en aurai pas pour longtemps, le singea-t-elle en se remettant au travail, un peu agacée.

N'ouvre à personne, ne sors pas, n'entre pas dans mon atelier… Ça ne me serait même pas venu à l'idée, s'il n'avait rien dit…

Elle leva les yeux au plafond. Il aurait mérité qu'elle monte exprès dans son atelier. Il avait de la chance qu'elle soit imprégnée de son éthique professionnelle : ne pas enfreindre les espaces privés, respecter les limites.

De toute façon, elle voulait terminer la couche de base, et retravailler dans sa tête une scène de son bouquin, qui fonctionnerait peut-être mieux d'un autre point de vue narratif.

Elle joua du rouleau et du pinceau… et, oui, un changement de point de vue s'imposait. Après la pause-déjeuner, elle s'attellerait à réécrire le passage en question.

Elle recula, observa les murs, d'un joli jaune toscan, chaleureux, enrichi de subtiles notes orangées. Maintenant, elle devait attendre vingt-quatre heures avant d'appliquer la deuxième couche, une teinte cardamone plus soutenue. Là commencerait la phase la plus intéressante et la plus créative, du processus.

Dans l'immédiat, une bonne douche s'imposait.

Tout en continuant d'étudier le rendu de son travail, elle tira de sa poche son téléphone qui sonnait.

– Lila, bonjour, j'écoute.

– Vos vacances en Italie se sont bien passées ?

Son sang se glaça.

– Très bien, oui, répondit-elle en regardant partout autour d'elle, la porte, les fenêtres, s'attendant presque à voir surgir derrière les vitres ce visage exotique aux traits parfaits.

– Le contraire m'aurait étonné. Jet privé, hôtel de luxe… Tu as ferré un gros poisson, n'est-ce pas ?

Lila s'efforça de réprimer sa colère, ravala les insultes qu'elle avait au bord des lèvres, et réussit même à émettre un petit rire.

– Beau garçon, qui plus est. Et vous, Florence vous a plu ? Je vous ai aperçue Piazza della Signoria. Vous aviez l'air pressée.

Silence à l'autre bout de la ligne. Elle avait marqué un point. Les battements de son cœur ralentirent quelque peu. Et elle se souvint qu'elle avait une application d'enregistrement.

– Vous aviez encore de très belles chaussures, dit-elle en cliquant sur l'icône. Je m'en suis acheté quelques paires, à Florence.

– Tu as de la chance que je ne t'aie pas vue.

– Vous paraissiez préoccupée. Ça se comprend, quand on va tuer un marchand d'art. Qui a prévenu la police, d'après vous, Jai ?

Deuxième point pour moi, se dit Lila, la gorge sèche. *Terrifiée, oui, mais pas désarmée.*

– Quant à toi, ne compte pas trop sur l'aide des flics. La prochaine fois, tu ne me verras pas. Tu ne verras pas le couteau avant de sentir la douleur.

Les jambes flageolantes, Lila s'appuya contre le chambranle de la porte.

– Votre couteau ne vous a pas servi à grand-chose, la dernière fois, répliqua-t-elle d'une voix assurée. Comment va votre lèvre ? Les dégâts sont réparés ? Ou bien les cachez-vous sous le rouge à lèvres que vous avez volé chez Julie ?

– Tu me supplieras d'abréger tes souffrances. Le Fabergé est un job mais toi ? Tu seras une partie de plaisir.

– Votre employeur sait-il que vous êtes aussi bavarde ? Je ne suis pas sûre qu'il approuverait.

– Chaque fois que tu fermeras les yeux, sache que je serai peut-être là quand tu les rouvriras. Profite de la vie pendant qu'il est encore temps, car la vie est courte, *biao zi*, alors que la mort est très, très, longue. J'ai hâte de te montrer comme elle est longue. *Ciao.*

Lila pressa le téléphone contre son cœur tambourinant. Puis elle s'aspergea le visage d'eau fraîche, et se laissa glisser sur le carrelage avant que ses jambes se dérobent.

Elle devait appeler la police. Sitôt qu'elle cesserait de trembler, elle appellerait la police.

Elle avait gardé son sang-froid, se félicita-t-elle. Et elle avait eu la présence d'esprit de faire durer la conversation afin de l'enregistrer. Elle n'avait pas paniqué, elle pouvait être fière d'elle.

Elle inspira, expira, posa la tête sur ses genoux repliés.

– OK. Tout va bien. Appelle la police et…

Non, se ravisa-t-elle. *Ash*.

Elle ne l'avait pas appelé, à Florence, et il lui en avait voulu.

Elle regarda sa main, s'assura qu'elle ne tremblait plus. Et sursauta de tout son corps lorsque la sonnerie de l'interphone retentit.

Elle bondit sur ses pieds, se tourna face à la porte, et sans la quitter des yeux, recula vers la cuisine, où elle aurait le choix des armes.

Nouveau coup de sonnette. Nouveau sursaut.

Tu ne me verras pas, tu ne verras pas le couteau, se souvint-elle. Le jour où Maddok viendrait la tuer, elle ne s'annoncerait pas à l'interphone.

Pas d'affolement, se raisonna Lila. *Il y a juste quelqu'un à la porte, donc pas lieu de s'affoler.*

– Va voir qui c'est, se chuchota-t-elle, au lieu de rester plantée là à trembler comme une feuille.

Elle ouvrit le placard où, avec le consentement d'Ash, elle avait transféré le moniteur. Et poussa un soupir de soulagement en reconnaissant le visiteur. Il la trouvait peut-être encombrante, mais il ne l'éliminerait pas pour autant.

– Mince ! maugréa-t-elle en ajustant sa casquette de base-ball sur ses cheveux attachés.

Que faisait le père d'Ash ici ? Pourquoi diable fallait-il qu'il se pointe quand son fils n'était pas là ? Juste au moment où elle était déjà tendue comme un ressort prêt à craquer, et de surcroît vêtue d'un vieux bermuda et d'un T-shirt informe récupérés à la dernière minute dans le sac de vêtements à donner ?

– Mince, mince, mince…

Au moins, elle ne serait plus seule dans le loft. Positiver.

Elle redressa les épaules, alla ouvrir la porte.

– J'ai été un peu longue, excusez-moi, j'étais occupée à peindre.

Elle ne se força pas à sourire. La politesse était une chose, l'hypocrisie en était une autre.

– Parce que vous peignez, maintenant ?

– Les murs, pas des tableaux. Ash n'est pas là, je suis désolée. Il est sorti faire quelques courses. Si vous voulez l'attendre, il ne devrait pas tarder.

Sans répondre, Spence Archer s'avança dans le loft.

– Je vois que vous avez pris vos quartiers.

– Non. Je ne reste là que jusqu'à mon prochain contrat. Puis-je vous offrir quelque chose à boire ?

– Vous revenez d'un voyage en Italie, me semble-t-il.

– Oui, nous sommes allés à Florence. Si vous voulez que je vous serve quelque chose à boire, ce sera avec plaisir, mais si vous préférez vous servir vous-même, allez-y, je vous en prie, vous connaissez la maison. Si vous permettez, je dois rincer mes outils.

– Je veux savoir ce qui se passe.

Elle retrouvait en lui des traits de ressemblance avec Ash et, curieusement, il avait aussi quelque chose qui lui rappelait son père.

L'attitude autoritaire. Un homme qui possédait l'autorité, en usait, et attendait d'être obéi au doigt et à l'œil.

Qu'il ne compte pas sur elle.

– Je repeins les toilettes, au plâtre vénitien.

Elle avait déjà eu affaire à des gens méprisants, mais Spence Archer, se dit Lila, maîtrisait comme personne l'art de regarder les autres de haut.

– Ne vous moquez pas de moi.

– Loin de moi cette idée. Je vous dois le respect, vous êtes le père d'Ashton.

– À ce titre, j'aimerais savoir ce qui se passe.

– Si vous pouviez être plus précis…

– Pourquoi êtes-vous allés rendre visite à Giovanni Bastone ? Et jusqu'où comptez-vous envahir la vie de mon fils ?

– Pour ce qui est de la première question, vous la poserez à Ash. Quant à la seconde, je ne vous dois pas d'explications. Vous demanderez également à votre fils ce qu'il compte faire de sa vie. Et puisque ma présence semble vous incommoder, je ne vous l'imposerai pas davantage. Je vous laisse attendre votre fils.

Sur ces mots, elle attrapa un trousseau de clés et prit la porte, sur le seuil de laquelle elle se retrouva nez à nez avec Ash.

26

– Tu comprends ce que je te dis, bon sang ? Je t'avais dit de ne pas sortir ! tonna-t-il, puis il plissa les yeux devant son expression. Que se passe-t-il ?

– Rien. J'ai besoin d'air. Ton père est là.

Alors qu'elle s'apprêtait à s'éloigner, il la prit par le bras et la fit rentrer dans le loft.

– Je n'ai rien à faire ici, protesta-t-elle. Laisse-moi, si tu ne veux pas être le troisième à recevoir mon poing dans la figure.

– Ne te gêne pas, si ça peut te faire du bien. Mais je suis désolé, il est hors de question que mon père te chasse de chez moi. Que ce soit bien clair, pour toi comme pour lui.

– J'ai envie d'aller faire un tour.

– On ira tous les deux, tout à l'heure. Bonjour papa ! lança-t-il en posant les sacs qu'il rapportait sur une table.

– J'ai à te parler, Ashton. En tête à tête.

– Il se trouve que nous ne sommes pas seuls. Bien que vous vous soyez déjà rencontrés, je te présente Lila Emerson, la femme que j'aime. Lila, voici mon père, Spence Archer. Quelqu'un veut une bière ?

– Tu la connais à peine, maugréa Spence.

– Non, *tu* la connais à peine, parce que tu t'es mis en tête qu'elle n'en avait qu'après mon argent, répliqua Ash d'un ton si froid que Lila fut parcourue d'un frisson.

Elle préférait encore le feu de la colère.

– Tu t'es mis en tête, poursuivit-il, qu'elle était appâtée par le prestige des Archer, ce qui est ridicule. Elle se moque de notre nom et de notre pognon. À ses yeux, ce sont même presque des tares. Mais je m'emploie à détruire ses préjugés. J'ai l'intention de faire ma vie avec elle.

– Je n'ai jamais dit…

– Tais-toi ! intima-t-il à Lila en la fusillant du regard.

Un instant, elle resta bouche bée. Ash se retourna vers son père.

– Elle n'a rien fait pour mériter la façon dont tu la traites. Au contraire, tu devrais la remercier d'avoir offert la compassion et la générosité à l'un de tes fils, quand il affrontait seul la mort d'un autre de tes fils.

– Épargne-moi tes leçons, Ashton.

– Je suis ici chez moi, je fais ce que je veux. Pour en revenir à Lila, sache que j'ai avec elle des projets à long terme. Je ne suivrai pas ton exemple, je n'aurai pas trente-six femmes dans ma vie, et je sais que j'ai trouvé la bonne. Ton attitude envers elle n'est que le reflet de tes échecs. Il est temps que tu cesses de te référer à ton expérience pour juger de ma vie et de mes choix. Je t'aime, papa, mais si tu n'es pas capable de te montrer un minimum courtois envers Lila, tu ne seras plus le bienvenu chez moi.

– Ne parle pas comme ça à ton père, murmura Lila, les larmes aux yeux.

– Mademoiselle est assez grande pour se défendre toute seule ? rétorqua-t-il, contenant difficilement sa fureur, à présent.

– Ce n'est pas ça, Ash. Ne dis pas des choses pareilles à ton père, tu le regretteras. S'il ne m'aime pas, nous nous éviterons, tout simplement, dit-elle en se tournant vers Spence. Vous êtes d'accord, monsieur Archer ? Je ne veux pas que vous vous fâchiez à cause de moi.

– Tu n'es pas responsable de nos relations conflictuelles, et tout le monde ici le sait. N'est-ce pas ? lança Ash à son père.

– Tant que je serai le chef de cette famille, j'ai l'obligation de veiller sur les intérêts des miens.

– Si tu veux parler d'intérêts financiers, prends les mesures qui te semblent appropriées, je m'en accommoderai. En revanche, tu n'as pas le droit d'interférer dans ma vie privée. Je ne me suis jamais mêlé de la tienne.

– Tu veux reproduire les mêmes erreurs que moi ?

– Je viens de t'expliquer que non, justement. Pourquoi crois-tu que je sois resté célibataire aussi longtemps ? Quoi qu'il en soit, si je me trompe, je m'en prendrai à moi-même. Et Lila n'est pas une erreur. Je n'ai rien de plus à te dire à ce sujet. Tu peux tirer ton épingle du jeu, boire une bière avec moi, ou pas.

Vieux requin des affaires, Spence Archer savait garder la tête haute.

– J'aimerais savoir pourquoi vous êtes allés en Italie voir Giovanni Bastone.

– À cause de ce qui est arrivé à Oliver. C'est compliqué. Laisse-moi m'en occuper. Ce n'est pas la peine que tu en saches davantage, tu ne t'en porteras que mieux. Tu ne t'en portais pas plus mal, non, quand tu fermais les yeux sur ce qu'Oliver faisait de l'argent que tu lui donnais ?

Coup bas, pensa Ash. Lui-même aurait préféré ignorer la débauche dans laquelle vivait son frère.

– Oliver n'était pas le seul à entacher la réputation de la famille. Sur le nombre, tout le monde ne peut pas être irréprochable. Je fais ce que je peux, quand je peux, pour que l'honneur soit sauf. Je regrette de ne pas avoir donné une meilleure éducation à Oliver, quand il était encore temps. Tu n'y es pour rien dans ce qui lui est arrivé, Ash. Lui seul était en faute, bien que moi aussi, en partie, concéda Spence, ravalant sa fierté, d'une voix lourde de chagrin.

– Ça n'a plus d'importance, maintenant.

– J'ignore dans quelle croisade tu t'es lancé, mais laisse-moi t'aider. Malgré nos désaccords, tu es mon fils. Pour l'amour du ciel, Ashton, je ne veux pas perdre un autre fils.

– Tu m'as déjà aidé, en mettant le jet à ma disposition, en me disant ce que tu savais et ce que tu pensais de Bastone. C'est grâce à toi qu'il m'a reçu chez lui.

– S'il est impliqué dans le meurtre d'Oliver…

– Il ne l'est pas, je te le promets.

– Si tu lui expliquais la situation ? intervint Lila. Oliver était son fils. Ce n'est pas bien de lui cacher ce que tu sais, de surcroît parce que tu lui en veux à cause de moi. Vous vous comportez aussi bêtement l'un que l'autre. Sur ce, je vous laisse à votre combat de coqs, je monte travailler.

Ash faillit la retenir, puis il se ravisa. Elle n'avait pas à jouer le rôle de tampon.

– Elle n'a pas la langue dans sa poche, commenta Spence.

– Elle dit ce qu'elle pense. Allez, prenons une bière, et à moins que tu n'aies déjà déjeuné, j'ai un *calzone* à partager. Nous discuterons.

Près d'une heure plus tard, Ash prépara un plateau : le sandwich de Lila sur une assiette, avec une serviette en lin, un verre de vin, et une fleur prise dans le bouquet qu'elle avait acheté pour le salon.

Il connaissait les femmes, fort de ses précédentes expériences, et de ses multiples sœurs et belles-mères, et savait quand il fallait les dorloter.

À l'étage, il la trouva assise au bureau de l'une des chambres d'amis, qui travaillait sur son ordinateur.

– Le déjeuner est servi, annonça-t-il.

– Je suis occupée, répondit-elle sans s'arrêter ni même lever les yeux.

– Il est plus de 14 heures. Tu n'as rien mangé depuis ce matin. Fais une pause, dit-il en lui embrassant le sommet du crâne. Je reconnais que je me suis comporté bêtement.

– À quel moment, exactement ?

– Avec mon père. Du coup, je lui ai expliqué la situation, dans les grandes lignes.

– C'est bien.

– Ça n'a pas été facile, ni pour lui ni pour moi, mais tu avais raison : il fallait qu'il sache pourquoi il a perdu un fils.

Les mains serrées entre ses genoux, elle fixait l'écran de son ordinateur, probablement sans le voir. Ash posa le plateau sur le lit, se posta près de sa chaise.

– S'il te plaît, fais une pause.

– Quand je suis contrariée, soit je me gave de sucreries, soit je ne peux rien avaler. Et là, je suis très contrariée.

– Je sais.

Il la souleva de sa chaise, la déposa sur le lit. Le plateau entre eux, il s'assit en tailleur face à elle.

– Tu manipules les gens comme des pions.

– J'en suis conscient.

– C'est très désagréable.

– Mais ça permet de gagner du temps. Mon père a reconnu qu'il était en tort, Lila. Il m'a présenté des excuses, et pas seulement pour la forme. Je le connais, je sais qu'il était sincère. Par contre, il n'est pas prêt à s'excuser auprès de toi, ou juste pour sauver les apparences.

– Dans ce cas, ce n'est pas la peine.

– Mais si tu lui laisses le temps, il te fera un jour de vraies excuses. Tu as pris son parti. Tu n'as pas idée à quel point ça l'a déstabilisé. Il a eu honte de lui, ce qui n'a pas dû lui arriver souvent dans sa vie.

– Je ne veux pas que vous vous fâchiez à cause de moi. Je ne pourrais pas vivre avec ce poids sur la conscience.

Il se pencha vers elle, lui tapota le genou.

– Nous avons réglé ce malentendu, je crois, aujourd'hui. Tu veux bien lui laisser le temps de faire amende honorable ?

– Bien sûr. Je ne veux pas surtout créer de problèmes.

– Il se fait des reproches pour Oliver. Il avait baissé les bras, il préférait ne rien entendre, ne rien voir, ne rien savoir. Il se contentait de lui envoyer de l'argent, sans se préoccuper de ce qu'il en faisait. C'était la solution de facilité, et il culpabilise, maintenant.

Ash se passa les deux mains dans les cheveux.

– Je le comprends, ajouta-t-il. J'avais jeté l'éponge, moi aussi.

– Ton père te l'a dit, et je te l'ai dit moi aussi plusieurs fois : tu n'as rien à te reprocher. Oliver avait fait de mauvais choix, c'est tout.

– Je sais, mais…

– Il était ton frère.

– Et le fils de mon père. S'il t'a d'entrée de jeu prise en grippe, c'est parce qu'il redoutait, je crois, de voir un autre de ses enfants mal tourner. En plus, je suis son aîné. Celui qui était censé marcher dans ses pas et qui a pris une tout autre direction. Ce n'est pas une excuse, certes, mais une explication.

– Ton père n'est pas déçu par toi. Si c'est ce que tu penses, tu te trompes. Il est encore sous le choc du décès d'Oliver, et il a peur qu'il t'arrive quelque chose. Je ne sais pas ce que c'est que de perdre quelqu'un d'aussi proche, mais je sais ce que c'est que d'avoir peur pour les siens. Chaque fois que mon père était déployé… Pour faire court, disons que j'avais la sensibilité à fleur de peau. Et pour en revenir à ton père, ce n'est pas grave s'il ne m'aime pas.

Ash caressa de nouveau le genou de Lila.

– Tu as fait un grand bond dans son estime, aujourd'hui. Il mettra du temps à l'admettre, mais il finira par t'adorer, tu verras.

Possible, mais en attendant, elle ne voulait pas être source de tensions.

– Tu lui as parlé de l'œuf, de Vasin ?

– Dans les grandes lignes, comme je te disais. C'est lui qui prendra les dispositions, en temps voulu, pour faire don du Fabergé au Metropolitan Museum.

Une bonne chose, pensa Lila, *que de lui confier une mission, plutôt que de l'exclure de la démarche.*

– Mais tu ne lui as pas dit que tu avais l'intention de rencontrer Vasin ?

– Je lui en ai dit suffisamment. On est quitte, toi et moi ?

Elle prit le sandwich sur l'assiette, en goûta un morceau.

– Tu m'as dit de me taire.

– Ah bon ? Ce ne sera pas la dernière fois. Ne te gêne pas pour en faire autant, quand tu l'estimeras nécessaire.

– Tu t'es comporté comme un sale macho.

Les yeux plissés, il inclina la tête.

– Je ne crois pas. Mange ton sandwich, et puis je te montrerai comment je suis en mode macho.

Elle renifla, ostensiblement, s'efforça de réprimer le sourire qui lui venait aux lèvres, et planta son regard au fond de celui d'Ash. Il y avait là tellement de choses qu'elle désirait, et plus le désir grandissait, plus il l'effrayait.

– Je ne suis pas sûre de pouvoir t'offrir ce que tu attends de moi, ni d'être celle que tu cherches.

– Soit celle que tu es. Je ne cherche rien d'autre.

– Tu parlais de long terme et…

– Je t'aime, dit-il en lui caressant la joue. Et c'est réciproque, tu le portes sur toi. Tu m'aimes, Lila. Pourquoi ne ferions-nous pas notre vie ensemble ?

– Je ne sais pas si je dois tout croquer d'un coup, ou grignoter à petites bouchées. Comment savoir le temps que ça durera ?

Il scruta un instant son visage. Manifestement, elle ne parlait pas de son sandwich, mais d'un plat métaphorique, à base d'amour, de promesses, d'engagements.

– Il faut croire au miracle de la multiplication des pains. Rassasie-toi, et partage… D'ailleurs, en parlant de partage, j'ai été obligé de donner la moitié de mon *calzone* à mon père. Tu vas manger ton sandwich en entier ?

Elle soutint un instant son regard, puis sortit son outil multifonction, sélectionna le couteau, et entreprit de couper minutieusement le sandwich en deux.

– Tu vois, ce n'est pas compliqué.

– Si je gâche tout, tu ne pourras t'en prendre qu'à toi-même.

Elle prit une moitié de sandwich, lui donna l'autre.

– J'ai reçu un coup de fil de mon avocat.

– Qu'est-ce qu'il t'a dit ?

– Il a trouvé et contacté les avocats de Vasin à New York, et leur a transmis mon souhait de le rencontrer, à propos d'une affaire nous concernant tous les deux.

– Mais en jargon juridique.

– Très certainement. L'un des avocats de Vasin, en jargon juridique, a accepté de contacter son client.

Un pas en avant, pensa Lila.

– Donc, maintenant, nous attendons une réponse.

– Elle ne tardera pas, à mon avis.

– Non, il veut l'œuf. Mais tu as employé le mauvais pronom. Ce n'est pas *je*, mais *nous*, qui souhaitons rencontrer Vasin.

– Lila, ce n'est pas la peine…

– Ne termine pas cette phrase, s'il te plaît.

Réinitialisation, décida-t-il.

– Vu le genre de personnage, il sera sans doute plus enclin à traiter avec un homme.

– Il fait faire le sale boulot par une femme.

Ash prit le verre de vin de Lila, en but une gorgée. Renonça aux arguments bidons. Rien n'avait davantage de poids que la sincérité.

– Il pourrait te faire du mal, Lila, pour me mettre la pression, comme ils l'ont fait avec la compagne d'Oliver.

– Un homme de son calibre ne répétera pas deux fois la même erreur. En revanche, il pourrait *te* faire du mal pour *me* mettre la pression. Par conséquent, il vaut mieux que j'y aille sans toi, décréta-t-elle en mordant dans son sandwich d'un air déterminé.

– Tu es bornée, ou tu essaies juste de m'énerver ?

Elle lui reprit le verre de vin.

– Ni l'un ni l'autre, mais tu ne veux tout de même pas que je te laisse te jeter seul dans la gueule du lion ? Qui parlait d'amour éternel et de partage, pas plus tard qu'il y a deux minutes ? On ira tous les deux, Ash. Je ne peux pas prendre d'engagements envers toi, envers quiconque, si le partenariat ne se fonde pas sur l'égalité.

Elle hésita un instant, puis se résolut à parler sans détour :

– Ma mère a passé sa vie à attendre. Tout le monde lui a toujours dit qu'elle était une femme forte, une bonne épouse de militaire… mais je sais, moi, combien ces mois d'attente étaient durs. Elle était fière de son mari, et elle avait les nerfs solides, mais elle prenait énormément sur elle. Je ne veux pas mener la même vie que ma mère.

– D'accord, on ira ensemble. Avec une garantie.

– Quelle garantie ?

– Si jamais il t'arrivait… Si jamais il nous arrivait quoi que ce soit, à l'un ou à l'autre, l'œuf sera détruit, conformément aux instructions que j'aurai laissées à une personne de confiance.

– Je ne suis pas sûre que ce soit la meilleure tactique. Je ne doute pas que tu sauras te montrer convaincant, j'ai assisté à la répétition. Mais les enfants gâtés ne préfèrent-ils pas voir leur jouet cassé plutôt qu'entre les mains d'un autre ?

– En effet, je n'avais pas pensé à ça, concéda Ash.

– À mon avis, il vaut mieux qu'on dise à Vasin que si jamais il nous arrivait quoi que ce soit, nous avons laissé des consignes pour que les médias soient immédiatement mis au courant de la découverte, et l'œuf confié à un musée.

– Menacer de le fracasser serait plus jouissif, mais tu as raison, reconnut-il en tendant la main vers le verre de vin qu'ils partageaient comme ils partageaient le sandwich. Au lieu de bluffer, on joue cartes sur table. OK, on adopte ta stratégie.

– C'est vrai ?

Il reposa le verre sur le plateau, prit le visage de Lila entre ses mains.

– Que ça te plaise ou non, je veillerai à ce qu'il ne t'arrive rien. Que tu le veuilles ou non, je ferai tout pour te protéger. Si jamais je te sens menacée, je tire la sonnette d'alarme.

– Et moi de même.

– OK.

– Qu'entends-tu par « tirer la sonnette d'alarme » ?

Ash se leva, arpenta la pièce. Vinnie aurait dû avoir cette option…

– On alerte Alexi, qui se trouvera à la citadelle. Mon père nous aidera à nous organiser.

– Bonne idée. Mais comment contactons-nous Alexi ?

Il s'arrêta devant la fenêtre, regarda au-dehors.

– On y réfléchira, et on trouvera un moyen. Il faut qu'on voie le bout du tunnel, Lila.

– Je suis bien d'accord.

– Je veux faire ma vie avec toi. (Comme elle ne répondait pas, il se tourna vers elle.) Or nous ne pouvons rien faire tant que ce maudit œuf nous empoisonne l'existence. Si notre plan échoue, si Maddok n'est pas écrouée, nous larguons les amarres.

– Comment ça ?

– Tu peux écrire n'importe où, je peux peindre n'importe où. Tu aimes voyager, nous voyagerons. J'ai vu la gitane en toi au premier regard, nous serons des gitans, un jour ici, le lendemain ailleurs.

– Tu n'aimerais pas ce mode de vie.

– Seul m'importe d'être avec toi. Nous louerons un cottage en Irlande, un mas en Provence, un château en Suisse. Plein de nouveaux espaces à découvrir pour toi, plein de nouvelles toiles à peindre pour moi.

Et toi, pensa-t-il, *dans la cuisine tous les matins. Bricolant en peignoir.*

– Tôt ou tard, ajouta-t-il, ils finiront par la coincer. En attendant, nous verrons le monde. Accepte, Lila, je t'en supplie.

– Je… bredouilla-t-elle, la panique lui serrant la gorge. J'ai un métier.

– Tu continueras à l'exercer, si tu veux, ailleurs qu'à New York. Le monde est vaste. Réfléchis, tu as encore le temps. De mon côté, je vais contacter Alexi, commencer à prendre des dispositions. Ensuite, je peindrai une heure ou deux. Que dirais-tu de sortir dîner avec Luke et Julie, ce soir ?

– Sortir nous ferait du bien, sans aucun doute. Mais ce n'est pas risqué ?

– Je ne pense pas. Si Vasin veut savoir ce que nous avons à lui offrir, il n'a pas intérêt, pour le moment, à nous envoyer sa tueuse. Je vais appeler Luke. Ça te va, si je leur donne rendez-vous à 20 heures ?

– À 20 heures, très bien. On… Oh, mince ! marmonna Lila en se pressant les doigts sur les tempes. Sa tueuse…

– Eh bien ?

– Ne t'énerve pas, s'il te plaît. Tu me fais peur quand tu t'énerves. Et j'ai déjà eu mon lot de frayeur pour la journée…

– De quoi parles-tu, bon sang ?

– Jai Maddok m'a appelée. Sur mon mobile.

L'exaspération amusée fit instantanément place à une fureur glaciale.

– Quand ?

– Tout à l'heure, pendant que tu n'étais pas là.

– Et c'est maintenant que tu me le dis ! Merde, Lila !

– Je voulais t'appeler, j'avais le téléphone en main… mais ton père est arrivé, et toi juste après et… et du coup, ça m'est sorti de l'esprit. Je te le dis maintenant, ce n'est pas la peine d'en faire un drame. Je… Je…

Il se rassit au bord du lit, posa ses mains sur ses épaules.

– Calme-toi, respire.

Elle emplit ses poumons d'air, et se laissa masser les épaules, sentit l'hystérie refluer.

– Je venais de terminer la couche de base, reprit-elle, en le regardant dans les yeux. Mon téléphone a sonné, c'était elle. Elle voulait me faire peur, et elle a réussi. Heureusement qu'on n'était pas sur Skype et qu'elle ne me voyait pas : j'étais terrorisée. Elle m'a demandé si mes vacances en Italie s'étaient bien passées. Je lui ai retourné la question, et j'ai fait allusion au marchand d'art. Je n'aurais peut-être pas dû, mais je l'ai sentie dans ses petits souliers.

– Donne-moi ton téléphone.

– Mon… Oh, mince, je suis trop bête ! Je n'ai même pas regardé le numéro. Tout est allé tellement vite. Mais j'ai enregistré la conversation. J'ai une application d'enregistrement.

– Bien joué.

Elle lui tendit son téléphone.

– Inconnu, lut-il en affichant le dernier appel entrant.

– Elle doit avoir un téléphone jetable, sans abonnement, non traçable.

– Dis-moi ce qu'elle t'a dit, exactement.

– Tout est enregistré, tu n'as qu'à écouter.

– Raconte-moi d'abord, j'écouterai ensuite.

– Qu'elle me tuerait, et qu'elle y prendrait du plaisir. Elle m'appelait par un nom chinois, insultant, j'en suis sûre, il faudra que je vérifie. J'étais terrifiée, mais j'ai réussi à garder mon sang-froid et à faire durer la conversation. J'allais t'appeler, je te le jure, et prévenir la police, mais ton père est arrivé.

– OK.

Des larmes ruisselaient sur les joues de Lila. Il les essuya de ses pouces, posa ses lèvres sur les siennes.

– Elle est où, cette application ? demanda-t-il en examinant le smartphone.

– Attends, laisse-moi faire.

Elle lança la lecture de l'enregistrement, réprima un frisson en entendant la voix de Maddok. Les yeux d'Ash jetaient des flammes et, lorsque la conversation prit fin, il les plongea dans ceux de Lila.

– J'ai essayé de ne pas paniquer, mais…

La voix tremblante, elle tendit les bras vers lui. Il l'enveloppa dans les siens.

– Elle avait une voix si froide, si menaçante, pleine de haine…

– Nous allons partir d'ici, déclara-t-il. Nous irons où tu voudras, mais nous partons, dès ce soir.

– Non, non, non, protesta-t-elle. Nous ne pouvons pas vivre comme des fugitifs ! Je ne pourrai pas. De toute façon, elle finirait par nous rattraper. Regarde Jason Bourne… Fuir n'était pas la solution… Les bouquins, les films, Matt Damon, précisa-t-elle devant le point d'interrogation dans le regard d'Ash.

– Ah, d'accord… fit-il en lui caressant les cheveux, épaté, une fois de plus, par ses mécanismes de pensée.

– Je ne me laisserai pas intimider. Nous ne la laisserons pas nous dicter le cours de nos vies. Finissons-en avec elle. Ne me demande pas, Ash, de devenir quelqu'un que je ne veux pas être.

Il l'embrassa sur le front.

– Je vais appeler Fine, dit-il en regardant le téléphone de Lila. Je m'en occupe.

– J'ai besoin de mon mobile. Il contient la moitié de ma vie.

– Je te le rendrai, dit-il en lui caressant les cheveux. Pour en finir avec cette discussion, tu t'apprêtais à sortir quand je suis arrivé, à sortir seule…

– Je ne savais pas trop ce que je faisais. C'était idiot, je le reconnais. Je n'avais même pas pris mon sac à main.

– OK, n'en parlons plus. Je descends appeler Fine. Tu restes ici ? Ça ira ?

– Ça va, maintenant. Je vais me remettre au travail. Mon bouquin me changera les idées.

– Très bien. Je serai en bas, ou dans mon atelier. Je suis là, en tout cas, ne t'en fais pas.

– Ash… dit-elle en se levant du lit. Tu sais… (Avant que sa gorge se noue, elle se lança à toute vitesse.) Mon père est quelqu'un de bien.

– Je n'en doute pas une seconde.

– C'est un militaire, un vrai. Il ne plaçait pas le devoir avant sa famille, mais le devoir était sacré. Je ne lui en ai jamais voulu, parce que c'était cela qui faisait de lui ce qu'il était, quelqu'un de vraiment bien. Seulement, il n'était pas souvent là. Il n'avait pas le choix.

– Et tu souffrais de son absence.

– Parfois, mais je comprenais son dévouement à la patrie. Ma mère est une femme formidable. Puisqu'il ne pouvait pas être là, elle faisait sa vie sans lui, et quand il était là, elle se mettait en quatre pour son mari. C'est une excellente cuisinière... je n'ai pas hérité ce talent. Elle est capable de faire des dizaines de choses à la fois, et ça, elle me l'a transmis ! Par contre, elle ne savait pas changer une ampoule. OK, j'exagère un peu, mais à peine.

– Alors tu as appris à bricoler.

– Il fallait bien que quelqu'un se charge de toutes les petites réparations qu'il y a à faire dans une maison, et j'aimais ça. Mon père était fier de moi. « Donne-le à Lila, disait-il, elle se débrouillera pour le réparer, sinon, c'est que ce n'est pas réparable. » En même temps, quand il était à la maison, c'était lui qui commandait. Il avait l'habitude de donner des ordres.

– Et tu n'aimais pas en recevoir.

– À force de sans cesse déménager, d'être toujours la nouvelle de l'école, j'ai appris à m'adapter, à ne compter que sur moi-même. Mon père attachait beaucoup d'importance à ce que je sois autonome, et il m'a donné les moyens de l'être, en m'apprenant à manier une arme, à la nettoyer, à la respecter, en me donnant des notions d'autodéfense, de premiers secours, etc. Mais je n'étais pas une enfant docile, et parfois il y avait des frictions entre nous. Le lieutenant-colonel était un homme très directif. Tu lui ressembles, de ce côté-là, en plus subtil.

– Les couples qui sont toujours d'accord doivent s'ennuyer à mourir.

– Sûrement, acquiesça Lila en riant. Toujours est-il que j'aime mon père. Et toi aussi, tu aimes le tien, Ash. Ça crevait les yeux, tout à l'heure, même si tu étais furieux contre lui. Tu l'as laissé croire qu'il est toujours le chef de famille, alors que non, pas vraiment. C'est toi le chef de famille. Mais tu ne le lui as pas dit parce que tu l'aimes. J'accepte que mon père n'ait pas pu me conduire au bal du lycée, ni me féliciter le jour de la remise des diplômes. Je me suis fait une raison, parce que je l'aime, même s'il n'était pas là quand j'en aurais eu besoin, pour me dire tout simplement : « Je suis là. »

Et là, comprit Ash, était la réponse à bien des questions.

– Je serai là, dit-il.

– En même temps, je n'ai pas l'habitude que quelqu'un soit toujours là.

– Tu t'y feras, répondit-il en lui caressant la joue du bout des doigts. J'aimerais rencontrer tes parents.

De nouveau, Lila sentit son ventre se nouer.

– Ils habitent en Alaska, ce n'est pas la porte à côté.

– Je dispose d'un jet privé. Quand tu seras prête. Pour l'instant, remets-toi au travail. Je suis là. Tu peux compter sur moi.

Seule, elle s'efforça de faire le vide dans son esprit, de se concentrer sur son manuscrit. En vain.

Il lui avait offert de tout quitter, de parcourir le monde avec elle pour qu'elle soit en sécurité. Il la voyait comme une gitane et, au fond, n'avait-elle pas effectivement choisi de mener une vie de bohème ?

Pourquoi ne pas accepter l'offre ? Faire ses bagages et partir, comme elle le faisait sans cesse, simplement, cette fois, en compagnie d'un homme avec qui elle se sentait bien. Où était la différence ? L'aventure continuerait, à deux, tout simplement.

Elle exercerait son métier de *house-sitter* à l'échelle internationale. Ou bien, elle se consacrerait pleinement à l'écriture et aux voyages.

Pourquoi diable ne pas sauter sur l'occasion ?

Seulement, pourrait-elle s'habituer à compter sur quelqu'un, elle qui avait pris l'habitude d'être celle sur qui l'on compte ? Celle à qui l'on confie sa maison, ses animaux, ses plantes. Celle à qui l'on demande d'être là… jusqu'à ce que l'on n'ait plus besoin d'elle.

Sa tête allait exploser. *Stop !* s'intima-t-elle. *Chaque chose en son temps*. Pour l'heure, ils devaient s'occuper de l'œuf, de Vasin, de Maddok. Ce n'était pas le moment de bâtir des châteaux en Espagne.

Avant de rêver, il fallait affronter la réalité.

Elle se réinstalla devant son ordinateur, relut la page sur laquelle elle travaillait un instant auparavant. Sans parvenir à cesser de penser à une vie de voyages…

27

Ash pria Fine et Waterstone de venir chez lui, une manœuvre délibérée. Si Vasin surveillait le loft, la menace d'une intervention policière n'en aurait que plus de poids.

Ce fut tout à leur honneur : ils l'écoutèrent exposer les démarches qu'il avait entreprises, la suite qu'il comptait leur donner, ainsi que l'enregistrement de la conversation téléphonique entre Lila et Jai Maddok.

– J'en ai fait une copie, dit-elle en remettant à Waterstone une carte-mémoire dans un petit sachet en plastique transparent, étiqueté. Je ne sais pas quel usage vous pourrez en faire, mais j'ai pensé qu'il valait mieux que vous l'ayez. Pour vos dossiers. C'est légal, n'est-ce pas, d'enregistrer un appel téléphonique entrant ? J'ai vérifié sur Internet.

Waterstone prit le sachet, le glissa dans une poche de sa veste.

– Ne vous inquiétez pas.

Fine se pencha vers Ash, le dévisageant de son regard de pierre.

– Vasin est soupçonné de plusieurs actes criminels, notamment d'avoir commandité des meurtres.

– Dont celui de mon frère.

– Sa tueuse à gages vous a contacté personnellement, à deux reprises, dit-elle à Lila. Entre elle et vous, il s'agit désormais d'une affaire personnelle.

– Absolument. *Biao zi* veut dire « salope » en mandarin, ce qui n'est pas trop méchant. *Bi* signifie… « pute », précisa Lila à contrecœur, détestant prononcer ce mot à voix haute. C'est vraiment insultant, et je le prends comme un affront personnel.

– Malgré les menaces qu'elle a proférées, vous avez échafaudé un plan pour faire tomber Vasin vous-mêmes…

– Pour le rencontrer, rectifia Ash. Nous avons davantage de chances que vous d'obtenir une entrevue.

– Puis-je savoir comment vous comptez procéder ? À supposer qu'il ne vous élimine pas sur-le-champ, croyez-vous qu'il vous suffira de le lui demander pour qu'il vous livre Maddok ? L'une de ses cartes maîtresses ?

– Je connais les hommes riches et puissants, répondit Ash posément. Mon père appartient à cette catégorie. Vasin attache davantage de valeur à l'œuf qu'à une employée, aussi précieuse soit-elle. Je lui propose un très bon arrangement. Il pourra toujours se payer une autre tueuse.

– Pensez-vous qu'il acceptera l'échange ?

– Le marché ne lui coûtera pas un sou. Aucun employé n'est indispensable. En balance avec un œuf de Fabergé, Maddok ne pèsera pas lourd.

– Vous n'êtes pas de la police, répliqua Fine, et elle se mit à énumérer sur ses doigts : vous n'avez pas la formation, pas d'entraînement, pas d'expérience. Vous ne pouvez même pas vous équiper de micros, croyez-moi, il vérifiera.

Waterstone se gratta la joue.

– Ça peut être un avantage.

Fine lui décocha un regard noir.

– Qu'est-ce que tu racontes, Harry ?

– Nous n'avons aucune chance d'approcher ce type. Eux, si. Justement parce qu'ils ne sont pas de la police, parce qu'ils n'auront pas de micros. Il les prendra pour une paire de pigeons à plumer.

– Ce qu'ils sont.

– Mais les pigeons ont l'œuf d'or.

– Quatre personnes ont été tuées, avec le marchand d'art de Florence, intervint Lila. Vasin est prêt à tout, pour cet œuf. Quant à Maddok, elle a commis plusieurs erreurs au cours de cette mission. Il n'aura sûrement aucun scrupule à se débarrasser d'elle.

– Tout dépend, objecta Fine, de ce qu'elle sait de lui, des renseignements qu'elle serait en mesure de nous fournir.

– Nous n'avons pas l'intention de vous la livrer, lui rappela Lila. Tout du moins, c'est ce que nous dirons à Vasin.

– Pourquoi vous croirait-il ?

– Premièrement, parce que nous lui offrons une solution pour obtenir ce qu'il veut. Deuxièmement, parce que Ash sait se montrer persuasif quand il s'énerve. Moi ? fit-elle en haussant une épaule. J'ai regardé par la fenêtre et je me suis retrouvée embringuée dans une affaire abracadabrante, dont j'ai hâte qu'elle se termine. Dans l'histoire, j'ai toutefois ferré un gros poisson, en la personne d'Ashton Archer. J'ai envie de me la couler douce sans avoir à me soucier d'une psychopathe qui s'est mis en tête de me tuer.

Ash arqua un sourcil.

– Un gros poisson ?

– C'est comme ça que Jai Maddok t'a appelé, et je peux jouer sur ce registre : la fille d'un milieu modeste qui vit chez les autres et qui s'est dégoté un bon parti, issu d'une famille fortunée, un artiste renommé, qui plus est, susceptible de booster sa carrière d'écrivain jusque-là somme toute assez précaire.

Il lui adressa un sourire aigre-doux.

– Je vois que tu as cogité.

– J'ai essayé de réfléchir à la fois comme un homme d'affaires impitoyable et comme une tueuse sans états d'âme. Factuellement, tout est vrai, si l'on fait abstraction des sentiments. Maddok n'en a pas. Vasin non plus, vraisemblablement, ou il ne la paierait pas pour tuer. Quand on n'a pas de sentiments, on ne peut pas les comprendre, non ? Tu prends ta revanche, je profite de mon gros poisson et Vasin a son précieux œuf.

– Admettons qu'il attende plus de cinq minutes avant de vous tuer, et qu'il accepte votre marché. Comment envisagez-vous la suite des événements ? demanda Fine.

– Nous convenons d'un rendez-vous pour effectuer l'échange, répondit Ash. Celui-ci se fera par personnes interposées, ajouta-t-il, ne tenant pas à ce que Lila prenne part à ce genre de transaction. Et à partir de là, c'est à vous de jouer. Nous nous chargeons juste du premier contact, de négocier le compromis. S'il l'accepte, il se rend coupable de complicité de meurtre. Et vous l'appréhendez, sur la foi de notre témoignage. Vous arrêtez Maddok, qu'il nous aura en principe livrée, et nous faisons don de l'œuf à un musée.

– Et s'il refuse ? Imaginez qu'il vous dise : « Soit vous me donnez l'œuf, soit votre bonne amie sera violée, torturée, et abattue d'une balle dans la tête. »

– Comme je vous l'ai expliqué, il aura été prévenu que s'il touche à un cheveu de nos têtes, un communiqué sera transmis aux médias, et l'œuf lui filera sous le nez à tout jamais. À moins qu'il n'ait l'intention d'essayer de le dérober au Met. Possible, me direz-vous, mais il n'a encore jamais tenté de cambrioler un musée ou un collectionneur privé.

– Pas que nous sachions.

– Certes. Mais il me semble plus facile, plus propre et plus rapide d'accepter notre offre.

– Il pourrait menacer votre famille, comme vous dites qu'il a menacé celle de Bastone.

– Il pourrait, mais pendant que nous discuterons avec lui, ma famille sera en sécurité dans sa propriété. Je le répète, je lui propose un marché d'homme à homme, qui ne lui coûte rien d'autre qu'une employée ayant prouvé qu'elle n'était pas à la hauteur.

– Ça peut marcher, avança Waterstone. Nous avons déjà utilisé des civils dans des opérations similaires.

– Protégés, équipés de micros.

– On pourrait en toucher un mot au FBI.

– Nous sommes déterminés à le rencontrer, déclara Ash. Avec ou sans votre coopération. Avec, ce serait mieux, bien sûr.

– Vous lui servez deux otages sur un plateau, souligna Fine. Il n'est peut-être pas utile que mademoiselle vous accompagne.

– Essayez de l'en dissuader, répliqua Ash. Je vous souhaite bonne chance.

– Nous irons tous les deux, trancha Lila en regardant Fine droit dans les yeux. Non négociable. Si Ash y va seul, et que Vasin le garde en otage, je serai obligée de lui donner l'œuf. Et que me restera-t-il, une fois mon gros poisson éviscéré ?

– Trouve une autre métaphore, s'il te plaît.

– Il y a peu de chances qu'il accepte de vous recevoir, répliqua Fine, tentant encore d'argumenter. Il est connu pour ne traiter qu'à distance. Au mieux, vous aurez affaire à l'un de ses avocats ou de ses assistants.

– Je tiens à le rencontrer en personne. À prendre ou à laisser, c'est à lui de voir. Excusez-moi, dit Ash, sentant son téléphone vibrer. Mon avocat. Nous avons peut-être une réponse. Un instant, s'il vous plaît.

Il prit la communication et s'éloigna au fond du loft. Fine tourna son regard de pierre vers Lila.

– Vous ne voulez pas essayer de l'en dissuader ?

– Je n'y suis pas arrivée jusqu'ici, et maintenant ce n'est même plus la peine d'y penser. Il a ses chances… *nous* avons des chances de mettre un terme à cette affaire. Nous devons la régler, et pour Ash elle ne sera pas réglée tant que justice n'aura pas été rendue à son frère et à son oncle. Sans cela, il se sentira responsable de leur mort jusqu'à la fin de ses jours.

– Vous n'avez pas conscience, je crois, des risques que vous prenez.

– Inspecteur Fine, je me sens en danger chaque fois que je franchis la porte. Combien de temps peut-on vivre dans ces conditions ? Cette femme veut notre mort, indépendamment de son patron. Nous voulons vivre nos vies. Le jeu en vaut la chandelle.

– Demain, annonça Ash en revenant poser son téléphone sur la table. À 14 heures, dans sa propriété de Long Island.

– Tant pis pour le voyage au Luxembourg, murmura Lila, ce qui fit sourire Ash.

Waterstone secoua la tête.

– Dans moins de vingt-quatre heures ? Ça ne nous laisse pas beaucoup de temps.

– C'est en partie pour cette raison que j'ai accepté. Il voit que je suis résolu.

– Il doit s'attendre à ce que tu lui réclames des millions, dit Lila. Ta requête le surprendra. Et l'intriguera.

Il s'accroupit à côté de son fauteuil.

– Va à la citadelle. Laisse-moi le rencontrer seul.

Elle prit son visage entre ses mains.

– Non.

– Vous règlerez ça entre vous, trancha Waterstone. Nous devons nous mettre d'accord sur la marche à suivre, les embûches à éviter, la date et le lieu de rendez-vous pour l'échange… si vous arrivez jusque-là. (Il se tourna vers Fine.) Appelle le lieutenant, préviens-le que nous avons besoin de matériel et d'hommes pour une opération spéciale.

– Tout cela ne me dit qui rien vaille, grommela-t-elle en se levant. Vous m'êtes sympathiques, tous les deux. J'aurais préféré vous détester.

Et en composant un numéro, elle s'éloigna afin d'appeler son supérieur.

Dès l'instant où ils furent seuls, Lila poussa un énorme soupir.

– Bon sang ! Ma tête va exploser avec tous ces codes, mots de passe et procédures à retenir. Je vais passer la deuxième couche dans les toilettes… le travail manuel me reposera le cerveau, avant que les techniciens du FBI viennent nous bourrer encore plus le crâne. Tu te rends compte, Ash ? On va effectuer une opération en sous-marin pour le FBI ! Je tiens le sujet de mon prochain roman. Si ce n'est pas moi qui écris cette histoire, quelqu'un me la piquera et je serai trop dégoûtée. Si on laissait tomber le restau et qu'on commandait plutôt une pizza ? suggéra-t-elle en s'extirpant de son fauteuil. Avec les pizzas, au moins, tu n'as pas besoin de réfléchir quand tu as déjà la tête comme une bassine.

– Lila, je t'aime.

Elle s'immobilisa, en proie à ce malaise qui lui était maintenant familier.

– S'il te plaît, ne me joue pas le grand jeu pour essayer de me persuader que je dois rester à l'écart. Je ne vais pas faire ma tête de mule, je ne vais pas brandir mon drapeau féministe… même si je pourrais. Le fait que je tienne à t'accompagner devrait t'en dire long sur ce que j'éprouve pour toi.

– Qu'éprouves-tu pour moi ?

– Je dois encore le tirer au clair, mais une chose est sûre : ce que je m'apprête à faire, je ne le ferais pour personne et avec personne d'autre que toi. Personne. Tu te rappelles cette scène du *Retour du Jedi* ?

– Hein ?

Elle ferma les yeux.

– Je t'en supplie, ne me dis pas que tu n'as jamais vu *Star Wars*, ou tout s'écroule !

– Bien sûr que j'ai vu *La Guerre des étoiles*.

– Merci, mon Dieu, murmura-t-elle en rouvrant les yeux. La scène, reprit-elle, sur la lune forestière d'Endor, quand Leia et Yan se retrouvent coincés à l'extérieur de la forteresse des Stormtroopers, dans une fâcheuse posture. Il baisse la tête, elle lui montre son arme, il la regarde et il lui dit qu'il l'aime. « Je sais », répond-elle en souriant. OK, dans *L'Empire contre-attaque*, c'est elle qui lui dit : « Je t'aime », juste avant que Jabba ordonne que Yan soit congelé dans la carbonite. Mais là, sur Endor, les reparties sont inversées, pour montrer qu'ils sont unis pour le meilleur et pour le pire.

– Tu as vu *La Guerre des étoiles* combien de fois ?

– Peu importe, répliqua-t-elle, un peu sèchement.

– OK, un certain nombre. Donc tu es la princesse Leia et je suis Yan Solo.

– Pour les besoins de l'illustration. Il l'aime, elle le sait, et vice versa, ce qui leur donne du courage, de la force. Je me sens plus forte, sachant que tu m'aimes. Ces sentiments-là sont nouveaux pour moi. J'essaie de m'y faire, comme tu me l'as demandé.

Un peu chancelante, elle noua les bras autour de sa taille.

– Quand je te le dirai, tu sauras que je suis sincère, même et surtout si nous sommes assiégés par des Stormtroopers sur la lune forestière d'Endor, avec un seul blaster pour deux.

– Voici la chose la plus touchante qu'on m'ait jamais dite.

– Tu me comprends, et tu m'aimes telle que je suis… J'essaie de m'y habituer.

– Je préfère être Yan Solo qu'un gros poisson.

Elle éclata de rire, s'écarta de lui afin de le regarder.

– Je préfère être Leia qu'une opportuniste essayant de ferrer un gros poisson. Bon, sur ce, je me remets à la peinture, en attendant les gars du FBI. Nous vivons des moments fabuleux, Ash. Inconfortables, certes, et nous avons hâte d'en voir la fin. Mais partons du principe qu'il y a toujours du positif à retirer du négatif. On s'en sortira gagnants, j'en suis sûre, comme Leia et Yan, dit-elle en le serrant contre lui avant de le lâcher.

– Tu ne seras pas armée d'un… d'un quoi, déjà ?

– Un blaster. Toi, tu as besoin d'une séance de rattrapage. On se fera une soirée *Star Wars*, un de ces jours.

– Tu n'auras pas de blaster.

– Mais j'ai de bons instincts, et mon Yan Solo.

Elle a raison, pensa-t-il. Ensemble, ils seraient plus forts. Et sur ces considérations, il monta à l'atelier terminer son portrait.

Lila insista pour se rendre à la galerie, le lendemain matin. Ash l'y accompagna, mais il la laissa seule avec Julie dans le bureau de cette dernière.

– Ash est parti voir Luke à la boulangerie… Tu es mon amie la plus proche, Julie. Je voudrais te demander quelque chose que je ne peux demander qu'à toi. Si jamais…

– Je sens que tu vas me dire quelque chose qui ne va pas me plaire.

– Nous allons rencontrer Vasin, cet après-midi.

– Cet après-midi ! s'écria Julie, saisissant les mains de son amie, alarmée. Mais vous n'êtes pas prêts, vous ne pouvez pas…

Lila lui exposa toutes les étapes du plan, toutes les mesures de précaution et de sécurité.

– Lila, je vais me faire un sang d'encre. Je préférerais que tu partes avec Ash, n'importe où, quitte à ne plus jamais te revoir. Tu ne veux pas partir, je sais. Je te connais et je sais que tu ne peux pas, mais j'aurais préféré.

– J'y ai pensé. J'y ai pensé sérieusement, toute la nuit, je n'ai pas fermé l'œil. J'ai pris conscience qu'il y avait désormais autre chose que le sexe, le plaisir et l'affection, entre Ash et moi, et j'ai envie de m'investir dans cette relation, ce qui implique que je retrouve un minimum de stabilité. Quel que soit le lieu où nous irions, nous aurions toujours l'impression d'être traqués. Nous ne serions jamais vraiment tranquilles, jamais vraiment en sécurité.

– Ce serait moins dangereux que d'aller voir Vasin.

– Je ne crois pas. J'ai envisagé toutes les éventualités. Imagine que Maddok s'en prenne à nos familles, si elle ne parvenait pas à nous retrouver. Ou à nos amis. Elle serait capable de te faire du mal, de faire du mal à mes parents. Je ne pourrais pas vivre avec ce poids sur la conscience.

– Je sais…

– Nous serons en lien avec la police, le FBI. Nous serons équipés de micros. De toute façon, Vasin n'a aucune raison de nous faire du mal, puisqu'il nous croira disposés à lui donner l'œuf. Nous devons juste le convaincre d'accepter notre marché. Ensuite, nous passons la main à la police.

– Tu ne crois tout de même pas que ce sera aussi simple ? Tu ne te lances pas là-dedans, j'espère, comme dans une sorte d'aventure ?

– La rencontre est nécessaire, et elle a été préparée dans les moindres détails. Je ne sais pas ce qu'il en ressortira, mais le jeu en vaut la chandelle. Nous voulons retrouver une vie normale, Julie. Ma prochaine insomnie, je veux la consacrer à m'interroger sur mon avenir avec Ash.

– Tu l'aimes ?

– Il pense que oui.

– Ça ne répond pas à ma question.

– Je pense que oui. Mais je dois encore passer quelques nuits blanches à y réfléchir, dès que nous aurons réglé cet imbroglio. Ensuite, je terminerai mon bouquin, je t'aiderai à organiser ton mariage avec ton ex et futur mari, et après je m'occuperai de ma vie amoureuse, à tête reposée.

– À quelle heure, cet après-midi ?

– Nous avons rendez-vous à 14 heures. Je suis confiante, mais, au cas où, j'ai écrit une lettre à mes parents. Elle est dans ma trousse de toilette, dans le tiroir du haut de la commode, dans la chambre d'Ash. Tu la leur feras parvenir ?

De nouveau, Julie saisit les mains de Lila et les lui serra à lui en faire mal.

– Ne pense pas à ça. Tout se passera bien.

– J'en suis certaine, mais on ne sait jamais. Ces dernières semaines, avec Ash, j'ai pris conscience que je m'étais peu à peu éloignée de mes parents. Je veux qu'ils sachent que je les aime. J'irai les voir, très bientôt, avec Ash. Tu te rends compte du pas de géant que cela représente pour moi ? Je suis prête à le franchir, je crois… j'ai envie de le franchir. S'il m'arrivait quoi que ce soit, je tiens à ce que mes parents sachent aussi cela.

– Tu leur présenteras Ash, et tu leur diras de vive voix que tu les aimes.

– Bien sûr, mais, au cas où, je compte sur toi.

Les larmes aux yeux, Julie se mordit la lèvre.

– Tu peux, je te le promets, mais il n'y aura pas de cas où.

– Merci, tu m'ôtes un énorme poids. Deuxième chose : mon manuscrit. Idéalement, il me faudrait encore une quinzaine de jours pour le peaufiner, mais… En voici une copie, à remettre à mon éditeur, dit-elle en tirant une clé USB de sa poche.

– Seigneur ! Lila…

– S'il te plaît, j'ai besoin de savoir que tu feras ces deux choses pour moi. Tu es la seule à qui je puisse le demander. Tu n'auras pas à les faire, j'en suis sûre, mais ainsi j'aurai l'esprit en paix.

Julie pressa ses doigts sur ses yeux, luttant contre les larmes.

– Tu peux compter sur moi, dit-elle enfin. Ce ne sera pas utile, mais tu peux compter sur moi.

– C'est tout ce que j'ai besoin de savoir. Demain soir, nous trinquerons tous les quatre. À mon avis, ce sera trop la folie, ce soir.

– D'accord, bredouilla Julie en prenant une poignée de mouchoirs en papier dans la boîte posée sur son bureau.

– Au restau italien où nous sommes allés tous les quatre la première fois. Ce sera notre nouveau QG.

– Je réserverai. Pour 19 h 30 ?

– Parfait, acquiesça Lila en embrassant chaleureusement son amie. On se voit demain soir, et je t'appelle ce soir, promis.

Au cas où, Lila avait aussi laissé une lettre pour Julie, dans sa trousse de toilette, avec celle pour ses parents.

28

Lila revêtit la robe bleue qu'Ash lui avait offerte après sa première séance de pose. Elle leur porterait chance, de même que la pierre de lune de Florence.

Puis elle passa un temps considérable à se maquiller. Ce n'était pas tous les jours qu'on avait un rendez-vous d'affaires avec un escroc international qui faisait éliminer ses adversaires par des tueurs professionnels.

Elle vérifia ensuite le contenu de son sac à main – en pensant à l'agent spécial qui devait en ce moment même inspecter le système de sécurité de Vasin. Elle emporterait son attirail habituel, décida-t-elle. Elle se sentirait ainsi plus à l'aise.

Dans le miroir, elle observa le reflet d'Ash.

Rasé de frais, les cheveux plus ou moins disciplinés, et un costume gris acier murmurant l'influence – car l'influence ne devait pas être criante.

– J'ai un look trop décontracté, à côté de toi.

– Rendez-vous sérieux, look sérieux, répondit-il en nouant une cravate de la couleur d'un bon bourgogne, et en contemplant Lila dans le miroir. Tu es superbe.

– Trop décontract', répéta-t-elle. Mais mon tailleur sérieux est un peu tristounet. Raison pour laquelle je le laisse chez Julie. Je ne le porte que pour les occasions tristounettes. Et ce n'est pas le cas aujourd'hui. OK, j'arrête de parler pour ne rien dire, promis.

Elle jeta un coup d'œil dans la petite partie du dressing qu'il lui avait libérée, enfila le cardigan blanc que Julie l'avait poussée à acheter en Italie.

– Ça fait plus chic, tu ne trouves pas ?

Il s'avança vers elle, prit son visage entre ses mains pour l'embrasser.

– Tu es parfaite, tout se passera bien.

– Je n'en doute pas, je suis en mode « J'y crois à fond ». Ça n'empêche pas que je dois être habillée convenablement. Je suis nerveuse, admit-elle. Tu me diras, si je n'étais pas nerveuse, ça voudrait dire que je suis dingue. Je ne veux pas qu'il me prenne pour une dingue. Pour une intrigante cupide et vengeresse, oui, mais pas pour une folle.

– Perso, je te trouve ravissante.

– OK, ça ira. Il est l'heure qu'on y aille, non ?

– Oui. Je vais chercher la voiture, et je repasse te prendre ici, dans une vingtaine de minutes.

Ce délai lui laissa le temps de parfaire devant le miroir son expression « œil pour œil », et de tourner en rond dans le loft en se demandant si elle était vraiment sûre de vouloir assister à cette entrevue.

Elle ouvrit le tiroir de la commode qui lui était désormais réservé, puis la trousse de toilette qu'elle avait rangée là. Du bout du doigt, elle effleura les enveloppes qu'elle y avait glissées.

Elles ne seraient jamais décachetées. Dans quelques heures, elle reviendrait les déchirer, et ce qu'elle avait écrit dans ces lettres, elle le dirait haut et fort à qui de droit, car il y avait des choses que l'on ne pouvait pas éternellement garder pour soi.

Toutefois, cela la rassurait d'avoir couché ces mots sur le papier. Les écrits avaient du poids. Son message était chargé d'amour.

Dès que la voiture d'Ash ralentit devant l'immeuble, elle descendit le rejoindre.

Elle était sûre, à présent : hors de question qu'elle se défile à la dernière minute.

Dans son esprit, elle imaginait le FBI les suivant discrètement à travers la circulation new-yorkaise. Peut-être étaient-ils également filés par un sbire de Vasin. Bientôt, elle apprécierait de se sentir à nouveau tranquille, vraiment tranquille.

– On répète ? demanda-t-elle à Ash.

– Tu en éprouves le besoin ?

– Non, pas vraiment. Je crois que nous sommes au point. Et nous devons nous laisser une marge d'improvisation si nous voulons être crédibles.

– Rappelle-toi juste que nous avons ce qu'il veut.

– Et de te laisser diriger la barque, comme il s'y attend. Je t'avoue que ce point-là me contrarie.

Il lui caressa la main.

– Sois toi-même. Charme-le, comme tu sais si bien le faire.

– OK, murmura-t-elle en fermant un instant les yeux.

Elle aurait voulu en dire davantage… elle avait tant de choses personnelles à dire à Ash. Mais ils n'étaient pas seulement suivis, ils étaient aussi sur écoute.

Tandis qu'ils traversaient l'East River, elle garda donc ses paroles dans sa tête, dans son cœur.

– Quand tu auras tué Maddok, on partira pour une destination de rêve. Je suis dans la peau de mon personnage, précisa-t-elle devant le regard perplexe qu'Ash lui coula.

– Bali te plairait ?

Elle se redressa sur son siège.

– Bali ? Pourquoi pas ? Je n'y suis jamais allée.

– Moi non plus. On découvrira ensemble.

– J'adore la cuisine indonésienne. Il y a des éléphants, non, là-bas ? (Elle sortit son téléphone de sac, l'alluma, s'interrompit.) Tu joues ton rôle, ou tu aimerais vraiment aller à Bali ?

– Les deux.

– On partira en hiver. En février, je n'ai pas trop de boulot, en général. Ça, ce n'est pas mon personnage. Une fille qui a harponné un gros poisson n'a pas besoin de faire du *house-sitting*. Bali en hiver, ce sera cool. On ira aussi skier en Suisse. Tu m'achèteras une tenue de ski, mon amour ? Et des bikinis ?

– Tout ce que tu voudras, ma chérie.

– J'espère que tu serais scandalisé qu'une femme te parle de cette manière. Mais pour en revenir à mon rôle, si tu m'ouvrais un crédit illimité chez Prada, ou chez Gucci, je pourrais te surprendre. Une femme doit savoir surprendre son homme.

– Tu es bonne comédienne.

– Je m'inspire de Sasha, ma louve cupide et odieuse, l'ennemie jurée de Kaylee. Elle te sucerait jusqu'à la moelle, et quand elle se serait lassée de toi, elle t'égorgerait d'un coup de dents. Si j'arrive à penser comme elle, je serai parfaite.

Lila poussa un soupir.

– Encore heureux que j'arrive à penser comme elle, ajouta-t-elle. Elle est née de mon imagination. Je serai parfaite, point à la ligne.

Quant à toi, tu n'auras qu'à être comme lorsque tu es vraiment en colère, et on cassera la baraque !

– Lila, je suis vraiment en colère.

Elle se tourna vers lui.

– Tu parais si calme.

– L'un n'empêche pas l'autre.

Ils longèrent un haut mur de pierre, et elle entrevit l'œil rouge des caméras de sécurité.

– C'est là ? On est arrivés ?

– L'entrée est juste un peu plus loin. Tout se passera bien, Sasha, je te fais confiance.

– Dommage que ce ne soit pas la pleine lune.

Surmonté d'un griffon portant épée et bouclier, flanqué de deux massives colonnes de briques, le portail était si large que deux voitures auraient pu y passer de front.

Deux hommes sortirent d'une guérite. Ash baissa sa vitre.

C'est parti, pensa Lila.

– Monsieur Archer, mademoiselle Emerson, veuillez sortir du véhicule, s'il vous plaît. Nous devons procéder à un contrôle de sécurité.

L'un des gardes ouvrit la portière de Lila. Elle descendit de la voiture avec un soupir agacé et un regard méprisant.

Ils inspectèrent l'habitacle de fond en comble, passèrent la carrosserie au scanner puis glissèrent une perche munie d'une caméra sous le châssis.

Ils ouvrirent le capot, le coffre.

– Vous pouvez entrer, allez-y.

Lila se réinstalla sur son siège, pensa comme Sasha. De son sac, elle sortit un petit miroir et retoucha son rouge à lèvres, tout en jetant des coups d'œil à la maison que l'on entrevoyait au travers d'un épais bosquet.

Au bout d'une longue allée, elle apparut enfin dans toute sa splendeur, un manoir en U aux façades de grès doré, couronné de trois coupoles byzantines bordées à la base de balcons circulaires.

Une roseraie, en pleine floraison, quadrillait avec une précision militaire une vaste pelouse verdoyante.

Deux griffons de pierre gardaient les doubles portes sculptées de la demeure. Des voyants rouges se devinaient derrière leurs yeux – encore des caméras. Deux vigiles étaient postés devant, aussi immobiles que les statues. Lila vit clairement l'arme que portait au côté celui qui s'avança vers la voiture.

– Descendez du véhicule, s'il vous plaît, et suivez-moi.

À travers une cour dallée, il les mena à un petit pavillon que Lila avait pris pour un luxueux abri de jardin. À l'intérieur, un homme surveillait une rangée de moniteurs.

Le centre de contrôle de la sécurité. Elle s'efforça de rester indifférente à tous ces gadgets qu'elle aurait volontiers examinés de près.

– Si vous permettez que j'inspecte le contenu de votre sac à main, mademoiselle Emerson…

Avec un air irrité, elle le serra contre elle.

– Nous devrons vous faire passer tous les deux aux rayons X. Êtes-vous armés ou équipés de micros ?

– Non.

Avec un hochement de tête, le garde tendit la main en direction du sac de Lila, qui le lui donna avec une ostensible réticence. Une femme pénétra dans la pièce, munie d'un détecteur pareil à ceux utilisés dans les aéroports.

– Levez les bras, s'il vous plaît.

Lila s'exécuta en grommelant :

– C'est ridicule. Que faites-vous ? demanda-t-elle au garde qui retirait de son sac son couteau multifonction, son minispray de dégrippant et son briquet.

– Ces articles ne sont pas autorisés, répondit-il en ouvrant la boîte où elle rangeait ses rubans adhésifs – double face, entoilé, transparent. Nous vous les rendrons à la sortie, ajouta-t-il en refermant la boîte.

– Soutien-gorge à armatures métalliques, annonça la femme. Je dois procéder à une fouille manuelle.

– Pardon ? Ash, ce n'est pas possible !

– Attends-moi dehors, si tu ne veux pas subir tous ces contrôles.

– Pour l'amour de Dieu, ce n'est qu'un soutien-gorge !

Elle avait été avertie, se dit-elle. Devant le fait accompli, toutefois, elle redoutait d'être trahie par ses battements de cœur désordonnés. Les lèvres pincées, elle fixa ostensiblement le mur tandis que la femme lui palpait le buste.

– Vous voulez que je me déshabille ? siffla-t-elle.

– Ce ne sera pas utile.

Là-dessus, la femme entreprit de contrôler Ash.

– Mademoiselle Emerson, votre sac contenant plusieurs objets soumis à restriction, nous le garderons ici, dans un coffre-fort, jusqu'à votre départ.

Elle s'apprêtait à protester, lorsque la femme déclara :

– Enregistreur.

Et avec un sourire jubilatoire, elle déposa sur un plateau un stylo retiré de l'une des poches d'Ash.

– C'est un stylo, s'étonna Lila, le sourcil froncé.

Ash haussa les épaules.

– Je voulais garder une trace de cet entretien.

– Oh ! s'exclama Lila. Tu avais un stylo enregistreur, comme les espions ?

Elle fit mine de le prendre, mais la femme poussa le plateau hors de sa portée.

– Pas de panique, railla-t-elle, je voulais juste regarder.

– Nous vous le rendrons lorsque vous repartirez. Vous êtes autorisés à entrer dans la maison. Si vous voulez bien me suivre…

L'un des gardes les précéda jusqu'à l'entrée du manoir, dont les doubles portes s'ouvrirent de l'intérieur. Une femme en uniforme noir les accueillit

– Merci, William, je prends le relais. Monsieur Archer, mademoiselle Emerson, je vous en prie…

Ils se retrouvèrent dans une sorte de sas vitré, devant un immense hall d'où partait un majestueux escalier d'au moins quatre mètres de large, à la rampe aussi reluisante qu'un miroir. Partout étaient exposés des tableaux et des sculptures, sous une vertigineuse hauteur de plafond.

– Carlyle, se présenta la femme en noir. Au cours des dernières vingt-quatre heures, avez-vous consommé du tabac ?

– Non, répondit Ash.

– Avez-vous été en contact avec des animaux ?

– Non.

– Pas d'affection médicale, ces sept derniers jours, traitée ou non par un professionnel de la santé ?

– Non.

– Des contacts avec des enfants de moins de douze ans ?

– C'est une plaisanterie ? intervint Lila en levant les yeux au ciel. Non, pas de contact avec des enfants, mais avec des êtres humains. Vous voulez nous faire une prise de sang ?

Sans un mot, la femme sortit un petit spray de sa poche.

– Levez les bras, s'il vous plaît, paumes vers le haut. Il s'agit d'un désinfectant, d'une totale innocuité. M. Vasin ne vous serrera pas la main, poursuivit-elle en leur vaporisant du produit sur les mains. Ne l'approchez pas au-delà de la limite qu'on vous aura indiquée. Veuillez vous montrer respectueux et éviter de toucher quoi que ce soit sans y avoir au préalable été invités. Venez avec moi, s'il vous plaît.

Lorsqu'elle se retourna, la paroi vitrée coulissa. Ils traversèrent le hall carrelé d'ocre, le long d'un chemin central aux dalles décorées du blason des Romanov.

Puis ils gravirent l'escalier en veillant, selon la consigne de Carlyle, à ne pas poser les mains sur les rampes rutilantes.

À l'étage, comme au rez-de-chaussée, les murs étaient couverts de tableaux. Toutes les portes étaient fermées, équipées de serrures à carte.

Le lieu, pensa Lila, *ressemble davantage à un musée qu'à une maison.*

Au bout du couloir, Carlyle s'arrêta devant une porte et approcha son œil d'un petit écran. À quel point fallait-il être parano, s'interrogea Lila, pour contrôler l'accès des pièces de chez soi par un scanner rétinien ?

– Veuillez vous asseoir. (Carlyle leur indiqua deux fauteuils de cuir bordeaux.) Et ne pas quitter vos sièges. Un rafraîchissement vous sera servi, en attendant que M. Vasin vous rejoigne.

Des poupées russes, anciennes et ouvragées, étaient exposées dans une vitrine, des coffrets laqués dans une autre. Les fenêtres teintées adoucissaient la lumière du jour et laissaient voir un verger de pommiers et de poiriers.

Des portraits aux yeux tristes dévisageaient sombrement les visiteurs, sans doute placés là à dessein. Lila ne pouvait nier qu'ils la mettaient mal à l'aise. Ils avaient quelque chose de déprimant.

Placé au centre de la pièce, se trouvait un fauteuil plus large et plus haut que les autres, à l'assise de cuir grenat et au dossier en bois sculpté, sur des pieds surélevés en forme de pattes de griffon.

Son trône, pensa-t-elle, d'où il présidait en position de force.

– Superbe demeure, dit-elle. Encore plus grande que notre propriété familiale, dans le Connecticut.

– Il fait exprès de nous faire attendre.

– Ne t'énerve pas, chéri. Tu avais promis.

– Je n'aime pas qu'on joue avec moi, marmonna Ash, quelques secondes avant que la porte s'ouvre.

Carlyle reparut, et sur ses pas une autre jeune femme en uniforme noir, poussant un chariot chargé d'un service à thé en porcelaine bleue et blanche, d'une assiette de biscuits garnis de fruits confits, d'une corbeille de raisin blanc et, en guise de serviettes, d'une pile de lingettes jetables ornées d'un motif de griffon.

– Ce thé au jasmin est un mélange spécialement préparé pour M. Vasin. Vous le trouverez rafraîchissant. Les raisins proviennent des vignes biologiques de la maison. Les *prianiki* sont des petits pains d'épices, une spécialité de Russie. Servez-vous, je vous en prie. M. Vasin sera à vous dans un instant.

– Ils ont l'air délicieux. Le service à thé est ravissant.

– Il est en porcelaine russe, très ancienne, répondit Carlyle sans l'ombre d'un sourire.

– Oh ! Je ferai très attention !

Lila attendit que les deux femmes se soient éclipsées pour lever les yeux au ciel.

– Pourvu que je ne casse rien, je suis intimidée, dit-elle en plaçant les filtres sur les tasses, puis en versant le thé.

– Je n'ai aucune envie de boire du thé.

– Moi, si. Mmm… il sent bon. Ça nous fera patienter, Ash. Bientôt, tu seras débarrassé de ce maudit œuf qui nous cause tant d'ennuis, et nous pourrons partir en voyage. Ça vaut le coup de patienter quelques minutes, non, mon chéri ? ajouta-t-elle avec un sourire enjôleur. Prends un biscuit, détends-toi.

Il secoua la tête, elle haussa une épaule, et goûta un *prianiki*.

– Un régal, mais je dois faire attention à ma ligne si je veux être belle dans les nouveaux maillots de bain que tu m'achèteras. On louera un yacht ? Un grand voilier blanc, comme ceux des célébrités que l'on voit en photos dans les magazines…

– Tout ce que tu voudras.

Malgré le ton d'Ash, aussi lourd que du plomb, elle le gratifia d'un sourire énamouré.

– Tu es si gentil, mon amour. Dès qu'on sera de retour à la maison, je te ferai une grosse gâterie. Tu sais quoi…

Elle fut interrompue par l'ouverture d'une porte cachée dans le mur, habilement dissimulée par des moulures de plâtre sculpté.

Sinistre, pensa-t-elle en découvrant Nicholas Vasin. Les restes d'un bel homme, qui avait dû avoir le physique d'un jeune premier mais n'était plus que l'ombre de lui-même. Ses cheveux blancs semblaient trop fournis pour son visage émacié, si bien qu'il semblait que son cou décharné allait se briser sous le poids de sa tête. Enfoncés dans des joues creuses, ses yeux brûlaient d'une flamme noire accentuant la pâleur de sa peau, presque translucide.

Comme Ash, il était en costume, un complet veston beige assorti d'une cravate exactement de la même teinte.

Hormis ses pupilles noires, il paraissait sans couleur – un effet très certainement voulu, pensa Lila.

Un griffon incrusté de diamants était épinglé au revers de sa veste. Une montre en or brillait à son poignet fin et osseux.

– Monsieur Archer, mademoiselle Emerson, soyez les bienvenus. Vous m'excuserez de ne pas vous serrer la main.

Sa voix était pareille au chuchotis d'une araignée courant sur de la soie. Lila en eut un frisson dans le dos.

Oui, tous ces effets étaient manifestement calculés.

Il s'installa dans son fauteuil, les mains sur les accoudoirs.

– Notre cuisinière préparait toujours des *prianiki* pour le thé quand j'étais enfant.

Lila lui présenta l'assiette.

– Ils sont délicieux. Vous en prendrez un ?

Vasin refusa du geste.

– J'observe un régime macrobiotique. Bien sûr, mes invités n'y sont pas tenus.

– Merci, répondit Lila, Ash gardant un silence de marbre. Vous avez une maison magnifique, et beaucoup de belles choses. Vous collectionnez les poupées russes ? Elles sont très jolies.

– Les matriochkas, rectifia-t-il. Une vieille tradition. Nous devons honorer nos racines.

– J'adore les objets gigognes. Je trouve cela excitant de découvrir ce qui se cache à l'intérieur.

– Les matriochkas et les boîtes laquées sont mes deux premières collections. C'est pour cette raison que je les garde dans mon salon privé.

– Elles vous sont particulièrement chères, je comprends. Puis-je les regarder de plus près ?

Il l'y invita d'un geste magnanime. Lila se leva et s'approcha de l'une des vitrines.

– Je n'avais encore jamais vu de… matriochkas aussi finement ouvragées. Il faut dire que je ne connais que celles des magasins de souvenirs… Oh ! s'exclama-t-elle, le doigt pointé sur une série de poupées, en prenant soin de ne pas toucher la vitre. Serait-ce la famille du tsar ? Nicolas, Alexandra et leurs enfants ?

– Tout à fait. Vous avez l'œil.

– Quel destin terrible, surtout pour les enfants… J'ai lu qu'ils avaient été fusillés. Je ne comprends pas que l'on puisse être aussi cruel avec de jeunes êtres innocents.

– Ils étaient de sang royal. Pour les bolcheviks, c'était un crime suffisant.

– Ces pauvres petits auraient pu jouer avec des poupées comme celles-ci. Les collectionner, comme vous.

– Pour votre part, vous affectionnez les pierres.

– Pardon ?

– De tous vos voyages, vous rapportez une pierre, depuis votre plus jeune âge. Un galet, plus exactement.

– Je… Oui. Nous déménagions souvent. J'éprouvais le besoin d'emporter avec moi un petit quelque chose de chaque lieu. Ma mère les a tous gardés dans un bocal. D'où savez-vous cela ?

– Je mets un point d'honneur à connaître mes invités et leurs marottes. Quant à vous, dit Vasin en se tournant vers Ash, vous n'avez pas conservé de souvenirs matériels de votre enfance. Vous n'étiez pas attaché à vos poupées ni à vos petites voitures. Seul l'art vous parle, la peinture.

Il entrecroisa ses longs doigts noueux. Ash garda le silence.

– J'ai des tableaux de vous. Notamment l'une de vos premières toiles, *La Tempête*. Un paysage urbain, surplombé par une très haute tour, où l'on distingue une femme derrière une fenêtre, au dernier étage. La tempête fait rage, poursuivit Vasin en pianotant sur les bras de son fauteuil. Je trouve les couleurs extraordinaires de violence et de profondeur, les nuages illuminés par les éclairs, une atmosphère effrayante, d'un autre monde. Beaucoup de mouvement, aussi. Au premier regard, on pourrait penser que la femme est prisonnière de la tour, une jeune beauté vêtue de blanc virginal, victime des éléments déchaînés. Or si l'on regarde bien, on voit que c'est elle qui commande la tempête.

– Non. Elle est la tempête.

Un sourire étira les lèvres de Vasin.

– Votre vision de la féminité me fascine. Je possède également un autre de vos tableaux, que j'ai acquis plus récemment, une violoniste dans une prairie au clair de lune. Sa musique semble envoûtante, puissante. Qui appelle-t-elle ?

Lila se figea.

– Elle seule le sait, répondit Ash froidement. Parler de mon travail ne vous mènera pas à ce que vous cherchez.

– J'y prends néanmoins plaisir. Je reçois peu, et rares sont les visiteurs qui partagent mes centres d'intérêt.

– Parlons plutôt de nos intérêts mutuels.

– Distinction subtile… Si je ne m'abuse, nous avons également en commun un attachement très fort aux liens du sang.

– La famille et les liens du sang sont deux choses différentes.

Vasin écarta les mains.

– Vous avez une situation familiale unique. Pour la majorité d'entre nous, pour moi, la famille est une lignée de sang. Cela dit, comme moi, vous avez connu la tragédie, le deuil, et vous souhaitez équilibrer la balance, si je puis m'exprimer ainsi. Ma famille a été massacrée pour la seule raison qu'elle était de rang supérieur. Née pour gouverner. Le pouvoir et le privilège susciteront toujours la haine de petites gens se revendiquant d'une grande cause. Or ces gens-là ne sont jamais mus que par la cupidité. Ceux qui fomentent des guerres et des révolutions n'aspirent jamais à rien d'autre qu'au pouvoir.

– Vous vous êtes donc cloîtré dans cette forteresse afin de vous protéger des envieux ?

– La femme de votre tableau a la sagesse de rester dans sa tour.

– Elle y est seule, intervint Lila. S'exclure du monde ? Le regarder de loin sans s'y mêler ? Le poids de la solitude doit être écrasant.

– Au fond, vous êtes une romantique, répliqua Vasin. Il existe d'autres compagnies que la compagnie humaine. Je vais vous montrer quelques-uns de mes compagnons les plus chers. Ensuite, nous parlerons affaires.

Il se leva, puis adressa à Lila et à Ash un geste de la main :

– Un instant, je vous prie, dit-il en se postant face à la porte secrète.

Un autre scanner rétinien, comprit Lila. Elle ne l'avait pas remarqué, dissimulé dans les moulures.

– Je reçois peu, répéta Vasin, et rares sont les personnes à avoir franchi cette porte. Nous nous comprendrons mieux ainsi, je crois, dit-il en les engageant à passer dans la pièce adjacente.

– Après vous, je vous en prie.

Ash s'avança sur le pas de la porte, empêchant Lila de le suivre avant d'avoir vu ce qui se trouvait de l'autre côté. Puis avec un regard au visage suffisant de Vasin, il la prit par le bras.

Là encore, des vitres teintées filtraient la lumière du soleil, créant un éclairage parfait pour la collection exposée dans des îlots de verre : pendules, coffrets, bijoux, cadres, flasques, etc. La salle entière était dédiée aux joyaux de Fabergé.

Lila ne voyait d'autre porte que celle par laquelle ils étaient entrés et, malgré la hauteur des plafonds et la blancheur étincelante des planchers de marbre, cette pièce lui évoquait une caverne d'Ali Baba, remplie de trésors mais dépourvue d'âme.

– De toutes mes collections, celle-ci est ma plus grande fierté. Sans les Romanov, Fabergé n'aurait jamais créé que des objets décoratifs pour les nobles et les riches. Bien sûr, Fabergé et Perchin étaient des joailliers d'exception, dotés d'un talent et d'une vision hors pair… mais sans le patronage des tsars, des Romanov, leurs plus beaux chefs-d'œuvre n'auraient jamais vu le jour.

Des centaines de pièces, des centaines et des centaines, pensa Lila. Des minuscules œufs pendentifs, des services à thé complets, un nécessaire à pique-nique, des vases, des coupes, une vitrine consacrée aux figurines animales.

– Incroyable, murmura-t-elle. Vous avez dû mettre des années à rassembler tous ces objets.

– Depuis l'enfance, acquiesça Vasin. Les horloges semblent vous plaire, dit-il en se dirigeant vers elle, sans toutefois s'approcher à moins d'un mètre. Regardez celle-ci, en forme d'éventail, à poser sur un bureau ou sur une cheminée. Admirez la finesse des émaux, la richesse de cette teinte orangée, le détail des rosettes d'or, de la corolle de diamant. Quant à celle-ci, ses lignes ne sont-elles pas exquises de pureté ? Les deux sont des réalisations de Perchin.

– Toutes sont magnifiques !

Mais personne ne peut les voir, pensa Lila, *excepté Vasin et les rares élus admis dans son sanctuaire*. Or, l'art n'avait-il pas vocation à être accessible au plus grand nombre ?

– Toutes sont anciennes ? Certaines ont un design très contemporain.

– Ce que le commun des mortels peut s'offrir au moyen d'une carte de crédit ne présente pour moi aucun intérêt.

– Elles indiquent toutes minuit…

– L'heure où les assassins ont rassemblé les membres de la famille royale pour les tuer. L'heure qui aurait sonné la fin des Romanov, si Anastasia n'avait pas réussi à s'échapper.

– Je croyais qu'il avait été prouvé qu'elle était morte avec le reste de la famille, répliqua Lila. Il me semble que des tests ADN…

– Les tests ADN mentent, trancha Vasin. Comme les bolcheviks ont menti. Je suis le dernier des Romanov, le dernier en qui coule le sang de Nicolas et d'Alexandra. Mon père était le fils de leur fille. Leurs biens me reviennent de plein droit.

– Dans ce cas, comment se fait-il que votre collection soit à New York et non pas en Russie ? s'enquit Ash.

– La Russie n'est plus ce qu'elle était et elle ne le sera plus jamais. Je me suis créé un monde dans lequel je vis comme je l'entends.

Vasin se dirigea vers une autre vitrine.

– Voici ce que je considère comme des petits luxes pratiques : des jumelles d'opéra en or et diamant, un porte-allumettes en jaspe et or, un marque-page en émail cloisonné – d'une perfection inouïe et d'une nuance de vert qui me touche au plus profond. Et bien sûr, les flacons de parfum, tous plus merveilleux les uns que les autres.

– Vous connaissez chaque pièce ? s'étonna Lila. Parmi tant de choses, je m'y perdrais.

– Je connais ce qui m'appartient, rétorqua-t-il sèchement. Qui ignore ce qu'il possède ne possède rien. Je sais ce qui est à moi.

D'un mouvement brusque, il tourna les talons et se dirigea vers une vitrine au centre de la salle, dans laquelle se trouvaient huit présentoirs blancs. Sur l'un trônait un somptueux œuf d'or, ouvert sur un ensemble à manucure serti de diamants, l'Œuf Nécessaire.

Lila saisit la main d'Ash, noua ses doigts aux siens, tout en fixant Vasin droit dans les yeux.

– Les œufs impériaux disparus. Trois sont ici.

– Et bientôt quatre. Un jour, je les aurai tous.

29

– L'Œuf à la poule dans un panier, murmura Vasin sur un ton de vénération. Réalisé en 1886. La poule d'or, ornée de diamants taillés en rose, tient dans son bec un petit œuf de saphir, un pendentif. On dirait qu'elle vient de le ramasser dans le nid. La surprise, comme vous voyez, est un petit poussin d'or et de diamant, tout juste sorti de l'œuf.

– Fabuleux ! s'émerveilla Lila, sincèrement éblouie. Les détails sont d'une finesse incroyable.

– Le motif de l'œuf n'a pas été choisi par hasard, précisa Vasin, ses yeux noirs rivés sur son trésor. L'œuf est symbole de vie, de renaissance.

– D'où la tradition des œufs de Pâques décorés, pour célébrer la Résurrection du Christ.

– Une coutume charmante, bien qu'à la portée de tout un chacun. Ce sont les Romanov, mes ancêtres, qui l'ont élevée au rang de grand art.

– Vous oubliez l'artiste, souligna Ash.

– Comme je vous l'ai dit, sans la vision et le patronage des tsars, l'artiste n'aurait jamais créé pareilles merveilles. Ces chefs-d'œuvre, tous ces chefs-d'œuvre, nous les devons à ma famille.

– Chaque pièce est magnifique. Même les charnières sont sublimes. Quel est le nom de celui-ci ? demanda Lila en désignant le deuxième œuf. Je ne le reconnais pas.

– L'Œuf Mauve, serti de diamants là encore taillés en rose, de perles, d'émeraudes et de rubis. On l'appelle aussi la Surprise du cœur, du fait de sa forme en cœur. Il s'ouvre en trèfle à trois feuilles, portant chacune un portrait miniature sur ivoire : le tsar Nicolas II, l'impératrice Alexandra et leur première fille, Olga.

– Et l'Œuf Nécessaire, qui renferme un ensemble de manucure. Tout ce que j'ai lu à son sujet n'était que spéculation mais… aucune description ne rend hommage à la réalité.

– Qui avez-vous tué pour vous les procurer ? demanda Ash.

Vasin esquissa un sourire.

– Je n'ai jamais eu besoin de tuer. L'Œuf à la poule dans un panier a été volé, puis utilisé comme pot-de-vin pour fuir clandestinement la Pologne pendant la Seconde Guerre mondiale. Néanmoins, la famille du filou a quand même péri en camp de concentration.

– C'est horrible… murmura Lila.

– L'histoire s'écrit dans le sang, rétorqua Vasin. Le traître qui leur extorqué l'œuf a préféré me le céder plutôt que d'être dénoncé. L'Œuf Mauve a lui aussi été dérobé, mais le larcin n'a pas porté chance aux voleurs. Leur fils unique a été victime d'un terrible accident. Ils se sont laissé persuader de me vendre l'œuf, pour se débarrasser de l'opprobre.

– Vous l'avez fait tuer, intervint Ash, ce qui revient au même que si vous l'aviez tué de vos propres mains.

Le visage de Vasin resta impassible, quoique légèrement amusé.

– Vous payez pour dîner au restaurant, mais vous n'êtes pas responsable de ce qui se passe en cuisine.

Lila posa une main sur le bras d'Ash, comme pour l'empêcher de s'emporter. En réalité, toutefois, elle éprouvait le besoin de ce contact.

– L'Œuf Nécessaire, volé, a été acheté par un homme qui appréciait sa beauté, puis bêtement perdu au profit d'un autre. Je l'ai lui aussi acquis par la persuasion, contre paiement honnête, néanmoins.

Vasin contempla les œufs, puis balaya la pièce d'un regard satisfait.

– Repassons au salon si vous le voulez bien, dit-il, et nous discuterons d'un prix équitable.

– Je ne veux pas de votre argent.

– Même les hommes fortunés aspirent toujours à plus.

– Mon frère est mort.

– J'en suis navré, répliqua Vasin en s'écartant de ses visiteurs. Sachez qu'au moindre mouvement menaçant… (il sortit un Taser de sa poche) je me protègerai. Du reste, cette pièce est sous vidéosurveillance. Au besoin, des hommes armés plus lourdement voleront à ma rescousse.

– Je ne suis pas venu vous menacer, ni vous réclamer de l'argent.

– Allons nous asseoir, comme des personnes civilisées, et vous m'expliquerez pourquoi vous êtes venu.

– Viens, retournons au salon, minauda Lila en caressant le bras d'Ash. Ça ne sert à rien de s'énerver. Allons parler calmement. C'est pour cela que nous sommes ici. Pense que nous serons bientôt sous le soleil de Bali, d'accord ? Allez, viens, chéri.

Un instant, elle crut qu'il allait la repousser et bondir sur Vasin, mais il acquiesça d'un signe de tête et la suivit.

En regagnant le salon, elle poussa un soupir de soulagement.

Le thé avait été débarrassé, et remplacé par une bouteille de Barolo ouverte et deux verres à pied.

– Servez-vous, je vous en prie. Il y a de cela quelques mois, votre frère, ou plutôt votre demi-frère, pour être exact, était assis dans ce même fauteuil. Nous avons longuement discuté, et je croyais que nous étions parvenus à un compromis.

Les mains sur les genoux, Vasin se pencha en avant, les traits déformés par la rage.

– Nous étions tombés d'accord, martela-t-il, puis il se cala contre le dossier de son trône et retrouva sa contenance. Je lui avais fait une offre que je vais vous réitérer. Initialement, il l'avait acceptée. C'est pourquoi j'ai été très déçu qu'il tente de me soutirer une somme plus élevée. Certes, je n'aurais pas dû être surpris, je le reconnais. Oliver Archer n'était pas des plus fiables, vous en conviendrez. Sans doute étais-je trop enthousiaste à l'idée d'acquérir l'Ange avec un œuf dans un chariot.

– Et l'Œuf Nécessaire, ajouta Ash. Il vous avait dit qu'il pouvait vous livrer les deux. Il est revenu sur les termes du marché, mais vous aussi, en utilisant Capelli pour obtenir l'Œuf Nécessaire.

Vasin recommença à pianoter sur les bras de son fauteuil, son regard de corbeau fixé droit devant lui.

– Des informations au sujet de l'Œuf Nécessaire m'ont été communiquées peu après notre entrevue. Je ne voyais pas l'intérêt de passer par un intermédiaire quand je pouvais me débrouiller seul. Cela ne changeait rien au prix de l'Ange.

– Vous avez court-circuité mon frère, alors il a augmenté le tarif. Qu'est-il arrivé à sa compagne ? Dommage collatéral ?

– Ils étaient associés, comme vous l'êtes avec votre charmante amie. Ce qui leur est arrivé est un drame. Abus d'alcool et de drogue, si j'ai bien compris.

– Et Vinnie ?

– Ah, l'oncle… Un drame, encore. Un innocent, aux dires de tous. Du gâchis, une mort inutile. Comprenez que ces trois disparitions ne m'ont absolument rien rapporté. Je suis un homme d'affaires, il n'y a rien que je fasse sans objectif de profit.

Ash s'avança sur le bord de son siège.

– Jai Maddok.

Les paupières de Vasin tressaillirent, mais Lila n'aurait su dire si c'était de surprise ou de contrariété.

– Oui ?

– C'est elle qui a tué Marjolaine Kendall, mon frère, Vinnie et, il y a quelques jours à peine, Capelli.

– Quel rapport avec moi ?

– Elle travaille pour vous. Je le sais ! rugit Ash avant que Vasin ait pu protester. J'ai ce que vous voulez. Vous ne l'obtiendrez pas en me mentant, ni en m'insultant.

– Je peux vous assurer que je n'ai donné à personne l'ordre d'éliminer votre frère, sa compagne ou son oncle.

– Et Capelli ?

– Il n'était rien ni pour vous ni pour moi. J'avais offert à Oliver quarante millions de dollars, contre livraison des deux œufs, vingt pour chacun. Il se trouve que j'en ai acquis un par mes propres moyens, mais l'offre pour le second tenait toujours. Il m'a réclamé un acompte, dix pour cent. Je le lui ai versé, en toute confiance. Il l'a encaissé, puis il a tenté de doubler son prix initial. Sa gourmandise l'a tué, monsieur Archer. Je n'y suis pour rien.

– Il a été tué par Jai Maddok. Elle est à votre solde.

– Des centaines de personnes travaillent pour moi. Je ne suis pas responsable de leurs délits ni de leurs égarements.

– Vous avez commandité l'assassinat de Vinnie.

– Elle était seulement chargée de parler à M. Tartelli, de voir s'il savait où se trouvait mon bien, *mon* bien.

– Il n'empêche qu'il est mort, et que l'étui à cigarettes qu'elle a dérobé dans sa boutique est à présent exposé dans votre collection.

– Cadeau d'une employée. Je ne suis pas responsable de la manière dont il a été acquis.

– Elle a agressé Lila, elle l'a menacée d'un couteau. Elle l'a blessée.

Vasin pinça les lèvres, véritablement surpris. Maddok ne lui avait donc pas rapporté cet épisode, en déduisit Lila.

– Désolé, dit-il. Mes employés font parfois des excès de zèle. Vous me semblez toutefois en forme, mademoiselle. La blessure ne devait être que superficielle.

– Dieu merci, il y a eu plus de peur que de mal, acquiesça Lila en feignant un léger trémolo. Mais si je n'avais pas réussi à m'enfuir… Cette femme est dangereuse, monsieur Vasin. Elle croyait que je savais où était l'œuf, ce qui n'était pas le cas. Elle m'a dit que personne ne saurait que je lui avais parlé. Que si je lui donnais l'œuf, je ne la reverrais plus jamais. J'ai bien cru qu'elle allait me tuer… Oh ! Seigneur…

Ash posa une main sur la sienne.

– Ne t'en fais pas, elle ne te touchera plus.

Lila se versa un verre de vin, d'une main tremblante.

– J'en ai encore la chair de poule, quand j'y repense. Ash m'a emmenée quelques jours en Italie, pour que je me remette du choc, mais je n'ose toujours pas sortir de la maison. Même à la maison, j'ai peur… Je redoute de répondre au téléphone… Peu après notre retour, elle m'a appelée et menacée de mort, en précisant qu'il ne s'agissait pas d'un contrat, mais d'une affaire personnelle…

– Tu n'auras bientôt plus rien à craindre, ma chérie, je te le promets.

La colère empourprait le visage de Vasin.

– Je regrette que vous ayez eu des déboires avec l'un des membres de mon équipe, mais, je le répète, je n'en suis pas responsable. Dans le but de mettre un terme à ces désagréments, je vous offre exactement ce que j'ai offert à Oliver : vingt millions.

– Vous pourriez m'offrir dix fois plus, je n'en voudrais pas.

– Ash, tu ne crois pas qu'on devrait…

– Non ! C'est moi qui fixe les conditions, Lila.

– Quelles sont-elles ? demanda Vasin.

– En premier lieu, sachez que si nous ne ressortons pas d'ici indemnes, avec un accord, j'ai mandaté quelqu'un pour faire une déclaration publique. La machine est en marche, et nous avons déjà perdu beaucoup de temps. Pour tout vous dire, si cette personne n'a pas de nouvelles de moi d'ici… vingt-deux minutes, elle contactera qui de droit.

– Quelle déclaration ?

– Les médias annonceront la découverte de l'un des œufs impériaux disparus, acquis par mon frère au nom de Vincent Tartelli, authentifié par des experts agréés, certificat à l'appui. L'œuf sera immédiatement transféré en lieu sûr, puis il en sera fait don au Metropolitan Museum of Art, à titre de prêt permanent. Je n'ai rien à faire de ce grotesque objet. Pour moi, il est maudit. Si vous le voulez, négociez. Autrement, vous devrez vous débrouiller pour le voler au Met. Ce ne sera plus mon problème.

– Que voulez-vous, si l'argent ne vous intéresse pas ?

– Jai Maddok.

– Pensez-vous qu'elle se laissera livrer à la police ? ricana Vasin. Pensez-vous qu'elle se laissera intimider et témoignera contre moi ?

– Je ne la veux pas en prison. Je la veux morte.

– Oh, Ash…

– Tais-toi, nous en avons déjà parlé. Tant qu'elle est en vie, elle représente une menace. Elle t'a dit elle-même, n'est-ce pas, qu'elle était une tueuse et qu'elle te tuerait. Elle a assassiné mon frère, poursuivit Ash, furieux, en se tournant vers Vasin. Et qu'a fait la police ? Ils m'ont traqué, ils ont harcelé Lila. D'abord, c'était un meurtre et un suicide. Ensuite, un trafic de drogue qui avait mal tourné. Ma famille souffre de ces calomnies. Et voilà qu'on assassine Vinnie, qui n'avait jamais fait de mal à personne. De nouveau, je suis soupçonné, nous sommes soupçonnés. Les flics ne sont que des bons à rien. Vous voulez l'œuf, vous l'avez. Je ne veux qu'une chose : Jai Maddok.

– Voudriez-vous me faire croire que vous commettriez un meurtre de sang-froid ?

– Je rendrai la justice. Je me dois de protéger les miens : ma famille, et Lila. Maddok paiera pour avoir agressé celle que j'aime, et elle n'aura pas l'opportunité de récidiver.

– Oh, mon amour ! s'écria Lila d'un ton admiratif. Avec toi, je me sens en sécurité.

– On ne s'en prend pas impunément aux miens, déclara Ash avec fermeté. Pour ma famille, je veux que justice soit faite. Cela ne vous coûte rien.

– Une précieuse employée.

– Vous en avez des centaines, et vous pouvez en engager autant que vous voulez. Maddok se serait carapatée avec l'œuf, si Lila avait su lui dire où il était.

De sa poche, Ash sortit une photo qu'il posa entre eux sur la table.

– Ce cliché a été pris à mon domicile… facile pour vous de vérifier, je suppose, puisque votre sbire s'est introduite dans mon loft. L'œuf n'est plus chez moi. Il se trouve quelque part hors de votre portée. Le temps passe, Vasin. Acceptez mon offre, ou nous partons. Vous irez contempler l'œuf au Metropolitan Museum of Art, avec les touristes. Il ne figurera jamais dans votre collection.

Vasin retira de sa poche de fins gants blancs qu'il enfila avant de prendre la photo, et tandis qu'il examinait l'Ange avec un œuf dans un chariot le rouge lui monta au visage, une bouffée de joie impossible à maîtriser.

Ash jeta un deuxième tirage sur la table :

– La surprise.

– Ah ! La pendule. Oui, oui, c'est bien ainsi que je le voyais. Plus que divin. Un miracle de l'art. Ce joyau a été confectionné pour mes ancêtres. Il m'appartient.

– Donnez-moi Maddok, et il sera à vous. J'ai tout l'argent dont j'ai besoin, un métier épanouissant, une femme. Il ne me manque que la justice. C'est tout ce que je désire. Accédez à mon désir, j'accéderai au vôtre. Maddok n'a pas été à la hauteur. Si elle avait été plus fine avec Oliver, vous auriez déjà l'œuf. Au prix de l'acompte. Au lieu de quoi, les flics ont des images de Maddok sur les vidéos de surveillance du magasin de Vinnie, et la déposition de Lila concernant l'agression. Ils remonteront jusqu'à vous, si ce n'est déjà fait. Qu'elle paie pour le meurtre de mon frère, ou je fracasse ce sale bibelot !

– Ne dis pas ça, Ash ! Tu as promis que tu ne le ferais pas. Il ne le fera pas ! affirma Lila, avec un geste de supplication. Il ne le fera pas. Il est contrarié. Il s'en veut pour la mort d'Oliver.

– La ferme, Lila !

– Il faut que M. Vasin comprenne, mon chéri.

– Et vous, mademoiselle Emerson, cautionnez-vous cette forme de justice ?

– Je… bredouilla-t-elle en se mordant la lèvre. Ash a besoin de retrouver la paix. Et je… Je ne pourrai pas vivre éternellement dans la crainte de savoir cette vipère à mes trousses. Chaque fois que je ferme les yeux… Nous allons partir, d'abord à Bali, ensuite… peut-être… je ne sais pas. Où nous aurons envie d'aller. Mais Ash doit retrouver la paix, et je ne veux plus avoir cette épée de Damoclès au-dessus de la tête.

Gros poisson, se remémora-t-elle, et elle prit la main d'Ash.

– Je souhaite ce qu'il souhaite, poursuivit-elle. Et il souhaite ce que je souhaite. Je veux dire, j'ai une carrière prometteuse, et il croit en moi. N'est-ce pas, chéri ? Il a l'intention d'investir en moi, il trouve que mes romans ont un potentiel cinématographique. *Lune rousse* sera peut-être le prochain *Twilight* ou *Hunger Games*…

– Vous aurez du sang sur les mains.

Elle redressa les épaules, le regard outré.

– Non ! Je ne ferai rien de mal ! Je suis juste… Je suis une victime. Maddok m'a blessée. Je ne supporte plus de vivre enfermée dans ce loft. Sauf votre respect, monsieur Vasin, je ne peux pas vivre comme vous, sans sortir, sans voir personne. Acceptez la proposition d'Ash, et tout le monde sera content.

– Si je l'acceptais, comment procéderions-nous ?

Ash regarda ses mains – des mains d'artiste, fortes – puis releva les yeux vers Vasin. L'implication était claire. Lila détourna le regard.

– Je vous en prie, je ne veux rien savoir, gémit-elle. Ash m'a promis que nous n'en reparlerions plus jamais. Je veux juste oublier cette histoire.

– Les liens du sang, dit Ash. Que feriez-vous à ceux qui ont massacré vos ancêtres, si vous le pouviez ?

– Je les tuerais, eux, leur famille et leurs amis, aussi sauvagement qu'ils ont assassiné les miens.

– Je ne veux que Maddok. Sa famille ne m'intéresse pas, si tant est qu'elle en ait une. Alors Vasin, oui ou non ? Les minutes filent. Dépêchez-vous ou nous n'aurons rien, ni vous ni moi.

– Vous proposez un échange. Donnant donnant. Quand ?

– Dès que possible.

– Très bien.

Vasin pressa un bouton sous le bras de son fauteuil. Quelques secondes plus tard, la porte s'ouvrit sur Carlyle.

– Monsieur ?

– Faites venir Jai. Tout de suite.

– Oh, mon Dieu… gémit Lila.

– Elle ne te touchera pas, promit Ash.

– Vous avez ma parole. Rien ne doit arriver à un invité dans la maison de son hôte. Si vous, en revanche, manquez à votre parole, monsieur Archer, comme votre frère, je vous préviens que vous pourrez faire vos adieux à mademoiselle Emerson.

Ash serra les dents.

– Menacez-la, Vasin, et vous pourrez dire adieu à votre trophée.

– Je ne menace pas, je précise les termes du marché. Entrez ! lança Vasin lorsque des coups furent frappés à la porte.

Tout de noir vêtue – pantalon moulant, chemisier cintré et veste de tailleur –, Jai planta son regard au fond des yeux de Lila.

– Intéressant de vous voir là, tous les deux. M. Vasin m'avait informée que vous deviez lui rendre visite aujourd'hui. Dois-je leur montrer… la sortie, monsieur ?

– Nous n'avons pas tout à fait terminé. Je me suis laissé dire que vous aviez déjà rencontré Mlle Emerson…

– Brièvement, au supermarché, répondit Jai en baissant les yeux vers les pieds de Lila. Vous êtes plus élégamment chaussée, aujourd'hui.

– Vous l'avez aussi rencontrée ailleurs, ce que vous n'avez pas mentionné dans vos rapports. Où donc, mademoiselle Emerson ?

Lila secoua la tête, regarda le plancher.

– À Chelsea, intervint Ash. Tout près de la galerie qui expose mon travail. Vous l'avez menacée d'un couteau.

– Elle exagère.

– Vous avez omis de m'informer de cette rencontre.

– Elle était sans conséquences.

– Vous avez pris mon poing dans la figure ! s'exclama Lila fièrement puis, sous le regard haineux de Jai, elle se fit toute petite. Ash…

– Vous savez que j'exige des rapports circonstanciés, Jai.

– Je vous prie de m'excuser, monsieur. Un oubli.

– Un oubli, c'est cela, oui. Et vous avez également oublié, je suppose, l'appel téléphonique que vous avez passé à Mlle Emerson. Nous avons conclu un accord, M. Archer et moi, concernant le bien que je cherche à récupérer. À cet égard, le contrat qui nous liait est désormais caduc.

– Comme vous le souhaiterez, monsieur.

– Vous n'avez pas été à la hauteur de mes attentes. Je suis très déçu.

Sur ces mots, il brandit le Taser. Vive comme l'éclair, Jai dégaina l'arme cachée sous sa veste. Mais sous le choc électrique, elle fut saisie de tremblements convulsifs et s'écroula pitoyablement. De son fauteuil, il lui envoya une deuxième décharge puis, avec un calme olympien, il pressa de nouveau le bouton sous l'accoudoir.

Carlyle reparut. Son regard se posa sur Jai, étendue sur le plancher, puis elle se tourna vers son patron, impassible.

– Qu'on la sorte d'ici et qu'on la mette hors d'état de nuire. Assurez-vous de ne pas lui laisser d'arme.

– Bien sûr, monsieur.

– Je raccompagne mes invités. Monsieur Archer, mademoiselle Emerson…

Les jambes flageolantes, Lila avait l'impression de marcher sur des sables mouvants.

– Autant que l'échange ait lieu dès ce soir, dit Vasin sur le ton de la conversation, tandis qu'ils descendaient le majestueux escalier. À 2 heures du matin, dans un endroit tranquille, qu'en pensez-vous ? Jai est maline. Plus vite l'affaire sera réglée, mieux ce sera.

– À 2 heures du matin, entendu. Mes représentants rencontreront les vôtres à Bryant Park.

– Je préférerais que vous procédiez en personne à l'échange. La tentation pourrait être grande pour un intermédiaire de filer avec le butin.

– Maddok a pour moi autant de valeur que l'œuf. L'amènerez-vous personnellement ?

– Elle ne m'est plus d'aucune utilité, à présent.

– L'œuf ne m'a jamais été d'aucune utilité. Il n'est qu'une monnaie d'échange, rien de plus. Dès que j'aurai ce que je veux, je compte oublier son existence, ainsi que la vôtre. Je vous conseille d'oublier la mienne, ainsi que celle des miens. L'échéance se rapproche, Vasin, ajouta Ash, jetant un coup d'œil à sa montre.

– À 2 heures du matin, Bryant Park. Mon représentant me contactera à 2 h 05. Si l'œuf ne lui a pas été remis, comme convenu, les choses se passeront très mal. Pour vous ou pour les vôtres.

– Amenez Maddok et l'affaire sera close.

Là-dessus, Ash prit Lila par le bras et se dirigea vers sa voiture. Un garde était posté devant. Il rendit son sac à Lila, lui ouvrit la portière passager et, sans un mot, la regarda s'installer sur le siège.

Osant à peine respirer, elle garda le silence jusqu'à ce qu'ils aient franchi le portail et se soient éloignés sur la route.

– Tu appelles Alexi ? Il faut… Tu peux t'arrêter deux minutes, s'il te plaît ? Je ne me sens pas bien.

Passé le mur d'enceinte, il se rangea sur le bas-côté. Titubante, Lila descendit de la voiture, se pencha en avant et ferma les yeux. D'un bras, il lui entoura les épaules.

– Détends-toi.

– Ça va aller, j'avais juste besoin d'air. Il est encore pire qu'elle. Je ne pensais pas que c'était possible, mais si. Ce type est un monstre.

Je n'aurais pas pu rester cinq minutes de plus dans cette pièce. J'ai cru que j'allais suffoquer.

Aux frissons dont elle était parcourue, à la pâleur de son visage, Ash voyait qu'elle ne jouait plus la comédie.

– Il aurait été capable de la tuer lui-même, devant nous, poursuivit-elle, s'il l'avait fallu pour que tu lui donnes l'œuf. Et il aurait ensuite claqué des doigts pour qu'une bonniche vienne nettoyer le parquet.

– Elle est le cadet de mes soucis.

– On ne serait jamais ressortis de là vivants si tu n'avais pas ce qu'il veut.

– On peut lui faire confiance. Il honorera le rendez-vous.

– Vivement qu'il soit emprisonné, en tout cas. Tu as vu sa tête quand tu lui as montré les photos ? On aurait dit que Dieu lui était apparu.

– Ces œufs sont sa religion.

Lila s'appuya contre Ash, ferma de nouveau les yeux.

– Il est complètement fou. Il croit ce qu'il dit, sur les Romanov, sur les liens du sang. Il est le tsar de son château, rempli d'objets d'art soigneusement alignés sous verre. Chacune de ses jolies petites boîtes signifie davantage pour lui que tous ces subalternes qui font ses quatre volontés. Quant aux œufs, ils lui sont plus précieux que la prunelle de ses yeux.

– Nous en aurons bientôt terminé, et il n'aura plus rien. Que ses yeux pour pleurer.

– Ce sera encore pire pour lui que la mort. Je suis contente. Je suis contente du sort qui l'attend. Quand il a enfilé ces gants ridicules, j'avais envie de m'approcher de lui et de lui éternuer à la figure, juste pour voir sa réaction. Mais j'ai eu peur qu'un gorille déboule pour m'abattre.

– Tu commences à te sentir mieux, on dirait.

– Beaucoup mieux.

– Bon, il faut que j'appelle Alexi, au cas où les Feds n'auraient pas eu la transmission.

– OK, je vérifie que les gardes n'ont pas mis un micro quelque part, ou un LoJack sur la voiture.

Elle trouva un minuscule mouchard dans la boîte à gants, le montra à Ash.

Sans un mot, il le jeta par terre et l'écrasa sous son talon.

– Oh, non ! Je voulais jouer avec !

– Je t'en achèterai un.

– Ce ne sera pas le même, marmonna-t-elle en fouillant dans son sac à la recherche d'un miroir.

Quand elle l'eut trouvé, elle s'accroupit à côté de la voiture et le glissa dessous.

– J'en étais sûre, il est là ! jubila-t-elle.

– Quoi donc ?

– Le traqueur. Un LoJack. Attends… J'avais dit à Julie que le blanc était salissant, pesta-t-elle en enlevant son cardigan pour le jeter dans la voiture. Tu as une couverture ? Ça me chagrinerait d'abîmer cette robe.

Fasciné, il lui donna le vieux drap de bain qu'il gardait dans le coffre. Elle l'étala sur le sol puis, armée de son fidèle outil multifonction, elle se faufila sous le châssis.

– Qu'est-ce que tu vas faire ?

– Le désactiver. Plus tard, je le démonterai pour l'autopsier. Ça m'a l'air d'un truc hyper sophistiqué.

– Tu ne veux pas faire la vidange pendant que tu y es ?

– Une autre fois. Voilà, c'est bon. Ils croiront qu'il a buggé. On n'est tout de même pas tombés de la dernière pluie.

Elle reparut, se redressa en position assise, leva les yeux vers Ash. Il la prit par la main, l'invita à se relever.

– Pas tombés de la dernière pluie, non, et j'ai la chance d'avoir une nana bricoleuse. Épouse-moi.

Elle éclata de rire, et fut à nouveau saisie de vertige en comprenant qu'il était sérieux.

– Ash, je…

Il l'embrassa tendrement.

– Réfléchis. Rentrons à la maison.

Il a dit ça sans réfléchir, se rassura Lila. *Franchement, qui aurait choisi un moment pareil ?*

Il avait dit ça parce que la pression commençait à se relâcher, parce qu'ils voyaient enfin la fin de ce cauchemar irréel.

Des agents secrets iraient au rendez-vous à Bryant Park. Ils conduiraient Jai Maddok et les représentants de Vasin en garde à vue. Fine et Waterstone, accompagnés d'une unité spéciale du FBI, arrêteraient Vasin, pour complots de meurtres et meurtres commandités.

Grâce à Lila et Ash, une organisation criminelle internationale avait été démantelée.

Ils avaient de quoi se sentir un peu déboussolés.

Incapable de se concentrer, Lila tournait en rond, alors qu'elle aurait dû relire son manuscrit, consulter sa page web, mettre son blog à jour.

Mais elle ne tenait pas en place. Ces dernières semaines avaient été trop mouvementées.

Elle avait été témoin d'un meurtre, elle avait rencontré Ash, elle avait mené l'enquête avec lui sur la piste d'objets d'art d'une valeur inestimable, elle était partie en Italie, elle en était revenue, elle avait contribué à tisser un piège autour d'un redoutable escroc qui se prenait pour le descendant des tsars de Russie…

Sans compter qu'elle avait terminé – presque terminé – son roman, posé pour un tableau, repeint des toilettes et vécu plusieurs nuits d'amour torrides…

Heureusement qu'elle aimait vivre à cent à l'heure.

Comment évoluerait la relation avec Ash quand leur existence reprendrait son cours normal ? Quand ils n'auraient plus qu'à travailler et mener tranquillement leur vie ?

Il interrompit ses réflexions en entrant dans la pièce. Il avait enlevé sa veste de costume et sa cravate, remonté les manches de sa chemise. Les cheveux en pétard et le regard perçant, il avait retrouvé son look d'artiste. Il était de nouveau celui qui suscitait en elle des désirs auxquels elle se croyait étrangère.

– Tout est en place, dit-il. Ils ont les mandats. La transmission n'était pas toujours très nette, mais ils ont enregistré l'essentiel.

– Le micro dans le soutien-gorge était digne de Q.

– Q ?

– Q, le major Boothroyd, qui invente les gadgets de James Bond.

– Ah, d'accord… Tu l'as toujours sur toi ?

– Non, je l'ai enlevé, mais j'espère qu'ils oublieront de me demander de le leur rendre. Le stylo a fait diversion, comme prévu, mais j'ai bien cru qu'on était cuits quand la femme m'a fouillée au corps.

– On aurait quand même eu Maddok. Il s'en serait débarrassé de toute façon.

Malgré tout le mépris que lui inspirait cette femme, Lila sentit son ventre se nouer.

– À partir du moment où Vasin a appris qu'elle prenait des initiatives sans lui en parler, son sort était scellé.

– Tu as bien fait d'ajouter qu'elle espérait garder l'œuf pour sa pomme.

– Grâce à nous, elle s'en tire plutôt bien. Vasin l'aurait tuée. Aussi abjecte qu'elle soit, elle ne méritait pas une fin aussi horrible.

– Elle a fait des choix, Lila. La police prendra nos dépositions demain. Même si Maddok ne balance pas Vasin, ils ont déjà suffisamment de chefs d'inculpation contre lui : Oliver, Vinnie, la copine d'Oliver. Fine m'a dit que Bastone avait témoigné.

– Super. Les Bastone sont des gens bien. Ils méritent justice, eux aussi.

– Alexi reste à la citadelle, ce soir. L'Ange avec un œuf dans un chariot sera convoyé au Met dans la journée de demain. Pour la déclaration publique, nous devons attendre le feu vert de la police, mais au moins l'œuf sera là où il doit être. En sécurité.

– Cette sombre histoire est terminée pour de bon.

– Presque, comme ton roman, répliqua Ash, ce qui la fit sourire. Ils nous ont recommandé d'éviter de laisser l'appartement vide, ce soir, où cas où Vasin continuerait à nous faire surveiller.

– Ça me semble plus prudent, en effet. De toute façon, je suis vannée.

– Nous verrons Luke et Julie demain, comme prévu. Ensuite, nous partirons, où tu voudras.

Il s'avança vers elle, lui prit les mains et la contempla amoureusement.

– Ash… Il faut que je te pose une question. Pourquoi tu m'as demandé ce que tu m'as demandé tout à l'heure ? On venait de passer une heure à jouer un rôle, et j'étais tellement stressée que j'ai bien cru que j'allais vomir dans ta voiture. Je commençais juste à me sentir mieux, et toi, tu ne trouves pas de meilleur moment pour aborder un sujet sans aucun caractère d'urgence…

– C'était le moment ou jamais.

– Ash, on se connaît depuis à peine deux mois et tu me parles de…

– Vas-y, tu peux prononcer le mot, il ne te brûlera pas la langue.

– Je ne sais pas comment nous en sommes arrivés là. Je suis pourtant douée pour comprendre comment les choses marchent, mais là je ne vois pas. C'est du délire.

– L'amour n'est pas un grille-pain en panne. Tu ne peux pas le démonter, examiner les pièces, en changer une et le remonter. Les sentiments n'ont pas de mode d'emploi.

– Et si jamais…

– Tu t'es couchée sous la voiture dans ta robe bleue. Tu m'as offert du réconfort quand j'en avais besoin. Tu as envoyé mon père sur les roses quand il s'est montré odieux avec toi.

– Je ne l'ai pas vraiment…

– Tu l'as remis à sa place et tu as eu raison. Tu répares les placards, tu repeins les toilettes, tu demandes au portier si sa famille va bien et tu souris à tout le monde. Quand je te touche, le reste du monde s'évanouit. Quand je te regarde, je vois le reste de ma vie. Je t'épouserai, Lila. Je te laisse juste le temps de te faire à l'idée.

Décidément, il avait le chic pour la hérisser… Après cette belle déclaration d'amour, pourquoi fallait-il qu'il la prenne à rebrousse-poil ?

– Ça ne marche pas comme ça, Ash, riposta-t-elle sèchement. Tu ne peux pas me dire : « Je t'épouserai » comme tu me dirais : « Je vais acheter le repas chez le traiteur chinois. » Peut-être que je n'ai pas envie de manger chinois. Peut-être que je suis allergique à la cuisine chinoise. Peut-être que je déteste les nems.

– Dans ce cas, je prendrai des nouilles sautées. Viens avec moi, dit-il en essayant de l'entraîner hors de la pièce.

– Je n'ai pas fini.

– Moi, si. J'ai terminé le tableau. Je voudrais te le montrer.

Elle cessa de se débattre.

– Tu as fini le tableau ? Tu ne me l'avais pas dit.

– Je te le dis maintenant. Tu ne veux pas le voir ?

– J'en meurs d'envie, mais tu m'as interdit d'entrer dans ton atelier. Comment as-tu fait pour le terminer, alors que je n'ai pas posé depuis des jours ? Comment…

Sur le seuil de l'atelier, elle se figea, bouche bée.

Au centre de la longue rangée de fenêtres, les rayons du soleil couchant se déversaient sur la toile achevée.

30

Elle s'approcha lentement du chevalet. Elle savait que l'art était subjectif, qu'il exprimait la vision de l'artiste, laquelle se reflétait différemment dans l'œil de chacun.

Au contact de Julie, elle avait appris à reconnaître et apprécier la technique, l'équilibre des formes ou l'irrespect volontaire des canons esthétiques.

Mais toutes ces considérations furent balayées par l'émotion, la surprise.

Elle ne savait pas comment il avait pu rendre la nuit aussi lumineuse, par quel procédé sa lune répandait une telle clarté dans le ciel noir. Comment il s'y était pris pour que le feu semble crépiter, que l'on sente presque la chaleur qu'il dégageait.

Elle ne comprenait pas comment il pouvait la voir ainsi, aussi belle, aussi rayonnante, tournoyant dans la robe rouge, les volants multicolores caressant sa cheville dénudée.

Elle entendait presque les bracelets tinter à ses poignets. Les créoles jetaient des éclairs dorés à travers ses cheveux déployés. Elle ne portait pas les colliers avec lesquels il l'avait fait poser, mais la pierre de lune qu'il lui avait offerte et qu'elle ne quittait plus.

Juste au-dessus de ses mains levées vers le ciel, flottait une boule de cristal, pleine d'ombres et de lumière. Le futur. Elle tenait l'avenir entre ses mains.

– Il… Elle est vivante. On dirait que je vais continuer de tourbillonner. C'est magnifique, Ashton. J'en ai le souffle coupé.

– C'est toi qui es magnifique. Je peins ce que je vois. C'est comme ça que tu m'es apparue dès le premier regard. Et toi, que vois-tu ?

– De la joie, de la sensualité… La liberté, la force. Elle est heureuse, confiante. Elle sait qui elle est, ce qu'elle veut. Dans sa boule de cristal, je vois tous les possibles.

– Que veut-elle ?

– C'est ton tableau, Ash.

– C'est toi, ton visage, tes yeux, tes lèvres. La gitane n'est qu'une mise en scène, une histoire, un costume. Elle danse autour du feu, les hommes la regardent, la désirent. Ils désirent cette joie, cette beauté, cette force, ne serait-ce que pour une nuit. Mais elle, elle ne les regarde pas. Elle se donne en spectacle, mais elle ne les voit pas. Elle ne regarde pas non plus la boule de cristal, elle la porte à bout de bras.

– Parce que la force n'est pas dans le savoir. Elle est dans le choix.

– Elle regarde un seul homme, son choix est fait. Ton amour illumine ton visage, Lila. Il se lit dans tes yeux, dans la courbe de tes lèvres. L'amour, la joie, la force et la liberté qui en découlent. J'ai vu cela sur ton visage, pour moi.

Il la prit par les épaules, la fit pivoter face à lui.

– Je connais les toquades, les aventures strictement charnelles, les liaisons intéressées. J'ai vu tout cela dans la vie de mes parents. Et je connais l'amour. Crois-tu que je le laisserais m'échapper, que je te laisserais te réfugier derrière des faux-fuyants parce que tu as peur des « si jamais » ?

– Je ne sais pas comment interpréter les sentiments que j'éprouve pour toi.

– C'est pourtant simple.

Il la souleva, lui fit quitter le sol et lui donna un long baiser brûlant, digne d'une nuit au clair de lune autour d'un feu de camp, parcourant des mains ses hanches, son buste, ses épaules. Puis il s'écarta d'elle.

– Tu es douée pour trouver comment les choses marchent.

– L'amour n'est pas un grille-pain.

– Je t'aime, dit-il en souriant. Si tu avais une douzaine de frères et sœurs, tu aurais moins de mal à le dire. Mais c'est de nous qu'il s'agit. Et là, c'est toi, dit-il en orientant le visage de Lila vers la toile. Tu verras, c'est très simple. Je vais aller acheter le dîner, conclut-il en lui embrassant le dessus du crâne. Je mangerais bien chinois, ce soir.

Par-dessus son épaule, elle lui lança un regard noir.

– Ah oui ?

– Oui. Je passerai à la boulangerie dire bonjour à Luke. Je te rapporterai un cupcake.

Comme elle ne disait rien, il exerça une pression sur ses épaules.

– Tu veux venir avec moi, faire un tour, prendre l'air ?

– J'aimerais bien, mais je dois réfléchir à certaines choses. Et il faudrait peut-être que je travaille un peu.

– Comme tu voudras, acquiesça-t-il en se dirigeant vers la porte. J'ai dit à Fine de nous passer un coup de fil, à n'importe quelle heure, quand ils les auront tous les deux en garde à vue. Comme ça, tu pourras dormir sur tes deux oreilles.

Il me connaît, pensa-t-elle. Et pour cela, elle lui devait la gratitude.

– Quand elle aura appelé, prépare-toi à être chevauché comme un étalon sauvage.

– Le programme me plaît. Je reviens sans tarder, d'ici une heure au maximum.

Du seuil de l'atelier, elle le regarda descendre au rez-de-chaussée. Il prendrait ses clés, son téléphone, vérifierait que sa carte de crédit était bien dans son portefeuille. Puis il irait d'abord à la boulangerie, mettre Luke au courant des derniers événements. Il téléphonerait au traiteur, afin que sa commande soit prête quand il arriverait. Néanmoins, il prendrait le temps de bavarder quelques minutes avec les propriétaires, avec le livreur s'il était là.

Elle retourna contempler le tableau. Son visage, ses yeux, ses lèvres. Un visage beaucoup plus éclatant que lorsqu'elle se regardait dans le miroir.

N'était-ce pas formidable qu'il la voie ainsi ?

Elle comprenait à présent pourquoi il avait attendu pour peindre ses traits. Il avait besoin de lui voir cette expression. Et il l'avait vue. Il peignait ce qu'il voyait.

Elle jeta un coup d'œil vers un autre chevalet et, surprise, s'en approcha. Il y avait punaisé des dizaines de croquis, qui tous la représentaient.

La fée dans la clairière, endormie, éveillée ; la déesse au bord de l'eau, portant un diadème et une robe blanche vaporeuse. Elle chevauchant une monture ailée, au-dessus des toits d'une ville – Florence, réalisa-t-elle –, les jambes nues, un bras levé vers le ciel. Et sur sa paume ouverte, une boule de feu incandescente.

Il lui donnait la force, le courage, la beauté. Il plaçait l'avenir entre ses mains.

Elle rit en découvrant plusieurs dessins la représentant à son ordinateur, l'air concentré, les cheveux en bataille – et le corps à demi métamorphosé en celui d'une louve.

« Il faudra qu'il me donne un de ceux-là. »

Elle aurait aimé savoir dessiner pour pouvoir le représenter comme elle le voyait, lui offrir ce cadeau. Inspirée, elle descendit au niveau inférieur, dans la petite chambre d'amis où elle avait installé son ordinateur. Elle ne savait peut-être pas dessiner, mais elle savait peindre des tableaux avec les mots.

Un chevalier, décida-t-elle. Une armure pas trop reluisante, parce qu'il l'utilisait. Pas terne non plus, parce qu'il l'entretenait. Grand, fier, valeureux, farouche.

Une histoire courte, un petit conte drôle et romantique. Qui se déroulerait dans le monde imaginaire de Korweny – l'anagramme l'amuserait. Un univers où les dragons volaient et où les loups couraient en liberté. Lui, le prince guerrier, défendait son château, et surtout sa famille. Il donnait son cœur à une gitane qui chevauchait à ses côtés et parlait le langage des loups. Un tyran convoitait un œuf de dragon possédant des pouvoirs surnaturels. Avec la complicité d'une sorcière, il tentait d'usurper le trône.

Impeccable ! Elle tenait le fil conducteur.

Après avoir noirci quelques pages, elle revint en arrière, inséra quelques notes dans le fichier, des pistes pour de nouvelles ouvertures. Mieux qu'un petit conte, elle avait matière à composer une nouvelle. En vingt minutes, elle avait brossé le portrait des personnages, tramé une intrigue.

– Encore une heure, et j'attaque un roman… D'ailleurs, eh, pourquoi pas ?

Juste quelques pages, se promit-elle. Elle devait relire son manuscrit. Juste quelques pages, vite fait, pour le plaisir.

Elle se mit à l'œuvre, imagina une bataille – le cliquetis des épées, les haches de combat, les brumes matinales montant d'un sol inondé de sang.

Elle sourit en entendant la porte s'ouvrir.

– Tu es déjà là ? Je…

En haut de l'escalier, elle se figea net en voyant Jai repousser la porte derrière elle.

Le côté droit de son beau visage exotique n'était plus qu'une énorme ecchymose violacée. La manche de son chemisier noir était à moitié arrachée.

– Tu vas crever, salope ! proféra-t-elle, les dents serrées, en dégainant un revolver de l'arrière de sa ceinture.

Lila se rua dans la chambre, une balle percuta le mur à quelques centimètres de la porte, juste au moment où elle la claquait.

Appelle la police ! s'ordonna-t-elle en tournant fébrilement le verrou, puis elle se rappela qu'elle avait laissé son téléphone à côté de l'ordinateur, dans l'autre pièce.

Impossible d'appeler à l'aide. Elle se précipita à la fenêtre, perdit du temps à essayer de l'ouvrir avant de se souvenir qu'elle était condamnée. Un coup de pied ébranla la porte.

Une arme, il lui fallait une arme.

Elle renversa son sac sur le plancher, éparpilla le contenu. Sous les coups, la porte commençait à céder.

Vite, vite, vite !

Elle s'empara d'une bombe lacrymogène, envoyée l'an passé par sa mère, jamais utilisée. Pria pour qu'elle fonctionne. Son Leatherman dans l'autre main, elle se plaqua contre le mur près de la porte.

Le battant céda, une rafale de balles siffla dans la chambre et Jai s'y engouffra. Ravalant un cri, Lila visa les yeux. Maddok poussa un hurlement. Le Leatherman serré au creux du poing, Lila lui envoya un puissant coup dans l'épaule, la repoussa de toutes ses forces et fonça dans le couloir.

Tirant à l'aveuglette, l'Asiatique s'élança à sa poursuite. Lila risqua un œil derrière elle, esquiva une balle. Maddok bondit sur elle. Elles roulèrent pêle-mêle dans l'escalier.

Le goût du sang dans la bouche, la nausée au bord des lèvres, Lila tenta de se débattre. Une douleur lancinante lui cognait dans le crâne, elle ne sentait plus son épaule ni sa hanche. Maddok la saisit par les épaules et la tira en arrière. Rassemblant ses forces, Lila ramena ses genoux contre sa poitrine et propulsa ses deux pieds dans la poitrine de son adversaire. Un coup de poing lui décrocha la mâchoire.

Jai l'immobilisa et la saisit à la gorge.

– Tu sais combien j'ai déjà fait de morts ? cracha-t-elle, le visage tuméfié, ensanglanté, les yeux injectés de sang, serrant le cou de Lila d'une poigne de fer. Tu n'es rien, tu n'es que ma prochaine victime. Et quand ton mec reviendra, *biao zi*, je l'égorgerai et je le regarderai se vider de son sang. Tu n'es rien, et bientôt tu seras encore moins que rien.

Un voile rouge brouilla la vue de Lila. Privée d'air, elle eut une vision d'Ash à son chevalet, le vit manger des gaufres, boire un café en riant.

Elle se vit voyager avec lui, se lover chaque soir sous la couette avec lui, vivre sa vie avec lui.

L'avenir entre ses mains.

Ash. Maddok allait tuer Ash.

Mue par une décharge d'adrénaline, Lila rua. L'étau autour de sa gorge ne fit que se resserrer. Les lèvres de Jai se retroussèrent sur un sourire diabolique.

Le poids au creux de sa main, se dit Lila. Elle n'avait pas lâché le Leatherman. D'une main, tant bien que mal, elle essaya de l'ouvrir.

– Le… L'œuf, articula-t-elle.

– Je me fiche royalement de ce putain d'œuf.

– Il… là… L'œuf… i…ci.

L'étau se desserra quelque peu.

– Où ?

Lila avala une bouffée d'air qui lui déchira la gorge.

– Si vous me lâchez, je vous le donne. Par pitié.

– Dis-moi où il est.

– Je vous en supplie.

– Dis-moi où il est, ou tu es morte.

– Dans…

Elle s'étouffa dans une quinte de toux qui lui arracha des larmes.

– Où. Est. Ce. Putain. D'œuf ? martela Jai en lui assénant une gifle entre chaque mot.

– Dans le… ahana Lila, la voix rauque, à bout de souffle.

Maddok approcha son visage à quelques centimètres du sien. Mentalement, Lila hurla, mais seul un râle s'échappa de sa gorge lorsqu'elle plongea la lame dans la joue de Jai ; celle-ci eut un mouvement de recul. Lila lui décocha une ruade, assortie d'un nouveau coup de couteau. L'Asiatique lui tordit les poignets et s'empara de son arme.

– Tu m'as défigurée ! Je vais te réduire en charpie !

À bout de forces, vaincue, Lila se prépara à mourir.

Ash revenait tranquillement avec un sac de chez le traiteur chinois, une petite boîte de gâteaux et un bouquet de gerberas multicolores.

Il imaginait Lila sourire en arrangeant les fleurs dans un vase.

Il s'imaginait débouchant une bouteille de vin, qu'ils dégusteraient en partageant le repas. Puis ils feraient l'amour, en attendant cet appel qui sonnerait définitivement le glas de leurs tracas.

La vie pourrait alors enfin reprendre son cours normal.

Il repensa à la réaction de Lila lorsqu'il lui avait demandé sa main sur le bord de la route. Il n'avait pas l'intention de lui proposer le mariage à ce moment-là, bien sûr. Les mots lui étaient venus spontanément.

Ils partageaient quelque chose de rare, il s'en était rendu compte durant l'entrevue avec Vasin. Une complicité totale s'était nouée entre eux.

Il avait confiance en l'avenir. Et il saurait donner confiance à Lila.

Ils partiraient où elle voudrait, quand elle voudrait, chaque fois qu'elle le voudrait. Le loft constituerait leur base jusqu'à ce qu'elle soit prête à poser ses valises.

Un jour, elle éprouverait le besoin de se stabiliser, il en était persuadé. Tôt ou tard, elle finirait par croire en eux.

Il n'était pas pressé, ils avaient tout leur temps.

En sortant ses clés de sa poche, il remarqua que les voyants lumineux de l'alarme et de la caméra étaient éteints. N'étaient-ils pas allumés lorsqu'il était parti ? Avait-il regardé ?

Un frisson le parcourut : les serrures avaient été forcées.

Il avait déjà lâché sacs et bouquet lorsqu'il entendit un hurlement.

Il enfonça la porte, elle résista. Prenant quelques pas de recul, il s'élança furieusement contre le battant.

Qui s'ouvrit sur son pire cauchemar : Lila inerte, le regard vitreux, du sang partout, Maddok au-dessus d'elle, prête à la frapper d'un couteau.

Son sang ne fit qu'un tour. Aveuglé par la rage, il plongea sur l'Asiatique qui se redressa d'un bond et lui lacéra le bras. Il l'empoigna à bras-le-corps et la projeta de l'autre côté de la pièce. Elle s'écroula sur une table en merisier qu'il tenait de sa grand-mère.

Il se plaça en rempart devant Lila, n'osant pas la regarder, ne sachant pas si elle était encore en vie.

Au milieu des débris de la table, Maddok tentait avec peine de se relever. Du sang ruisselait de sa joue et de son nez. Des larmes coulaient de ses yeux enflés et rougis.

Ash se rua sur elle, mais elle parvint à esquiver. Il para de justesse un nouveau coup de couteau et lui saisit le poignet. Elle essaya de lui faire un croche-pied. Il lui attrapa la jambe, elle s'effondra face contre terre.

Sur ces entrefaites, Lila se redressa en titubant et s'empara d'une lampe.

– Va t'en ! lui cria-t-il.

La lampe à bout de bras, l'air féroce, elle s'avança vers Maddok qui tentait désespérément de se libérer du pied qu'Ash maintenait sur son dos. Il la saisit par les cheveux, planta son regard dans le sien et, pour la première fois de sa vie, il abattit son poing sur le visage d'une femme.

À deux reprises.

L'Asiatique lâcha le couteau, sa tête retomba mollement sur le plancher. D'une main, Ash ramassa le couteau tout en tendant l'autre bras vers Lila afin de l'empêcher d'approcher.

– Elle est morte ? Elle est morte ?

– Non. Tu es blessée ? Montre-moi !

– Je ne sais pas. Tu saignes ! Elle t'a touché au bras !

– Ce n'est rien. Il faut appeler la police. Va dans la cuisine. Dans le placard de droite, tiroir du haut, tu trouveras de la corde.

– De la corde, oui ! Il faut l'attacher !

– Ça va ? Tu peux aller dans la cuisine chercher de la corde ?

– Oui, oui, ça va, le rassura-t-elle en lui tendant la lampe. J'ai arraché la prise, je la réparerai. OK, je vais chercher de la corde. Et la trousse à pharmacie. Tu saignes beaucoup.

Il savait qu'il n'avait pas vraiment le temps, mais il ne put s'en empêcher : il posa la lampe et prit Lila dans ses bras, avec une douceur infinie.

– Je t'ai crue morte.

– J'ai bien cru moi aussi que notre heure était venue, murmura-t-elle en lui caressant le visage, comme pour en mémoriser la forme. Mais nous sommes toujours en vie. Nous sommes là, nous sommes vivants. Il ne faut pas qu'elle reprenne connaissance. Frappe-la si elle revient à elle. Je vais chercher la corde.

D'une main tremblante, il sortit son téléphone et composa le numéro de la police.

Les heures qui suivirent leur semblèrent durer des jours. Lila n'en voyait pas le bout. Un défilé ininterrompu : ambulanciers, policiers, Fine et Waterstone, agents fédéraux. Puis un médecin qui lui braqua des faisceaux lumineux dans les yeux, l'ausculta, la manipula dans tous les sens, lui demanda qui était le président. Bien que sonnée, elle était intriguée par cette consultation d'urgence à domicile.

– Quel genre de médecin êtes-vous ?

– Généraliste.

– Mais comment se fait-il que vous vous soyez déplacé pour un cas que l'on aurait d'habitude envoyé à l'hôpital ?

– Je suis un ami d'Ash.

– Il a reçu un coup de couteau. Je suis juste tombée dans l'escalier.

– Vous avez de la chance de n'avoir rien de cassé. Vous devez avoir la gorge en feu, non ?

– J'ai l'impression d'avoir avalé du verre pilé. Ash doit aller à l'hôpital pour la blessure qu'il a au bras. Il a perdu beaucoup de sang.

– Je peux le recoudre moi-même.

– Ici ?

– C'est mon métier. Vous vous rappelez mon nom ?

– Jud.

– Bien. Vous n'avez qu'une légère commotion et quelques ecchymoses. Mais il vaudrait peut-être mieux que vous passiez la nuit à l'hôpital, en observation.

– Je préférerais me contenter d'une douche. Je peux prendre une douche ? J'ai besoin de me laver.

– Pas seule.

– Croyez-moi, je n'ai pas du tout envie d'une douche coquine, pour l'instant.

En riant, il lui tapota la main.

– Votre amie Julie est là. Ça vous dérangerait qu'elle vous aide ?

– Sa présence me fera le plus grand bien.

– Je descends la chercher. Ne bougez pas, OK ? Les salles de bains sont des champs de mine.

– Vous êtes un ami proche ? Je… Oh, je me souviens, maintenant. Je vous ai vu aux funérailles d'Oliver. Docteur Judson Donnelly. Le médecin privé de la famille. Comme à la télé.

– Voilà qui est bon signe, votre cerveau n'est pas trop embrouillé. Je vous laisserai une ordonnance, et je passerai demain vous réexaminer tous les deux. Reposez-vous, appliquez des compresses froides sur vos hématomes… et évitez les douches coquines pendant au moins vingt-quatre heures.

– Entendu.

Il referma sa sacoche, puis se leva et se tourna vers Lila avant de prendre congé :

– Ash dit que vous êtes une femme formidable. Il a raison.

Les yeux de Lila s'emplirent de larmes, mais elle les refoula. Si elle commençait à pleurer, elle craignait de ne plus pouvoir s'arrêter.

Elle convoqua donc un semblant de sourire lorsque Julie se précipita dans la chambre.

– Oh, Lila !

– Je ne suis pas très belle à voir, et c'est encore pire sous ce qui reste de ma robe. Heureusement, Jud m'a donné des comprimés très efficaces : je me sens beaucoup mieux que je n'en ai l'air. Comment va Ash ?

Julie s'assit au bord du lit et lui prit la main.

– Il parlait avec les techniciens de la police judiciaire, mais le médecin l'a pris à part pour le soigner. Luke est avec lui.

– Très bien. Luke est fantastique en situation de crise. J'ai beaucoup d'estime et de sympathie pour Luke.

– Tu nous as fait une de ces frayeurs !

– Je peux te dire que j'ai eu moi aussi la peur de ma vie. Tu veux bien rester à côté de moi dans la salle de bains pendant que je prends une douche ? Il faut que… Je dois…

Soudain privée de voix par une sensation d'oppression, Lila dut s'interrompre.

Des mains lui serrant la gorge, de plus en plus fort…

– Elle m'a bousillé ma robe, parvint-elle à bredouiller. C'était une Prada.

Et elle éclata en sanglots.

– Ce n'est pas grave, ma chérie, murmura Julie en la prenant dans ses bras pour la bercer comme un bébé.

Après la douche, et sous l'effet des antalgiques, Lila accepta sans protester de s'allonger. Quand elle rouvrit les yeux, la lumière était au minimum, et sa tête reposait au creux de l'épaule d'Ash.

Elle se redressa en position assise… et ses contusions la réveillèrent complètement.

– Ash…

– Je suis là. Tu veux un autre cachet ?

– Oui. Non. Oui. Quelle heure est-il ? Minuit ! Comment va ton bras ?

– Ça va.

Malgré les douleurs dont elle était percluse, elle roula sur le côté et alluma la lampe de chevet. Il avait le bras bandé de l'épaule jusqu'au coude.

– Ça va, lui assura-t-il devant son regard paniqué.

– Ne me dis pas que ce n'est qu'une égratignure.

– C'était un peu plus profond, mais Jud prétend coudre mieux qu'une nonne bretonne. Je vais te chercher un comprimé, et tu continueras à te reposer.

– Je descends avec toi, décréta-t-elle. Je veux voir… Mon Dieu ! tu as l'air tellement fatigué, dit-elle en le regardant dans ses yeux exténués. Je descends avec toi, je veux voir par moi-même que tout est rentré dans l'ordre.

– OK.

Elle grimaça en descendant du lit.

– Aïe… J'ai toujours pensé que l'expression « être passé sous un rouleau compresseur » était un pur cliché. Je comprends mieux, maintenant. Crois-moi, je ne serai pas timide avec les drogues. Je vais juste jeter un œil en bas, histoire d'avoir l'esprit en paix, après on prendra des drogues et on comatera tous les deux.

– D'accord. Julie et Luke passent la nuit ici, dit-il tandis qu'ils se dirigeaient vers l'escalier en se soutenant mutuellement. Ils sont dans la chambre d'amis.

– Les bons amis sont plus précieux que des diamants. J'ai pleuré comme une Madeleine, tout à l'heure, dans les bras de Julie. Je te préviens, il n'est pas exclu que ça me reprenne, mais pour l'instant ça va.

Lila s'arrêta en haut de l'escalier, regarda en bas.

Tout avait été nettoyé. La table cassée sur laquelle Maddok s'était écroulée, les débris de verre et de poterie, le sang… tout avait disparu.

– Elle avait un revolver…

– Tu l'as dit à la police, ils l'ont emporté.

– Je ne me souviens pas très bien de ce que je leur ai raconté. Il me semble que Waterstone me tenait la main. Il me tenait vraiment la main ?

– Oui.

– Ils ont emporté le revolver, tu es sûr ?

– Oui. Il était vide. Elle avait tiré toutes ses balles.

Main dans la main, ils descendirent au rez-de-chaussée.

– Les gardes de Vasin l'avaient sous-estimée, poursuivit Ash. Elle en a abattu deux et elle s'est échappée en leur piquant un flingue et une bagnole.

– Elle était déjà blessée en arrivant là, par chance pour moi. Nouille que je suis, je n'avais pas pensé à fermer les verrous.

– Nous avons été imprudents. Je ne sais même pas si j'avais activé l'alarme en sortant. Dans tous les cas, je n'aurais jamais dû te laisser seule.

Lila s'immobilisa et prit son visage dans ses mains.

– Nous n'allons pas nous autoflageller, ça ne sert à rien.

Il posa son front contre le sien.

– Une bombe lacrymogène et un Leatherman… Tu m'épateras toujours.

– Elle a commis une grossière erreur. Si elle n'était pas venue ici, elle serait toujours libre.

– Son orgueil lui a coûté cher. Fine et Waterstone sont revenus pendant que tu dormais. Maddok ne verra plus jamais la lumière du jour qu'à travers les barreaux. Elle a balancé tout ce qu'elle savait sur Vasin. Il a été arrêté.

– Nous allons enfin retrouver la tranquillité, soupira Lila, luttant de toutes ses forces contre les larmes. Je voulais te dire… Tu sais, ce truc auquel tu m'avais demandé de réfléchir… Ça y est, j'ai réfléchi, déclara-t-elle d'une voix tremblante. Tu m'as sauvé la vie, aujourd'hui.

– S'il suffisait de si peu pour que tu acceptes de m'épouser, il fallait le dire plus tôt.

Elle secoua la tête.

– Maddok a essayé de m'étrangler, et j'ai cru que j'allais mourir. On dit qu'on voit sa vie passée défiler devant ses yeux… Moi, non… J'ai vu des images de toi, de nous, de l'avenir. Et j'ai pensé que je ne vivrais jamais ce futur que tu as peint dans la boule de cristal. J'étais sur le point de capituler… quand elle a dit qu'elle te tuerait. Alors j'ai rassemblé mes dernières forces et… heureusement que j'avais mon fidèle Leatherman. Je t'aime, Ash.

Avant qu'il ait pu prononcer un seul mot, elle lui imposa le silence en levant une main. Maintenant qu'elle avait commencé, elle devait aller jusqu'au bout.

– Je ne pouvais pas imaginer le monde sans toi, poursuivit-elle. Ce n'était pas possible… Elle n'avait pas le droit de te tuer, elle n'avait pas le droit de nous priver de notre avenir. Je ne sais pas comment t'expliquer… Tout s'est passé si vite, et tout est encore tellement confus dans mon esprit… Je croyais que j'allais mourir et je ne pouvais penser qu'à une chose : que je ne t'avais jamais dit « Je t'aime ». Je m'en voulais terriblement… Et là, mon chevalier en armure ni trop brillante ni trop terne est arrivé et m'a sauvé la vie. Bien sûr, j'avais déjà desserré le couvercle.

– Hein ?

– Comme quand tu essaies d'ouvrir un bocal, et que tu le donnes à quelqu'un d'autre pour qu'il essaie et qu'il y arrive tout de suite… Avoue qu'elle était déjà bien affaiblie quand tu es arrivé.

– Elle maudissait ton nom quand les flics l'ont emmenée.

– C'est vrai ? Voilà qui illumine ma journée, déclara Lila avec un sourire sardonique.

– À toi, maintenant, d'illuminer ma journée. Veux-tu m'épouser ?

L'avenir entre mes mains, pensa-t-elle. Elle n'avait pas besoin d'interroger la boule de cristal. Elle était confiante, à présent.

– Sous certaines conditions, répondit-elle. J'aimerai toujours voyager, mais je crois qu'il est temps que je pose mes valises. Avant que le futur ait défilé devant mes yeux, cela me faisait peur… Mais je veux désormais une maison. Je veux fonder un foyer avec toi, Ash. Je crois que je saurai nous faire un nid douillet. J'honorerai les derniers contrats de *house-sitting* que j'ai déjà signés, mais après je veux me concentrer sur l'écriture. J'ai une nouvelle histoire à raconter.

Une nouvelle histoire, se dit-elle, *que je veux vivre*.

– Je garderai peut-être encore des apparts de temps en temps, pour des bons clients ou pour rendre service, mais je n'ai pas envie de passer le reste de ma vie chez les autres. J'ai envie d'un chez-moi. D'un chez-nous. (Elle prit une profonde inspiration.) Ensuite, je veux qu'on aille en Alaska, pour que je te présente à mes parents. Tu seras le premier que je leur présente… Et enfin, je veux… Non, je ne veux pas pleurer, bégaya-t-elle en s'essuyant les yeux. Je veux un chien.

– Quel genre de chien ?

– N'importe. J'ai toujours voulu un chien, et je n'ai jamais pu en avoir un parce que nous déménagions tout le temps. J'en ai assez d'être une gitane. Je veux une maison, des enfants, un chien, et toi. Je t'aime tellement, Ash. Alors, tu veux toujours m'épouser, sachant ce qui t'attend ?

– Il faut que je réfléchisse, répondit-il en riant, et il la serra si fort entre ses bras qu'elle poussa un petit gémissement. Excuse-moi, dit-il en relâchant son étreinte. Bien sûr que je veux toujours t'épouser ! Je signe les yeux fermés !

– Merci, mon Dieu ! s'exclama-t-elle en lui déposant un baiser sur les lèvres. Je t'aime, Ash, je t'aime, je t'aime ! Maintenant que je sais combien c'est génial de le dire, je te le dirai souvent. On se mariera au printemps. Nous devons d'abord marier Luke et Julie. Je t'aime, je t'aime, je t'aime ! chantonna-t-elle en lui caressant les cheveux, puis en posant la tête sur son épaule. Comment puis-je avoir mal partout et en même temps me sentir aussi bien ? dit-elle en l'embrassant dans le cou.

– Prenons ces drogues et ton bonheur sera complet.

– Tu lis dans mon esprit.

En se tenant par la taille, ils remontèrent à l'étage.

– Oh, j'allais oublier… Il y a encore autre chose que je veux : repeindre la salle de bains du premier. J'ai une idée que j'aimerais bien tester.

– On en discutera.

Bien sûr qu'ils discuteraient, pensa-t-elle. Ils discuteraient de plein de choses. Ils avaient désormais la vie devant eux.

Composition : **Compo Méca Publishing**
64990 Mouguerre

Québec, Canada

Imprimé au Canada
Dépôt légal : mai 2015
ISBN : 978-2-7499-2424-3
LAF 1937